한국
토종약용식물
도감

초본류

한국토종약용식물도감—초본류

2012년 6월 5일 초판 1쇄 인쇄
2012년 6월 15일 초판 1쇄 발행

공저자 | 정진해 · 권영숙 · 김경은
펴낸이 | 권혁재

펴 낸 곳 | 학연문화사
주   소 | 서울시 금천구 가산동 371-28 우림라이온스밸리 B동 712호
전   화 | 02-2026-0541~4
팩   스 | 02-2026-0547
이 메 일 | hak7891@chol.com
홈페이지 | www.hakyoun.co.kr
출판등록 | 1988년 2월 26일 제2-501호

ISBN 978-89-5508-276-0 04480
ISBN 978-89-5508-275-3 (전2권)

잘못된 책을 바꿔드립니다.

| 커버 · 본문 디자인 – 이목디자인

한국 토종약용식물 도감

정진해 · 권영숙 · 김경은

공저

학연문화사

일러두기

1. 이 책에는 약용식물 중 초본종 · 목본종 · 총종을 수록하였으며, 각 식물의 생생한 현장 사진과 건재약재 사진도 함께 수록하였다.
2. 이 책에 수록된 식물은 현재 우리나라의 들과 산 · 습지 · 수중에서 자라는 토종식물과 일부 귀화식물도 포함하였다.
3. 건재약재 사진은 현재 한방에서 주로 사용되고 있는 건약재를 선정하여 자료가 되게 수록하였다.
4. 식물의 분류는 초본식물과 목본식물로 나누었고, 각각 가나다 순으로 배열하였다.
5. 한국식물명은 산림청 국립수목원과 한국식물분류학회가 공동으로 운영하는 「국가표준식물목록」의 최근 자료를 따랐으며, 일부는 필자의 견해를 적용한 것도 있다.
6. 생약명은 『중약대사전』에 기재된 공식명칭과 『국가표준식물목록』에 기재된 명칭을 인용하였다.
7. 식물용어의 이해를 돕기 위해 부록에 뿌리 · 줄기 · 가시 · 잎 · 꽃 · 열매 · 종자의 도해를 실었다.
8. 이 책을 출판하기 위해 『원색한국식물도감』(이용노. 교학사, 1996). 『中藥大辭』(강소신의학원편. 상해과학기술출판사, 1977), 『대방약학편』(황도연. 행림출판사, 1977), 『한국의 약용식물』(배기환, 교학사, 2005), 『국가생물종지식정보시스템』(국립수목원 홈페이지) 등을 참고하였다.

책머리에

　21세기 첨단과학의 위세가 하늘을 찌를 듯하지만, 결코 우리의 삶은 밝지 않은 것 같습니다. 자연 생태계가 급격히 허물어지고 있기 때문이지요.

　필자의 어린 시절 놀이터는 인근에 있는 어달리봉수대 터였습니다. 동해시 대진동에 있는 이 봉수대(200미터)에 오르면 검푸른 동해가 한눈에 잡히지요. 동네 개구쟁이들은 그곳에 널린 큼직한 돌멩이를 들어 낭떠러지 아래로 던지는 놀이를 했지요. 그 돌멩이가 소중한 문화재인 줄 전혀 몰랐던 것이죠.

　이 잔상(殘像) 탓인지 필자는 오래 전부터 전국에 산재한 옛 봉수대 터와 산성 터를 찾아다녔지요. 그때마다 반갑게 맞이해주는 것은 나무와 풀, 예쁘게 핀 꽃들이었지요. 아무 말 없이 그것들은 늘 그 자리에서 피고 지며 필자를 한결같이 반겨주었습니다. 이 무렵부터 본격적인 생태기행은 시작되었고, 식물에 대한 탐닉활동도 병행되었지요.

　예부터 우리는 자연 속에서 건강하고 행복하게 사는 방법과 지혜를 찾아 왔습니다. 지난 30여 년 남짓 나름대로 식물이 가진 고유한 특성과 성분을 관찰해 왔습니다. 그 결과, 약이 되지 않는 식물은 이 세상에 존재하지 않는다는 사실을 깨달았습니다. 길가에서 자라는 잡초도, 흔한 주변의 풀이나 나무들도 사람의 난치병을 치유하는 신통한 효력을 가지고 있다는 사실도 함께 알게 된 것이지요.

　우리나라는 세계적으로 매우 우수한 약용식물 자원을 가진 나라입니다. 약용식물은 기후와 산지, 그리고 토질에 따라 종류가 다양하며, 그 효능도 각기 다르지요. 일본·중국은 물론, 세계 각국에서 우리나라의 약용식물에 대한 약효와 품질은 그 인지도가 아주 높지요. 그만큼 우리나라는 약용식물의 보고로 세계에 널리 알려져 있지요.

우리나라는 국토가 좁아도 자라는 식물의 종류는 다양합니다. 산이 많고, 기후가 아열대에서 한대에 걸쳐 있고, 또 강과 호수가 있어 늪지식물·수생식물, 거기에 갯벌이 넓어 염생식물까지 정말 다양한 식물이 서식하고 있지요. 흙이 비옥하고, 지각변동이 적어 고사리나 산삼같이 기원이 오랜 식물에서부터 가장 진화된 식물인 국화류에 이르기까지 우리의 산하에는 약용식물이 널려 있지요.

약용식물이란 인간의 질병 치료에 이용되는 식물로서, 식물성 생약의 원식물(原植物)이라 할 수 있지요. 약용식물은 그 식물의 전체나 일부분이 약효를 가지고 있는데, 흔히 약초(藥草)라고 부르지요. 목본식물·초본식물은 물론, 버섯 같은 균류도 포함되며, 넓은 의미로는 세균류까지 포함시킬 수 있지요.

현재 약용식물로 활용하는 종류는 학자에 따라 주장이 다른데, 수천 종에 이를 테지만, 이 책에서는 905종만 우선 수록했습니다. 약용식물은 수요면으로 보면 의약용과 생약용으로 나눌 수 있지요. 의 약용은 직접 의료나 의약품 제조에 이용하는 것을 말하며, 생약용은 한약·가정약 등, 이른바 오랜 경험을 통해 약효가 알려진 민간약을 말하지요.

약용식물을 공부하기 위해서는 정확한 생김새 익히기가 첫 단계지요. 잎·줄기·꽃의 모양을 알고나면 냄새와 맛도 관찰해야지요. 이 책의 특징은 최근까지 생생하게 살아 있는 식물들을 현장에서 직접 촬영한 사진을 사용했다는 점이지요. 또한 토착식물(indigeneous plants)은 물론, 일정지역에서 사람의 보호를 받지 않고 자연상태로 자라는 식물(spontaneous plants)까지, 다시 말해 오래 전부터 우리 땅에서 살고 있는 귀화식물(naturalized plants)도 넓은 의미로 포함시킨 점이지요.

이렇게 해서 모아진 자료들을 혼자만 소유할 게 아니라 보다 많은 사람들과 공유하고 싶어 이『한국토종약용식물도감』을 펴내게 된 것이지요. 일면 자연 생태계를 지키고, 진정 삶의 질이 높아지기를 바라는 필자의 희망을 담은 셈이지요. 그러나 부족한 부분이 부족하지 않은 부분보다 훨씬 많은 데 대해 계속 보완·수정할 것이며, 여러분의 따끔한 지적도 함께 바랍니다.

이 책이 나오기까지 늘 함께 들과 산에서 관찰하고, 토론·연구해 온 '서울약용식물 관리사협회' 회원님들과 '한국토종식물해설사협회' 회원님들께 고마웠다는 인사드립니다. 또한 이 책을 선뜻 펴내준 학연문화사 권혁재 사장님, 그리고 밤낮으로 책을 꾸미느라 애써준 최홍순 학형에게도 감사드립니다.

2012년 5월 책임저자 정 진 해

목
차

목
차

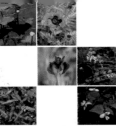

목차

목차

목차

초 | 본 | 류

2011 ⓒ 가는기린초

학명 | Sedum aizoon L.

분류 | 쌍떡잎식물 장미목 돌나물과

분포 | 한국, 중국 북동부, 시베리아 등지의 온대지방

생육상 | 여러해살이풀

가는기린초

서식 산기슭에서 자란다.

줄기 줄기는 뭉쳐나고 원기둥 모양이며 곧게 선다.

잎
· 잎은 어긋나며 잎자루가 없고 긴 피침형이다.
· 잎 가장자리에 둔한 톱니가 있으며 앞뒤에 모두 털이 없다.

꽃 꽃은 산방상 취산꽃차례로 7~8월에 원줄기 끝에 노란 꽃이 많이 달린다.

이용 어린 줄기와 잎을 나물로 먹는다.

약 용 활 용

생약명	비채(費菜)
이용부위	전초
채취시기	여름(7~8월)
약성미	성질은 평하고 맛은 시다.
주치활용	단독, 대하증, 붕루, 타박상, 토혈, 변혈
효능	지혈(止血), 이습(利濕), 소종(消腫) 해독
민간활용	전초를 아픔 멎이약, 벤데, 관절염, 상처, 종양과 염증 잎을 약한 물에 쪼여서 겉 껍질을 벗기고 상처, 열내림약 뿌리를 강장 · 선혈 · 이뇨 · 단독 · 대하증 등

2011 ⓒ 가는범꼬리

속명	씨범꼬리, 가는범꼬리, 큰산범의꼬리, 가는잎씨범꼬리
학명	Bistorta vivipara
분류	쌍떡잎식물 마디풀목 마디풀과
분포	북반구의 온대·한대
생육상	여러해살이풀

가는범꼬리

서식 산지의 양지바른 풀밭에서 자란다.

줄기 뿌리줄기가 굵고 짧다.

잎
- 뿌리에 달린 잎은 잎자루가 길고 바소꼴이거나 타원 모양 바소꼴로, 끝이 뾰족하거나 둔하다.
- 가장자리의 잎맥은 옆으로 평행하고 잎 뒷면은 흰색이다.

꽃
- 꽃은 7~8월에 연한 붉은색 또는 흰색으로 피며 수상꽃차례에 달린다.
- 꽃이삭은 원기둥 모양이며 밑부분에 구슬눈이 달린다.
- 화피는 끝이 5갈래이다.
- 수술 8개, 암술 1개이며 암술대는 3갈래로 갈라져 길게 꽃 밖으로 나온다.
- 암술대가 긴 꽃과 짧은 꽃이 있다.

열매 열매를 맺지 않고 구슬눈으로 번식한다.

이용 어린 잎과 줄기는 식용, 밀원식물이며 목초로도 쓴다.

약 용 활 용

생약명 | 권삼(拳蔘)

이용부위 | 뿌리와 줄기

채취시기 | 가을—잎이 마르기 시작할 때, 봄—싹 트기 전

약성미 | 성질은 미지근하고 맛은 쓰고 떫다.

주치활용 | 적리, 열사, 폐열해수, 옹종, 나력, 구설생창, 토혈, 육혈, 치창출혈, 독사교상

효능 | 청열해독(清熱解毒), 이습소종(利濕消腫), 진경(鎭痙)

민간활용 | 열을 내리거나 경기, 종기의 염증에 이용

주의 | 옹종창독이이 실화열독에 속하지 아니한 때는 부적하며, 외상이 음증에 속한 때는 금한다.

2011 ⓒ 가는잎할미꽃

학명 | Pulsatilla cernua (Thunb.) Spreng.

분류 | 쌍떡잎식물 미나리아재비목 미나리아재비과

분포 | 제주에 분포

생육상 | 여러해살이풀

가는잎할미꽃

서식 산기슭의 양지에서 자란다.

줄기 살진 뿌리가 땅속 깊이 들어가며 많은 뿌리잎이 뭉쳐난다.

잎
- 잎은 우상복엽이다.
- 작은잎은 5개이고, 밑부분의 작은잎은 2~5개로 갈라지며 뒷면에는 명주실 같은 털이 있다.

꽃
- 꽃은 4~5월에 피는데, 종 모양으로 밑쪽을 향한다.
- 윗부분의 총포는 대가 없다.
- 3~4갈래로 갈라진 잎조각은 다시 선형으로 갈라지고 겉에 털이 밀생한다.
- 꽃받침은 6개로 긴 타원형이고 길며 흰 털이 밀생한다.
- 안쪽에는 털이 없으며 검은 자주색이다.

열매 수과는 좁은 난형으로 흰 털이 나 있다.

약 용 활 용

생약명	백두옹(白頭翁)
이용부위	뿌리
채취시기	가을~이듬해 봄(개화기 전)
약성미	성질은 차고 쓰다.
주치활용	학질열. 신경통. 치질출혈. 혈변설사. 림프선염. 월경곤란
효능	청열양혈(淸熱凉血), 해독
민간활용	학질 및 신경통에 활용

속명 | 쇠스랑개비

학명 | Potentilla kleiniana

분류 | 쌍떡잎식물 장미목 장미과

분포 | 한국, 일본, 중국, 인도, 말레이시아 등 난대에서 열대

생육상 | 여러해살이풀

가락지나물

서식 들의 습기 있는 곳에서 자란다.

줄기 하반부가 비스듬히 누워 자란다.

잎
· 뿌리잎은 긴 잎자루를 가진 손바닥 모양 겹잎이다.
· 줄기에는 잎이 3개씩 달리며 위로 올라갈수록 잎자루가 짧아진다.
· 작은잎은 달걀 모양 또는 거꾸로 선 넓은 바소 모양이다.

꽃
· 꽃은 5~7월에 노란색으로 피는데, 취산꽃차례를 이루고 작은꽃대는 위로 향하는 흰색 털이 있다.
· 수술과 암술이 많고, 꽃받침잎은 달걀 모양 또는 달걀 모양 바소꼴로 겉에 털이 약간 있다.

열매 열매는 수과로서 털이 없고 세로로 약간 주름진다.

이용 어린 순은 식용한다.

─ 약 용 활 용 ─

생약명 | 사함(蛇含)

이용부위 | 전초

채취시기 | 봄(5~6월 개화시)

약성미 | 맛은 쓰고 시며 성질은 서늘하다.

주치활용 | 경간고열, 말라리아, 해수, 인후통, 습비, 옹저선창, 단독, 양진, 사충교상

효능 | 해독(解毒)

민간활용 | 날것을 짓찧어 상처가 난 곳이나 뱀 · 벌레에 물린 자리에 붙이면 효과가 있다.

학명 | Potamogeton distinctus

분류 | 외떡잎식물 소생식물목 가래과

분포 | 한국, 일본, 중국의 온대에서 난대

생육상 | 여러해살이풀

가래

서식 연못 또는 논에서 자란다.

줄기 땅속줄기를 물속의 땅으로 뻗으며 때로는 큰 군락을 만든다.

잎
· 잎은 물속에 잠겨서 얇고 좁다랗게 생긴 것과 물 위에 뜬 타원형의 반들반들한 것으로 나누어져 있다.
· 물속 잎은 잎자루가 길고 물 위에 뜬다.
· 잎자루는 물의 깊이에 따라 깊거나 짧다.
· 턱잎은 얇은 막처럼 생겼다.

꽃
· 꽃은 황록색으로 7~8월에 핀다.
· 잎겨드랑이에서 꽃대가 나와서 많은 꽃이 수상꽃차례를 이룬다.
· 화피 4개, 수술 4개, 씨방 4개이고 꽃밥이 발달하여 꽃 모양으로 된다.

열매 열매는 핵과이며 그 끝에 암술대가 달린다.

약 용 활 용

생약명 | 안자채(眼子菜), 정파칠(釘杷七)

이용부위 | 전초

채취시기 | 가을

약성미 | 성질은 차고 맛은 쓰다.

주치활용 | 위장염, 이질, 황달, 수종, 임질, 급성결막염, 백대, 종기, 자궁출혈, 치질출혈, 감적, 회충, 요통, 생선이나 육류 중독, 기침, 해소, 천식, 기비복통

효능 | 소종(消腫) 이수(利水) 청열 지혈

민간활용 | 민간에서 우림액을 괴혈병 치료약, 수렴성 염증약, 상처와 궤양, 피부 발진, 전체를 삶아서 생선 또는 육류로 인한 식중독의 해독제로 사용한다. 잎은 달여서 설사, 열날 때 쓴다. 잎의 마른 가루는 화상에 뿌리기도 한다.

학명 | Bidens tripartita

분류 | 쌍떡잎식물 초롱꽃목 국화과

분포 | 아시아, 유럽, 북아메리카, 오스트레일리아 등지의 온대에서 열대

생육상 | 한해살이풀

가막사리

서식 논이나 개울에서 흔히 자란다.

줄기 줄기는 가지를 치며 전체에 털이 나 있다.

잎
· 잎은 마주나고, 밑쪽에 난 것은 바소꼴이다.
· 가운데에 난 것은 긴 타원형의 바소꼴이며 톱니가 있거나 3~5개로 갈라진다.
· 꼭대기 조각잎은 긴 타원형의 바소꼴로서 양 끝이 좁고 가장자리에 톱니가 있다.
· 양쪽 조각잎은 1~2쌍으로 긴 타원형의 바소꼴이다.

꽃
· 꽃은 양성화이며 8~10월에 노란꽃이 가지 끝과 원줄기 끝에 1개씩 달린다.
· 관상화는 끝이 4개로 갈라진다.

열매 열매는 수과이고, 가장자리와 능선 위에 거꾸로 난 가시가 있다.

이용 어린 순은 식용한다.

약용활용

생약명 | 낭파초(狼把草)

이용부위 | 전초

채취시기 | 여름, 가을

약성미 | 성질은 평하고 맛은 쓰다.

주치활용 | 기관지염, 폐결핵, 인후염, 편도선염, 이질, 피부병, 옴, 습진

효능 | 청열 · 해독 · 통풍 · 중풍 청폐

민간활용 | 마비작용이 있다고 하여 치통, 통풍, 관절통, 루머티즘에 쓰여 왔다.

2011 ⓒ 가시연꽃

학명 | Euryale Ferox Salisb.
분포 | 대만, 인도, 중국, 일본
자생지 | 전주, 대구, 광주, 경기도 서해안, 강릉지역
생육상 | 한해살이 수초

가시연꽃

서식 근경은 짧고 두꺼우며 수염뿌리가 많이 난다.

줄기 가시가 있다.

잎
· 종자가 발아하여 나오는 잎은 작으며 화살 같다.
· 타원형을 거쳐 점차 큰 잎이 나오기 시작하여 자라면 둥글게 되고 약간 파진다.
· 타원형 또는 둥근 방패 모양이며, 표면에 주름이 지고 윤채가 있다.
· 뒷면은 흑자색으로서 맥이 튀어나오고 짧은 줄이 있으며 양면 맥위에 가시가 돋는다.
· 잎은 수면에 뜨고 엽병이 길며, 앞면은 광택이 나는 녹색이나 뒷면은 흑자색이다.

꽃
· 자색으로 7~8월에 잎 사이에서 가시가 돋은 긴 화경이 자란다.
· 끝에 꽃이 1개 달리고 낮에 벌어졌다가 밤에 닫힌다. 꽃받침열편은 4개로서 녹색이다.
· 끝이 날카롭고 밑부분이 합쳐져서 통같이 되며 꽃잎은 다수이고 꽃받침열편보다 작으며 밝은 자주색이다.
· 수술은 8겹으로 돌려나며 꽃잎 안쪽에 달리고 수술대는 짧으며 꽃밥은 긴 타원형이고 약격은 절두이다.
· 심피는 8개이며 8실의 자방은 하위이고 암술머리는 반상이며 오그라든다.

열매
· 열매는 장과로서 타원형 또는 구형이고 겉에 가시가 있고 끝에 숙존악이 뾰족하게 남아 있다.
· 종자는 구형이고 가종피는 육질종의로 싸였으며 과피는 흑색이며 딱딱하고 배유는 백색이고 점질이다.

약용활용

생약명 | 검실 (芡實)

이용부위 | 열매, 뿌리, 꽃

채취시기 | 뿌리－여름(7월), 줄기 · 잎－ 수시

약성미 | 성질은 평하고 무독하며 맛은 달고 떫다.

주치활용 | 양강장, 진통약으로서 통풍, 요슬관절통, 유정대탁, 소변실금, 대변설사, 대하

효능 | 고신(固腎), 보비(補脾), 삽정(澁精), 지사(止瀉)

민간활용 | 외감병의 전후와 학리감치, 기비창, 익적변비 등 증상에는 복용을 기한다.

주의 | 대소변 불리하면 쓰지 않는다.

속명 | 가자(茄子), 조채자, 왜과

학명 | Eggplant, Solanum melongena

분류 | 쌍떡잎식물 통화식물목 가지과

원산지 | 인도

생육상 | 온대에서는 한해살이풀이나 열대에서는 여러해살이풀

가지

서식 밭에서 재배한다.

줄기 식물 전체에 별 모양의 회색털이 나고 가시가 나기도 하고, 줄기는 검은 빛이 도는 짙은 보라색이다.

잎 잎은 어긋나고 달걀 모양이며 잎자루가 있고 끝이 뾰족하다.

꽃 꽃은 6~9월에 피는데, 줄기와 가지의 마디 사이에서 꽃대가 나와 여러 송이의 연보라색 꽃이 달리며 꽃받침은 자줏빛이다.

열매 열매의 모양은 달걀 모양, 공 모양, 긴 모양 등 품종에 따라 다양하며 한국에서는 주로 긴 모양의 긴 가지를 재배한다.

이용 열매는 식용한다.

◦ 약 용 활 용 ◦

생약명 | 가근(茄根)

이용부위 | 뿌리

채취시기 | 여름(7~8월)

약성미 | 성질은 차고 맛이 달며 독이 없다.

주치활용 | 구리, 혈변, 각기, 치통

효능 | 청열, 활혈지통

민간활용 | 꽃받침을 태워서 작은 숟갈로 2숟갈씩 위암에 먹는다고 한다.
가지꼭지 5~6개에 소금을 한 컵 섞어서 뚜껑을 덮어두고 이 소금으로 이를 닦으면 잇몸병에 효과가 있다고 한다.

주의 | 날것으로 먹으면 혓바늘이 생긴다.

2011 ⓒ 가지복수초

학명 | Adonis amurensis var. ramosa
분류 | 쌍떡잎식물 미나리아재비목 미나리아재비과
분포 | 경기도 광릉
생육상 | 여러해살이풀

가지복수초

서식 산기슭 나무 그늘에서 자란다.

줄기 높이는 30cm 정도로 곧게 선다.

잎
· 잎은 어긋나고 잎자루가 길다.
· 2회 깃꼴겹잎으로, 작은잎이 깃꼴로 깊게 갈라진다.
· 갈라진 조각은 다시 갈라져서 맨끝의 조각은 줄 모양이 된다.

꽃
· 4~5월에 줄기 끝이나 가지 끝에 노란꽃이 한 송이씩 달린다.
· 꽃잎이 많고 긴 타원형이다.
· 꽃받침은 짙은 자줏빛을 띤 타원형이다.
· 수술과 암술이 많고 씨방은 털이 있으며 짧고 작다.

열매 열매는 수과로 머리 모양이다.

약 용 활 용

생약명 | 측금잔화

이용부위 | 전초

채취시기 | 봄(4~5월)

약성미 | 성질은 평하고 맛은 쓰며 약간 독이 있다.

주치활용 | 가슴 두근거림, 배에 물이 찬 데, 붓는 데, 심장기능부전증, 심장신경증

효능 | 강심, 이뇨

속명 | 둥굴레아재비

학명 | Polygonatum humile

분류 | 외떡잎식물 백합목 백합과

분포 | 한국, 일본, 중국 동북부, 쿠릴열도, 사할린섬, 시베리아의 온대에서 난대

생육상 | 여러해살이풀

각시둥굴레

서식 깊은 산이나 들의 숲 가장자리 풀밭에서 자란다.

줄기
· 뿌리줄기는 끈처럼 가늘고 길며 옆으로 뻗는다.
· 줄기는 15~30cm 정도로 곧게 자라며 모가 진다.

잎
· 잎은 어긋나고 잎자루가 없다.
· 긴 타원형이다.

꽃 5~6월에 녹색이 도는 흰색의 대롱 모양 꽃이 잎겨드랑이에서 나와 1~2개씩 달린다.

열매 열매는 장과이고 익으면 짙은 하늘색이 된다.

이용 어린 줄기와 잎을 식용한다.

약 용 활 용

생약명 | 소옥죽(小玉竹)

이용부위 | 전초

채취시기 | 봄(5월 꽃 피기 전), 뿌리-가을

약성미 | 성질은 평하고 맛은 달다.

주치활용 | 머리 아픔, 위질병, 헤르니아, 물질대사장애, 염증약, 구갈, 가슴답답증, 폐결핵, 당뇨병

효능 | 양음윤조, 지사제번

2011 ⓒ 각시붓꽃

속명	애기붓꽃
학명	Iris rossii Baker var. rossii
분류	외떡잎식물 백합목 붓꽃과
원산지	한국
분포	한국, 중국 동부, 일본 남부
생육상	여러해살이풀

각시붓꽃

서식 전국의 산지에 자란다.

줄기 근경은 다소 총생하고 갈색 섬유로 덮혀 있다.

잎
· 꽃이 필 때의 잎은 화경과 길이가 거의 같지만 꽃이 진 다음 자란다.
· 중륵이 뚜렷치 않고 뒷면은 분록색이며 가장자리 윗부분에 잔돌기가 있다.

꽃
· 꽃은 4~5월에 피고 화경 선단은 자주색이다.
· 화경은 4~5개의 포가 있으나 가장 위의 포에서 1개의 꽃이 핀다.
· 포는 녹색이며 선형이고 예첨두이다.
· 소화경은 자방보다 길다.
· 외화피는 좁은 도란형이고, 중앙부에 두드러진 돌기가 없으며 밑부분이 뾰족하고 내화피는 곧추서며 약간 짧다.
· 꽃밥은 황색이고, 수술대보다 짧다.
· 암술대는 3개로 갈라진 다음 다시 끝이 2개로 깊게 갈라진다.

열매 삭과로서 구형이며 5~6월에 성숙한다.

약 용 활 용

생약명 | 마린자(馬藺子)

이용부위 | 종자, 꽃, 뿌리

채취시기 | 봄(5~6월)

약성미 | 성질은 서늘하고 맛은 짜고 시고 쓴맛이 있다.

주치활용 | 황달, 이질, 강장, 빈혈, 구역질, 치통, 익정, 토혈

효능 | 청열(清熱), 이습(利濕), 지혈(止血), 해독(解毒), 이뇨(利尿), 지혈(止血)

2011 ⓒ 각시원추리

학명 | Hemerocallis dumortieri

분류 | 외떡잎식물 백합목 백합과

분포 | 경남, 강원, 경기, 평북, 함남, 함북에 분포한다.

생육상 | 여러해살이풀

각시원추리

서식 산지 풀숲에 자란다.

잎 잎은 밑쪽에서 마주나서 서로 맞물리고 윗면은 활처럼 뒤로 휘며 칼 모양이다.

꽃 · 꽃은 총상꽃차례로 5~6월에 줄기 끝에 등황색의 꽃이 2~3송이 핀다.
· 통부는 짧고 향기가 있으며, 포는 난상 피침형으로 끝이 뾰족하다.

이용 어린 잎은 식용으로 한다.

약 용 활 용

생약명 | 훤초근(萱草根)

이용부위 | 뿌리

채취시기 | 가을

약성미 | 성질은 서늘하고 맛은 달다.

주치활용 | 월경불순, 대하증, 유선염, 유액분비 불량

효능 | 여성질환과 이뇨, 지혈, 소염제

민간활용 | 유방염에는 짓찧어 환부에 붙이며 유즙분비 부족에도 유효하다.

2011 ⓒ 각시취

학명 | Saussurea pulchella

분류 | 쌍떡잎식물 초롱꽃목 국화과

분포 | 한국, 일본, 중국 북동부, 동시베리아, 사할린 등지

생육상 | 두해살이풀

각시취

서식 산지의 양지바른 풀밭에서 자란다.

줄기 줄기는 곧게 자라며 잔털이 있다.

잎
· 뿌리에 달린 잎과 밑동의 잎은 꽃이 필 때까지 남아 있거나 없어진다.
· 줄기에 달린 잎은 길이가 15cm 정도로 긴 타원형이며 깃꼴로 6~10쌍씩 갈라진다.
· 양면에 털이 나고, 뒷면에는 액이 나오는 점이 있다.

꽃
· 꽃은 8~10월에 줄기와 가지 끝에 자주색으로 핀다.
· 총포는 둥글고, 총포조각 앞쪽은 막질로 담홍색 부속체가 있다.

열매 열매는 수과로 자주색이 돌며 관모가 2줄 있다.

이용 어린 순을 나물로 먹는다.

약 용 활 용

생약명 | 미화풍모국(美花風毛菊)

이용부위 | 지상부

채취시기 | 여름(7월)

약성미 | 성질은 차며 맛은 맵고 쓰다.

주치활용 | 관절염, 복통, 설사, 고혈입, 토혈, 황달

효능 | 혈열, 진해, 조경, 지혈

민간활용 | 피멎이약, 해열약, 진통약, 게음액 류머티즘성 관절염 치료약으로 쓴다.

2011 ⓒ 갈대

학명 | Phragmites communis

분류 | 외떡잎식물 화본목 화본과

분포 | 한국을 비롯하여 세계의 온대와 한대에 걸쳐 분포

생육상 | 여러해살이풀

갈대

서식 습지나 갯가, 호수 주변의 모래땅에 군락을 이루고 자란다.

줄기
· 뿌리줄기의 마디에서 많은 황색의 수염뿌리가 난다.
· 줄기는 마디가 있고 속이 비었다.

잎
· 잎은 긴 피침형이며 끝이 뾰족하다.
· 잎집은 줄기를 둘러싸고 털이 있다.

꽃
· 꽃은 8~9월에 피고, 수많은 작은꽃이삭이 줄기 끝에 원추꽃차례로 달리며, 처음에는 자주색이다가 담백색으로 변한다.
· 포영은 호영보다 짧고 3맥이 있으며, 첫째작은꽃은 수꽃이다.
· 양성소화의 호영은 안쪽으로 말려서 끝이 까락처럼 되고, 수술은 3개다.

열매
· 열매는 영과이고 종자에 관모가 있어 바람에 쉽게 날려 멀리 퍼진다.
· 번식은 종자와 땅속줄기로 잘 된다.

이용
· 어린 순은 식용으로 하는데 중국에서는 노순이라 한다. 이삭은 빗자루를 만들었고 이삭의 털은 솜대용으로 사용하였다.
· 성숙한 줄기는 갈대발, 갈삿갓, 삿자리 등을 엮는 데 쓰이고, 또 펄프원료로 이용한다.

약 용 활 용

생약명 | 노근(盧根)

이용부위 | 전초

채취시기 | 봄에서 가을 사이에 채취, 수염뿌리를 제거하고 햇볕에 말린다.

약성미 | 맛은 달고 성질은 차갑다.

주치활용 | 열병에 의한 구갈, 심번, 위열에 의한 구토, 번위, 폐위, 폐옹, 복어 중독을 해독하며 설사, 토혈

효능 | 청열, 제번, 생진, 지구

주의 | 비위 허한 자는 복용을 금한다.

학명 | Rubia cordifolia var. pratensis

분류 | 쌍떡잎식물 용담목 꼭두서니과

분포 | 한국, 일본, 중국(둥베이), 우수리, 아무르 등지

생육상 | 다년생 덩굴풀

갈퀴꼭두서니

서식 산야에서 자란다.

줄기 줄기는 네모지고 아래를 향한 가시가 있으며 가지를 많이 친다.

잎 · 잎은 5~9개가 돌려나고 긴 타원상 난형이며 끝이 뾰족하다.
· 뒷면 가장자리와 맥 위에 잔가시가 있다.

꽃 6~7월에 5개로 갈라진 백색 꽃이 잎겨드랑이와 원줄기 끝에 원추꽃차례를 이루며 핀다.

열매 장과는 2개씩 달리고 둥글며 검게 익는다.

이용 뿌리는 염료로 쓰고 어린잎은 먹는다.

약 용 활 용

생약명 | 천초근(茜草根)

이용부위 | 뿌리, 잎

채취시기 | 봄, 가을

약성미 | 성질은 차고 맛은 쓰다.

주치활용 | 관절염, 신경통, 월경불순, 토혈, 혈변, 자궁출혈, 간염, 황달 등

효능 | 양혈지혈(涼血止血), 활혈거어(活血祛瘀), 통경활락(通經活絡)

민간활용 | 신선한 잎을 달여서 복용하거나 술에 담가 마신다.
외용에는 달인 액으로 씻거나 짓찧어서 도포한다.

2011 ⓒ 갈퀴나물

학명 | Vicia amoena

분류 | 쌍떡잎식물 장미목 콩과

분포 | 한국, 일본, 중국, 사할린, 시베리아의 온대에서 난대에 걸쳐 분포

생육상 | 여러해살이 덩굴식물

갈퀴나물

서식 들에서 자란다.

줄기 땅속줄기를 벋으면서 자라며 줄기는 능선이 있어 네모진다.

잎
· 잎은 어긋나며 거의 잎자루가 없다.
· 작은잎은 5~7쌍이 마주붙거나 어긋나게 붙으며 끝은 2~3개로 갈라진 덩굴손이 된다.

꽃
· 6~9월에 총상꽃차례로 잎겨드랑이에서 붉은 자주색의 꽃이 나오고, 꽃자루가 길며 많이 핀다.
· 화관은 나비 모양이다.

열매
· 꼬투리는 긴 타원형이고 납작하며 털이 없다.
· 번식은 씨와 뿌리로 잘 된다.

이용 4월경 어린 순을 나물로 먹고 가축 사료로도 쓰인다.

약용활용

생약명 | 산야완두(山野豌豆)

이용부위 | 전체

채취시기 | 여름~가을(7~9월)

약성미 | 성질은 따뜻하고 맛은 달고 쓰다.

주치활용 | 류마티스통, 염좌상, 무명종독, 음낭습진, 관절염, 근골마목

효능 | 거풍습, 활혈, 서근, 지통, 지혈, 이뇨, 진해

민간활용 | 어린 순은 나물로 해서 먹는데 대단히 연하고 부드럽기 때문에 꽃피기 전까지 여러 차례 따먹을 수 있다.

2011 ⓒ 갈퀴덩굴

속명 | 가시랑쿠

학명 | *Galium spurium*

분류 | 쌍떡잎식물 용담목 꼭두서니과

분포 | 한국, 일본, 사할린 등지에 분포한다.

생육상 | 2년생 덩굴식물

갈퀴덩굴

서식 길가 또는 빈터에서 흔히 자란다.

줄기 원줄기는 네모지고 각 능선에 밑으로 향한 가시털이 있어 다른 물체에 잘 붙는다.

잎 잎은 줄기의 각 마디에 6~8개씩 돌려나고 도피침형이며 잎자루가 없고 가시가 있다.

꽃 · 5~6월에 잎겨드랑이에 홍록색 꽃이 취산꽃차례를 이룬다.
· 수술은 4개이며, 작은꽃대에는 꽃받침 밑에 마디가 있다.

열매 열매는 2개가 함께 붙어 있으며 갈고리 같은 딱딱한 털로 덮여 다른 물체에 잘 붙는다.

이용 봄에 어린 순을 나물로 먹는다.

약 용 활 용

생약명 | 팔선초(八仙草)

이용부위 | 전초

채취시기 | 여름~가을(7~9월)

약성미 | 성질은 평하거나 약간 차고 맛은 쓰고 맵고 달고 떫다.

주치활용 | 타박상 및 통증, 신경통, 임질의 혼탁뇨, 혈뇨, 장염, 종기, 암종

효능 | 통경 · 해열 · 강장

민간활용 | 나물로 이용할 때 약간의 쓴맛은 소화액 분비에 도움이 된다.

2011 ⓒ 감국

학명 | Chrysanthemum indicum

분류 | 쌍떡잎식물 초롱꽃목 국화과

분포 | 한국, 타이완, 중국, 일본 등지

생육상 | 여러해살이풀

감국

서식 산에서 자란다.

줄기 전체에 짧은 털이 나 있고 줄기는 흑색으로 가늘고 길다.

잎
- 잎은 짙은 녹색이고 어긋나며 잎자루가 있고 난원형으로 보통 우상으로 갈라지며 끝이 뾰족하다.
- 갈라진 조각은 긴 타원형이고 결각상의 톱니가 있다.

꽃
- 9~10월에 줄기 윗부분에 산방상으로 두화가 핀다.
- 설상화는 황색이나 백색인 것도 있다.

이용
- 꽃에 진한 향기가 있어 관상용으로도 가꾼다.
- 가을에 꽃을 말려서 술에 넣어 마시고, 어린잎은 나물로 쓴다

약 용 활 용

생약명 | 감국(甘菊), 야국화(野菊花)

이용부위 | 꽃

채취시기 | 가을(10월)

약성미 | 성질이 평하고 맛은 달며 독은 없다.

주치활용 | 열감기, 폐렴, 기관지염, 두통, 위염, 장염, 종기 등

효능 | 해열, 항균, 혈압강화

민간활용 | 전초를 짓찧어서 환부에 붙이거나 생초를 달인 물로 세척한다.
꽃을 햇볕에 말린 것을 다려서 쓰면 감기의 두통, 어지러움증을 다스린다.
생잎으로 즙을 내어 정종통, 독충에 물린 데나 치통에 바른다.
즙에 초(酢)를 섞어 두창(頭瘡), 습진, 기타 종기에 바른다.

2011 ⓒ 감자

학명	Solanum tuberosum
분류	쌍떡잎식물 통화나물목 가지과
원산지	안데스 산맥
분포	페루, 칠레 등 온대지방
생육상	여러해살이풀

감자

서식 밭에서 재배한다.

줄기
- 땅속에 있는 줄기마디로부터 기는줄기가 나와 그 끝이 비대해져 덩이줄기를 형성한다.
- 덩이줄기에는 오목하게 팬 눈자국이 나 있고, 그 자국에서는 작고 어린 싹이 돋아난다.
- 땅위줄기의 단면은 둥글게 모가 져 있다.

잎 잎은 줄기의 각 마디에서 나오는데 대개 3~4쌍의 작은잎으로 된 겹잎이고 작은잎 사이에는 다시 작은 조각잎이 붙는다.

꽃
- 6월경에 잎겨드랑이에서 긴 꽃대가 나와 취산꽃차례를 이룬다.
- 별 모양의 5갈래로 얕게 갈라진 엷은 자주색 또는 흰색의 꽃이 핀다.

열매 꽃이 진 뒤에 토마토 비슷한 작은 열매가 달린다.

이용
- 삶아서 주식 또는 간식으로 하고, 굽거나 기름에 튀겨 먹기도 한다.
- 소주의 원료와 알코올의 원료로 사용되고, 감자 녹말은 당면, 공업용 원료로 이용하는 외에 좋은 사료도 된다.

약용활용

생약명 | 마령서(馬鈴薯), 양저(洋芋)

이용부위 | 열매

채취시기 | 여름(7~8월)

약성미 | 성질은 평하고 맛은 달다.

주치활용 | 변비, 흉통

효능 | 보기(補氣), 건비(健脾), 소염(消炎)

민간활용 | 감자의 전분은 화상, 변비, 고기중독, 자극완화, 살포용 가루 등에 응용되고 있으며 위궤양, 십이지궤양, 알레르기 체질 등에 특효과 있다고 한다.

주의 | 싹이 난 감자나 껍질에 독이 있는 것은 먹을 수 없다.

속명 | 감자난초

학명 | Oreorchis patens

분류 | 외떡잎식물 난초목 난초과

분포 | 한국, 중국, 캄차카 반도, 남쿠릴, 사할린, 우수리 등지

생육상 | 여러해살이풀

감자난

서식 깊은 산 음지의 비옥한 토양에서 자란다.

줄기 헛비늘줄기는 달걀 모양의 둥근 형태이다.

잎 잎은 보통 1~2개이며 바소꼴 또는 긴 타원형이다.

꽃
· 꽃은 총상꽃차례를 이루며 5~6월에 황갈색으로 피는데 꽃받침과 꽃잎은 바소꼴이다.
· 입술꽃잎은 꽃받침과 같은 길이로 흰색이고 반점이 있으며, 밑동에서 3갈래로 갈라지고 가운뎃조각이 특히 크다.

열매 열매는 삭과로 방추형이고, 짧은 대가 있다.

┌─ 약 용 활 용 ─

생약명 │ 산난(山蘭)

이용부위 │ 줄기

채취시기 │ 봄~여름(6~7월)

주치활용 │ 종기, 창독, 옹저정종, 누력, 후비종통, 사 · 충 · 광견 교상, 소변혈임, 색통

효능 │ 소종, 산결, 하담, 해독

2011 ⓒ 갓

속명 | 개채, 신채

학명 | Brassica juncea var. integrifolia

분류 | 쌍떡잎식물 양귀비목 겨자과

분포 | 한국, 중국

생육상 | 한해살이풀

갓

서식 밭에서 재배한다.

줄기 곧게 서며 가지를 친다.

잎
· 뿌리잎은 넓은 타원형 또는 거꾸로 세운 달걀 모양으로 끝이 둥글고 밑부분이 좁아져 짧은 잎자루가 되며 불규칙한 톱니가 있고 갈라지지 않는다.
· 줄기잎은 긴 타원형 바소꼴로 가장자리가 밋밋하거나 희미한 톱니가 있고, 양면에 주름이 지고 흔히 흑자색이 돈다.

꽃
· 봄부터 여름까지 총상꽃차례에 노란꽃이 많이 달린다.
· 꽃받침은 4개, 꽃잎도 4개로 밑부분이 좁아져 자루 모양으로 된다.

종자 각과는 길고 비스듬히 서며, 종자는 노란색으로 구슬 모양이다.

이용
· 잎은 주로 김치와 나물로 쓰는데 향기와 단맛이 있으며 적당히 매운맛도 있다.
· 종자는 가루로 만들어서 향신료인 겨자 또는 약용인 황개자로 쓴다.

약용활용

생약명 | 황개자(黃芥子)

이용부위 | 종자

채취시기 | 지상부는 여름에, 종자는 가을에 채취하여 말린다.

약성미 | 성질은 평하고 맛은 맵고 독이 없다.

주치활용 | 타박상, 위한토식, 통비, 타박상, 후비, 폐한해수

효능 | 온중산한, 이기, 통경락, 소종해독

주의 | 폐허해수 증상이 있는 사람은 복용을 금한다.

2011 ⓒ 강아지풀

속명 | 개꼬리풀, 구미초

학명 | Setaria viridis

분류 | 외떡잎식물 벼목 화본과

분포 | 전국에 분포

생육상 | 한해살이풀

강아지풀

서식 길가나 들에서 자란다.

줄기
· 줄기는 뭉쳐나고 가지를 치며 털이 없고 마디가 다소 길다.
· 작은 가지는 퍼지고 가시 같다.

잎 잎의 밑부분은 잎집으로 되며 가장자리에 잎혀와 줄로 돋은 털이 있다.

꽃 꽃은 9월에 피고 원주형의 꽃이삭은 연한 녹색 또는 자주색이다.

이용 종자는 구황식물로 식용한다.

약용활용

생약명	구미초(拘尾草), 낭미초(狼尾草)
이용부위	전초
채취시기	여름~가을(7~10월)
약성미	성질은 평하고 따뜻하며 맛은 약간 달다.
주치활용	버짐, 감기, 두통, 신경통, 류머티즘, 관절염, 중풍
효능	제열(除熱), 거습(祛濕), 소종(消腫)
민간활용	9월에 뿌리를 캐어 촌충구제에 사용한다. 오줌을 잘 나오게 하는 데 전초를 달여 마신다.

2011 ⓒ 강활

속명 | 잠강활(蠶羌活), 강청(羌靑), 호왕사자(胡王使者), 강호리

학명 | Ostericum koreanum

분류 | 쌍떡잎식물 산형화목 미나리과

분포 | 경북, 강원, 경기 지역

생육상 | 여러해살이풀

강활

서식 산골짜기에서 자란다.

줄기 줄기는 곧게 서며 윗부분에서 가지를 친다.

잎
· 잎은 어긋나고 잎자루를 가지며 2회 3출로 우상으로 갈라진다.
· 작은잎은 난상의 넓은 타원형 또는 난형으로 끝이 뾰족하고 톱니가 있다.
· 작은 잎자루는 올라가면서 짧아지고 잎자루 밑부분이 넓어져 잎집으로 된다.

꽃
· 8~9월에 복산형꽃차례로 가지 끝과 원줄기 끝에 10~30개의 작은 꽃대로 갈라져 많은 백색 꽃이 달린다.
· 총포는 1~2개로 피침형이고 작은총포는 6개이다.

열매 열매는 타원형으로 날개가 있다.

이용 어린 순을 나물로 먹는다.

약 용 활 용

생약명 | 강활(羌活)

이용부위 | 뿌리

채취시기 | 가을~다음해 봄

약성미 | 성질은 따뜻하고 맛은 맵고 쓰며 독이 없다.

주치활용 | 감기, 두통, 신경통, 류머티즘 관절염, 중풍

효능 | 산표한, 거풍습, 이관절

주의 | 진한 성분이 있어 과다하면 구토가 발생되므로 속에 통증이 있거나 두통이 있는 사람은 조심해서 사용해야 한다.

속명 | 감수, 낭독

학명 | Euphorbia sieboldiana

분류 | 쌍떡잎식물 쥐손이풀목 대극과

분포 | 한국, 사할린섬 남부, 쿠릴열도 남부

생육상 | 여러해살이풀

개감수

서식 | 산과 들에서 자란다.

줄기 |
· 줄기는 가늘고 둥글며 곧게 선다.
· 가지가 듬성듬성 갈라지고 붉은 자주색을 띠는데 끊으면 흰 즙이 나온다.

잎 |
· 잎은 어긋나고 잎자루가 없으며 긴 타원형이다.
· 잎은 밑이 좁고 끝이 뭉뚝하며 톱니가 없다.
· 줄기 끝에 5개의 긴 타원형 잎이 돌려난다.
· 총포는 세모난 달걀 모양이다.

꽃 |
· 꽃대는 우산 모양으로 5개 나고, 작은꽃대는 2갈래로 갈라지며, 포는 세모난 달걀 모양이고 톱니가 없다.
· 7월에 녹황색 꽃이 피는데, 여러 개의 수꽃과 1개의 암꽃이 있으며 총포조각은 달걀 모양이다.
· 수꽃은 수술이 1개, 암꽃은 암술이 1개이며 암술대는 길고 끝이 2개로 갈라진다.

열매 |
· 열매는 삭과로 9월에 익으며 윤기가 나고 둥글며 3개로 갈라진다.
· 종자는 넓은 달걀 모양이고 밋밋하다.

약 용 활 용

생약명 | 감수(甘遂), 주전(主田), 감택(甘澤), 고택(苦澤), 중택(重澤)

이용부위 | 전초

채취시기 | 7월

약성미 | 성질은 차고 맛은 달고 쓰며 독이 있다.

주치활용 | 수종복만, 유음, 결흉, 대 · 소변 불통수종, 림프선염, 당뇨, 치통

효능 | 사수음, 파적취, 통이변, 이뇨

속명 | 졸속속이풀

학명 | Rorippa indica

분류 | 쌍떡잎식물 양귀비목 겨자과

분포 | 중부 이남

생육상 | 여러해살이풀

개갓냉이

서식 낮은 지대의 밭이나 들에서 자란다.

줄기 전체에 털이 없으며, 곧게 서고 가지를 많이 친다.

잎
- 뿌리잎은 뭉쳐서 나고 잎자루가 있으며, 우상으로 갈라지고 불규칙한 톱니가 있다.
- 줄기잎은 어긋나고 피침형으로서 갈라지지 않으며 톱니가 있고 양 끝이 좁으며 잎자루는 없다.

꽃
- 5~6월에 황색의 작은 십자화가 가지 끝과 줄기 끝에 총상으로 핀다.
- 꽃받침은 장타원형이고, 꽃잎은 주걱 비슷하며 4강 수술과 1개의 암술이 있다.

열매 열매는 안으로 굽은 좁은 선형이며 종자는 황색이다.

이용 4월에 어린잎을 나물로 먹거나 김치로 담가 먹는다.

약용활용

생약명 | 한채(蔊菜)

이용부위 | 지상부와 꽃

채취시기 | 봄(6월)

약성미 | 성질은 서늘하다.

주치활용 | 감기, 해소, 인후염, 기관지염, 간염, 황달, 수종

효능 | 해열, 진해, 해독, 이뇨, 건위

민간활용 | 전초를 짓찧어서 타박상, 종기 등의 환부에 붙인다.

2011 ⓒ 개구리발톱

속명 | 개구리망, 천규자

학명 | Semiaquilegia adoxoides

분류 | 쌍떡잎식물 미나리아재비목 미나리아재비과

분포 | 한국(제주, 전남, 전북)

생육상 | 여러해살이풀

개구리발톱

서식 산기슭에서 자란다.

줄기
· 줄기는 통통하고 검으며 모양은 일정하지 않다.
· 줄기는 곧게 선다.

잎
· 뿌리잎은 위쪽이 녹색이고, 뒷면은 백색이 돌며 긴 잎자루가 있고 3출엽이다.
· 작은잎은 잎자루가 짧고 3갈래로 깊게 갈라진다.

꽃
· 꽃은 4~5월에 백색 바탕에 약간 붉은색으로 피며 가지 끝에 1개씩 붙는다.
· 꽃받침잎은 5개인데 꽃잎 같고 종 모양이다.
· 꽃잎도 5개이고 밑부분에 통 모양의 짧은 꿀주머니가 있다.
· 수술은 9~14개이고 안쪽의 여러 개는 헛수술이며 암술은 보통 3~5개이다.

열매 열매는 골돌과로 3개가 별 모양으로 달려 6월에 익는다.

약 용 활 용

생약명 | 천규자(天葵子)

이용부위 | 전초

채취시기 | 전초─봄(4~5월 개화 시), 줄기─여름(7~8월)

주치활용 | 소변불리, 요로결석, 림프선염, 치질, 자궁염

효능 | 소종, 해독, 이수

민간활용 | 뱀, 벌레 등에 물렸을 때 찧어서 상처에 붙인다.

2011 ⓒ 개구리밥

학명 | Spirodela polyrhiza

분류 | 외떡잎식물 천남성목 개구리밥과

분포 | 전국에 분포

생육상 | 여러해살이풀

개구리밥

서식 연못이나 논물 위에 떠서 산다.

번식 가을에 모체에서 생긴 타원형의 작은 겨울눈이 물 속에 가라앉아서 겨울을 지내고 다음 해 봄에 물 위로 솟아나와 번식한다.

잎
· 엽상체는 도란형이다.
· 표면은 녹색이나 뒷면은 자주색이며 거기에서 가는 뿌리가 5~11개 내린다.

꽃
· 꽃은 백색이며 7~8월에 피는 것이 간혹 있으나 매우 작아서 찾아보기 어렵다.
· 2개의 수꽃과 1개의 암꽃이 1개의 포 안에 생긴다.
· 수꽃은 1개의 수술로 되고 암꽃은 1개의 암술로 되며 화피가 없다.

이용 관상용으로 연못에 키우기도 한다.

약 용 활 용

생약명	부평초(浮萍草)
이용부위	전초
채취시기	여름, 가을(7~9월)
약성미	성질은 차고 맛은 시다.
주치활용	소변불리, 수종, 단독, 가려움증, 두드러기, 암종
효능	발한, 거풍, 이수, 청열, 해독, 이뇨
민간활용	이질로 탈항이 되었을 때 가루로 만들어 상처에 뿌린다.

학명 | Ranunculus sceleratus

분류 | 쌍떡잎식물 미나리아재비목 미나리아재비과

분포 | 북반구 온대 및 아열대

생육상 | 두해살이풀

개구리자리

서식 낮은 지대의 논과 개울 등지에서 자란다.

줄기 털이 없고 광택이 나며 가지를 많이 친다.

잎
· 뿌리에 달린 잎은 모여나고 잎자루가 길며 3갈래로 깊게 갈라진다.
· 갈라진 잎조각은 다시 2갈래로 갈라지고 둔한 톱니가 있다.
· 줄기에 달린 잎은 어긋나며 3개로 완전히 갈라지는데, 갈라진 조각은 바소꼴이다.

꽃
· 4~5월에 노란색 꽃이 피는데, 꽃받침과 꽃잎은 각각 5개이고 밑부분에 꿀샘이 있다.
· 꽃잎은 달걀을 거꾸로 세운 모양이고 씨방은 달걀 모양이다.

열매 열매는 수과로 둥근 모양이며 모여서 타원형의 덩어리를 이룬다.

이용 유독식물이나 어린잎과 줄기는 먹는다.

약용활용

생약명	석룡예(石龍芮)
이용부위	전초
채취시기	봄(5~6월)
약성미	성질은 차고 맛은 매우며 독이 있다.
주치활용	학질, 간염, 황달, 결핵성 림프선염
효능	열을 내리고 종기를 가시게 하며 해독작용
민간활용	벌레에 쏘인 곳에 약으로 쓴다.

2011 ⓒ 개똥쑥

학명 | Artemisia annua

분류 | 쌍떡잎식물 초롱꽃목 국화과

분포 | 제주, 경기, 평북, 함북 등지에 분포

생육상 | 한해살이풀

개똥쑥

서식 황무지에서 자란다.

줄기 전체에 털이 없고 특이한 냄새가 난다.

잎
· 잎은 어긋나고 2~3회 가늘게 우상으로 깊게 갈라진다.
· 그 조각은 피침형이고 표면에 가루 같은 잔털과 선점이 있으며 중축이 빗살 모양이고 위쪽 잎이 작다.

꽃
· 꽃은 작은 두상꽃차례가 이삭처럼 달려서 전체가 원추꽃차례로 되는데, 6~8월에 녹황색으로 핀다.
· 총포 조각은 털이 없고 2~3줄로 배열되며, 외포 조각은 장타원형으로 녹색이다.

열매 수과는 길이 0.7 mm 정도이다.

약 용 활 용

생약명 | 황화호(黃花蒿)

이용부위 | 전초

채취시기 | 봄

약성미 | 성질은 차갑고 맛은 쓰며 독이 없다.

주치활용 | 서체, 말라리아, 정시각발열, 소아경련, 열(熱)로 인한 설사, 악창, 개선, 기생성 피부병

효능 | 청열, 해학, 거풍, 지양, 장과 위, 수족을 따뜻하게 하고 시력보호, 감기예방 등

민간활용 | 오래전부터 이질이나 소화불량 등에 민간요법으로 사용돼 왔다.

주의 | 휘발성이 있어 오래 달이지 말아야 한다.

2011 ⓒ 개망초

학명	Erigeron annuus
분류	쌍떡잎식물 초롱꽃목 국화과
원산지	북아메리카 원산으로 귀화식물
분포	전국에 분포
생육상	두해살이풀

개망초

서식 밭이나 들, 길가에서 자란다.

줄기 전체에 털이 있으며 가지를 많이 친다.

잎
· 뿌리잎은 꽃이 필 때 시들고 긴 잎자루가 있으며 난형이고 톱니가 있다.
· 줄기잎은 어긋나고 밑의 것은 난형 또는 난상 피침형이다.
· 잎 양면에 털이 있고 드문드문 톱니가 있으며 잎자루에는 날개가 있다.
· 위에 붙은 잎은 좁은 난형 또는 피침형으로 톱니가 있고 가장자리와 뒷면 맥 위에도 털이 있다.

꽃
· 8~9월에 백색 꽃(간혹 담자색)이 두상꽃차례를 이루고 가지 끝과 줄기 끝에 산방상으로 붙는다.
· 총포에 긴 털이 있고 화관은 혀 모양이다.

이용 어린 잎은 식용한다.

┌─ 약 용 활 용 ─

　　생약명 | 일년봉(一年蓬)

　이용부위 | 전초

　채취시기 | 봄~여름(6~8월)

　　약성미 | 성질은 평하고 맛은 싱겁다.

　주치활용 | 감기, 학질, 림프선염, 위염, 장염, 설사, 전염성 감염 등

　　　효능 | 청열해독, 항학

　민간활용 | 뱀에 물렸을 때 신선한 것을 찧어 즙을 내어 바른다.
　　　　　　외상, 지혈제로도 쓴다

학명 | Liriope spicata

분류 | 외떡잎식물 백합목 백합과

분포 | 전국에 분포

생육상 | 여러해살이풀

개맥문동

서식 산야의 나무 그늘에서 자란다.

줄기 뿌리줄기는 옆으로 길게 뻗으면서 번식하고 수염뿌리의 끝이 굵어지는 것도 있다.

잎 잎은 뿌리줄기에서 뭉쳐나고 선형이며 7~11맥이 있고 밑부분이 좁아진다.

꽃 ·꽃은 5~7월에 담자색으로 핀다.
　　·꽃대에 둔한 능선이 있는데 총상꽃차례를 이루며 맥문동에 비해 매우 작다.

열매 열매는 노출된 종자로서 검게 익는다.

이용 나무 그늘에 잔디용으로 심기도 한다.

약 용 활 용

생약명 | 맥문동(麥門冬)

이용부위 | 뿌리

채취시기 | 봄, 가을

약성미 | 성질은 약간 차고 맛이 달며 독이 없다.

주치활용 | 신체허약, 폐결핵, 당뇨병, 만성기관지염, 젖부족, 변비

효능 | 해열, 청폐

민간활용 | 늦가을 찬바람으로 기침이 날 때 뿌리를 차로 해 마신다.

주의 | 비위허한에 의한 설사, 풍한에 의한 해수에는 복용을 금한다.

2011 ⓒ 개맨드라미

학명 | Celosia argentea

분류 | 쌍떡잎식물 명아주목 비름과

원산지 | 열대지방 원산으로 귀화식물

분포 | 제주, 전남, 경북, 강원, 경기, 함남 등지에 분포

생육상 | 한해살이풀

개맨드라미

서식 밭이나 길가에서 자란다.

줄기 전체에 털이 없고 줄기는 연질이며 흔히 밑동에서 가지를 치고 곧게 선다.

잎 잎은 어긋나고 피침형 또는 좁은 난형이며 끝이 뾰족하고 잎자루가 없거나 있는 것도 있다.

꽃
· 꽃은 양성화로 7~8월에 녹색으로 피고, 가지 끝과 줄기 끝에 총상꽃차례를 이룬다.
· 포와 소포는 백색의 넓은 피침형이다.
· 꽃받침은 피침형이고 꽃이 진 다음 백색이 되며 수술은 5개이고 꽃실의 밑부분은 붙어 있다.

열매 열매는 꽃받침보다 짧으며 가로로 열려 그 속에서 여러 개의 씨를 낸다.

이용 관상용으로 심기도 한다.

약 용 활 용

생약명 | 청상자 (靑箱子)

이용부위 | 종자

채취시기 | 여름~가을(8~10월)

약성미 | 성질은 서늘하고 독이 없다.

주치활용 | 눈병, 가려움증, 종기, 고혈압

효능 | 강장, 소염, 해열

민간활용 | 잎과 줄기를 가려움증, 종기, 외상출혈 등의 사용한다.

2011 ⓒ 개미자리

학명 | Sagina japonica

분류 | 쌍떡잎식물 층층장구채목 석죽과

분포 | 한국, 일본, 중국의 온대에서 아열대 등지

생육상 | 두해살이풀

개미자리

서식 정원의 그늘진 곳이나 양지쪽에서 흔히 자란다.

줄기 밑에서 가지가 많이 갈라져 여러 대가 한 포기로 되고, 위쪽에만 짧은 선모가 있으며 다른 곳에는 털이 없다.

잎 잎은 침형으로 마주나고 밑쪽은 막질이고 서로 합쳐져 마디를 둘러싼다.

꽃
· 꽃은 백색이고 6~8월에 잎겨드랑이에 1개씩 달리며 가지 끝에 취산꽃차례를 이룬다.
· 꽃잎은 5개이고 난형이며 꽃받침보다 약간 짧다.

열매
· 삭과는 넓은 난형이고 5갈래로 깊게 갈라져서 종자가 나온다.
· 종자는 작고 앞쪽에 작은 돌기가 있다.

이용 야생화 분경의 지피식물로 활용

─ 약 용 활 용 ─

생약명 | 칠고초(漆姑草)

이용부위 | 전초

채취시기 | 봄, 여름

약성미 | 성질은 차고 맛은 쓰고 맵다.

주치활용 | 소변불리. 인후염. 림프선염. 종기

효능 | 이뇨, 해독, 소종

민간활용 | 전초를 그대로 짓찧어서 환부에 붙인다.

2011 ⓒ 개미취

속명 | 자원, 소판, 협판채, 산백채, 자완, 자와

학명 | Aster tataricus

분류 | 쌍떡잎식물 초롱꽃목 국화과

분포 | 한국, 일본, 중국 북부 및 북동부, 몽골, 시베리아

생육상 | 여러해살이풀

개미취

서식 깊은 산속 습지에서 자생하나 재배하기도 한다.

줄기 줄기는 곧게 서며 뿌리줄기가 짧고, 위쪽에서 가지가 갈라지며 짧은 털이 난다.

잎
· 뿌리에 달린 잎은 꽃이 필 무렵 없어진다.
· 긴 타원형이며 밑부분이 점점 좁아져서 잎자루의 날개가 되고 가장자리에 물결 모양의 톱니가 있다.
· 줄기에 달린 잎은 좁고 어긋나며 끝이 뾰족하고 가장자리에 날카로운 톱니가 있다.
· 잎자루는 위로 올라갈수록 작아진다.

꽃
· 꽃은 7~10월에 연한 자주색 또는 하늘색으로 피는데, 두상화가 가지와 원줄기 끝에 달린다.
· 산방꽃차례로 꽃자루는 짧은 털이 빽빽하게 난다.
· 총포는 반구형이고, 포는 끝이 뾰족한 바소꼴로 짧은 털이 난다.
· 설상화는 하늘색이고 관모는 흰색이다.

열매 열매는 수과로 10~11월에 맺으며 털이 난다.

이용 어린 순은 나물로 먹는다.

약 용 활 용

생약명 | 자원(紫菀)

이용부위 | 뿌리, 뿌리줄기

채취시기 | 봄, 가을

약성미 | 성질은 따뜻하고 맛은 조금 쓰다.

주치활용 | 풍한에 의한 해수, 천식, 허로에 의한 해수로 농혈을 토하는 증상, 후비, 소변불통

효능 | 온폐, 하기, 소담, 지해

민간활용 | 변비, 기침등 만성적 병에 조금 연하게 달여서 마신다.

2011 ⓒ 개박하

속명 | 돌박하

학명 | Nepeta cataria

분류 | 쌍떡잎식물 통화식물목 꿀풀과

분포 | 전남, 전북, 경기, 강원

생육상 | 여러해살이풀

개박하

서식 산과 들에서 자란다.

줄기
· 전체가 잿빛을 띤 흰색으로 가는 털이 많이 나고 향기가 있다.
· 네모지고 다소 뭉쳐나며 곧게 서고 위쪽에서 가지를 많이 친다.

잎 잎은 마주나고 삼각의 달걀 모양이며 톱니는 굵고 예리하다.

꽃
· 꽃은 6~8월에 흰빛을 띤 자주색으로 피며, 줄기와 가지 끝에 취산꽃차례를 이루어 빽빽이 난다.
· 꽃받침은 통 모양이고 털이 퍼져 나며 끝이 5갈래로 갈라지는데, 그 조각은 바늘 모양이다.
· 화관은 입술 모양이고 자줏빛 점이 있으며 전체가 흰빛을 띤 자주색인데, 첫째 조각이 제일 크다.
· 4개의 수술 가운데 2개가 길다.

열매
· 열매는 타원형의 분열과로서 4개이며 꽃받침 속에 있고 검은빛을 띤 갈색이다.
· 한방에서 꽃줄기와 잎을 구풍과 흥분제로 사용한다.

약용활용

생약명 | 박하(薄荷), 영생(英生), 번하채(蕃荷菜)

이용부위 | 전초

채취시기 | 봄~여름(6~7월)

약성미 | 성질은 따뜻하고 맛은 맵다.

주치활용 | 감기로 인한 발열 두통 인후염, 꽃줄기와 잎을 구풍제로 사용

효능 | 해열, 소염, 건위, 담즙분비작용, 모세혈관 확장작용

민간활용 | 기침이나 감기에 사용한다.

학명 | Sium suave

분류 | 쌍떡잎식물 산형화목 미나리과

분포 | 한국(전남, 강원, 경기, 평남, 평북), 일본, 중국, 사할린섬

생육상 | 여러해살이풀

개발나물

서식 물가에서 자란다.

줄기 · 전체에 털이 없고 뿌리줄기는 짧고 흰색의 수염이 많이 난다.
· 줄기는 곧게 서고 속이 비며 윗부분에서 가지를 친다.

잎 · 잎은 홀수깃꼴겹잎으로 잎자루가 길고 위로 올라갈수록 잎자루와 잎이 모두 작아진다.
· 잎자루 아랫부분이 잎집이 된다.
· 작은잎은 7~17개로 줄 모양 바소꼴이고 끝의 잎 외에는 작은 잎자루가 없다.
· 끝이 뾰족하고 날카로운 톱니가 있다.

꽃 · 8월에 흰색 꽃이 줄기와 가지 끝에 피는데, 복산형꽃차례를 이룬다.
· 총포와 작은총포는 각각 5~6개로서 줄 모양이고 젖혀진다.
· 꽃가지는 10~20개의 작은꽃가지로 갈라지며 각각 10여 개의 꽃이 달린다.
· 씨방은 하위이며 열매는 분열과로서 타원형이며 독이 있다.

열매 열매는 타원형이다.

이용 어린잎은 채소로 먹는다.

약 용 활 용

생약명 | 산고본(山藁本)

이용부위 | 뿌리

채취시기 | 봄, 가을

약성미 | 성질은 따뜻하고 맛은 맵고 쓰다.

주치활용 | 풍한두통, 두정통, 한습복통, 설사, 산하, 풍습통양

효능 | 발표, 산한, 거풍, 지통

민간활용 | 전초를 신경통 등에 약으로 쓴다.

주의 | 독이 있어 주의하여야 한다.

2011 ⓒ 개별꽃

학명 | Pseudostellaria heterophylla

분류 | 쌍떡잎식물 중심자목

분포 | 한국, 일본, 중국 등지

생육상 | 여러해살이풀

개별꽃

서식 산지의 나무 밑에서 자란다.

뿌리 방추형의 덩이뿌리는 살졌고 1~2개씩 붙는다.

줄기 줄기는 1~2개씩 나오고 백색 털이 나 있다.

잎
· 잎은 마주난다.
· 위쪽의 잎은 특히 커지지 않고 피침형이며, 아래쪽의 잎은 좁아져서 잎자루와 같이 된다.

꽃
· 5월에 잎겨드랑이에서 꽃대가 나와 1개의 백색 꽃이 붙는다.
· 꽃받침은 5개이고 꽃잎도 5개로서 도란형이다.
· 수술은 10개이고, 꽃밥은 황색이며 씨방은 3갈래로 갈라진 암술대가 붙는다.

열매 열매는 삭과이고 둥근 난형이며 3갈래로 갈라진다.

이용 어린 줄기와 잎을 식용한다.

약용활용

생약명 | 태자삼(太子蔘)

이용부위 | 뿌리

채취시기 | 여름(7~8월)

약성미 | 성질은 평하고 맛은 달고 약간 쓰다.

주치활용 | 위장약, 식욕부진, 소화불량

효능 | 강장, 진해, 거담, 항피로

민간활용 | 기(氣)를 보충하고 위장을 튼튼하게 하며 양기를 북돋우는 보약으로 쓴다.

학명 | Selaginella stauntoniana

분류 | 석송강 부처손목 부처손과

분포 | 한국(전남 · 경기 · 황해 · 평남), 중국, 일본 등지

생육상 | 생육상 상록 여러해살이풀

개부처손

서식 산지의 바위 위에서 자란다.

줄기
· 땅속줄기는 옆으로 뻗고 잎이 드문드문 달리며 끝 부분이 위로 솟아 줄기가 된다.
· 줄기는 곧게 선다.
· 윗부분에서 3~4회 깃꼴로 갈라져 달걀 모양 또는 긴 달걀 모양의 잎처럼 퍼진다.
· 줄기의 아랫부분은 잎자루처럼 된다.

잎
· 잎은 긴 달걀 모양이고 4줄로 같은 평면 위에 배열하며 표면은 초록색이고 뒷면은 엷은 녹색이다.
· 가지가 갈라지는 곳에서는 2가지 모양의 잎이 4줄로 배열한다.
· 옆에 달린 잎은 퍼지고 달걀 모양 또는 넓은 달걀 모양이다.
· 윗부분 가장자리에 잔 톱니가 있고, 가운데 달린 잎은 긴 달걀 모양이고 끝이 가시처럼 예리하다.

포자
· 포자낭이삭은 가지 끝에 1개씩 달리고 네모진 기둥 모양이다.
· 포자엽은 달걀 모양이고 끝이 뾰족하며 가장자리에 잔 톱니가 있다.

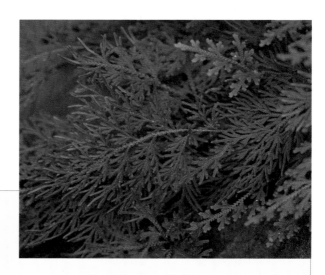

── 약 용 활 용 ──

생약명 | 권백(卷柏)

이용부위 | 전초(뿌리 제외)

채취시기 | 봄~가을

약성미 | 성질은 따뜻하고 평하며 맛은 맵고 달며 독이 없다.

주치활용 | 치질, 자궁 출혈, 타박상

효능 | 혈액순환 촉진, 지혈 작용

학명 | Veronica didyma var. lilacina

분류 | 쌍떡잎식물 통화식물목 현삼과

원산지 | 유럽

분포 | 제주, 전남, 전북, 경남, 경북

생육상 | 두해살이풀

개불알풀

서식 길가의 풀밭에서 자란다.

줄기 부드럽고 짧은 털이 나며, 밑에서부터 가지가 갈라져 옆으로 자라거나 비스듬히 선다.

잎
- 잎은 밑쪽에서는 마주나고 위쪽에서는 어긋나며 둥근 달걀 모양이고 2~3쌍의 톱니가 있다.
- 밑쪽의 것은 짧은 잎자루가 있으나 위쪽의 것에는 없다.

꽃
- 5~6월 붉은 자줏빛 꽃이 잎겨드랑이에 1개씩 달린다.
- 꽃대는 가늘고 잎과 거의 같은 길이이다.
- 화관은 4줄로 늘어서고 통부분이 짧다.
- 수술은 2개이고 암술대는 1개이다.
- 꽃받침은 4개로 깊게 갈라지고, 꽃받침조각은 달걀 모양이며 끝이 둔하고 빛깔은 녹색이다.

열매 열매는 삭과이며 신장 모양으로 가운데가 잘록하고 앞면에 부드러운 털이 나며 8~9월에 익는다.

약 용 활 용

생약명 | 파파납(婆婆納)

이용부위 | 전초

채취시기 | 여름(7~8월)

약성미 | 성질은 평하고 맛은 시고 쓰고 짜다.

주치활용 | 산기, 요통, 백대하

효능 | 경혈, 지혈, 이기, 지통

속명 | 갯사철쑥

학명 | Artemisia apiacea

분류 | 쌍떡잎식물 초롱꽃목 국화과

분포 | 한국(제주, 강원, 경기, 황해도), 일본, 중국 등지

생육상 | 두해살이풀

개사철쑥

서식 냇가의 모래땅에서 자란다.

줄기 전체에 털이 없고 냄새가 있다.

잎
· 뿌리에 달린 잎은 뭉쳐나고 가늘게 갈라지며 조각은 줄 모양으로 고르지 못하고 꽃이 필 때 없어진다.
· 위쪽 잎은 다시 갈라지며 그 조각은 실 모양이다.
· 줄기에 달린 잎은 어긋나고 긴 타원형이며 깃꼴로 깊게 갈라진다.
· 깊이 패어 들어간 모양의 톱니가 있고 위쪽으로 올라갈수록 잎 크기가 작아진다.

꽃
· 꽃은 7~9월에 초록빛을 띤 노란색으로 핀다.
· 가지와 줄기 끝에 총상꽃차례로 달린다.
· 총포조각은 끝이 둥글고 3줄로 늘어선다.
· 바깥조각은 길이가 약간 짧고 가운데와 안조각은 같은 길이이다.
· 암꽃은 화관과, 양성화는 각각 모양이 다르다.

열매 열매는 수과이며 털이 없다.

이용 어린 잎은 식용한다.

약 용 활 용

생약명 | 청호(菁蒿)

이용부위 | 전초

채취시기 | 여름 꽃피기 전

약성미 | 성질은 차고 맛은 약간 맵다.

주치활용 | 감기, 결핵성염, 학질, 간염, 담낭염, 담도염, 황달

효능 | 청열(淸熱), 해서(解暑), 제증(除蒸)

주의 | 설사를 하는 사람과 땀이 많이 나는 사람은 주의하여 복용하여야 한다.

학명 | Cymbopogon tortilis var. goeringii

분류 | 외떡잎식물 벼목 화본과

분포 | 제주, 전남, 전북, 경북, 충북, 강원, 경기

생육상 | 여러해살이풀

개솔새

서식 양지바르고 건조한 들에서 자란다.

줄기 줄기는 땅속줄기에서 모여난다.

잎
- 잎은 줄 모양이고 밖으로 휘어진다.
- 잎혀는 삼각형이고 털이 없다.

꽃
- 꽃은 9월에 총상꽃차례로 잎겨드랑이에 달린다.
- 꽃이삭은 2개씩 밑부분에서 구부러진다.
- 포는 잎 모양이며 녹색 또는 붉은 자주색이다.
- 포에서 짧은가지가 나와 가지 끝에 작은이삭이 촘촘하게 달린다.
- 첫째 작은이삭은 대가 있고 넓은 바소꼴로 까끄라기가 없고 수꽃이다.
- 둘째 작은이삭은 넓은 바소꼴로 까끄라기가 있다.
- 수술은 3개이다.

이용 뿌리줄기는 설사나 피부염에 사용한다.

약 용 활 용

생약명 | 구엽운향초(韭葉芸香草)

이용부위 | 전초

채취시기 | 여름(7~8월)

약성미 | 성질은 약간 차고 맛은 맵고 조금 쓰다.

주치활용 | 장학, 흉격팽창, 식욕부진, 복통, 구토수사

효능 | 평천, 지해, 소염, 지통, 지사, 지혈, 거풍습, 조소화, 통경락

민간활용 | 여름에 습기가 많은 곳에서 지내다가 감기에 걸려 오슬오슬 춥다가 덥고 신체가
나른하고 헛배가 부르며 음식 맛이 없고 때로 복통, 설사를 일으킬 때 활용한다.

2011 ⓒ 개쑥갓

학명 | Senecio vulgaris

분류 | 쌍떡잎식물 초롱꽃목 국화과

원산지 | 유럽 원산의 귀화식물

분포 | 전국 각지

생육상 | 한해살이풀 또는 두해살이풀

개쑥갓

서식 산과 들에서 자란다.

줄기 줄기는 붉은 자줏빛을 띠고 곧게 서거나 비스듬히 눕는다.

잎
· 잎은 어긋나고 불규칙하게 깃꼴로 갈라지며, 그 조각은 부드럽고 털이 없거나 약간 나고 불규칙한 톱니가 있다.
· 밑쪽의 잎은 잎자루가 있고 위쪽은 잎은 잎자루가 없으며 밑쪽이 약간 줄기를 감싼다.

꽃
· 꽃은 봄부터 가을까지 노란색으로 피고, 두화는 줄기와 가지 끝에 산방상으로 달린다.
· 보통 통 모양이지만 때로 혀 모양의 꽃도 있다.
· 화관은 5개로 갈라지고 암술머리에 젖꼭지 모양의 돌기가 있다.
· 총포는 원기둥 모양이고 끝이 좁아진다.
· 끝부분에는 작은 포가 있다.
· 씨방에는 털이 약간 난다.

열매
· 수과로 원기둥 모양이며 약간 흰색이다.
· 관모는 희다.

이용 어린순은 나물로 해먹는다.

약용활용

생약명 | 구주천리광(歐州千里光)

이용부위 | 지상부

채취시기 | 봄~가을

약성미 | 성질은 차고 맛은 쓰다.

주치활용 | 편도선염, 인후염, 복통, 불안증, 월경통, 치질

효능 | 소염, 진통, 진정

속명	우미인초(虞美人草), 꽃양귀비, 애기아편꽃
학명	Papaver rhoeas L.
분류	쌍떡잎식물 양귀비목 양귀비과
원산지	유럽
생육상	두해살이풀

개양귀비

서식 관상용으로 재배한다.

줄기 전체에 털이 나고 줄기는 곧게 선다.

잎 잎은 어긋나고 깃꼴로 갈라지며 갈라진 조각은 줄 모양 바소꼴로서 끝이 뾰족하고 가장자리에 톱니가 있다.

꽃
- 꽃은 5월경에 피고 적색이지만 여러 가지 품종이 있다.
- 가지 끝에 1송이씩 달리고, 피기 전에는 밑을 향하다가 필 때에는 위를 향한다.
- 꽃받침잎은 2개로서 녹색이고 가장자리가 백색이며 겉에 털이 있고 꽃이 필 때 떨어진다.
- 꽃잎은 4개가 교호로 대생하고 다소 둥글다.
- 수술은 많으며 자방은 도란형이고 털이 없으며 암술대는 방사형이고 화경에 퍼진 털이 있다.

열매 삭과로 넓은 도란형이다.

이용 관상용으로 심는다.

약 용 활 용

생약명	여춘화(麗春花)
이용부위	꽃
채취시기	5월(개화시)
약성미	성질은 따뜻하고 맛은 쓰고 맵다.
주치활용	해수, 복통, 설사병, 하리
효능	진해, 진통, 지사

학명 | Persicaria blumei

분류 | 쌍떡잎식물 마디풀목 마디풀과

분포 | 한국, 일본, 타이완, 중국, 말레이시아

생육상 | 한해살이풀

개여뀌

서식 들이나 길가에 자란다.

줄기
· 전체에 털이 없고 줄기는 붉은 자줏빛의 둥근 통 모양으로 곧게 선다.
· 가지를 많이 내며 마디에서 뿌리를 뺀다.

잎
· 잎은 어긋나고 넓은 바소꼴이다.
· 양면에 털이 나고 잎자루는 짧다.
· 잎집처럼 생긴 턱잎은 통 모양이고 가장자리에 수염털이 난다.

꽃
· 꽃은 6~9월에 붉은 자줏빛 또는 흰빛으로 피는데 가지 끝에서 수상꽃차례와 비슷한 꽃차례를 이룬다.
· 꽃받침은 5개로 갈라지고 꽃잎은 없다.
· 8개의 수술과 3개로 갈라진 암술대가 있고 씨방은 상위(上位)이다.

열매
· 열매는 달걀 모양의 수과이며 세모나다.
· 10~11월에 익으며 빛깔은 윤이 나는 짙은 갈색이다.

이용 봄철에 새로 나온 연약한 잎을 나물로 무쳐 먹는다.

약 용 활 용

생약명 | 수료(水蓼), 요실(蓼實)

이용부위 | 전초, 열매

채취시기 | 전초─봄~가을(6~9월), 열매─가을(10~11월)

약성미 | 성질은 차나 맛은 쓰고 맵지 않다.

주치활용 | 자궁출혈, 월경과다, 지혈, 타박상, 치질로 인한 출혈, 기타 내출혈

효능 | 호습, 행체, 거풍, 소종

주의 | 독성이 있으므로 임산부는 먹지 않는다.

2011 ⓒ 개연꽃

속명 | 긴잎좀련꽃

학명 | Nuphar japonicum

분류 | 쌍떡잎식물 미나리아재비목 수련과

분포 | 한국(전남, 경기, 강원), 일본

생육상 | 여러해살이풀

개연꽃

서식 개천·못·늪 등의 물 속에서 자란다.

줄기 뿌리줄기는 굵고 옆으로 뻗는다.

잎
- 잎은 뿌리줄기 끝에서 긴 잎자루를 내는데, 물 속의 잎은 좁고 길며 가장자리가 물결 모양이고 물 위의 잎은 긴 타원형이다.
- 겉은 윤이 나고 뒷면은 연한 갈색이다.

꽃
- 꽃은 8~9월에 물 위로 나온 긴 꽃자루 끝에 1송이씩 노란빛으로 핀다.
- 꽃받침은 5장이며 달걀을 거꾸로 세워놓은 모양이다.
- 꽃잎은 여러 장이며 직사각형이다.
- 씨방은 넓은 달걀 모양이고 수술은 여러 개이며 암술머리는 쟁반 모양이다.

열매 열매는 초록빛 장과로 물 속에서 익는다.

약 용 활 용

생약명 | 평봉초자(萍蓬草子)

이용부위 | 종자

채취시기 | 가을~다음해 봄

약성미 | 성질은 따뜻하고 맛은 신맛이 난다.

주치활용 | 경간, 파상풍, 장염, 임파선종, 옹종

효능 | 해열, 진경, 소종

주의 | 실화열독이 없는 사람, 음병의 외상자는 복용해서는 안 된다.

학명	Medicago hispida
분류	쌍떡잎식물 장미목 콩과
원산지	유럽
분포	한국 전역
생육상	두해살이풀

개자리

| 서식 | 들에서 자란다. |

| 줄기 | · 전체가 관목처럼 보이고 털이 빽빽하게 난다.
· 줄기는 밑에서 여러 개 갈라져 비스듬히 서거나 옆으로 땅을 긴다. |

| 잎 | · 잎은 어긋나며 잎자루가 있다.
· 작은잎은 3개인데 넓은 타원형으로 윗부분은 둥글고 아랫부분은 뾰족하다.
· 윗부분 가장자리에 잔톱니가 있다.
· 턱잎은 달걀을 반으로 나눈 모양이며 갈라진다. |

| 꽃 | · 5월에 잎겨드랑이에서 노란꽃이 핀다.
· 포는 줄 모양이다. |

| 열매 | · 열매는 꼬투리로 납작하고 둥글다.
· 꼬투리의 가장자리에 갈고리 모양의 털이 난다. |

약용활용

생약명 | 목숙

이용부위 | 전초

채취시기 | 여름

약성미 | 성질이 평하고 서늘하며 맛이 쓰고 독이 없다.

주치활용 | 황달, 장염, 이질, 유종(유방에 생긴 종기), 요로결석, 열기와 이로 인해서 생긴 혈열을 식히며, 소변을 통하게 하여 황달을 치료

효능 | 열혈, 습열

학명 | Asarum maculatum

분류 | 쌍떡잎식물 쥐방울덩굴목 쥐방울덩굴과

분포 | 한국(제주, 전남, 경남)

생육상 | 여러해살이풀

개족두리풀

서식 한라산과 남해안 섬지방의 산지 숲 속에서 자란다.

뿌리
· 뿌리줄기가 옆으로 비스듬히 벋으며 마디에서 흰색 뿌리가 난다.
· 뿌리줄기 윗부분에는 달걀 모양의 적갈색 비늘조각이 1~3개 붙는다.

잎
· 잎은 심장 모양으로 1~2개 나오고 털이 없다.
· 잎 표면은 짙은 녹색이고 흰색 무늬가 불규칙하게 있으며 가장자리가 밋밋하다.
· 뒷면에 털이 약간 나는 것도 있다.
· 5~6월에 잎자루 옆에 짙은 자줏빛 꽃이 1송이 핀다.

꽃 꽃은 꽃잎이 없으며 끝이 3개로 깊게 갈라진다.

열매
· 열매는 길이 3cm 정도이고 씨는 타원형에 가깝다.
· 족두리풀보다는 잎이 두껍고 무늬가 있는 것이 다르다.

약 용 활 용

생약명 | 세신(細辛)

이용부위 | 뿌리가 달린 전초

채취시기 | 봄~여름(5~7월)

약성미 | 성질은 따뜻하며 맛은 매무 맵다.

주치활용 | 외감풍한, 풍냉두통, 비연—축농증, 치통, 담음해역(痰飮咳逆), 류머티즘에 의한 비통

효능 | 거풍, 산한, 온폐, 화담, 개규

2011 ⓒ 갯강활

학명 | Angelica japonica

분류 | 쌍떡잎식물 산형화목 산형과

분포 | 한국

생육상 | 여러해살이풀

갯강활

서식 바닷가(갯가)에서 잘 자란다.

줄기
· 줄기의 위쪽에서 가지를 친다.
· 줄기 속에 노란빛이 도는 흰색의 즙액이 있고 겉에 어두운 자주색의 줄이 있다.

잎
· 뿌리잎과 밑쪽의 줄기잎은 잎자루가 길고 넓은 달걀 모양 삼각형이며 깃꼴겹잎이다.
· 작은잎은 달걀 모양 또는 달걀 모양 타원형이고 윤이 난다.
· 끝이 둔하거나 뾰족하다.

꽃
· 꽃은 7~8월에 흰색꽃이 핀다.
· 복산형꽃차례로 달리며 화관은 작다.
· 꽃받침은 타원형이고 수술은 5개이며 씨방은 1개로 하위이다.

열매
· 열매는 10월에 익으며 편평한 타원형으로 털이 없다.
· 열매 뒷면에 맥이 있고 옆에 날개 모양의 능선이 있다.

약용활용

생약명 | 강활(羌活)

이용부위 | 뿌리

채취시기 | 가을~ 다음해 봄

약성미 | 성질은 따뜻하고 맛은 맵고 쓰며 독이 없다.

주치활용 | 감기, 두통, 신경통, 류머티즘 관절염, 중풍

효능 | 산표한, 거풍습, 이관절

주의 | 진한 성분이 있어 과다하면 구토가 발생되기에 속에 통증이 있거나 두통이 있는 사람은 조심해서 사용해야 한다.

2011 ⓒ 갯개미자리

학명 | Spergularia marina (L.) Griseb.

분류 | 쌍떡잎식물 중심자목 석죽과

분포 | 한국

생육상 | 1~2해살이풀

갯개미자리

서식 전국 바닷가에서 자란다.

줄기 줄기 밑에서 여러 갈래로 갈라지고 윗부분에 선모가 있다.

잎
· 잎은 대생하고 반원주상 선형이며 끝이 뾰족하다.
· 탁엽은 넓은 삼각형 또는 넓은 난형이고 백색 막질이다.
· 밑부분에서 합생하고 가장자리에 흔히 톱니가 2~3개가 있다.

꽃
· 꽃은 5~8월에 핀다.
· 줄기 윗부분의 엽액에 달리고 소화경은 선모가 있다.
· 꽃받침잎은 5개이고 난형이며 끝이 둔하다.
· 가장자리는 막질로서 선모가 있다.
· 꽃잎은 5개이며 백색이고 좁은 도란형이며 수술은 5개, 암술머리는 3개이다.

열매
· 열매는 삭과로서 난형이고 꽃받침보다 길며 3개로 갈라진다.
· 종자는 넓은 난형이며 같은 열매에서 나온 종자라도
  날개가 있는 것과 없는 것이 있다.

약 용 활 용

생약명 | 칠고초(漆姑草)

이용부위 | 전초

채취시기 | 봄, 여름

약성미 | 성질은 차고 맛은 쓰고 맵다.

주치활용 | 소변불리. 인후염. 림프선염. 종기

민간활용 | 전초를 그대로 짓찧어서 환부에 붙이기도 한다.

2011 ⓒ 갯기름나물

학명 | Peucedanum japonicum

분류 | 쌍떡잎식물 산형화목 미나리과

분포 | 한국(남부지방)

생육상 | 여러해살이풀

갯기름나물

서식 바닷가나 냇가에서 자란다.

줄기
· 줄기는 단단하고 곧게 선다.
· 줄기 끝부분에 있는 털은 짧고 뿌리는 굵다.

잎
· 잎은 회색 빛이 도는 녹색으로 어긋나고 잎자루가 길며 2~3회 갈라지는 깃꼴겹잎이다.
· 작은잎은 대개 3개로 갈라지고 톱니가 있으며 뒷면은 뽀얗고 잎자루는 밑에 잎집이 있으며 다소 줄기를 싼다.
· 윗부분의 잎은 퇴화하고 잎집이 자라지 않는다.

꽃
· 꽃은 6~8월에 흰색으로 핀다.
· 복산형꽃차례이며 줄기 끝에 약 20~30개의 꽃이 달린다.
· 총포는 없고 작은총포는 5~10개로서 삼각형 또는 바소꼴이다.
· 화관은 작고, 꽃잎은 5개이며 안으로 굽는다.
· 수술이 5개이고 씨방은 1개로 하위이다.

열매 열매는 타원형이고 잔털이 있으며 9월에 익는다.

이용 어린 잎은 식용한다.

약용활용

생약명 | 식방풍(植防風)

이용부위 | 뿌리

채취시기 | 가을(9~10월)

약성미 | 성질은 약간 따뜻하고 맛은 달고 맵다.

주치활용 | 두통, 전신통 및 인후통, 사지관절동통, 사지경련, 반신불수, 마비동통, 옴

효능 | 해열, 항염증, 진경, 발표거풍, 승습지통

2011 ⓒ 갯메꽃

학명 | Calystegia soldanella

분류 | 쌍떡잎식물 통화식물목 메꽃과

분포 | 한국(제주, 전남, 전북, 경남, 경북, 강원, 경기, 황해, 함남)

생육상 | 여러해살이풀

갯메꽃

서식 바닷가의 모래밭에서 자란다.

줄기 굵은 땅속줄기가 옆으로 길게 뻗으며, 줄기는 갈라져 땅 위로 뻗거나 다른 물체를 감고 올라간다.

잎
· 잎은 어긋나고 잎자루는 길며 신장 모양으로 윤이 난다.
· 잎 끝은 오목하거나 둥글며 가장자리에 물결 모양의 요철이 있는 것도 있다.

꽃
· 꽃은 5월에 연한 분홍색으로 피고 잎겨드랑이에서 꽃자루가 잎보다 길게 나온다.
· 포는 넓은 달걀 모양 삼각형이고 총포처럼 꽃받침을 둘러싼다.
· 화관은 희미하게 5개의 각이 지며 수술 5개, 암술 1개가 있다.

열매 열매는 삭과로서 둥글고 포와 꽃받침으로 싸여 있으며 검은 종자가 들어 있다.

이용 어린 순과 땅속줄기는 식용한다.

약 용 활 용

생약명 | 효선초근(孝扇草根)

이용부위 | 뿌리

채취시기 | 봄~가을

약성미 | 성질은 따뜻하고 맛이 달다.

주치활용 | 류머티스 관절염, 소변불리, 인후염, 기관지염

효능 | 이뇨, 진통

2011 ⓒ 갯방풍

학명 | Glehnia littoralis

분류 | 쌍떡잎식물 산형화목 미나리과

분포 | 한국, 일본, 타이완, 중국, 쿠릴열도, 사할린섬, 오호츠크해 연안

생육상 | 여러해살이풀

갯방풍

서식 바닷가의 모래땅에서 자란다.

줄기 전체에 흰색 털이 나고 뿌리는 모래 속에 깊이 묻힌다.

잎
- 잎자루는 길고 잎은 깃꼴겹잎으로 삼각형이나 달걀 모양 삼각형이다.
- 작은잎은 타원형 또는 달걀 모양 원형으로 두껍고 윤이 나며 가장자리에 톱니가 있다.

꽃
- 꽃은 흰색으로 6~7월에 피고 복산형꽃차례로 줄기 끝에 나며 작은꽃이 많이 핀다.
- 큰꽃자루는 10개 정도이고 작은꽃자루는 많다.
- 총포 및 작은총포는 줄 모양으로 꽃보다 짧다.
- 화관은 꽃받침 5개, 수술 5개로 씨방은 하위이다.

열매 열매는 달걀 모양으로 긴 털로 덮여 있다.

약용활용

생약명 | 북사삼(北沙蔘), 해방풍(海防風), 빈방풍(濱防風)

이용부위 | 뿌리

채취시기 | 봄~가을

약성미 | 성질은 따뜻하고 맛은 달며 독이 없다.

주치활용 | 어지럼증, 두통, 사지관절 경련, 구갈 등

효능 | 양음, 청폐, 거담, 발한, 해열, 진통

학명 | Aster hispidus

분류 | 쌍떡잎식물 초롱꽃목 국화과

분포 | 한국, 일본, 타이완, 중국 등의 온대에서 아열대

생육상 | 두해살이풀

갯쑥부쟁이

서식 바닷가의 건조한 곳에서 자란다.

줄기 줄기는 곧게 자라며 가늘고 긴데 위쪽에서 가지를 친다.

잎
- 잎은 어긋나고 뿌리잎은 거꾸로 세운 바소 모양이며 밑으로 갈수록 좁아진다.
- 양면에 잔털이 있고 가장자리에 안으로 굽은 톱니와 털이 있다.
- 줄기잎은 줄 모양 또는 거꾸로 세운 바소 모양으로 끝이 둔하고 밑으로 갈수록 좁아진다.

꽃
- 중심꽃은 노란색이고 가장자리꽃은 자주색의 설상화이다.
- 꽃은 8~11월에 피며 가지 끝과 원줄기 끝에 달린다.
- 총포는 반구형이고 포는 두 줄로 배열되며 줄 모양 바소꼴이다.

열매 수과로서 달걀을 거꾸로 세운 모양이고 흰색이다.

이용 어린 순은 식용한다.

약 용 활 용

생약명 | 자원(紫苑)

이용부위 | 뿌리

채취시기 | 봄과 가을

약성미 | 성질은 따뜻하고 맛은 쓰고 달다.

주치활용 | 토혈, 천식, 폐결핵성 기침, 만성기관지염, 이뇨

효능 | 진해, 거담, 항균

2011 ⓒ 갯씀바귀

학명 | Ixeris repens

분류 | 쌍떡잎식물 초롱꽃목 국화과

분포 | 동아시아의 한대에서 열대

생육상 | 여러해살이풀

갯씀바귀

서식 바닷가의 모래땅에서 자란다.

줄기 뿌리줄기는 옆으로 길게 자라면서 가지를 치고 잎이 달린다.

잎
- 잎은 어긋나고 잎자루가 길며 땅 속에서 나온다.
- 잎 모양은 심장 모양으로 두껍고 손바닥 모양으로 3~5갈래로 깊게 갈라진다.
- 갈라진 조각은 다시 2~3갈래로 얕게 갈라지거나 희미한 톱니가 있다.

꽃
- 6~7월에 꽃자루가 뿌리잎의 잎겨드랑이에서 나온다.
- 가지가 갈라져서 2~5개의 노란 꽃이 달린다.
- 잎이 없으나 가장 밑에 있는 포가 잎처럼 생겼다.
- 총포의 안쪽 포는 6~8개이다.

열매 수과로서 관모는 흰색이다.

이용 어린 순은 식용한다.

약 용 활 용

생약명 | 고채(苦菜)

이용부위 | 전초

채취시기 | 봄

약성미 | 성질은 차고 맛은 쓰다.

주치활용 | 독사교상, 요결석, 음낭습진, 폐렴, 골절

효능 | 소종, 해열, 해독

민간활용 | 사마귀는 씀바귀의 잎이나 줄기에서 나오는 흰즙액을 손등의 사마귀에 바르면 사마귀가 스스로 떨어진다.

주의 | 씀바귀를 먹고 냉수나 아이스크림을 먹으면 장기가 한랭하여 기능이 침체된다.

학명	Lathyrus japonica
분류	쌍떡잎식물 장미목 콩과
분포	제주, 전남, 전북, 경북, 강원, 경기
생육상	여러해살이풀

갯완두

서식 바닷가의 모래땅에서 자란다.

줄기 땅속줄기가 발달하고 땅위줄기는 모가 나며 비스듬히 눕는 성질이 있다.

잎
· 잎은 어긋나고 깃 모양이며 끝에 덩굴손이 있다.
· 작은잎은 3~6쌍이고 넓은 타원형 또는 달걀 모양으로 톱니가 없으며 뽀얗다.
· 턱잎은 크고 끝이 날카롭다.

꽃
· 5~6월에 적자색 꽃이 총상꽃차례를 이루며 잎겨드랑이에서 나온다.
· 꽃자루가 길며 3~5송이씩 붙는다.
· 꽃받침은 5개로 갈라지고 털이 없으며 화관은 나비 모양이다.
· 수술은 10개이고 암술은 1개이다.

열매 협과로서 자루가 없고 납작하며 긴 줄 모양 타원형이다.

이용 이른 봄 어린 싹을 베어 말린 것을 대두황권이라 하는데, 서열증·열나기·비증뿐만 아니라 소변을 잘 보게 하는 데에도 사용한다.

── 약 용 활 용 ──

생약명 | 대두황권(大豆黃卷)

이용부위 | 어린싹

채취시기 | 봄(4월)

약성미 | 성질이 평하고 맛은 달며 독이 없다.

주치활용 | 서열증, 열나기, 비증, 소변을 잘 보게 한다.

효능 | 불리습열, 통락, 제독, 익기

2011 ⓒ 거북꼬리

학명 | Boehmeria tricuspis

분류 | 쌍떡잎식물 이판화군 쐐기풀목 쐐기풀과

분포 | 제주, 전남, 경남, 강원, 경기

생육상 | 여러해살이풀

거북꼬리

서식 계곡의 숲 가장자리나 약간 그늘진 곳에서 자란다.

줄기 줄기는 뭉쳐나고 뭉뚝하게 네모지고, 곧게 서고 가지가 갈라지며 잎자루와 더불어 붉은 색이 돈다.

잎
- 잎은 마주나고 달걀 모양이며 끝이 3갈래로 갈라지고 가운데 갈라진 조각은 거북꼬리 처럼 된다.
- 3맥이 뚜렷하고 큰 톱니가 있으며 뒷면 맥 위에 잔털이 있다.

꽃
- 꽃은 양성화로 7~8월에 연한 녹색의 꽃이 잎겨드랑이에 수상꽃차례로 달린다.
- 수꽃이삭은 줄기 밑쪽에, 암꽃이삭은 위 쪽에 달린다.
- 수꽃은 4~5개로 갈라진 꽃받침과 4~5개의 수술이 있다.
- 암꽃은 여러 개가 작은 공 모양으로 모여 달리고 통 모양 꽃받침에 싸이며 암술대는 1개이다.

열매 수과로 거꾸로 세운 달걀 모양이나 여러 개가 모여 둥글게 보인다.

이용 이른 봄에 연한 순을 뜯어 나물로 해먹는다.

─ 약 용 활 용 ─

생약명 | 동북저마(東北苧麻)

이용부위 | 뿌리

채취시기 | 가을(줄기가 마르기 전)

주치활용 | 열병대갈, 혈림, 창종, 독사교상, 토혈, 단독

효능 | 창열, 지혈, 해독, 산어

민간활용 | 뿌리를 술에 담가 아침 저녁으로 복용한다.

2011 ⓒ 거지덩굴

학명 | Cayatia japonica

분류 | 갈매나무목 포도과

분포 | 한국(제주), 일본, 타이완, 중국, 인도

생육상 | 여러해살이 덩굴식물

거지덩굴

서식 산이나 들에서 자란다.

줄기 땅속줄기는 땅속을 옆으로 뻗고 줄기는 녹자색으로 능선이 있고 마디에 긴 털이 있으며 갈라져서 다른 것에 감겨 올라간다.

잎
- 잎은 어긋나고 잎자루는 길며 겹잎이다.
- 작은잎은 5개이고 잎자루가 짧으며 달걀 모양, 또는 긴 달걀 모양으로 물결 모양의 톱니가 있고 잎자루가 있다.

꽃
- 7~8월에 황록색 꽃이 산방상 취산꽃차례로 피고, 꽃잎과 수술이 각각 4개이고 1개의 암술이 있다.
- 편평한 꽃잎은 홍색 또는 등황색이며 꽃대는 막대 모양으로 곧게 선다.

열매 장과로 둥글고 검게 익는다.

┌─ 약 용 활 용 ─

생약명 | 오렴매(烏蘞莓)

이용부위 | 뿌리

채취시기 | 가을(9월)

약성미 | 성질은 차며 맛은 시고 쓰며 독이 없다.

주치활용 | 옹종, 정창, 유행성이하선염, 단독, 류머티즘통, 황달, 전염성하리증, 혈뇨, 백탁

효능 | 해열, 이습, 해독, 소종

민간활용 | 전초를 달인 액을 반으로 나누어서 아침과 저녁으로 복용한다.

2011 ⓒ 검종덩굴

학명	Clematis fusca
분류	쌍떡잎식물 이판화군 미나리아재비과
분포	한국(중부 이북)
생육상	낙엽 덩굴식물

검종덩굴

서식 산이나 들에서 자란다.

잎
· 잎은 마주나고 5~9개의 작은잎으로 되며 꼭대기 잎이 덩굴손으로 변하기도 한다.
· 작은잎은 달걀 모양 또는 바소꼴의 달걀 모양이다.
· 때로는 2~3갈래로 갈라지고 톱니는 없으며 끝은 뾰족하다.

꽃
· 꽃은 6~8월에 핀다.
· 종 모양으로 밑을 향하며 꽃대는 잎보다 짧고 잎겨드랑이에서 나와 1개의 꽃이 달린다.
· 꽃대는 화피갈래 조각과 함께 암갈색의 털이 빽빽이 나 있다.
· 2개의 포가 가운데에 있으며 4개의 두꺼운 화피 끝이 뒤로 약간 젖혀진다.
· 수술은 많고 수술대 위쪽에 흰색 털이 있으며 암술도 많다.

열매
· 수과로 타원형이며 잔털이 있고 끝에 암술대가 남아 있다.
· 암술대는 갈색이 돌며 익으면 깃털 모양이 된다.

이용 울타리 및 옥상조경에 녹화용으로 사용된다.

─ 약 용 활 용 ─

생약명 | 갈자철선련(褐紫鐵線蓮)

이용부위 | 뿌리

채취시기 | 가을(10월)

약성미 | 성질은 따뜻하고 맛은 맵고 독이 있다.

주치활용 | 풍습성관절염, 신경통, 안면신경마비, 중풍

효능 | 천식, 각기병, 이뇨, 발한, 파상풍

학명 | Ipomoea batatas

분류 | 쌍떡잎식물 통화식물목 메꽃과

원산지 | 중·남아메리카

분포 | 한국, 중국, 인도네시아, 브라질 등지

생육상 | 여러해살이풀

고구마

서식 한국 전역에서 널리 재배한다.

줄기 줄기는 길게 땅바닥을 따라 뻗으면서 뿌리를 내린다.

잎 잎은 어긋나고 잎몸은 심장 모양으로 얕게 갈라지며 잎과 줄기를 자르면 즙이 나온다.

뿌리
- 줄기 밑쪽의 잎자루 기부에서 뿌리를 내는데, 그 일부는 땅속에서 커져 덩이뿌리인 고구마가 된다.
- 모양은 양쪽이 뾰족한 원기둥꼴에서 공 모양까지 여러 가지이다.
- 빛깔도 흰색, 노란색, 연한 붉은색, 붉은색, 연한 자주색으로 다양하다.

꽃
- 꽃은 7~8월에 잎겨드랑이에서 나온 꽃자루에 연한 홍색의 나팔꽃 모양으로 몇 개씩 달린다.
- 꽃받침은 5개로 갈라진다.
- 화관은 깔대기 모양이고 수술 5개와 암술 1개가 있다.

열매 열매는 공 모양 삭과로 2~4개의 흑갈색 종자가 여문다.

이용 뿌리는 소화기능을 활성시킨다.

약 용 활 용

생약명 | 번서(番薯)

이용부위 | 뿌리

채취시기 | 가을

약성미 | 성질은 평하고 맛은 달다.

주치활용 | 변비, 혈압, 암, 토사, 변혈, 혈붕, 유즙불하, 옹창

효능 | 보중, 양혈, 보기, 생진액, 장위이완, 통변비

민간활용 | 짓찧어 낸 즙에 소금을 섞어서 벌에 쏘인 자상을 치료한다.

학명 | Youngia sonchifolia

분류 | 쌍떡잎식물 초롱꽃목 국화과

분포 | 한국, 중국

생육상 | 두해살이풀

고들빼기

서식 산과 들이나 밭 근처에서 자라며 농가에서 재배하기도 한다.

줄기 줄기는 곧고 가지를 많이 치며 붉은 자줏빛을 띤다.

잎
· 뿌리에 달린 잎은 꽃이 필 때까지 남아 있으며 타원형이다.
· 잎자루가 없고 가장자리는 빗살 모양으로 갈라진다.
· 잎 앞면은 녹색이고 뒷면은 회색이 섞인 파란색인데 양면에 털이 없다.
· 줄기에 달린 잎은 달걀 모양이고 밑이 넓어져 줄기를 감싼다.
· 불규칙하게 패인 톱니가 있으며 위쪽으로 올라갈수록 크기가 작아진다.

꽃
· 5~7월에 노란 꽃이 피는데, 가지 끝에 두상화가 산방꽃차례로 달린다.
· 포는 2~3개이며 총포의 바깥 포조각은 1줄로 배열하며 긴 타원형이다.
· 화관은 노란색이고 끝이 갈라지며 통부분은 잔털이 난다.

열매
· 수과로 검은색에 납작한 원뿔형으로 6월에 익는다.
· 관모는 흰색이다.

이용 지상부는 종기와 환부에 찧어 바른다.

약 용 활 용

생약명 | 약사초(藥師草)

이용부위 | 지상부

채취시기 | 여름(5~7월)

약성미 | 성질은 차고 맛은 쓸쓸하다.

주치활용 | 강장, 강정, 식욕부진, 이질, 간경화, 유방염, 위염, 축농증, 소화불량 등

효능 | 해열, 해독, 건위, 조혈, 소종 등

민간활용 | 타박상이나 종기에 생풀을 짓찧어 환부에 붙인다.
음낭습진은 달인물로 환부를 닦아낸다.

속명 | 구멍이, 도깨비엉경퀴

학명 | Cirsium setidens

분류 | 쌍떡잎식물 초롱꽃목 국화과

분포 | 한국

생육상 | 여러해살이풀

고려엉겅퀴

서식 산과 들에서 자란다.

줄기 뿌리가 곧으며 가지가 사방으로 퍼진다.

잎
· 뿌리에 달린 잎과 밑부분의 잎은 꽃이 필 때 시든다.
· 줄기에 달린 잎은 타원 모양 바소꼴 또는 달걀 모양으로 밑쪽 잎은 잎자루가 길고 위쪽 잎은 잎자루가 짧다.
· 잎의 앞면은 녹색에 털이 약간 나며 뒷면은 흰색에 털이 없고 가장자리가 밋밋하거나 가시 같은 톱니가 있다.

꽃
· 7~10월에 붉은 자줏빛 관상화가 원줄기와 가지 끝에 한 송이씩 핀다.
· 총포는 둥근 종 모양으로 털이 빽빽이 난다.
· 화관은 자줏빛이다.

열매 수과로 긴 타원형이며 관모는 갈색이며 11월에 익는다.

이용 어린 잎을 먹는다.

약용활용

생약명 | 야홍화(野紅花)

이용부위 | 꽃봉우리 뿌리, 잎

채취시기 | 꽃—여름, 뿌리—수시

약성미 | 성질은 서늘하고 맛은 달고 쓰다.

주치활용 | 각혈, 코피, 자궁출혈, 소변출혈, 충수염, 폐농양, 화상으로 인한 종기, 급성간염, 고혈압, 신경통

효능 | 지혈, 혈압강하, 항균

속명 | 고만

학명 | Persicaria thunbergii

분류 | 쌍떡잎식물 마디풀목 마디풀과

분포 | 한국, 일본, 타이완, 중국, 헤이룽강 연안, 인도 아삼주

생육상 | 덩굴성 한해살이풀

고마리

서식 양지바른 들이나 냇가에서 자란다.

줄기 줄기의 능선을 따라 가시가 나며 털이 없다.

잎
· 잎은 어긋나고 잎자루가 있으나, 윗부분의 것에는 잎자루가 없다.
· 잎 모양은 서양 방패처럼 생겼다.
· 가운뎃잎 갈래조각은 달걀 모양이고 끝이 뾰족하며, 곁잎 갈래조각은 서로 비슷하게 옆으로 퍼진다.
· 잎자루는 흔히 날개가 있고, 뒷면 맥 위에 잔 가시가 있다.
· 잎집은 가장자리에 짧은 털이 나고 작은잎이 달리기도 한다.

꽃
· 꽃은 8~9월에 피는데, 가지 끝에 연분홍색 또는 흰색 꽃이 뭉쳐서 달린다.
· 꽃자루에 선모가 있다.
· 수술은 8개이고 암술대는 3개이다.
· 씨방은 달걀을 거꾸로 세운 모양 또는 타원형이다.

열매 열매는 수과로 10~11월에 익는데 세모난 달걀 모양이고 황갈색이다.

이용 어린 풀은 먹고 줄기와 잎은 지혈제로 쓴다.

┌─ **약 용 활 용** ─

　생약명 | 고교맥(苦蕎麥)

이용부위 | 전초

채취시기 | 가을

　약성미 | 성질은 평하고 맛은 쓰다.

주치활용 | 위염, 요통, 소화불량, 시력회복, 팔다리 아픈데, 방광염, 이질, 간염

　　효능 | 지혈작용

2011 ⓒ 고본

학명 | Angelica tenuissima
분류 | 쌍떡잎식물 산형화목 미나리과
분포 | 한국(경남, 경북, 충남, 충북, 강원, 평북 등)
생육상 | 여러해살이풀

고본

서식 깊은 산 산기슭에서 자란다.

줄기 줄기는 곧게 서고 가지를 친다.

잎
- 잎은 어긋나며 뿌리에 달린 잎은 긴 잎자루가 있고 줄기에 달린 잎에는 잎집이 있다.
- 3회 깃꼴겹잎으로 갈라지며 갈라진 조각은 줄 모양이다.

꽃
- 8~9월에 흰색 꽃이 겹산형꽃차례로 피는데 큰꽃자루는 10개 정도이며 작은꽃자루는 20~22개이다.
- 총포조각은 1개가 크고 작은총포조각은 줄 모양이며 많다.
- 화관은 작고 꽃잎은 5개이며 안으로 굽는다.
- 수술은 5개이고 자줏빛 꽃밥이 달린다.

열매
- 열매는 분과로 납작한 타원형이며 날개가 있다.
- 씨방은 1개로 타원형이며 꽃받침 아래 위치한다.

이용 풀 전체에 털이 없고 향기가 난다.

약용활용

생약명 | 고본(藁本)

이용부위 | 뿌리

채취시기 | 가을, 가을

약성미 | 성질은 따뜻하고 맛은 맵다.

주치활용 | 두통, 관절통, 치통, 복통, 설사, 습진, 두통, 발열, 기침과 가래, 코막힘, 콧물, 류머티스성 관절염

효능 | 거풍, 산한, 제습, 지통

주의 | 혈허로 인한 두통이 있는 경우는 복용을 금한다. 허약중에는 피한다.

학명 | Osmunda japonica

분류 | 양치식물 고사리목 고비과

분포 | 한국, 일본, 중국, 타이완, 히말라야, 사할린, 필리핀 등지

생육상 | 여러해살이풀

고비

서식 산지의 숲 속에서 자란다.

줄기 땅속줄기는 짧고 굵으며 덩이 모양이고 많은 잎이 뭉쳐난다.

잎
- 잎은 영양엽과 포자엽으로 구별되고 어릴 때는 붉은빛이 도는 갈색의 솜털이 빽빽이 있으나 점차 없어진다.
- 영양엽은 2회 깃꼴로 갈라지고 잎조각의 가장 밑에 있는 것이 가장 크다.
- 작은 잎조각은 바소꼴이거나 넓은 바소꼴 또는 긴 타원 모양의 바소꼴이다.
- 끝이 둔하고 가장자리에 잔 톱니가 있으며 자루가 없다.
- 포자엽은 봄에 영양엽보다 먼저 나오고 곧게 서며 자루가 있다.
- 작은 잎조각은 줄 모양이고 짙은 갈색이며 포자낭이 포도송이처럼 입체적으로 빽빽이 달린다.
- 때로는 여름철에 영양엽 일부가 포자엽으로 변하기도 한다. 포자는 9~10월에 익는다.

약 용 활 용

생약명 | 자기(紫箕)

이용부위 | 뿌리, 줄기

채취시기 | 봄, 여름

약성미 | 성질은 평하고 맛은 쓰고 달다.

주치활용 | 인후통, 감기로 인한 발열, 피부 발진

효능 | 이뇨제, 지혈

민간활용 | 기생충 제거

학명 | Coniogramme intermedia

분류 | 양치식물 고사리목 고사리과

분포 | 한국, 일본, 사할린, 중국, 인도 등지

생육상 | 여러해살이풀

고비고사리

서식 산지의 나무 그늘에서 자란다.

줄기
· 뿌리줄기는 굵고 땅 속에서 옆으로 길게 뻗으며 비늘조각이 있다.
· 비늘조각은 바소꼴이고 갈색이다.
· 막질이고 가장자리가 밋밋하며 끝이 뾰족하다.

잎
· 잎은 뿌리줄기에 드문드문 달린다.
· 잎자루는 밑 부분에 비늘조각이 약간 있다.
· 잎몸은 달걀 모양의 긴 타원형이고 잎조각으로 구성된 깃꼴겹잎이다.
· 잎조각은 줄 모양의 긴 타원 모양이다.
· 가장자리에 잔 톱니가 있으며 끝이 갑자기 좁아져서 꼬리처럼 되고 표면은 녹색이며 뒷면은 엷은 녹색이다.
· 맨 밑에 있는 잎조각은 밑 부분에 1~2개의 작은 잎조각이 붙는다.
· 잎맥은 1~2회 Y자 모양으로 갈라지며 서로 합치지 않고 나란히 퍼지며 가장자리의 잔 톱니까지 뻗는다.
· 포자낭군은 잎조각 가장자리에서 5mm 정도 떨어진 곳의 잎맥을 따라 중앙맥 좌우편에 달리고 갈색이며, 포막은 없다.

이용 지상부는 전신통 등에 사용한다.

약 용 활 용

생약명 | 전산혈련(散血蓮), 구척(狗脊)
이용부위 | 전초
채취시기 | 봄(잎이 무성할 때)
약성미 | 성질은 평하고 맛은 쓰며 달고 무독하다.
주치활용 | 목적, 종통, 두통, 류머티즘, 월경폐지, 유옹, 종독
효능 | 거풍, 청열, 활혈, 해독

학명 | Pteridium aquilinum var. latiusculum

분류 | 양치식물 고사리목 고사리과

분포 | 북반구의 온대 지방과 한대 지방

생육상 | 여러해살이풀

고사리

서식 산과 들의 양지바른 곳에서 자란다.

줄기 전체에 털이 있으나 비늘조각이 없다. 뿌리줄기는 굵고 둥글며 땅 속에서 옆으로 길게 뻗고 군데군데에서 잎이 나온다.

잎
· 잎자루는 곧게 서고 연한 볏짚색이고 땅에 묻힌 밑 부분은 검은빛이 도는 갈색이며 털이 있다.
· 잎몸은 달걀 모양의 삼각형이고 3회 깃꼴로 갈라지고 끝이 뾰족하며 표면은 녹색이고 뒷면은 엷은 녹색이며 털이 약간 있다.
· 잎조각은 삼각형의 달걀 모양이고 끝이 뾰족하며, 맨 아래쪽의 잎조각이 가장 크고 잎몸 전체 길이의 2/3를 차지한다.
· 작은 잎조각은 긴 타원 모양 또는 줄 모양의 바소꼴이고 끝이 둔하며 가장자리가 밋밋하고 약간 뒤로 말린다.
· 포자낭군은 작은 잎조각의 가장자리에 달리고 서로 이어졌으며, 가장자리가 뒤로 말려 포막처럼 포자낭군을 덮는다.
· 이러한 포막을 헛포막이라고 하고 투명하며 털이 없다.

이용 봄에 잎이 아직 피지 않은 것을 삶아서 나물로 먹거나 국의 재료로 쓰고, 뿌리줄기에서 녹말을 채취하기도 한다.

약 용 활 용

생약명 | 궐분(蕨粉)

이용부위 | 어린 순

채취시기 | 가을

약성미 | 성질은 차고 맛이 달다.

주치활용 | 이질, 황달, 고혈압, 장풍열독

효능 | 이뇨 자양강장, 해열, 통경

2011 ⓒ 고삼

학명 | Sophora flavescens

분류 | 쌍떡잎식물 장미목 콩과

분포 | 한국, 일본, 중국, 시베리아 등지

생육상 | 여러해살이풀

고삼

서식 양지 바른 풀밭에서 자란다.

줄기 녹색이지만 어릴 때는 검은빛을 띤다.

잎
- 줄기는 곧고 잎은 어긋나며 홀수깃꼴겹잎이다.
- 작은잎은 15~40개이고 긴 타원형 또는 긴 달걀 모양이다.
- 잎자루가 길며 가장자리는 밋밋하다.

꽃
- 6~8월에 가지 끝에 20cm 정도의 꽃줄기가 나와 나비 모양의 연한 노란색 꽃이 총상꽃 차례로 핀다.
- 꽃받침은 통처럼 생겼고 겉에 털이 나며 끝이 5개로 얕게 갈라진다.

열매
- 열매는 협과로 염주 모양이다.
- 짧은 대가 있으며 9~10월에 익는다.

이용 민간에서는 줄기나 잎을 달여서 살충제로 쓰기도 한다.

약 용 활 용

생약명 | 고삼(苦蔘)

이용부위 | 뿌리

채취시기 | 수시

약성미 | 성질이 차고 맛이 쓰지만 독성이 없다.

주치활용 | 소화불량, 신경통, 간염, 황달, 치질

효능 | 이뇨, 진통, 해열, 살충

학명 | Coriandrum sativum

분류 | 쌍떡잎식물 산형화목 미나리과

원산지 | 지중해 동부 연안

분포 | 한국

생육상 | 한해살이풀

고수

서식 주로 절에서 많이 재배한다.

줄기 풀 전체에 털이 없고, 줄기는 곧고 가늘며 속이 비어 있고 가지가 약간 갈라진다.

잎
- 잎에서 빈대 냄새가 나고, 뿌리에 달린 잎은 잎자루가 길지만 위로 올라갈수록 짧아지며 밑부분이 모두 잎집이 된다.
- 밑부분의 잎은 깃꼴겹잎으로 1~3회 갈라지는데, 갈라진 조각은 넓지만 위로 올라가면서 좁고 길어진다.

꽃
- 꽃은 6~7월에 가지 끝에서 산형꽃차례로 달리며, 각 꽃차례는 3~6개의 작은 우산 모양 꽃자루로 갈라져서 10개 정도의 흰 꽃이 달린다.
- 꽃잎 5개, 수술 5개이며, 씨방은 꽃받침 아래 위치한다.

열매 열매는 둥글고 10개의 능선이 있다.

이용
- 열매는 간장의 향료로 사용한다.
- 잎은 향료로 쓰거나 채소로 사용한다.

약용활용

생약명 | 호유(胡荽), 호유자(胡荽子)

이용부위 | 전초, 열매

채취시기 | 전초— 여름(5~6월), 열매—가을(9월)

약성미 | 성질은 차다.

주치활용 | 전립선염, 두창, 치질 등

효능 | 잎—건위, 소화 종자—건위, 소화, 항진균

2011 ⓒ 고추

학명	Capsicum annuum
분류	쌍떡잎식물 통화식물목 가지과
원산지	남아메리카
분포	온대와 열대지방
생육상	한해살이풀

고추

서식 밭에서 재배한다.

줄기 풀 전체에 털이 약간 난다.

잎 잎은 어긋나고 잎자루가 길며 달걀 모양 바소꼴로 양 끝이 좁고 톱니가 없다.

꽃
· 여름에 잎겨드랑이에서 흰 꽃이 1개씩 밑을 향해 달리는데, 꽃받침은 녹색이고 끝이 5개로 얕게 갈라진다.
· 화관은 접시처럼 생겼다.
· 수술은 5개가 가운데로 모여 달리고 꽃밥은 노란색이다.
· 씨방은 2~3실이다.

열매 열매는 수분이 적은 원뿔 모양 장과로 8~10월에 익는다.

이용
· 붉게 익은 열매는 말려서 향신료로 쓴다.
· 잎은 나물로 먹고 풋고추는 조려서 반찬으로 하거나 부각으로 만들어 먹는다.

─ 약 용 활 용 ─

생약명 | 고초(苦草)

이용부위 | 열매

채취시기 | 여름(8~9월)

약성미 | 성질은 뜨겁고 맛은 매우며 독이 없다.

주치활용 | 중풍, 신경통, 동상

효능 | 각기병, 해독

학명 | Hypericum erectum

분류 | 물레나물과

분포 | 한국, 일본, 사할린 등지에 분포.

생육상 | 여러해살이풀

고추나물

서식 들의 약간 습기 있는 곳에서 자란다.

줄기 줄기는 둥글고 곧게 서며 가지를 친다.

잎
- 잎은 마주나고 잎자루가 없으며 밑부분은 서로 접근하여 원줄기를 감싸고 검은 점이 흩어져 있다.
- 잎 가장자리가 밋밋하며 피침형이나 장란형이다.

꽃
- 7~8월에 황색 꽃이 피며 취산꽃차례를 이루어 가지 끝에 많이 달린다.
- 화관은 타원형의 꽃잎 5개, 피침상 타원형의 꽃받침잎 5개가 있고, 암술대는 3개이다.
- 삭과는 난형이고 3실(室)이다.

이용 어린 잎은 식용한다.

약용활용

생약명 | 소연교(小連翹)

이용부위 | 전초

채취시기 | 여름(6~8월)

약성미 | 성질은 차며 맛은 쓰고 독이 없다.

주치활용 | 토혈. 코피. 혈변. 월경불순. 외상출혈. 타박상. 젖부족. 종기

효능 | 살균, 수렴, 지혈

2011 ⓒ 고추냉이

학명 | Wasabia koreana

분류 | 쌍떡잎식물 양귀비목 겨자과

분포 | 한국(울릉도), 일본, 사할린섬

생육상 | 여러해살이풀

고추냉이

서식 산골짜기 물이 흐르는 곳에서 자란다.

잎
- 굵은 원기둥 모양의 땅속줄기에 잎 흔적이 많이 남아 있다.
- 땅속줄기에서 나온 잎은 심장 모양이며 가장자리에 불규칙하게 잔 톱니가 있다.
- 잎자루는 밑부분이 넓어져서 서로 감싼다.
- 줄기에 달린 잎은 넓은 달걀 모양이거나 심장 모양이다.

꽃
- 5~6월에 흰 꽃이 총상꽃차례를 이루며 피는데, 꽃받침잎은 타원형이며 가장자리가 희다.
- 꽃잎은 긴 타원형이고, 6개의 수술 중 4개가 길며 암술은 1개이다.

열매
- 열매는 견과로 7~8월에 익는다.
- 약간 굽었고 끝이 부리처럼 생겼다.

이용 봄에 포기째 김치를 담가 먹는다.

┌─ **약 용 활 용** ─────────────

생약명 | 산규근(山葵根)

이용부위 | 잔뿌리

채취시기 | 봄

약성미 | 성질은 차갑고 맛은 맵고 달고 쓴맛이 있다.

주치활용 | 류머티즘, 신경통, 충치예방, 발암물질활성억제, 노화방지

효능 | 살균, 살충효과 진균류

민간활용 | 생선중독, 국수중독

학명 | Eupatorium lindleyanum
분류 | 쌍떡잎식물 초롱꽃목 국화과
분포 | 한국, 일본, 동아시아
생육상 | 여러해살이풀

골등골나물

서식 산과 들에서 자란다.

줄기
· 뿌리줄기는 짧고 풀 전체에 털이 난다.
· 줄기는 곧게 서고 원기둥 모양이다.

잎
· 바소꼴 또는 줄 모양 바소꼴로 마주난다.
· 밑쪽이 3갈래로 갈라지기 때문에 돌려나는 것처럼 보인다.
· 양면에 털이 나고 뒷면에는 선점이 있으며, 가장자리에는 불규칙한 톱니가 있다.

꽃
· 7~10월에 줄기 끝에 많은 꽃자루가 나와 흰색 또는 연한 홍자색 꽃이 산방꽃차례로 핀다.
· 총포는 원통 모양이다.
· 작은꽃은 5개, 포 비늘은 9개인데 2줄로 배열하고 자줏빛을 띤다.

열매 열매는 수과로 5각 원뿔 모양이며 관모는 흰색이다.

이용 어린 순을 나물로 먹고 관상용으로도 심는다.

약 용 활 용

생약명 | 택란(澤蘭)

이용부위 | 뿌리

채취시기 | 여름철에서 가을철 사이

약성미 | 성질은 따뜻하고 맛은 쓰고 독이 없다.

주치활용 | 거담, 지해, 기관지염, 천식, 산후수종, 외상, 당뇨병, 중풍, 고혈압

효능 | 해열, 진통, 소종, 학질, 급성위장염

0167

학명 | Scutellaria indica

분류 | 쌍떡잎식물 통화식물목 꿀풀과

원산지 | 한국

분포 | 한국(제주, 전남, 강원, 경기)

생육상 | 여러해살이풀

골무꽃

서식 숲 가장자리 그늘진 곳에서 자란다.

줄기 풀 전체에 짧은 털이 나고 줄기는 모나며 곧게 선다.

잎
- 잎은 마주나며 심장 모양 또는 원형으로 잎자루가 있으며 가장자리에 둔한 톱니가 있다.
- 잎은 양면에 털이 빽빽이 난다.

꽃
- 5~6월에 이삭 모양의 자줏빛 꽃이 총상꽃차례로 피는데, 꼭대기에서 한쪽으로 치우쳐 2줄로 빽빽이 달린다.
- 화관은 긴 통 모양 입술꼴로 윗입술꽃잎은 투구 모양이며, 아랫입술꽃잎은 넓고 자줏빛 점이 있다.
- 수술은 4개이며 그 중 2개가 길다.
- 포에는 자루가 있고 둥글다.

열매 열매는 분과로 꽃받침에 싸여 있고 7월에 익는다.

약 용 활 용

생약명 | 한신초(韓信草)

이용부위 | 전초

채취시기 | 봄

약성미 | 성질은 평하고 맛은 맵고 쓰다.

주치활용 | 위장염, 해열, 폐렴, 타박상, 토혈, 해혈, 급성 인후질환, 치통

효능 | 거풍, 활혈, 해독, 지통

2011 ⓒ 꽃잎원추리

학명 | Hemerocallis lilioasphodelus

분류 | 외떡잎식물 백합목 백합과

분포 | 한국(전남, 경기)

생육상 | 여러해살이풀

골잎원추리

서식 산과 들에서 자란다.

줄기 뿌리는 끈 모양이고 사방으로 퍼지며 꽃줄기는 곧게 선다.

잎
- 잎은 마주나고 겉에 깊은 골이 지며 끝이 뒤로 젖혀진다.
- 빛깔은 짙은 녹색이다.

꽃
- 6~8월에 노란색 꽃이 2~6송이 총상꽃차례로 달린다.
- 꽃줄기 안쪽에는 짙은 붉은색 반점이 있다.
- 포는 달걀 모양 바소꼴이다.
- 화피는 6개이고 노란색이며, 바깥쪽 화피는 바소꼴이고 통 부분은 황록색이다.
- 수술은 6개로 화피보다 짧고 꽃밥은 노란색이다.
- 암술대가 수술보다 길다.

열매 열매는 삭과로 끝이 휘며 8~9월에 익는다.

이용 어린순을 나물로 먹는다.

약용활용

생약명 | 훤초(萱草), 금침채(金針菜)

이용부위 | 뿌리

채취시기 | 뿌리—가을, 꽃—여름

약성미 | 성질은 차고 맛은 달며 독이 없다.

주치활용 | 황달, 수종, 배뇨곤란, 혈변, 소변적삽, 치창혈변

효능 | 이뇨, 지혈, 소염제

주의 | 뿌리를 과량 사용하면 시력이 상할 염려가 있다.

2011 ⓒ 골풀

학명 | Juncus effusus var. decipiens

분류 | 외떡잎식물 백합목 골풀과

분포 | 한국(전남), 일본, 타이완, 중국, 우수리, 북아메리카 등지

생육상 | 여러해살이풀

골풀

서식 들의 물가나 습지에서 자란다.

줄기
- 뿌리줄기는 옆으로 뻗고 많은 짧은 마디가 있으며 여기서 원기둥 모양의 밋밋한 녹색 줄기가 나온다.
- 줄기는 속으로 가득 차 있고 잎은 밑동에서 비늘 모양으로 되어 줄기를 싼다.

꽃
- 꽃은 5~7월에 줄기 윗부분에서 총상꽃차례로 옆으로 1개씩 달리며 녹갈색이다.
- 맨 밑에 있는 포는 원기둥 모양이고 곧게 선다.
- 끝이 날카롭고 줄기에 이어서 줄기 끝처럼 보인다.
- 수술은 3개로 화피조각보다 짧고 꽃밥은 꽃실과 길이가 같다.

열매
- 열매는 삭과로 세모난 달걀 모양이며 9~10월에 익는다.
- 빛깔은 갈색이며 끝이 뭉뚝하고 화피조각과 길이가 같다.
- 종자는 매우 작다.

이용 관상용으로 심는다.

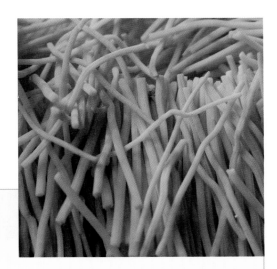

약 용 활 용

생약명 | 등심초(燈心草)

이용부위 | 줄기

채취시기 | 가을(속을 사용)

약성미 | 성질은 차고 맛은 달며 독이 없다.

주치활용 | 소변불리, 수종, 소아경련, 비뇨기염증

효능 | 치습, 사습제, 이뇨

민간활용 | 꽃과 뿌리줄기를 이뇨약으로 방광염, 신장질환, 물고임에 쓴다.

주의 | 허한증인 경우 소변불금자는 주의한다.

학명 | Ligularia fischeri

분류 | 쌍떡잎식물 초롱꽃목 국화과

분포 | 한국, 일본, 중국, 사할린섬, 동시베리아

생육상 | 여러해살이풀

곰취

서식 고원이나 깊은 산의 습지에서 자란다.

줄기 뿌리줄기가 굵고 털이 없다.

잎
· 뿌리에 달린 잎은 큰 심장 모양으로 톱니가 있으며 잎자루가 길다.
· 뿌리에 달린 잎 사이에서 줄기가 나온다.
· 줄기에는 잎이 3장 달린다.
· 모양은 뿌리에 달린 잎과 비슷하지만 크기가 작고 잎자루의 밑부분이 줄기를 싸고 있다.

꽃
· 7~9월에 줄기 끝에 노란색 설상화가 총상꽃차례로 핀다.
· 총포는 통처럼 생긴 종 모양이다.

열매
· 열매는 수과로 10월에 익는다.
· 갈색 관모가 있어서 바람에 잘 날려 흩어진다.

약 용 활 용

생약명	호로칠(胡蘆七)
이용부위	뿌리, 뿌리줄기
채취시기	가을
약성미	성질은 따뜻하고 맛은 달고 맵다.
주치활용	해수, 백일해, 천식, 요통, 관절통, 타박상
효능	지통, 지해, 거담, 이기, 활혈
민간활용	황달, 고혈압, 관절염, 간염 등에 쓴다.

2011 ⓒ 공작고사리

학명 | Adiantum pedatum

분류 | 양치식물 고사리목 고사리과

분포 | 한국, 중국, 일본, 사할린, 시베리아, 캄차카반도, 북아메리카 등지

생육상 | 여러해살이풀

공작고사리

서식 산지의 깊은 숲 속이나 바위틈에서 자란다.

줄기 뿌리줄기는 짧게 옆으로 뻗으며 비늘조각으로 덮이고 끝부분에서 잎이 뭉쳐난다.

잎
· 비늘조각은 바소꼴이고 광택이 있으며 갈색이다.
· 잎자루는 자줏빛이 도는 갈색이며 단단하고 광택이 있다.
· 잎몸은 2개씩 한쪽으로 갈라져서 8~12개의 잎조각으로 갈라진다.
· 전체가 부채살처럼 퍼져 마치 공작이 꼬리를 편 것 같다.
· 잎조각은 줄 모양의 바소꼴이고 1회 깃꼴로 갈라지며 짧은 자루가 있고 끝이 둔하다.
· 작은 잎조각은 반달 모양의 긴 타원형이고 짧은 자루가 있다.
· 위쪽 가장자리에 깊이 패어 들어간 모양의 톱니가 있고 아래쪽 가장자리는 밋밋하다.

이용 포자낭군은 작은 잎조각의 윗쪽 가장자리에 달리고
잎 가장자리가 뒤로 젖혀져서 포막처럼 된다.

약 용 활 용

생약명 | **철사칠**(鐵絲七)

이용부위 | **전초**(뿌리 제외)

채취시기 | **여름**

약성미 | 성질은 평하고 맛은 약간 떫으면서 달다.

주치활용 | 종기, 소변불리, 혈뇨, 이질, 월경불순, 백대하

효능 | 이수, 제습, 통림, 조경, 지통

민간활용 | 전초를 달인 물을 아침 저녁으로 복용한다.

2011 ⓒ 과꽃

학명	Callistephus chinensis
분류	쌍떡잎식물 초롱꽃목 국화과
원산지	한국(북부), 만주 동남부 지방
분포	한국(함남 부전고원과 혜산진, 함북 백두산)
생육상	한해살이풀

과꽃

서식 화단용과 꽃꽂이용으로 많이 재배한다.

줄기 자줏빛을 띠고 가지를 많이 치며, 풀 전체에 흰 털이 많이 나 있다.

잎
· 줄기는 자줏빛을 띠고 가지를 많이 치며, 풀 전체에 흰 털이 많이 나 있다.
· 잎은 어긋나고 거친 톱니가 있다. 아랫부분에 난 잎은 꽃이 필 때 없어지는데, 주걱 모양의 잎자루가 있다.
· 잎자루는 털이 나고 좁은 날개가 있다.

꽃
· 4월 중순경에 꽃씨를 뿌리면 7~9월에 꽃이 핀다.
· 긴 꽃자루 끝에 1개씩 달린다.
· 빛깔은 흰색 · 보라색 · 빨간색 · 분홍색 · 자주색 · 노란색, 여러 가지 빛깔이 섞인 색 등 다양하다.
· 총포는 공을 반으로 자른 모양이고 총포조각은 3줄로 배열한다.

열매 열매는 수과로 납작한 바소꼴의 긴 타원형이며 털이 있다.

이용 어린 순은 나물로 해먹는다.

── 약 용 활 용 ──

생약명 | 취국(翠菊)

이용부위 | 꽃

채취시기 | 여름

약성미 | 성질은 차고 맛은 쓰다.

주치활용 | 안구충혈, 고혈압

효능 | 청간, 명목

2011 ⓒ 과남풀

학명 | Gentiana triflora

분류 | 쌍떡잎식물 용담목 용담과

분포 | 전북, 경남, 경기

생육상 | 여러해살이풀

과남풀

| 서식 | 산지의 습지에서 자란다. |

줄기
· 뿌리줄기는 굵고 뿌리에 달린 잎은 없다.
· 줄기는 곧게 서고 털이 나지 않으며 분처럼 흰빛이 돈다.

잎
· 밑부분의 잎은 바늘 모양이거나 바소꼴 또는 넓은 바소꼴이다.
· 잎은 위로 올라갈수록 커지고 맥이 3개 있다.

꽃
· 7~8월에 하늘색 꽃이 줄기 끝에 3개 달리며 잎겨드랑이에도 달린다.
· 화관은 윗부분이 5개로 갈라지고 꽃받침조각은 불규칙하고 곧게 선다.
· 꽃자루는 없다.

열매
열매는 삭과로 바소꼴이고 종자에는 그물 같은 무늬가 있으며 양끝에 꼬리 같은 돌기가 있다.

약 용 활 용

생약명 | 용담(龍膽)

이용부위 | 뿌리

채취시기 | 가을

약성미 | 성질이 차고 맛은 쓰다.

주치활용 | 소화불량, 담낭염, 황달, 두통, 뇌염, 방광염, 요도염

효능 | 청열조습, 사간담화, 쓴맛 건위약

2011 ⓒ 관중

학명 | Dryopteris crassirhizoma

분류 | 양치식물 고사리목 면마과

분포 | 한국, 일본, 사할린, 쿠릴열도, 중국 동북부 등지

생육상 | 여러해살이풀

관중

서식 산지의 나무 그늘에서 무리지어 자란다.

줄기
- 뿌리줄기는 굵은 덩어리 모양이고 비스듬히 선다.
- 잎이 돌려난다.

잎
- 잎자루는 잎몸보다 훨씬 짧으며 비늘조각이 빽빽이 있다.
- 비늘조각은 바소꼴이고 광택이 있고 황색을 띤 갈색 또는 검은빛이 도는 갈색이다.
- 끝이 뾰족하고 가장자리에 긴 돌기가 있다.
- 잎몸은 거꾸로 선 바소꼴이고 2회 깃꼴로 깊게 갈라진다.
- 잎조각은 20~30쌍이고 줄 모양의 바소꼴이며 자루가 없고 끝이 뾰족하며 양면에 곱슬털 같은 비늘조각이 있다.
- 잎몸 중간 부분에 있는 잎조각이 가장 크고, 밑 부분으로 갈수록 잎조각의 크기가 작고 달리는 간격이 넓다.
- 잎조각의 갈라진 조각은 긴 타원 모양이고 끝이 둔하며 가장자리에 둔한 톱니가 있다.
- 중앙맥에서 나온 잎맥은 보통 Y자 모양으로 갈라진다.

포자
- 포자낭군은 잎몸 윗부분 잎조각의 중앙맥 가까이 2줄로 달린다.
- 포막은 둥근 신장 모양이며 가장자리가 밋밋하고 다 익으면 불규칙하게 갈라진다.

이용 생약의 관중이나 면마는 뿌리와 비늘잎을 떼어 버리고 말린 것이며, 양방으로 성분을 추출하여 면마정 등의 약품을 만든다.

약용활용

생약명 | 관중(觀衆), 면마(綿馬)

이용부위 | 뿌리줄기

채취시기 | 봄

약성미 | 성질이 차고 독이 있다.

주치활용 | 유행성 수막염, 자궁출혈, 유행성 독감, 유행성 뇌척수막염, 설사

효능 | 구충제, 지혈, 해독

주의 | 반드시 의사의 지도하에 사용해야 한다.

2011 ⓒ 광대나물

학명 | Lamium amplexicaule

분류 | 쌍떡잎식물 통화식물목 꿀풀과

분포 | 한국, 중국, 일본, 타이완, 북아메리카

생육상 | 두해살이풀

광대나물

서식 풀밭이나 습한 길가에서 자란다.

줄기 줄기는 모가 나고 가지를 치며 비스듬히 눕기도 한다.

잎
- 잎은 마주나며 아래쪽 잎은 잎자루가 길고 둥글다.
- 위쪽 잎은 잎자루가 없고 양쪽에서 줄기를 완전히 둘러싼다. 잎 앞면과 뒷면 맥 위에 털이 나고 가장자리에 톱니가 있다.

꽃
- 4~5월에 붉은 자줏빛 꽃이 잎겨드랑이에 여러 개씩 돌려난 것처럼 핀다.
- 꽃받침은 5갈래로 갈라지며 잔털이 있다.
- 화관은 대롱 부위가 길고 아랫입술꽃잎이 3갈래로 갈라지며 윗입술꽃잎은 앞으로 약간 굽는다.
- 4개의 수술 중 2개는 길고 닫힌 꽃도 흔히 생긴다.

열매 열매는 분과로 3개의 능선이 있는 달걀 모양이며 전체에 흰 반점이 있고 7~8월에 익는다.

이용 어린 순은 나물로 먹는다.

약 용 활 용

생약명 | 보개초(寶蓋草)

이용부위 | 전초

채취시기 | 여름

약성미 | 성질은 따뜻하고 맛은 맵고 쓰다.

주치활용 | 신경통, 관절염, 사지마목, 반신불수, 인후염, 결핵선임파선염

효능 | 거풍, 진통, 소종

민간활용 | 풀 전체를 토혈과 코피를 멎게 하는 데 사용한다.

2011 © 광대수염

학명 | Lamium album var. barbatum

분류 | 쌍떡잎식물 통화식물목 꿀풀과

분포 | 전남, 경남, 강원

생육상 | 여러해살이풀

광대수염

서식 산지의 숲 속 그늘진 곳에서 자란다.

줄기 줄기는 곧게 서고 네모지고 털이 약간 있다.

잎
- 잎은 마주나고 잎자루가 있으며 달걀 모양이다.
- 잎 끝이 뾰족하고 밑은 둥글거나 심장 모양이다.
- 잎 가장자리에 톱니가 있고 양면에 털이 있으며 주름진다.

꽃
- 5월에 연한 붉은빛을 띤 자주색 또는 흰색 꽃이 마주난 잎겨드랑이에 5~6개씩 층층으로 달려 핀다.
- 꽃받침은 5갈래로 갈라지고 끝이 뾰족하며 가장자리에 털이 난다.
- 화관은 윗입술꽃잎이 앞으로 굽어 말리고 흰 털이 있으며, 아랫입술꽃잎은 밑으로 넓게 퍼진다.
- 4개의 수술 중 2개가 길고 암술이 1개 있다.

열매 열매는 분과로 달걀을 거꾸로 세운 모양이고 3개의 능선이 있으며 7~8월에 익는다.

이용 어린 순을 나물로 먹는다.

약 용 활 용

생약명 | 야지마(野芝麻)

이용부위 | 전초

채취시기 | 봄(5~6월 꽃이 만개 시)

약성미 | 성질은 차갑고 맛은 쓰고 달다.

주치활용 | 간염, 폐결핵, 신우염, 백대하, 월경불순, 저취제거, 타박상

효능 | 청간, 이습, 활혈, 소종

속명 | 큰복주머니난

학명 | Cypripedium japonicum

분류 | 외떡잎식물 난초목 난초과

분포 | 한국(경기 광릉)

생육상 | 여러해살이풀

광릉요강꽃

서식 산허리에서 자란다.

줄기
· 땅속줄기가 옆으로 뻗고 마디에서 뿌리가 내린다.
· 줄기는 곧게 서고 털이 있다.

잎
· 밑부분은 3~4개의 초상엽으로 싸이고 윗부분에는 2개의 큰 잎이 마주난 것처럼 밑줄기를 싸고 있다.
· 잎에는 방사상의 맥이 있으며 뒷면에 털이 있다.

꽃
· 4~5월에 연한 녹색이 도는 붉은 꽃이 줄기 끝에 밑을 보고 핀다.
· 꽃자루는 털이 많고 윗부분에 잎 같은 포가 1개 달린다.
· 위꽃받침잎은 긴 타원형이다.
· 옆꽃받침잎은 붙었으며 위꽃받침잎보다 나비가 약간 넓고 끝이 2개로 갈라진다.
· 꽃잎은 위꽃받침잎과 비슷하고 입술꽃잎은 주머니 같으며 흰 바탕에 붉은빛을 띤 자주색의 맥이 있다.

약용활용

생약명	선자칠(扇子七)
이용부위	전초
채취시기	여름, 가을
약성미	성질은 평하고 맛은 쓰고 매우며 독이 있다.
주치활용	피부소양증, 무명종독, 간일학, 월경불순, 노상, 치유
효능	거품, 해독, 이기, 진통, 조경, 활혈, 절학
민간활용	전초를 짓찧어 초로 조합하여 환부에 붙인다.
주의	복용한 후 반일간 열주나 식사를 금한다.

학명 | Chrysosplenium grayanum

분류 | 쌍떡잎식물 장미목 범위귀과

원산지 | 한국

분포 | 전국 각처

생육상 | 여러해살이풀

괭이눈

서식 산지에 서식한다.

줄기
- 줄기가 옆으로 뻗어가면서 지면에 닿는 부분에서 새로운 뿌리가 난다.
- 꽃대로 뻗은 가지는 꽃이 진다음 자라면서 몇 쌍의 잎이 달리며 마디에서 새로운 뿌리가 난다.

잎
- 잎은 마주나며 잎자루가 짧고 넓은 달걀 모양 또는 난상 원형이다.
- 안으로 굽은 둔한 톱니가 있다.
- 꽃 바로 옆의 잎은 황색을 띤다.

꽃
- 꽃은 4~5월에 피며 연한 황색이다.
- 꽃은 가지 끝에 모여 핀다.
- 꽃 둘레의 잎은 연한 노란색이다.
- 꽃받침조각은 4개이고 곧게 서며 둥글고 꽃잎이 없다.
- 수술은 4개이고 꽃받침조각보다 짧다.
- 꽃받침과 마주나기하고 꽃밥은 연한 노란색이다.

열매
- 열매는 2개로 깊게 갈라지고 열편의 크기가 서로 다르다.
- 끝에 1개의 봉선이 있어 햇볕에서 보면 괭이눈과 같다.
- 종자는 다갈색 윤채가 있으며 전체에 젖꼭지 모양의 잔돌기가 있다.

이용 경관조성에 좋다.

약용활용

생약명 | 금전고엽초(金錢苦葉草)

이용부위 | 전초

채취시기 | 봄

약성미 | 성질은 차고 맛은 달고 쓰다.

주치활용 | 정창

효능 | 배농, 해독

2011 ⓒ 괭이밥

학명 | Oxalis corniculata

분류 | 쌍떡잎식물 쥐손이풀목 괭이밥과

분포 | 한국, 일본, 타이완, 아시아, 유럽, 북아프리카, 오스트레일리아

생육상 | 여러해살이풀

괭이밥

서식 밭이나 길가, 빈터에서 흔히 자란다.

줄기
· 가지를 많이 친다.
· 풀 전체에 가는 털이 나고 뿌리를 땅속 깊이 내리며 그 위에서 많은 줄기가 나와 옆이나 위쪽으로 비스듬히 자란다.

잎
· 잎은 어긋나고 긴 잎자루가 있으며 3갈래로 갈라진다.
· 작은잎은 거꾸로 세운 심장 모양으로 가장자리와 뒷면에 털이 조금 난다.

꽃
· 꽃은 5~9월에 산형꽃차례를 이루는데 잎겨드랑이에서 긴 꽃자루가 나와 그 끝에 1~8개의 노란색 꽃이 핀다.
· 화관은 작고 꽃잎은 5개로 긴 타원형이며 꽃받침잎도 5개이고 바소꼴이다.
· 수술은 10개인데 5개는 길고 5개는 짧다.
· 1개의 씨방은 5실이고, 암술대는 5개이다.

열매 열매는 삭과로 원기둥 모양이고 주름이 6줄 지며 익으면 많은 씨가 나온다.

약용활용

생약명	초장초(酢漿草)
이용부위	전초
채취시기	봄(4~5월)
약성미	성질은 차고 맛은 시며 독이 없다.
주치활용	임질, 악창, 치질, 살충
효능	해열, 이수, 양혈, 소종
민간활용	날잎을 찧어서 옴과 기타 피부병, 벌레 물린 데 바르며, 민간에서는 토혈에 달여 먹는다.

2011 ⓒ 괴불주머니

학명 | Corydalis pallida

분류 | 쌍떡잎식물 양귀비목 현호색과

분포 | 한국 전역

생육상 | 두해살이풀

괴불주머니

서식 우리나라 전역 산에서 자란다.

뿌리 식물 중 둥그런 뿌리가 달리지 않고 땅속으로 곧추 뻗는 뿌리를 지닌 것이 특징이다.

줄기 밑에서 많은 가지로 나누어 난다.

잎 잎은 날개깃처럼 한두 번 갈라진 겹잎이다.

꽃 꽃은 4~6월에 노란색으로 총상꽃차례로 무리져 핀다.

열매 열매는 삭과로 바늘 모양이고, 약간 구부러지며 염주 모양이다.

약 용 활 용

생약명 | 국화황련(菊花黃連)

이용부위 | 뿌리

채취시기 | 봄

약성미 | 성질은 차며 맛은 쓰고 떫으며 독이 있다.

주치활용 | 옴, 버짐, 지질, 복통, 선창, 종독, 풍화안통

효능 | 살충, 해독, 청열, 이뇨

민간활용 | 전초를 진통약으로 사용한다.

2011 ⓒ 구릿대

학명 | Angelica dahurica

분류 | 쌍떡잎식물 산형화목 미나리과

분포 | 한국, 일본, 중국 북동부, 동부 시베리아

생육상 | 두해살이 또는 세해살이풀

구릿대

서식 산골짜기 냇가에서 자란다.

줄기 풀 전체에 털이 없고 줄기는 곧게 선다.

잎
· 잎은 3개씩 2~3회 깃꼴겹잎으로 많이 갈라진다.
· 갈라진 조각은 타원형 또는 바소꼴로 끝이 뾰족하며 고르지 못한 톱니가 있다.

꽃
· 6~8월에 흰색 꽃이 피는데 20~40개의 산형꽃차례가 모여 겹산형꽃차례를 이룬다.
· 총포는 없고 작은총포는 가늘며 작다.
· 화관은 작고 꽃잎 5개, 수술 5개, 그리고 1개의 씨방은 꽃받침 아래 위치한다.

열매 열매는 분과로서 타원형이고 날개가 있으며 10월에 익는다.

이용 어린 잎은 나물로 먹는다.

약 용 활 용

생약명 | 백지(白芷)

이용부위 | 뿌리

채취시기 | 봄

약성미 | 성질은 따뜻하고 맛은 매우며 독이 없다.

주치활용 | 감기, 두통, 통경, 치통

효능 | 소염, 발한, 진정, 진통, 정혈

민간활용 | 감기로 몸이 쑤시고 머리가 아플 때, 코가 막히는 비염 등에 사용해 왔다.

2011 ⓒ 구슬붕이

학명 | Gentiana squarrosa

분류 | 쌍떡잎식물 용담목 용담과

분포 | 한국, 일본, 동아시아

생육상 | 두해살이풀

구슬붕이

서식 양지바른 들에서 자란다.

줄기 줄기는 밑에서 가지가 갈라진다.

잎
· 뿌리에서 난 잎은 큰 달걀 모양 마름모꼴이고, 장미꽃 모양으로 난다.
· 가장자리가 두껍고 끝이 까끄라기처럼 뾰족하다.
· 줄기에서 난 잎은 마주나고 작으며 밑부분이 합쳐져 잎집을 이루며 줄기를 싸고 있다.

꽃
· 5~6월에 종 모양의 연한 자주색 꽃이 줄기 끝에 핀다.
· 꽃자루는 짧다.
· 화관통은 꽃받침보다 2배 정도 길다.

열매
· 열매는 삭과로 긴 대가 있고 화관 밖으로 나오며 가을에 익는다.
· 종자는 방추형으로 편평하고 매끄럽다.

약 용 활 용

생약명	석용담(石龍膽)
이용부위	전초
채취시기	늦봄~이른 여름
약성미	성질은 차고 맛은 쓰고 맵다.
주치활용	급성 결막염, 장내의 화농성 병변, 정창, 옹종, 나력, 목적동통
효능	청열, 해독, 소염

2011 ⓒ 구실사리

학명 | Selaginella rossii

분류 | 석송강 부처손목 부처손과

분포 | 한국, 중국 북동부

생육상 | 상록 여러해살이풀

구실사리

서식　산지의 숲 속 바위에 붙어서 자란다.

줄기
- 줄기는 길게 땅이나 바위 위를 기면서 2개씩 갈라지고 가늘며 철사처럼 단단하고 붉 빛이 돈다.
- 전체에 털이 없고 군데군데 마디에서 뿌리가 돋는다.

잎
- 잎은 비늘조각 모양이며 가지에 4줄로 배열하고 가장자리가 밋밋하며 초록색이다.
- 줄기에 드문드문 달리며 작은 가지에는 빽빽이 달린다.
- 등쪽의 잎은 달걀 모양이다.
- 수평으로 퍼지고 양쪽 밑에 굵은 털 같은 톱니가 있다.
- 배쪽의 잎은 타원 모양이고 가장자리에 가시 같은 톱니가 있고 끝이 뾰족하며 2줄로 빽빽이 붙는다.

포자
- 포자낭이삭은 작은 가지 끝에 1~2개씩 달리고 자루가 없으며 네모나다.
- 포자엽은 삼각형이고 양쪽 가장자리가 오므라들어 배 모양을 이루며 끝이 뾰족하며 가장자리에 잔 톱니가 있다.

약용활용

- **생약명** | 지백(地柏)
- **이용부위** | 지상부
- **채취시기** | 연중 채취
- **약성미** | 성질은 따뜻하고 맛은 쓰고 약간 맵다.
- **주치활용** | 풍습성관절염, 근골동통
- **효능** | 서근, 활락
- **민간활용** | 항암제로 이용된다.

2011 ⓒ 구절초

학명 │ Chrysanthemum zawadskii var. latilobum

분류 │ 쌍떡잎식물 초롱꽃목 국화과

분포 │ 한국, 일본, 중국, 시베리아

생육상 │ 여러해살이풀

구절초

서식 산기슭 풀밭에서 자란다.

줄기 땅속줄기가 옆으로 길게 벋으면서 번식한다.

잎 · 뿌리에 달린 잎과 밑부분의 잎은 1회깃꼴로 갈라진다.
· 잎은 달걀 모양으로 밑부분이 편평하거나 심장 모양이며 윗부분 가장자리는 날개처럼
갈라진다.

꽃 · 9~11월에 줄기 끝에 연한 홍색 또는 흰색 두상화가 한 송이씩 핀다.
· 총포조각은 긴 타원형으로 갈색이다.

열매 열매는 수과로 씨는 10월에 익는다.

이용 꽃을 술에 담가 먹는다.

약용활용

생약명 | 구절초(九節草)

이용부위 | 전초

채취시기 | 가을(9~11월)

약성미 | 성질은 차갑고 맛은 쓰고 맵다.

주치활용 | 치풍, 부인병, 위장병

효능 | 온중, 조경, 소화

2011 ⓒ 국화

학명 | Chrysanthemum morifolium
분류 | 쌍떡잎식물 초롱꽃목 국화과
원산지 | 중국
생육상 | 여러해살이풀

국화

서식	관상용으로 널리 재배하며, 많은 원예 품종이 있다.
줄기	줄기 밑부분이 목질화되어 있다.
잎	잎은 어긋나고 깃꼴로 갈라진다.
꽃	·꽃은 두상화로 줄기 끝에 피는데 가운데는 관상화, 주변부는 설상화이다. ·설상화는 암술만 가진 단성화이고 관상화는 암·수술을 모두 가진 양성화이다. ·꽃은 노란색·흰색·빨간색·보라색 등 품종에 따라 다양하고 크기나 모양도 품종에 따라 다르다.
이용	화분 등에 많이 재배하는 관상용 원예식물이다.

약용활용

생약명	감국화(甘菊花)
이용부위	꽃
채취시기	가을
약성미	성질은 평하고 맛은 달고 독이 없다.
주치활용	두통, 현기증, 안질
효능	해열, 해독, 진통, 청열, 소염제
민간활용	국화꽃 말린 것을 베갯속으로 하면 두통에 좋다고 한다.

2011 ⓒ 궁궁이

학명 | Angelica polymorpha

분류 | 쌍떡잎식물 산형화목 미나리과

분포 | 한국, 일본

생육상 | 여러해살이풀

궁궁이

서식 산골짜기 냇가에서 자란다.

줄기 줄기는 곧게 서고 가지를 치며 뿌리는 다소 굵다.

잎
- 뿌리에서 난 잎과 밑부분의 잎은 깃꼴겹잎으로 잎자루가 길고 삼각형 또는 세모진 넓은 달걀 모양이다.
- 3개씩 3~4회 갈라진다.
- 작은잎은 달걀 모양 또는 바소꼴로 깊게 패인 톱니가 있으며 끝이 뾰족하다.

꽃
- 8~9월에 흰색 꽃이 피는데 복산형꽃차례로 우산자루에 털이 많고 작은우산자루는 20~40개이다.
- 작은꽃자루는 우산자루 윗부분과 작은우산자루 안쪽과 마찬가지로 안쪽에 흰색 돌기가 있다.
- 총포조각은 대개 5개로 줄 모양이며 작은총포조각은 없다.
- 화관은 작고 꽃받침잎은 5개이며 달걀을 거꾸로 세운 모양으로 안으로 굽는다.
- 수술은 5개이고 씨방은 1개이며 꽃받침 아래 있다.

열매 열매는 편평한 타원형으로 날개가 있다.

이용 어린 순은 나물로 먹는다.

약 용 활 용

생약명 | 천궁(川芎)

이용부위 | 뿌리

채취시기 | 여름(7~8월)

약성미 | 성질은 **따뜻하고** 맛은 쓰고 매우며 독이 없다.

주치활용 | 두통, 오한, 발열, 음위, 간질, 대하, 치풍

효능 | 진통, 진경, 거풍, 행기, 활혈

학명 | Aconitum uchiyamai
분류 | 쌍떡잎식물 미나리아재비목 미나리아재비과
분포 | 한국, 중국 북동부
생육상 | 여러해살이풀

그늘돌쩌귀

서식 깊은 산지 응달에서 자란다.

줄기 전체에 털이 없다.

잎
- 뿌리에서 난 잎은 잎자루가 길고 3~5조각으로 깊게 갈라지며 갈라진 조각은 다시 갈라진다.
- 줄기에서 난 잎은 잎자루가 짧거나 위로 올라가면서 거의 없어진다.

꽃
- 꽃은 8월에 피는데 연한 보라색이고 원줄기 끝이나 윗부분의 잎겨드랑이에 짧은 총상꽃차례로 달린다.
- 꽃차례 윗부분에는 털이 난다.
- 꽃잎은 2개, 꽃받침은 5개이며 꽃잎처럼 보인다.
- 수술은 여러 개이며 수술대에 날개와 털이 있다.
- 씨방은 5개로서 털이 없으며 암술대가 끝에서 뒤로 젖혀진다.

이용 뿌리는 약으로 쓴다.

약용활용

생약명 | 초오(草烏)

이용부위 | 뿌리, 줄기

채취시기 | 가을

약성미 | 성질은 따뜻하고 맛은 맵고 독이 있다.

주치활용 | 악풍, 해역상기 반수, 옹종정독, 대풍으로 인한 완비, 풍한습비, 중풍에 의한 사지마비, 파상풍, 두위, 복냉통, 담벽, 기괴, 냉리, 후비, 옹저, 정창, 나력

효능 | 거풍습, 산한, 지통, 개담활, 소종

주의 | 생것의 복용에는 주의를 요한다.

학명 | Carex lanceolata

분류 | 사초과

원산지 | 한국

분포 | 전국 각지

생육상 | 여러해살이풀

그늘사초

서식 평지의 건조한 풀밭이나 산지의 숲속에서 크게 그루를 이루어 자란다.

줄기 줄기는 세모졌다.

잎
· 뿌리잎이 짧고 잎이 모여나기하며 밑부분에 흑갈색 섬유가 있다.
· 잎은 꽃이 핀 다음 길게 자라며 밑부분의 엽초는 적갈색으로 그물처럼 갈라진다.

꽃
· 꽃은 4~6월에 피며 작은 이삭은 3~6개가 곧추선다.
· 정소수는 수꽃이고 곤봉형 선형이다.
· 측소수는 암꽃이고 짧은 원주형이다.
· 3~10개의 꽃이 달리고 대가 있다.
· 포는 엽신이 없으며 통 같고 끝이 뾰족하다.
· 첫째 포의 자화영은 달걀 모양이고 가장자리가 흰색 막질이고 끝이 뾰족하여 열매를 둘러싼다.
· 암술대는 밑부분이 굵지 않고 비스듬히 서며 암술머리는 3개로 떨어진다.

열매
· 과포는 거꿀달걀 모양이고 3개의 능선이 있다.
· 맥이 많고 잔털이 있으며 굵은 대가 비스듬히 달린다.
· 윗부분은 밖을 향한 짧은 부리로서 끝이 밋밋하다.
· 열매는 팽팽하게 들어 있으며 세모진 거꿀달걀 모양이고 과포에 조밀하게 싸여 있다.

이용 꽃이 피기 전에는 초식동물의 사료가 된다.

┌─ **약 용 활 용** ────────

　　생약명 | 양호자초

　이용부위 | 전초

　주치활용 | 습창, 황수정정, 소아양수창

　　　효능 | 이뇨, 지혈, 해독

2011 ⓒ 그령

학명 | Eragrostis ferruginea

분류 | 외떡잎식물 벼목 화본과

분포 | 한국, 중국, 히말라야

생육상 | 여러해살이풀

그령

서식	길가나 빈 터 풀 밭에서 자란다.

줄기	줄기는 편평하고 여러 개가 뭉쳐나서 큰 포기를 이룬다.

잎	· 잎은 줄 모양이고 끝이 뾰족하며 매우 질기다. · 표면 밑부분과 잎집 윗부분에 털이 있다.

꽃	· 8~9월에 붉은빛을 띤 갈색 꽃이 원추꽃차례로 핀다. · 꽃이삭은 긴 타원형이다. · 가지는 마디에 1개씩 달리고 겨드랑이에 털이 약간 있다. · 꽃차례 이삭에서 갈라진 잔이삭자루 윗부분에 고리 모양의 노란색 샘이 있다. · 잔이삭은 길이 5~10mm로서 5~10개의 잔꽃이 달린다. · 포영은 바소꼴로 1맥이 있고 호영은 좁은 달걀 모양으로 내영보다 일찍 떨어지며 약간 길다.

열매	열매는 영과로서 약간 편평한 타원형이다.

이용	지상부는 사료용으로 이용한다.

┌─ 약 용 활 용 ──────

생약명 | 지풍초(知風草)

이용부위 | 지상부

채취시기 | 여름(7~8월)

주치활용 | 타박상으로 인한 동통

효능 | 혈활, 산어

학명 | Setaria glauca

분류 | 외떡잎식물 벼목 화본과

원산지 | 한국

분포 | 전국 각지

생육상 | 한해살이풀

금강아지풀

서식 평지의 길가나 밭둑, 볕이 잘 드는 풀밭 등에서 자란다.

줄기 줄기는 곧게 서고 기부에서 가지가 갈라지며 위 끝에 잔털이 있다.

잎
- 잎은 어느 정도 흰빛이 도는 녹색이고 가장자리에 잔톱니가 있다.
- 윗가장자리에 긴 털이 있고 잎혀는 퇴화되며 털이 줄로 돋는다.

꽃
- 꽃은 8월에 피고 꽃대는 곧게 서며 원추형이고 황금색이다.
- 엽축은 털이 있으며 일년생 가지의 가시같은 털은 퍼진다.
- 소분수에는 1개의 완전한 소수와 불완전한 꽃이 달리며 소수는 넓은 달걀 모양이고 흰 빛이 돈다.
- 첫째 포영은 3맥이 있고 둘째 포영은 5맥이 있다.
- 무성꽃의 호영은 소수와 길이가 같고 양성꽃의 호영은 달걀 모양이며 옆주름이 있다.

이용 초식동물의 먹이로 사용한다.

약용활용

생약명	구미초(狗尾草)
이용부위	전초
채취시기	여름, 가을, 겨울
약성미	성질은 서늘하고 맛은 담백하다.
주치활용	옹종, 창선, 적안, 우목
효능	해열, 거습, 소종
민간활용	전초를 짓찧어서 바른다.

2011 ⓒ 금강초롱꽃

학명 | Hanabusaya asiatica

분류 | 쌍떡잎식물 초롱꽃목 초롱꽃과

분포 | 한국(경기 · 강원 · 함남)

생육상 | 여러해살이풀

금강초롱꽃

서식 높은 산지에서 자란다.

줄기 뿌리는 굵고 갈라진다

잎
- 잎은 줄기 중간에서 4~6개가 어긋나고 윗부분의 것은 마디사이가 좁아서 뭉쳐난 것 같이 보인다.
- 잎자루가 길고 긴 달걀 모양 타원형이다.
- 끝이 뾰족하고 밑은 뭉툭하거나 둥글며 가장자리에 불규칙한 톱니가 있고 윤기가 돈다.

꽃
- 꽃은 8~9월에 자주색으로 피는데 종 모양이다.
- 줄기 위에 1~2개가 붙거나 또는 짧은 가지 끝에 붙으며 원추꽃차례를 이룬다.
- 화관은 얕게 갈라진다.
- 꽃받침조각은 5개이고 좁은 바소꼴이다.
- 수술은 5개이고 수술대의 밑부분이 넓으며 가장자리에 털이 있다.
- 암술대는 3개로 갈라져서 말리며 화관 밖으로 나오지 않는다.

열매 열매는 삭과이며 9~10월에 익는다.

이용 정원에 심을 수 있는 관상식물이다.

약 용 활 용

생약명	자반풍령초(紫斑風鈴草)
이용부위	전초
채취시기	여름(6월~8월)
약성미	성질은 따뜻하고 맛은 달고 쓰다.
주치활용	인후염, 두통, 천식, 보익, 경풍, 한열, 편도선염
효능	청열, 해독, 지통
민간활용	중국 민간에서는 전초를 최산약으로 썼다.

2011 ⓒ 금낭화

학명 | Dicentra spectabilis
분류 | 쌍떡잎식물 양귀비목 현호색과
원산지 | 중국
분포 | 한국
생육상 | 여러해살이풀

금낭화

서식 산지의 돌무덤이나 계곡에 자라지만 관상용으로도 심는다.

줄기 전체가 흰빛이 도는 녹색이고 줄기는 연약하며 곧게 서고 가지를 친다.

잎
· 잎은 어긋나고 잎자루가 길며 3개씩 2회 깃꼴로 갈라진다.
· 갈라진 조각은 달걀을 거꾸로 세운 모양의 쐐기꼴로 끝이 뾰족하고 가장자리는 결각이 있다.

꽃
· 꽃은 5~6월에 담홍색으로 피는데, 총상꽃차례로 줄기 끝에 주렁주렁 달린다.
· 화관은 볼록한 주머니 모양이다.
· 꽃잎은 4개가 모여서 편평한 심장형으로 되고 바깥 꽃잎 2개는 밑부분이 꿀주머니로 된다.
· 안쪽 꽃잎 2개가 합쳐져서 관 모양의 돌기가 된다.
· 꽃받침잎은 2개로 가늘고 작은 비늘 모양이며 일찍 떨어진다.
· 수술은 6개이고 양체로 갈라지며 암술은 1개이다.

열매 열매는 긴 타원형의 삭과이다.

┌─ **약 용 활 용** ─────────

생약명 | 하포목단근(荷包牧丹根)

이용부위 | 뿌리줄기

채취시기 | 여름, 가을

약성미 | 성질은 따뜻하고 맛은 맵다.

주치활용 | 옴, 종기, 버짐, 위통, 진통

효능 | 진통, 해경, 이뇨, 거풍, 해독, 화혈, 산혈

학명 | Senecio nemorensis

분류 | 쌍떡잎식물 초롱꽃목 국화과

분포 | 한국, 일본, 동아시아, 시베리아 및 유럽

생육상 | 여러해살이풀

금방망이

서식 산지에서 자란다.

뿌리 뿌리줄기는 짧고, 줄기는 곧추선다.

줄기 전체에 털이 없고 줄기는 뭉쳐나며 곧게 자라고 능선이 있다.

잎 잎은 어긋나고 바소꼴 또는 긴 타원상 바소꼴로 톱니가 있으며, 잎자루는 짧다.

꽃
· 7~8월에 밝은 황색 꽃이 피며 두상화는 산방상으로 달린다.
· 총포는 통 모양이고 포편은 긴 타원형이며 끝이 뾰족하다.
· 수과는 원뿔 모양이며 양끝이 좁다.
· 관모는 황백색이다.

약 용 활 용

생약명	황완(黃菀)
이용부위	전초
채취시기	여름(7~8월)
약성미	성질은 차고 맛은 쓰고 맵다.
주치활용	간염, 안질, 장염, 이질, 종기
효능	해열, 해독, 소종
민간활용	생초를 짓찧어 종기의 환부에 붙인다.

학명 | Inula britannica var. chinensis

분류 | 쌍떡잎식물 초롱꽃목 국화과

분포 | 한국, 일본, 중국

생육상 | 여러해살이풀

금불초

서식 습지에서 자란다.

줄기 뿌리줄기가 뻗으면서 번식하는데 전체에 털이 나며 줄기는 곧게 선다.

잎
· 잎은 어긋나고 잎자루는 없으며, 긴 타원형 또는 바소꼴로 잔톱니가 있다.
· 잎 밑부분이 좁아져서 줄기를 싸며 양면에 복모가 있다.

꽃
· 꽃은 7~9월에 황색으로 피는데, 원줄기와 가지 끝에 달려 전체가 산방상으로 달린다.
· 총포는 반구형이며 포린은 5줄로 배열된다.

열매 수과는 10개의 능선과 더불어 털이 있다.

이용 어린순은 나물 또는 국으로 해 먹는다.

─ 약 용 활 용 ─

생약명 | 선복화(旋覆花)

이용부위 | 꽃, 전초

채취시기 | 여름(7~8월)

약성미 | 성질은 약간 따뜻하고 맛은 짜며 독이 있다.

주치활용 | 감기, 기침, 수종, 풍습비통, 종기

효능 | 거담, 진해, 건위, 진토, 진정

2011 ⓒ 금잔화

학명 | Calendula arvensis

분류 | 쌍떡잎식물 초롱꽃목 국화과

분포 | 남유럽

생육상 | 여러해살이풀

금잔화

서식 관상용으로 심는다.

줄기 가지가 갈라지며 전체에 선모 같은 털이 있어 독특한 냄새를 풍긴다.

잎
· 잎은 어긋나고 잔 톱니가 있으나 거의 없는 것 같으며, 밑부분은 원줄기를 감싼다.
· 잎자루는 좁은 날개가 있고 위로 갈수록 짧아져 없어진다.

꽃
· 꽃은 여름부터 가을에 걸쳐 가지와 원줄기 끝에 1개씩의 황색 두상화가 달린다.
· 가장자리의 것은 설상화이다.
· 황색 계통이 많으나 원예품종에 따라 각각 빛깔이 다르고 밤에는 오므라든다.

약 용 활 용

생약명	금잔초(金盞草)
이용부위	전초, 꽃
채취시기	봄(4~5월)
약성미	성질은 따뜻하고 맛은 쓰고 짜다.
주치활용	담석증
효능	이뇨, 발한, 사하제
민간활용	잎을 문질러서 상처에 바르기도 한다.

2011 ⓒ 금창초

학명 | Ajuga decumbens
분류 | 쌍떡잎식물 통화식물목 꿀풀과
분포 | 한국, 일본, 중국
생육상 | 여러해살이풀

금창초

서식 산기슭, 들, 구릉지 등에서 자란다.

줄기 원줄기가 사방으로 뻗고 전체에 다세포의 흰 털이 있다.

잎
- 뿌리잎은 방사상으로 퍼지고 넓으며 거꾸로 선 바소모양이다.
- 짙은 녹색이지만 흔히 자줏빛이 돈다.
- 밑으로 점차 좁아져 가장자리에 둔한 물결 모양의 톱니가 있다.
- 윗부분의 잎은 마주나고 긴 타원형 또는 달걀모양이다.

꽃
- 꽃은 잎겨드랑이에 몇 개씩 달린다.
- 꽃이 피는 줄기는 4~6개가 곧게 자라며 몇 쌍의 잎이 달리고 자줏빛이 돌며, 5~6월에 꽃이 핀다.
- 꽃받침조각은 5개이다.
- 화관은 짙은 홍자색의 입술 모양으로 윗부분의 것은 반원형이고 중앙이 갈라진다.
- 밑부분의 것은 3갈래로 갈라진다.
- 수술은 4개인데 2개는 길다.

열매
- 4분과는 달걀 모양 구형이고 그물맥이 있다.
- 화분의 외벽 내층은 얇다.

약용활용

생약명 | 백모하고초(白毛夏枯草)

이용부위 | 전초

채취시기 | 여름

약성미 | 성질은 차고 맛은 달고 쓰며 독이 없다.

주치활용 | 해수, 천식, 기관지염, 인후염, 장출혈, 코피, 유선염, 중이염, 종기, 타박상

효능 | 진해, 거담, 평천

민간활용 | 생초를 짓찧어 종기. 타박상 등의 환부에 붙인다.

2011 ⓒ 기름나물

학명 | Peucedanum terebinthaceum

분류 | 쌍떡잎식물 산형화목 미나리과

분포 | 한국, 일본, 중국, 동시베리아

생육상 | 세해살이풀

기름나물

서식 양지바른 산기슭에서 자란다.

줄기 줄기는 곧추서고 가지가 많다.

잎
· 잎은 어긋나고 긴 잎자루가 있으며, 끝이 뾰족하고 넓은 달걀모양으로 2회 3출엽이다.
· 작은잎은 넓은 달걀 모양 또는 삼각형이다.
· 밑쪽으로 흘러서 날개처럼 되며 다시 깃꼴로 깊게 갈라지고 결각과 뾰족한 톱니가 있다.
· 잎집은 좁고 거꾸로 선 바소모양이다.

꽃
· 7~9월에 백색 꽃이 가지 끝과 줄기 끝에 복산형꽃차례를 이루며 핀다.
· 작은꽃가지는 10~15개이고 20~30개의 꽃이 달린다.
· 꽃잎은 5개이고 넓은 달걀 모양이 안으로 굽으며, 수술은 5개이고 씨방은 하위이다.
· 꽃받침은 삼각형이다.

열매 열매는 편평한 타원형이다.

이용 어린 순과 연한 잎은 나물로 먹는다.

약 용 활 용

생약명 | 석방풍(石防風)

이용부위 | 뿌리

채취시기 | 가을

약성미 | 성질은 서늘하고 맛은 맵고 쓰다.

주치활용 | 감기, 기관지염, 해소, 중풍, 신경통

효능 | 해열, 진해, 거풍

2011 ⓒ 기린초

학명 | Sedum kamtschaticum

분류 | 쌍떡잎식물 이판화군 장미목 돌나물과

분포 | 한국(경기, 함남), 일본, 사할린, 쿠릴, 캄차카, 아무르, 중국

생육상 | 여러살이풀

기린초

서식 산지의 바위 곁에서 자란다.

줄기 뿌리줄기는 매우 굵고 원줄기의 한군데에서 줄기가 뭉쳐나며 원기둥 모양이다.

잎 잎은 어긋나고 거꾸로 선 달걀 모양 또는 긴 타원 모양으로 톱니가 있으며 잎자루는 거의 없고 육질이다.

꽃
· 6~7월에 노란꽃이 취산꽃차례로 꼭대기에 많이 핀다.
· 꽃잎은 바소꼴로 5개이며 끝이 뾰족하다.
· 꽃받침은 바소꼴의 줄 모양으로 5개이며 녹색이다.
· 수술은 10개이고 암술은 5개이다.

── 약 용 활 용 ──

생약명 | 비채(費菜)

이용부위 | 전초

채취시기 | 여름(6~7월)

약성미 | 성질은 평하고 맛은 시다.

주치활용 | 타박상, 폐결핵, 심장병

효능 | 활혈, 지혈, 이수, 진정, 소종

2011 ⓒ 기장

학명 | Panicum miliaceum

분류 | 외떡잎식물 벼목 화본과

분포 | 재배식물

생육상 | 한해살이풀

기장

서식 재배식물이다.

줄기 곧게 자란다.

잎 잎은 어긋나고 털이 드문드문 있으며 밑부분은 긴 잎집으로 되고 털이 있다.

꽃 분열한 줄기마다 이삭이 나오고 원추꽃차례를 이루며 고개를 숙인다.

열매 열매는 익으면 떨어지기 쉽고 도정하면 조와 비슷하나 조보다는 굵다.

이용 종자는 잡곡밥을 할 때 함께 넣어 밥을 한다.

─ 약 용 활 용 ─

생약명 | 기장

이용부위 | 종자

채취시기 | 가을

약성미 | 성질이 약간 차고 맛은 달며 독이 없다.

주치활용 | 기침, 설사, 위통, 화상, 복통, 구토, 이질

효능 | 항산화작용

2011 ⓒ 긴강남차

학명 | Cassia tora

분류 | 쌍떡잎식물 이판화군 장미목 콩과

원산지 | 북아메리카

생육상 | 여러해살이풀

긴강남차

서식 북아메리카가 원산이며 약용으로 재배한다.

잎
· 잎은 짝수 1회 깃꼴 겹잎으로 2~4쌍의 작은잎이 달린다.
· 작은잎은 거꾸로 세운 달걀 모양이다.

꽃
· 노란색 꽃이 6~8월에 잎겨드랑이에서 핀다.
· 꽃받침은 5개이고 긴 달걀 모양이며 꽃잎은 5개로 거꾸로 선 달걀 모양의 원형이다.
· 수술은 10개로 길이가 일정하지 않고 씨방은 가늘며 길다.
· 꼬투리는 활처럼 굽고 녹색이다.

열매 씨는 네모지고 1줄로 배열된다.

이용 씨를 차로 해서 마신다.

약용활용

생약명	결명자(決明子)
이용부위	종자
채취시기	가을(10월)
약성미	성질은 차고 맛은 짜고 쓰다.
주치활용	습관성 변비, 고혈압, 급성결막염, 각막혼탁증세, 청맹내장, 목적다루, 두통, 만성변비
효능	청간, 익신, 거풍, 명목, 윤장, 통변
민간활용	볶아서 보리차처럼 차로 끓여 마시기도 한다.

2011 ⓒ 긴담배풀

학명 | Carpesium divaricatum
분류 | 쌍떡잎식물 합판화군 초롱꽃목 국화과
분포 | 한국, 일본, 타이완, 중국
생육상 | 여러해살이풀

긴담배풀

서식 산과 들에서 자란다.

뿌리 뿌리줄기는 짧고 전체에 가는 털이 빽빽이 난다.

줄기 줄기는 곧게 서고 가지를 친다.

잎 ·잎은 어긋나고 막질이며, 밑부분의 잎은 잎자루가 길고 난형 또는 긴타원형으로 끝이 뾰족하며 뒷면에 점액을 분비하는 점이 있고 가장자리에 불규칙한 톱니가 있다.
·위로 올라갈수록 잎자루가 짧아지며 잎몸도 좁아져 가장자리도 밋밋해진다.

꽃 8~10월에 황색 꽃이 가지 끝에 총상으로 핀다.

열매 열매는 수과로 원기둥 모양이며 많은 줄이 있다.

이용 어린 순은 나물로 해먹는다.

약용활용

생약명 | 금알이(金挖耳)

이용부위 | 지상부 전초

채취시기 | 여름(8~9월)

약성미 | 성질은 평하고 맛은 맵고 쓰다.

주치활용 | 감기, 인후종, 결핵성 림프선염, 종창, 암종, 대장염, 치질

효능 | 해열, 해독, 소종

민간활용 | 생초를 짓찧어 환부에 붙이거나 달인 물로 환부를 닦아낸다.

2011 ⓒ 긴병꽃풀

학명 | Glechoma hederacea var. longituba

분류 | 쌍떡잎식물 합판화군 통화식물목 꿀풀과

분포 | 한국(경기 이북)

생육상 | 여러해살이풀

긴병꽃풀

서식 산지의 습한 양지에서 자란다.

줄기 줄기는 모나고 퍼진 털이 있으며 처음에는 곧게 서나, 자라면서 옆으로 뻗는다.

잎 잎은 마주나고 긴 잎자루가 있으며, 둥근 신장형으로 가장자리에 둔한 톱니가 있다.

꽃
· 4~5월에 연한 자주색 꽃이 줄기 위 잎겨드랑이에 돌려난다.
· 화관은 입술꼴로 윗입술꽃잎은 약간 오목하고 아랫입술꽃잎은 3갈래로 갈라지며 안쪽에 자주색 반점이 있다.
· 수술은 4개이며 2개가 길다.
· 꽃받침은 통 모양이고 끝이 바늘 모양이며 5갈래로 갈라진다.

열매 열매는 분과로 꽃받침 안에 들어 있고 타원형이다.

약 용 활 용

생약명 | 연전초(連錢草)

이용부위 | 전초

채취시기 | 봄(4~5월)

약성미 | 성질은 서늘하고 맛은 맵고 쓰다.

주치활용 | 열림, 석림, 습열황달, 옹종종통, 질타박상

효능 | 이습, 통림, 청열, 해독, 산어, 소종

민간활용 | 민간에서는 금전초를 거의 만병통치약처럼 쓴다.

주의 | 음저저저독 및 비허로 인한 설사자는 생계으로 복용해선 안 된다.

2011 ⓒ 까마중

학명 | Solanum nigrum
분류 | 쌍떡잎식물 통화식물목 가지과
분포 | 온대, 열대
생육상 | 한해살이풀

까마중

서식 밭이나 길가에서 자란다.

줄기 줄기는 약간 모가 나고 가지가 옆으로 많이 퍼진다.

잎
· 잎은 어긋나고 달걀 모양이다.
· 가장자리에 물결 모양의 톱니가 있거나 밋밋하고 긴 잎자루가 있다.

꽃
· 꽃은 5~9월에 흰색으로 핀다.
· 잎과 잎 사이의 줄기에서 나온 긴 꽃자루에 3~8개의 꽃이 산형꽃차례로 달린다.
· 꽃받침과 화관은 각각 5개로 갈라지며 암술 1개와 수술 5개가 있다.

열매 열매는 장과로 둥글며 7월부터 검게 익는데, 단맛이 나지만 약간 독성이 있다.

이용 열매가 익으면 먹을 수 있으나 약간 독성이 있어 많이 먹으면 안 된다.

약 용 활 용

생약명 | 용규(龍葵)

이용부위 | 전초

채취시기 | 여름~가을

약성미 | 성질은 차고 맛은 쓰고 달며 독이 없다.

주치활용 | 옹종, 단독, 만성기관지염, 급성신장염, 이하선염, 화상, 오줌소태, 대하증, 산후복통

효능 | 청열, 해독, 활혈, 소종

민간활용 | 생풀을 짓찧어 병이나 상처 난 곳에 붙이거나, 달여서 환부를 닦아낸다.

주의 | 유독성 식물이므로 꼭 전문가의 처방이 필요하다.

2011 ⓒ 까실쑥부쟁이

학명 | Aster ageratoides

분류 | 쌍떡잎식물 초롱꽃목 국화과

분포 | 한국

생육상 | 여러해살이풀

까실쑥부쟁이

서식 산과 들에서 자라며 높이 약 1m이다.

줄기 땅속줄기를 벋으면서 번식하며 줄기 윗부분에서 가지가 갈라진다.

잎
· 뿌리에 달린 잎과 줄기 밑부분의 잎은 꽃이 필 때 진다.
· 줄기에 달린 잎은 어긋나며 긴 바소꼴로 끝이 뾰족하다.
· 가운데에서 갑자기 좁아져 잎자루가 된다.
· 톱니가 있으며 밑에 3개의 맥이 있다.

꽃
· 꽃은 두상화로 8~10월에 줄기 끝에서 자주색 또는 연보라색으로 핀다.
· 산방꽃차례이고 총포는 달걀 모양이며 총포조각은 3줄로 배열한다.
· 설상화는 자줏빛이고 관상화는 노란색이다.

열매 열매는 수과이며 11월에 익는다.

이용 어린 순을 나물로 먹는다.

── 약 용 활 용 ──

생약명 | 산백국(山白菊)

이용부위 | 전초

채취시기 | 여름~가을

약성미 | 성질은 서늘하고 맛은 쓰고 맵다.

주치활용 | 풍열에 의한 감기, 편도선염, 기관지염, 독사교상, 벌에 쏘인 자상

효능 | 해열, 진해, 거담, 소염, 해독

2011 ⓒ 까치수염

학명	Lysimachia barystachys
분류	쌍떡잎식물 앵초목 앵초과
분포	한국
생육상	여러해살이풀

까치수염

서식 낮은 지대의 약간 습한 풀밭에서 자란다.

줄기
· 땅속줄기가 퍼지고 풀 전체에 잔털이 난다.
· 줄기는 붉은빛이 도는 원기둥 모양이고 가지를 친다.

잎
· 잎은 어긋나고 줄 모양 긴 타원형이다.
· 톱니가 없고 차츰 좁아져 밑쪽이 잎자루처럼 되나 잎자루는 없으며 겉에 털이 난다.

꽃
· 꽃은 6~8월에 흰색 꽃이 5~12개 줄기 끝에서 산형꽃차례로 핀다.
· 꽃차례는 꼬리 모양이다.
· 작은꽃자루의 포는 줄 모양이다.
· 꽃받침잎은 달걀 모양 타원형이고 씨방은 1개이다.

열매 열매는 삭과로 둥근 모양이고 9월에 붉은 갈색으로 익는다.

이용 관상용으로 많이 심으며 어린 순을 먹는다.

┌─ 약 용 활 용 ─────────────

　　생약명 | 낭미파화(狼尾巴花)

　이용부위 | 뿌리

　채취시기 | 여름(7~8월)

　　약성미 | 성질은 평하고 맛은 쓰다.

　주치활용 | 월경불순, 월경통, 혈붕, 감모풍열, 인후종통, 화농성, 유선염, 타박상, 염좌

　　　효능 | 조경, 산어혈, 청열, 소종

　　　주의 | 임신부는 복용을 금한다.

2011 ⓒ 깨풀

학명 | Acalypha australis

분류 | 쌍떡잎식물 쥐손이풀목 대극과

분포 | 한국, 일본, 타이완, 중국, 필리핀

생육상 | 한해살이풀

깨풀

서식 밭이나 들에서 자란다.

줄기 풀 전체에 짧은 털이 나고 곧게 서며 가지를 친다.

잎
· 잎은 어긋나고 잎자루가 있으며 달걀 모양 또는 달걀 모양 바소꼴로 끝이 뾰족하다.
· 잎 가장자리에 뭉툭한 톱니가 있다.

꽃
· 7~8월에 잎겨드랑이에서 짧은 꽃자루가 달린 꽃차례가 나오는데, 수꽃은 위쪽에 이삭 모양으로 달린다.
· 포는 세모난 달걀 모양으로 갈색이고 톱니가 있으며 꽃차례 밑부분에 달리는 암꽃을 둘러싼다.
· 수꽃의 꽃받침은 4갈래로 갈라지고 막질이며 수술은 8개로 밑부분이 붙어 있다.
· 암꽃의 꽃받침은 3갈래로 갈라지고 씨방은 둥글며 암술대는 3개이다.

열매
· 열매는 삭과로 대가 없고 털이 나며 10월에 익는다.
· 종자는 넓은 달걀 모양에 검은빛을 띤 갈색이다.

┌─ 약 용 활 용 ──────────────────

　　생약명 | 철현

　이용부위 | 전초

　채취시기 | 여름(7~8월 꽃필 때)

　　약성미 | 성질은 평하고 맛은 쓰고 떫다.

　주치활용 | 발열감기, 소변불통, 설사, 토혈, 코피, 혈변, 이질, 피부염

　　　효능 | 청열, 이수, 살충, 지혈

　민간활용 | 생초를 짓찧어 환부에 붙인다.
　　　　　　전초를 토혈, 상처, 종창 등에 피 멎게 하는 약, 살균약, 돈풀이약으로 쓴다.

2011 ⓒ 깽깽이풀

학명 | Jeffersonia dubia

분류 | 쌍떡잎식물 미나리아재비목 매자나무과

분포 | 한국(경기, 강원, 평북, 함남, 함북), 중국

생육상 | 여러해살이풀

깽깽이풀

서식 산중턱 아래의 골짜기에서 자란다.

줄기 원줄기가 없고 뿌리줄기는 짧고 옆으로 자라며 잔뿌리가 달린다.

잎
· 잎은 둥근 홑잎이고 연꽃잎을 축소하여 놓은 모양으로 여러 개가 밑동에서 모여난다.
· 잎의 끝은 오목하게 들어가고 가장자리가 물결 모양이다.

꽃
· 4~5월에 밑동에서 잎보다 먼저 1~2개의 꽃줄기가 나오고 그 끝에 자줏빛을 띤 붉은 꽃이 1송이씩 핀다.
· 꽃받침잎은 4개이며 바소꼴이다.
· 꽃잎은 6~8개이고 달걀을 거꾸로 세운 모양이며 수술은 8개, 암술은 1개이다.

열매
· 열매는 골돌과이고 8월에 익는다.
· 넓은 타원형이며 끝이 부리처럼 생겼다.
· 종자는 타원형이고 검은빛이며 광택이 난다.

약 용 활 용

생약명 | 선황련

이용부위 | 뿌리줄기

채취시기 | 가을(9~10월)

약성미 | 성질은 차고 맛은 쓰다.

주치활용 | 하리, 발열변조, 구설생창, 결막염, 편도선염, 토혈

효능 | 창열, 해독, 건위

민간활용 | 요통과 설사에 깽깽이풀 뿌리 1~2돈을 물 2홉에 넣고 그 반이 될 때까지 달여서 1일 3번씩 식후(食後)에 데워서 복용하면 효과가 있다. 원래 위장(胃腸)이 약한 사람도 평상시 복용하면 위장이 튼튼해지는 효과가 있다.

2011 ⓒ 꼬리풀

학명 | Veronica linariaefolia

분류 | 쌍떡잎식물 통화식물목 현삼과

분포 | 한국 전역에 분포

생육상 | 여러해살이풀

꼬리풀

서식 산과 들의 풀밭에서 자란다.

줄기 줄기는 곧게 서고 가지가 약간 갈라진다.

잎
- 잎은 마주나거나 어긋나는데 바소꼴이나 줄 모양 바소꼴로 양끝이 뾰족하고 톱니가 있다.
- 잎 뒷면 맥 위에 굽은 털이 난다. 잎자루는 없다.

꽃
- 7~8월에 푸른빛이 도는 자주색 꽃이 총상꽃차례로 피는데, 줄기 끝의 꽃차례에 다닥 다닥 붙는다.
- 꽃차례는 굽은 털이 난다.
- 포는 줄 모양이고 화관은 4갈래이며 거의 수평으로 퍼진다.
- 수술은 2개이고 꽃받침은 4조각이며 끝이 뭉툭하다.

열매 열매는 삭과로 납작하고 둥근 모양이며 9~10월에 익는다.

약 용 활 용

생약명 | 세엽파파납(細葉婆婆納)

이용부위 | 전초

채취시기 | 여름(7~8월 꽃 피고 있을 때)

약성미 | 성질은 평하고 맛은 맵다.

주치활용 | 중풍, 요통, 방광염 및 외과용

효능 | 진통, 진해, 거담, 이뇨, 통경, 사하

민간활용 | 전초를 중풍, 요통, 방광염 및 외과용 등에 약으로 쓴다.

속명 | 가삼자리, 갈퀴잎

학명 | Rubia akane

분류 | 쌍떡잎식물 꼭두서니목 꼭두서니과

분포 | 한국, 일본, 중국, 타이완 등지

생육상 | 여러해살이 덩굴식물

꼭두서니

서식 산지 숲 가장자리에서 자란다.

뿌리 뿌리는 굵은 수염뿌리로 노란빛이 도는 붉은색이다.

줄기 줄기는 네모나고 가지를 치며 밑을 향한 짧은 가시가 난다.

잎
· 잎은 심장 모양 또는 긴 달걀 모양으로 4개씩 돌려나는데, 2개는 정상잎이고 2개는 턱잎이다.
· 잎자루가 길다.

꽃
· 7~8월에 연한 노란색 꽃이 잎겨드랑이와 원줄기 끝에 원추꽃차례로 핀다.
· 화관은 심장 모양이고 5갈래이며, 갈라진 조각은 끝이 뾰족한 바소꼴로 끝이 앞으로 굽는다.
· 수술은 5개이고 씨방에 털이 없다.

열매 열매는 장과로 2개씩 붙어 있고 둥글며 털이 없고 9월에 검게 익는다.

┌─ 약 용 활 용 ─

생약명 | 천초근

이용부위 | 뿌리

채취시기 | 가을(10~11월)

약성미 | 성질은 차고 맛은 쓰고 독이 없다.

주치활용 | 토혈, 풍비, 요통, 옹독, 자궁부정출혈, 무월경, 신장결석

효능 | 행혈, 지혈, 지해, 거담, 통경, 활락

2011 ⓒ 꽃다지

학명 | Draba nemorosa var. hebecarpa

분류 | 쌍떡잎식물 양귀비목 겨자과

분포 | 북반구 온대, 난대

생육상 | 두해살이풀

꽃다지

서식	들이나 밭의 양지바른 곳에서 자란다.
줄기	풀 전체에 짧은 털이 빽빽이 나고 줄기는 곧게 서며 흔히 가지를 친다.
뿌리	뿌리에 달린 잎은 뭉쳐나서 방석처럼 퍼지는데, 생김새는 주걱 모양의 긴 타원형이다.
잎	줄기에 달린 잎은 어긋나고 긴 타원형이며 가장자리에 톱니가 있다.
꽃	· 4~6월에 노란색 꽃이 줄기 끝에 총상꽃차례를 이루어 핀다. · 꽃받침은 4장이고 타원형이다. · 꽃잎은 꽃받침보다 길며 주걱 모양이다. · 6개의 수술 중 4개는 길고 암술은 1개이다.
열매	열매는 각과로 긴 타원형이고 전체에 털이 나며 7~8월에 익는다.
이용	어린 순을 나물이나 국거리로 먹는다.

약용활용

생약명	정력자
이용부위	종자
채취시기	여름(7월~8월)
약성미	성질은 차고 맛은 맵고 쓰다.
주치활용	폐폐새, 담음해수, 수종창만, 적취, 결기, 음식으로 인한 한열
효능	하기, 행수
민간활용	민간에서는 전초를 성병, 발진 등의 피부병, 기관지염, 천식 등에 쓴다.

2011 ⓒ 꽃마리

학명 | Trigonotis peduncularis
분류 | 쌍떡잎식물 통화식물목 지치과
분포 | 한국 전역 및 아시아의 온대와 난대
생육상 | 세해살이풀

꽃마리

서식 들이나 밭둑, 길가에서 자란다.

줄기 줄기는 전체에 짧은 털이 있으며 밑 부분에서 여러 개로 갈라진다.

잎
- 뿌리에서 나온 잎은 긴 잎자루가 있고 뭉쳐나며 달걀 모양 또는 타원 모양이다.
- 줄기에서 나온 잎은 어긋나고 긴 타원 모양 또는 긴 달걀 모양으로 가장자리가 밋밋하며 잎자루가 없다.

꽃
- 꽃은 4~7월에 연한 하늘색으로 피고 줄기 끝에 총상꽃차례를 이루며 달린다.
- 꽃차례는 윗부분이 말려 있는데, 태엽처럼 풀리면서 아래쪽에서부터 차례로 꽃이 핀다.
- 꽃받침은 5개로 갈라지고 갈라진 조각은 삼각형이고 털이 있다.
- 화관은 5개로 갈라진다. 수술은 5개이다.

열매
- 열매는 4개의 분과로 갈라지는 분열과이고 짧은 자루가 있으며 꽃받침으로 싸여 있다.
- 분과는 매끄럽고 위가 뾰족하다.

이용 봄부터 초여름까지 연한 잎과 줄기를 나물로 먹는다.

약 용 활 용

생약명 | 부지채(附地菜)

이용부위 | 전초

채취시기 | 초여름

약성미 | 성질은 서늘하고 맛은 맵고 쓰다.

주치활용 | 요실금, 늑막염, 설사, 종독, 수족의 근육 마비, 야뇨증, 대장염, 이질, 종기

효능 | 소종. 청열, 하리

학명 | Melampyrum roseum

분류 | 쌍떡잎식물 통화식물목 현삼과

분포 | 한국(전역), 일본, 중국

생육상 | 한해살이풀

꽃며느리밥풀

서식 산지의 볕이 잘 드는 숲 가장자리에서 자란다.

줄기 줄기는 곧게 서고 가지가 마주나면서 갈라진다.

잎
· 잎은 마주난다.
· 좁은 달걀 모양 또는 긴 타원 모양의 바소꼴로 끝이 뾰족하고 밑 부분이 둥글며 가장자리에 톱니가 없다.

꽃
· 꽃은 7~8월에 붉은 색으로 피고 가지 끝에 수상꽃차례를 이루며 달린다.
· 포는 녹색이고 잎 모양이며 자루가 있고 끝이 날카롭게 뾰족하며 가장자리에 돌기가 있다.
· 화관은 긴 통 모양이고 끝은 입술 모양이다.
· 아랫입술의 가운데 조각에 2개의 흰색 무늬가 있다.
· 수술은 2개가 다른 것보다 길다.
· 꽃받침은 종 모양이고 4갈래로 갈라지며 털이 있다.

열매
· 열매는 삭과이고 달걀 모양이며 10월에 익는다.
· 종자는 타원 모양이고 검은색이다.

약 용 활 용

생약명 | 산라화
이용부위 | 전초
채취시기 | 봄(5~6월)
약성미 | 성질은 약간 차고 맛은 쓰며 짜다.
주치활용 | 옹종, 창독
효능 | 청열, 해독

학명 | Lycoris radiata

분류 | 외떡잎식물 백합목 수선화과

분포 | 일본에서 들어 왔음

생육상 | 여러해살이풀

꽃무릇

서식 절에서 흔히 심고 산기슭이나 풀밭에서 무리지어 자란다.

줄기 비늘줄기는 넓은 타원 모양이고 겉껍질이 검은색이다.

잎 열매를 맺지 못하고 꽃이 떨어진 다음 짙은 녹색의 잎이 나오는데, 이 잎은 다음해 봄에 시든다.

꽃
- 꽃은 9~10월에 붉은 색으로 핀다.
- 잎이 없는 비늘줄기에서 나온 꽃줄기 끝에 산형꽃차례를 이루며 달린다.
- 총포는 줄 모양 또는 바소 모양이고 막질이다.
- 화피 조각은 6개이고 거꾸로 세운 바소 모양이며 뒤로 말리고 가장자리에 물결 모양의 주름이 있다.
- 수술은 6개이며 꽃 밖으로 길게 나온다.

이용 비늘줄기는 여러 종류의 알칼로이드 성분을 함유하여 독성이 있지만 이것을 제거하면 좋은 녹말을 얻을 수 있다.

약 용 활 용

생약명 | 석산

이용부위 | 비늘줄기

채취시기 | 꽃이 진 뒤

약성미 | 성질은 따뜻하고 맛은 맵고 독이 있다.

주치활용 | 인후통, 수종, 종독 및 나력

효능 | 거담, 이뇨, 해독

주의 | 독이 있다는 점을 유의

2011 ⓒ 꽃창포

학명 | Iris ensata var. spontanea

분류 | 외떡잎식물 백합목 붓꽃과

분포 | 한국(전역)

생육상 | 여러해살이풀

꽃창포

서식 들의 습지에서 자란다.

줄기 줄기는 곧게 서고 여러 개가 모여난다.

잎 잎은 어긋나며 가운데 맥이 발달하였다.

꽃
· 꽃은 6~7월에 줄기나 가지 끝에 붉은 빛이 강한 자주색으로 핀다.
· 꽃의 밑부분은 잎집 모양의 녹색 포 2개가 둘러싼다.
· 겉에 있는 화피는 3개이고 맥이 있으며 밑부분이 노란색이다.
· 안쪽에 있는 화피는 3개이고 겉에 있는 화피와 어긋나며 곧게 선다.
· 암술머리는 3갈래로 갈라지고 갈라진 조각 밑부분에 암술머리가 있다.
· 수술은 암술머리 뒤에 위치한다.

열매 씨방은 하위이고, 열매는 삭과이며 긴 타원 모양이고, 종자는 갈색으로 익는다.

약용활용

생약명 | 옥선화

이용부위 | 꽃, 뿌리

채취시기 | 여름(6~7월)

약성미 | 성질은 평하고 맛은 달고 독이 없다.

주치활용 | 복부팽만증, 복통

효능 | 이뇨

민간활용 | 타박상에 짓찧어 붙인다.

2011 ⓒ 꽃향유

학명 | Elsholtzia splendens

분류 | 쌍떡잎식물 통화식물목 꿀풀과

분포 | 한국

생육상 | 여러해살이풀

꽃향유

서식 산야에서 자란다.

줄기 줄기는 뭉쳐나고 네모지며 가지를 많이 치고 흰 털이 많다.

잎
- 잎은 마주나고 잎자루를 가지며 달걀 모양으로 끝이 뾰족하고 가장자리에 둔한 톱니가 있다.
- 잎 양면에 털이 드문드문 있고 뒷면에 선점이 있어 강한 향기를 낸다.

꽃
- 꽃은 9~10월에 붉은 빛이 강한 자주색 또는 보라색으로 핀다.
- 줄기와 가지 끝에 빽빽하게 한쪽으로 치우쳐서 이삭으로 달리며 바로 밑에 잎이 있다.
- 포는 콩팥 모양으로 끝이 갑자기 바늘처럼 뾰족해지고 자줏빛이 돈다.
- 화관은 입술 모양으로 갈라진다.
- 윗입술꽃잎은 오목하게 들어가고 아랫입술꽃잎은 3개로 갈라진다.
- 꽃받침은 통 모양이고 끝이 5개로 갈라지며 털이 있다.
- 수술은 4개인데 그 중 2개가 길다.

열매 열매는 분과이고 좁은 달걀을 거꾸로 세운 모양이며 편평하고 물에 젖으면 끈적거린다.

약 용 활 용

생약명 | 향유

이용부위 | 전초

채취시기 | 가을(9월 꽃이 필 무렵)

약성미 | 성질은 약간 따뜻하고 맛은 맵다.

주치활용 | 두통발열, 오한무한, 구토, 하리, 수종, 각기

효능 | 해서, 발한, 화습, 온위, 조중

민간활용 | 남부지방에서는 부종시 사용한다

2011 ⓒ 파리

학명 | Physalis alkekengi var. francheti
분류 | 쌍떡잎식물 통화식물목 가지과
분포 | 한국, 일본, 중국
생육상 | 여러해살이풀

꽈리

서식 마을 부근의 길가나 빈터에서 자라며 심기도 한다.

줄기 땅속줄기가 길게 벋어 번식하며, 줄기는 곧게 서고 가지가 갈라지며 털이 없다.

잎
- 잎은 어긋나지만 한 마디에서 2개씩 나고 잎자루가 있다.
- 잎몸은 넓은 달걀 모양으로 끝이 뾰족하고 밑 쪽은 둥글거나 넓은 쐐기 모양이며 가장 자리에 깊게 패인 톱니가 있다.

꽃
- 꽃은 7~8월에 연한 노란색으로 피는데, 잎겨드랑이에서 나온 꽃자루 끝에 1송이씩 달린다.
- 꽃받침은 짧은 통처럼 생겼으며 끝이 얕게 5개로 갈라지고 가장자리에 털이 있다.
- 꽃이 핀 후에 꽃받침은 자라서 주머니 모양으로 열매를 둘러싼다.
- 화관은 연한 노란색으로 가장자리가 5갈래로 얕게 갈라지며 수평으로 퍼진다.
- 수술은 5개이고 암술은 1개가 있다.

열매 열매는 장과로 둥글고 빨갛게 익으며 먹을 수 있다.

약 용 활 용

생약명 | 산장(酸漿)

이용부위 | 전초, 열매

채취시기 | 여름(7~8월)

약성미 | 성질은 차고 맛은 쓰다.

주치활용 | 인통음아, 담열해수, 소변불리, 황달, 수종, 천연두, 습진

효능 | 청열, 해독, 이인, 화담, 이뇨

2011 ⓒ 꿀풀

속명 | 가지골나물

학명 | Prunella vulgaris var, lilacina

분류 | 쌍떡잎식물 통화식물목 꿀풀과

분포 | 한국, 일본, 중국, 타이완, 사할린, 시베리아 남동부

생육상 | 여러해살이풀

꿀풀

서식 산기슭의 볕이 잘 드는 풀밭에서 자란다.

줄기 전체에 짧은 흰 털이 흩어져 난다.

잎
· 잎은 마주나고 잎자루가 있다.
· 긴 달걀 모양 또는 긴 타원 모양의 바소꼴로 가장자리는 밋밋하거나 톱니가 있다.

꽃
· 꽃은 7~8월에 자줏빛으로 피고 줄기 끝에 원기둥 모양 수상꽃차례를 이룬다.
· 포는 가장자리에 털이 있으며, 각각 3개의 꽃이 달린다.
· 꽃받침은 뾰족하게 5갈래로 갈라지고 겉에 잔털이 있다.
· 화관은 길이가 2cm로 입술 모양인데, 윗입술잎은 곧게 서고 아랫입술꽃잎은 3갈래로 갈라진다.
· 꽃은 양성화인데 수꽃이 퇴화된 꽃은 크기가 작다.
· 수술은 4개 중 2개가 길다.

열매 열매는 분과이고 황갈색이다.

약용활용

생약명 | 하고초(夏枯草)

이용부위 | 전초

채취시기 | 여름(6~7월)

약성미 | 성질은 차고 맛은 쓰고 시다.

주치활용 | 전염성간염, 폐결핵, 임파선염, 수종, 유선염, 임질

효능 | 이뇨, 소염, 소종

민간활용 | 하고초를 적당히 달여 마시거나 달인 물로 눈을 씻으면 눈병에 효과가 있다.

2011 ⓒ 꿩의다리

학명 | Thalictrum aquilegifolium

분류 | 쌍떡잎식물 미나리아재비목 미나리아재비과

분포 | 아시아 및 유럽의 온대에서 아한대

생육상 | 여러해살이풀

꿩의다리

서식 산기슭의 풀밭에서 자란다.

줄기 줄기는 속이 비었고 곧게 서며 가지를 치고 털이 없고 분처럼 흰빛을 띤다.

잎
- 잎은 어긋나고 줄기 아래쪽의 잎자루는 길지만 위쪽으로 올라갈수록 짧아져 없어지고 2~3회 깃꼴로 갈라진다.
- 작은잎은 달걀을 거꾸로 세운 모양이고 끝이 얇게 3~4개로 갈라지며 끝이 둥글다.

꽃
- 꽃은 7~8월에 흰색 또는 보라색으로 피고 줄기 끝에서 산방꽃차례를 이루며 달린다.
- 꽃받침조각은 4~5개이고 타원형이며 피기 전에 붉은 빛이 돌고 꽃이 피는 동시에 떨어져 나간다.
- 꽃잎은 없다.
- 수술은 많고, 수술대는 윗부분이 주걱 모양이고, 꽃밥은 넓은 줄 모양으로 노란빛을 띤 흰색이다.

열매
- 열매는 수과이고 달걀을 거꾸로 세운 모양이거나 타원 모양이며 날개 모양의 돌출물이 3~4개 있다.
- 가는 자루에 붙어 열매 5~10개가 모여 달린다.

약용활용

생약명 | 시과당송초(翅果唐松草)

이용부위 | 뿌리, 뿌리줄기

채취시기 | 가을(10월)

약성미 | 성질은 따뜻하고 맛은 맵고 쓰다.

주치활용 | 폐열해수, 인후염, 열병, 감기, 두드러기, 장염, 이질, 결막염, 종기

효능 | 청열, 해독

민간활용 | 뿌리를 달여 눈에 생긴 염증을 씻어낸다.
뿌리를 달인 후 코피나는 데 마신다.

학명 | Caulophyllum robustum

분류 | 쌍떡잎식물 미나리아재비목 매자나무과

분포 | 한국(경기, 강원, 평북), 일본, 사할린, 중국(만주), 우수리강

생육상 | 여러해살이풀

꿩의다리아재비

서식 깊은 산의 나무 밑에서 자란다.

뿌리줄기 굵은 뿌리줄기는 옆으로 벋으며 수염뿌리가 난다.

줄기 줄기는 곧게 서고 밑 부분이 비늘잎으로 싸여 있다.

잎
- 잎은 어긋나고 잎자루가 2~3회 3개씩 갈라지며 잎자루 끝에 석 장의 작은잎이 나온 잎이 달린다(2~3회 3출겹잎).
- 작은잎은 긴 타원형으로 밑은 둥글며 가장자리는 밋밋하고 끝이 2~3개로 갈라지며 뾰족하다.

꽃
- 꽃은 6~7월에 녹색을 띤 황색으로 피고 원추꽃차례를 이루며 줄기 끝에 달린다.
- 꽃잎은 꽃받침과 마주나고 크기가 작으며 수술 둘레에 6개 있다.
- 꽃받침조각은 6개이고 달걀을 거꾸로 세운 모양이며 꽃잎보다 훨씬 크므로 꽃잎처럼 보인다.
- 수술은 6개이고, 암술은 1개이다.

열매
- 씨방은 꽃이 핀 후에는 자라지 않기 때문에 열매가 파열되어 종자가 겉으로 나오고, 종자는 이 상태에서 계속 자라기 때문에 열매처럼 보인다.
- 종자는 둥글며 하늘색으로 익는다.

약용활용

생약명 | 홍모칠(紅毛漆)

이용부위 | 뿌리줄기, 뿌리

채취시기 | 여름~초가을(8~9월)

약성미 | 성질은 따뜻하고 맛은 쓰고 맵다.

주치활용 | 풍습성관절염, 타박상, 고혈압, 신경통, 요통, 월경불순, 위통

효능 | 거풍, 통락, 활혈, 조경, 살균

민간활용 | 민간에서는 해산 전후의 아픔을 멈추거나 유산시키는 데에 쓴다. 외용제로 여자의 질 세정시에도 쓴다.

학명 | Anemone raddeana

분류 | 쌍떡잎식물 미나리아재비목 미나리아재비과

분포 | 한국

생육상 | 여러해살이풀

꿩의바람꽃

서식 꿩의바람꽃은 숲 속에서 자란다.

줄기 뿌리줄기는 옆으로 뻗고 육질이며 굵다.

잎 뿌리에서 난 잎은 잎자루에 석 장의 작은잎이 나온 잎이 3개씩 달리며(2회 3출겹잎), 작은잎은 긴 타원 모양이고 끝이 3갈래로 깊이 갈라지며 털이 없다.

꽃
· 꽃은 4~5월에 피는데 흰빛에 약간 자줏빛이 돌고, 꽃줄기 위에 한 송이가 달린다.
· 꽃에는 꽃잎이 없고 꽃받침이 꽃잎처럼 보인다.
· 꽃받침은 8~13조각이고, 꽃받침조각은 긴 타원 모양이다.
· 수술과 암술의 수가 많고, 꽃밥은 흰색이다.
· 씨방에 잔털이 있다.

열매 열매는 수과이다.

약용활용

생약명 | 죽절향부(竹節香附)

이용부위 | 뿌리줄기

채취시기 | 여름

약성미 | 성질은 따뜻하고 맛은 맵다.

주치활용 | 풍이나 류머티스에 의한 통증 관절염, 종기, 부스럼, 요통, 사지마비

효능 | 진통, 소종

민간활용 | 신선한 덩이줄기와 생강을 짓찧어 그 즙을 내어 탈모시 바르면 좋다.

학명 | Luzula capitata

분류 | 외떡잎식물 백합목 골풀과

분포 | 동아시아의 온대와 난대

생육상 | 여러해살이풀

꿩의밥

서식 풀밭이나 산기슭에서 자란다.

줄기 줄기는 덩이 모양의 땅속줄기에서 뭉쳐나며 곧게 선다.

잎
· 뿌리에서 난 잎은 줄 모양이다.
· 가장자리에 흰색의 긴 털이 있고 끝 부분이 딱딱하다.
· 줄기에 난 잎은 2~3개가 어긋나는데 뿌리에서 난 잎보다 작고 잎집의 윗부분에 흰색 털이 빽빽이 난다.

꽃
· 꽃은 4~5월에 줄기 끝에 작은 꽃들이 뭉쳐 피어 둥근 공 모양의 두상꽃차례를 이룬다.
· 화피조각은 6개이고 바소꼴이다.
· 끝이 뾰족하고 붉은 빛을 띤 갈색이며 가장자리가 흰색이다.
· 수술은 6개이고, 수술대는 매우 짧다.
· 꽃밥은 긴 타원 모양이고 노란색이다.
· 암술대는 끝이 3개로 갈라진다.

열매
· 열매는 삭과이고 모난 달걀 모양이고 5~6월에 익는다.
· 종자는 둥글거나 넓은 달걀 모양이며 검은 빛을 띠는 짙은 갈색이다.

이용 종자를 식용하고, 전초를 가축사료로 이용한다.

약용활용

생약명	지양매(地楊梅)
이용부위	전초, 열매
채취시기	봄(5~6월)
약성미	성질은 평하고 맛은 맵다.
주치활용	이질 및 아메바성이질
효능	적백리(赤白痢)

학명 | Hylotelephium erythrostictum

분류 | 쌍떡잎식물 장미목 돌나물과

분포 | 한국(전북, 충북, 경기, 평북), 일본

생육상 | 여러해살이풀

꿩의비름

서식 산지의 햇볕이 잘 드는 곳에서 자란다.

줄기 줄기는 둥글고 분처럼 흰빛을 띠며 곧게 선다.

잎
- 잎은 마주나거나 어긋나고 타원 모양이나 긴 타원 모양의 달걀 모양이며 육질이다.
- 잎의 가장자리에 둔한 톱니가 있고, 잎의 밑 부분이 좁아져서 짧은 잎자루와 모양이 연결된다.
- 줄기 윗부분에 있는 잎에는 잎자루가 없다.

꽃
- 꽃은 8~10월에 피는데, 줄기 끝에서 산방꽃차례 모양의 취산꽃차례를 이루며 많은 꽃이 달린다.
- 꽃은 매우 작고 흰 바탕에 약간 붉은빛이 돈다.
- 꽃잎은 5개이고 바소꼴이며 꽃받침조각보다 3~4배가 길다.
- 꽃받침조각은 5개이고 연한 녹색의 긴 삼각형이다.
- 수술과 암술은 각각 5개이다.

열매 열매는 골돌과이다.

이용 연한 부분은 나물로 먹는다.

약용활용

생약명 | 경천(景天)

이용부위 | 전초

채취시기 | 여름(8~9월)

약성미 | 성질은 평하고 맛은 쓰고 시며 독성이 없다.

주치활용 | 열날 때, 피 토할 때, 목적납통

효능 | 해열, 지열, 종기, 청열

민간활용 | 부스럼, 땀띠, 종기는 신선한 잎을 따서 즙액을 내서 환부에 붙인다.

속명 | Drosera rotundifolia L.

학명 | 끈끈이귀개과

분류 | 한국, 중국, 일본, 대만, 만주

분포 | 전국 각지

생육상 | 숙근성 여러해살이풀

끈끈이주걱

서식 양지쪽 산성 습지에 자란다.

줄기 약간 땅 속으로 자생하는 벌레잡이 식물이다.

잎
- 잎은 모여나며 옆으로 퍼지고 도란상 편원형이다.
- 밑부분이 갑자기 좁아져서 잎자루로 되고 표면에 적색의 긴 샘털이 있다.

꽃
- 꽃대는 잎 중앙에서 자라며 꽃은 7월에 흰색으로 핀다.
- 윗부분에 한쪽으로 치우쳐서 총상으로 달린다.
- 꽃받침은 5개이고 깊게 갈라진다.
- 열편은 긴 타원형으로서 가장자리에 샘털이 있고 꽃잎은 5개로 거꿀달걀 모양 비슷하다.
- 수술은 5개이고 암술대는 3개인데 다시 2개로 갈라지며 씨방은 상위이다.

열매 열매는 익으면 3개로 갈라지고 양 끝에 꼬리모양의 돌기가 있는 미세한 종자가 들어 있다.

이용 벌레잡이식물로 재배한다.

약 용 활 용

생약명 | 모전초

이용부위 | 전초

채취시기 | 여름(8월)

주치활용 | 천식, 기관지염, 가슴질병, 폐렴, 호흡기질병, 기침, 폐결핵, 동맥경화

효능 | 진경(鎭痙), 수렴, 진통, 이뇨, 거담

민간활용 | 전초를 달여 초기 폐결핵과 동맥경화에 쓴다

주의 | 소량만 섭취해야 한다.

2011 ⓒ 나도냉이

학명 | Barbarea orthoceras

분류 | 쌍떡잎식물 이판화군 겨자과

분포 | 한국, 일본, 중국, 동시베리아, 북아메리카

생육상 | 두해살이풀

나도냉이

서식 냇가나 습지에서 자란다.

줄기 줄기는 곧게 서고 가지를 친다.

잎
- 뿌리에서 나온 잎은 뭉쳐나고 긴 잎자루를 가지며 달걀을 거꾸로 세운 모양이고 깃꼴로 깊게 갈라진다.
- 줄기에서 나온 잎은 어긋나고 잎자루가 거의 없다.
- 밑부분이 귀 모양으로 줄기를 반 정도 감싸고 가장자리가 깃꼴로 깊게 갈라진다.
- 앞면에는 털이 없고 윤이 나며 뒷면은 자줏빛이 돈다.

꽃
- 꽃은 5~6월에 황색으로 피고 가지와 줄기 끝에 총상꽃차례를 이룬다.
- 꽃잎은 4개이며 달걀을 거꾸로 세운 모양이고 꽃받침조각보다 2배 정도 길다.
- 꽃받침조각은 4개로 타원 모양 또는 넓은 타원 모양이다.
- 수술은 6개인데 4개가 길며 암술은 1개이다.

열매
- 열매는 장각과이고 길이가 3cm 정도이며 네모지고 곧게 서며 2조각으로 갈라진다.
- 종자는 타원 모양이며 좁은 날개로 둘러싸인다.

이용 어린 순은 나물로 식용한다.

약용활용

생약명 | 제채(薺菜)

이용부위 | 전초

채취시기 | 봄(5~6월)

약성미 | 성질은 따뜻하고 맛은 달며 독이 없다.

주치활용 | 이질, 당뇨병, 소변분리, 토혈, 코피, 월경과다, 산후출혈, 안질

효능 | 이뇨, 지혈, 해독

학명 | Nanocnide japonica Blume

분류 | 쌍떡잎식물 쐐기풀목 쐐기풀과

분포 | 한국(제주·전남), 일본, 중국

생육상 | 여러해살이풀

나도물통이

서식 산기슭의 그늘에서 자란다.

줄기 옆으로 뻗는 가지를 내며, 줄기는 뭉쳐나며 가늘고 길다.

잎
· 잎은 어긋나고 긴 잎자루를 가지며 줄 모양 또는 넓은 달걀 모양이고 양면에 털이 있다.
· 잎의 끝은 둔하며 가장자리에 둔한 톱니가 있고 앞면에 광택이 있으며 뒷면은 짙은 자주색이다.
· 잎자루는 잎몸보다 길거나 같고 한 쌍의 턱잎이 있는데, 턱잎은 작고 달걀 모양이다.

꽃
· 꽃은 단성화로 암수 한 그루이고 7~8월에 핀다.
· 수꽃은 연두색으로 잎겨드랑이에서 나온 긴 꽃대 끝에 달리고 5개의 화피갈래조각과 5개의 수술이 있다.
· 수술은 안쪽으로 말려 있는데, 꽃이 피는 동시에 바깥쪽으로 튕기면서 화분을 뿌린다.
· 암꽃은 연한 붉은 빛이며 줄기 윗부분의 잎겨드랑이에서 나온 짧은 꽃대 끝에 달리고 4개의 화피갈래조각이 1개의 암술을 싸고 있으며 끝에 긴 털이 있다.

열매 열매는 수과이고 화피에 싸이며 타원 모양이다.

약 용 활 용

생약명 | 비해

이용부위 | 뿌리줄기

약성미 | 성질은 평하고 맛은 쓰다.

주치활용 | 각기, 고림, 관절불리, 백대하, 소변림력, 소변론탁, 풍습비통

효능 | 거풍습, 이습탁

주의 | 신허음휴자, 정활자, 하부에 습사가 없는 자는 복용을 피한다.

학명 | Clintonia udensis

분류 | 외떡잎식물 백합목 백합과

분포 | 한국

생육상 | 여러해살이풀

나도옥잠화

서식 깊은 산의 나무그늘에서 자란다.

뿌리 짧게 뻗은 뿌리줄기에서 수염뿌리가 나온다.

꽃줄기
· 꽃줄기는 곧게 선다.
· 꽃줄기에는 잎이 달리지 않는다.

잎
· 잎은 2~5개가 뿌리줄기에서 나오며 긴 타원 모양이다.
· 잎몸이 두텁고 광택이 있으며 녹색이고 양 끝은 좁으며 가장자리가 밋밋하고 털이 있다.

꽃
· 꽃은 6~7월에 흰색으로 피는데, 총상꽃차례를 이루며 꽃줄기 끝에 작은 꽃이 3~5개 달린다.
· 꽃잎 조각은 6개이고 옆으로 퍼지며 좁은 타원 모양이다.
· 수술은 6개로 꽃잎 밑에 달리고 꽃잎보다 짧다.
· 꽃밥은 긴 타원 모양이고 암술대는 끝이 3개로 갈라지며 씨방은 3칸으로 나뉜다.

열매
· 꽃이 핀 다음 꽃줄기가 길게 자라고 짙은 남색의 열매가 달린다.
· 열매는 장과이고, 종자는 달걀 모양이다.

약용활용

생약명 | 뇌공칠(雷公七)

이용부위 | 전초

채취시기 | 여름(7~8월)

약성미 | 성질은 시원하고 맛은 쓰고 약간 맵다.

주치활용 | 타박상, 신경쇠약, 허약증, 노상

효능 | 어혈제거, 거품, 지통, 산어

민간활용 | 전초를 달여 신경성 강장약으로 쓴다

학명 | Vicia unijuga

분류 | 쌍떡잎식물 장미목 콩과

분포 | 한국, 일본, 중국

생육상 | 여러해살이풀

나비나물

서식 산과 들에서 흔하게 자란다.

줄기 줄기는 네모지며 조금 딱딱하고 뭉쳐나며 곧게 서거나 약간 비스듬히 자란다.

잎
· 잎은 어긋나고 잎자루는 짧다.
· 잎몸은 작은잎이 2개인 겹잎이다.
· 작은잎은 달걀 모양 또는 긴 타원 모양으로 끝이 뾰족하다.
· 턱잎은 콩팥 모양으로 2개로 갈라지거나 톱니가 있다.

꽃
· 꽃은 8월에 붉은 빛이 강한 자주색으로 핀다.
· 잎겨드랑이에서 나온 꽃대에 총상꽃차례를 이룬다.
· 많은 꽃이 한쪽으로 치우쳐 달린다.
· 꽃받침은 통 모양이고 끝이 5개의 줄 모양 조각으로 갈라진다.
· 화관은 나비 모양이다.

열매 열매는 협과로 털이 없으며 긴 타원 모양이다.

이용 봄에 어린 순을 식용한다.

약 용 활 용

생약명 | 삼령자(三鈴子), 왜두채(歪頭菜)

이용부위 | 전초

채취시기 | 봄~여름(6~9월)

약성미 | 성질은 평하고 맛은 달다.

주치활용 | 어지러움증, 경부럼프절결핵, 고혈압, 숙취, 이뇨, 현기증, 피로회복

효능 | 보허

2011 ⓒ 나팔꽃

학명 | Pharbitis nil

분류 | 쌍떡잎식물 통화식물목 메꽃과

원산지 | 인도

생육상 | 한해살이 덩굴식물

나팔꽃

서식 관상용으로 심지만 길가나 빈터에 야생하기도 한다.

줄기 줄기는 아래쪽을 향한 털들이 빽빽이 나며 길게 뻗어 다른 식물이나 물체를 왼쪽으로 감아 올라간다.

잎
- 잎은 어긋나고 긴 잎자루를 가지며 둥근 심장 모양이고 잎몸의 끝이 보통 3개로 갈라진다.
- 갈라진 조각의 가장자리는 밋밋하고 톱니가 없으며 표면에 털이 있다.

꽃
- 꽃은 7~8월에 푸른 자주색, 붉은 자주색, 흰색, 붉은색 등 여러 가지 빛깔로 피고 잎겨드랑이에서 나온 꽃대에 1~3송이씩 달린다.
- 꽃받침은 깊게 5개로 갈라지고, 갈라진 조각은 가늘고 길며 끝이 뾰족하고 뒷면에 긴털이 있다.
- 화관은 깔때기처럼 생겼다.
- 꽃봉오리는 붓끝 같은 모양으로 오른쪽으로 말려 있다.
- 수술은 5개, 암술은 1개이다.

열매 열매는 꽃받침 안에 있으며 3칸으로 나누어진 둥근 삭과이다. 3칸에 각각 2개의 종자가 들어 있다.

약 용 활 용

생약명 | 견우자(牽牛子)

이용부위 | 종자

채취시기 | 가을

약성미 | 성질은 차며 맛은 백축은 쓰고 달며, 흑축은 쓰고 맵고 독이 있다.

주치활용 | 대변비결, 소변불리, 수종천만, 각기식체, 담음, 충적

효능 | 사하, 이뇨, 살충약

민간활용 | 민간에서는 나팔꽃에 잎이 많이 붙어 있을 때 뿌리에서 20cm 정도 잘라서 말려두었다가 동상에 걸렸을 때 이것을 달인 물로 환부를 찜질한다.

2011 ⓒ 낙지다리

낙지다리

서식 못이나 도랑과 같은 습지에서 자라는 다육질의 여러해살이 풀이다.

줄기 줄기는 가지가 갈라지지 않고 원기둥 모양으로 곧게 서며, 분홍빛이 돈다.

잎
- 잎은 어긋나고 잎자루가 거의 없으며 좁은 바소꼴이다.
- 가장자리에 가는 톱니가 있으며 끝이 예리하게 뾰족하다.

꽃
- 꽃은 7~8월에 황백색으로 핀다.
- 줄기 끝에 낙지 다리처럼 가지가 사방으로 갈라져 발달한 총상꽃차례를 이룬다.
- 꽃이 위쪽으로 치우쳐서 달리고 꽃차례에 짧은 털이 있다.
- 꽃잎은 없으며, 꽃받침은 컵 모양이고 5개로 갈라진다.
- 갈라진 조각은 달걀 모양으로 끝이 뾰족하다.
- 수술은 10개이고 꽃받침보다 길며, 꽃밥은 노란색이고, 암술대는 짧다.

열매
- 열매는 삭과이다.
- 5개의 씨방 밑 부분이 붙어 있는데, 다 자라면 붙어 있는 부분의 위쪽이 갈라져서 가는 종자가 나온다.

약 용 활 용

생약명 | 차근채(此根菜)

이용부위 | 전초

채취시기 | 여름(7~8월)

약성미 | 성질은 따뜻하고 맛은 약간 떫고 쓰다.

주치활용 | 월경불순, 대하증, 타박상, 수종

효능 | 이수제습(利水除濕), 거어지통

민간활용 | 즙을 짜서 곪은 상처나 부스럼에 쓴다.
뿌리는 강장에 사용한다.

2011 ⓒ 난장이붓꽃

학명 | Iris uniflora var. caricina Kitag.

분류 | 붓꽃과

원산지 | 한국

분포 | 전국 각지

생육상 | 여러해살이풀

난장이붓꽃

서식
- 높은 산 정상부근의 건조하고 배수성이 좋은 사질토양에서 주로 자란다.
- 햇볕이 잘 들고 메마른 바위곁이나 틈새에 붙어 있다.

뿌리 가는 근경이 가로 뻗으며 번식하여 군집을 이룬다.

줄기 줄기 밑부분에 묵은 엽초의 갈색 섬유가 있다.

잎 줄기의 밑부분에 묵은 잎이 엉켜 있고 선형이다.

꽃
- 5월에 연한 보라색 꽃이 화경 끝에 1개 달린다.
- 2개의 타원형 포는 약간 두껍고 딱딱하며 황록색이다.
- 윗부분의 가장자리는 자홍색이며 밋밋하고 불명확한 줄맥이 있다.
- 화피통부의 외화피는 도란상 타원형으로서 끝이 둔하다.
- 내화피는 도피침형으로 외화피보다 짧으며 끝이 뾰족하고 곧추선다.
- 수술은 3개로 갈라진 화주 뒷면에 있다.
- 화주는 3개의 피침형 조각으로 갈라지고 끝이 다시 2개로 갈라지며 가장자리는 밋밋하다.
- 열편은 가장자리가 밋밋하고 뒷면이 암술머리로 된다. 자방하위이다.

열매
- 삭과는 둥글며 능선이 있고 부리가 없다.
- 엽초와 같은 포 안에 들어있다.

이용
- 키가 작고 강건하므로 반그늘진 척박지 등의 지피식물로 식재하면 효과적이다.
- 화단에 군식하거나 화분에 심어 초물분재로 감상한다.

약용활용

생약명	단화연미(單花鳶尾)
이용부위	뿌리줄기
채취시기	봄(5월)
주치활용	편도선염, 인후염, 안태, 주독, 해소, 폐렴, 절상, 뇌창, 토혈, 백일해
효능	소적, 행수
민간활용	뿌리줄기를 절상 등의 약으로 사용한다.

2011 ⓒ 남산제비꽃

학명 | Viola dissecta var. chaerophylloides

분류 | 쌍떡잎식물 이판화군 측막태화목 제비꽃과

분포 | 한국, 일본

생육상 | 여러해살이풀

남산제비꽃

서식 주로 산지에서 자란다.

잎
- 잎이 완전히 3개로 갈라지고 옆쪽 잎이 다시 2개씩 갈라져 마치 5개로 보인다.
- 각 조각은 다시 2~3개로 갈라지거나 깃털 모양으로 깊게 갈라져서 마지막 조각은 줄 모양이 된다.
- 턱잎은 줄 모양으로 넓으며 밑부분이 잎자루에 붙는다.

꽃
- 4~6월에 흰색 꽃이 피는데, 꽃잎 안쪽에 자주색 맥이 있다.
- 꽃은 잎자루 사이에서 몇 개의 가는 대가 나와서 그 여러 줄기 끝에 큰 꽃이 1개씩 달린다.
- 꽃받침잎은 바소 모양이고 그 끝이 뾰족하다.
- 꿀주머니는 원기둥 모양이고 다소 길며 수술은 5개, 암술은 1개, 꽃받침조각은 5개이다.

열매 열매는 삭과로 털이 없고 타원형이다.

약 용 활 용

생약명	여의초(如意草), 정독초(疔毒草)
이용부위	전초
채취시기	봄(5~6월)
약성미	성질은 차고 맛은 쓰다.
주치활용	종기, 신우염, 태독, 감기, 통경, 기침, 부인병, 정혈
효능	청열, 해독, 소옹종, 산어
민간활용	고한. 간기능 촉진. 태독. 감기 등에 약제로 쓴다.

2011 ⓒ 냉이

속명 | 나생이, 나숭게

학명 | Capsella bursa-pastoris

분류 | 쌍떡잎식물 이판화군 겨자과

분포 | 온대지방

생육상 | 두해살이풀

냉이

서식 들이나 밭에서 자란다.

줄기 전체에 털이 있고 줄기는 곧게 서며 가지를 친다.

잎
- 뿌리잎은 뭉쳐나고 긴 잎자루가 있으며, 깃꼴로 갈라지지만 끝부분이 넓다.
- 줄기잎은 어긋나고 위로 올라갈수록 작아지면서 잎자루가 없어지며 바소꼴로 줄기를 반 정도 감싼다.

꽃
- 5~6월에 흰색 꽃이 피는데 십자화가 많이 달려 총상꽃차례를 이룬다.
- 꽃받침은 4개로 긴 타원형이고 꽃잎은 거꾸로 선 달걀 모양이며 6개의 수술 중 4개가 길며, 1개의 암술이 있다.

열매 열매는 편평한 거꾸로 된 삼각형 모양이고 25개의 종자가 들어 있다.

이용 식용한다.

약 용 활 용

생약명 | 제채(薺菜)

이용부위 | 전초

채취시기 | 여름(6~7월)

약성미 | 성질은 따뜻하고 맛은 달고 독이 없다.

주치활용 | 비장과 위가 허약한 증세, 당뇨병, 오줌이 잘 안 나올 때, 수종, 토혈, 코피, 월경과다, 산후출혈, 안질

효능 | 이뇨, 지혈, 해독, 간장질환

민간활용 | 고혈압시 냉이를 장기간 복용하면 효과가 있다.
냉이죽을 먹으면 피를 맑게 하고 눈이 좋아진다.
안구의 동통에 뿌리를 달인 즙이나, 같은 즙액으로 씻으면 효과가 있다.

2011 ⓒ 냉초

학명 | Veronicastrum sibiricum

분류 | 쌍떡잎식물 합판화군 통화식물목 현삼과

분포 | 경기, 강원

생육상 | 여러해살이풀

냉초

서식 산지의 습기가 약간 있는 곳에서 자란다.

줄기 뭉쳐난다.

잎
- 잎은 3~8개씩 돌려나고 여러 층을 이루며 긴 타원형 또는 타원형이고 끝이 뾰족하다.
- 잎 가장자리에 잔톱니가 있으며 잎자루는 없다.

꽃
- 꽃은 7~8월에 피며 총상꽃차례로 밑에서부터 피어 올라간다.
- 꽃받침은 5개로 깊게 갈라지고 갈라진 조각은 끝이 뾰족하며 바소꼴이다.
- 화관은 붉은 자줏빛으로, 통 모양이고 끝이 얕게 4개로 갈라진다.
- 안쪽에는 털이 나 있다.
- 수술은 2개로 길고 수술대는 자줏빛이며 밑부분에 털이 있다.
- 씨방은 2실이다.

열매 열매는 삭과로 뾰족하고 넓은 달걀 모양이며 밑쪽에 꽃받침이 붙고 9~10월에 익는다.

이용 어린 순은 나물로 먹는다.

── 약 용 활 용 ──

생약명 | 참룡검(斬龍劍)

이용부위 | 전초

채취시기 | 여름(6~8월)

약성미 | 성질은 차고 맛은 쓰다.

주치활용 | 행성 감기, 감기, 폐결핵기침, 위장병, 방광염, 근육통, 변비

효능 | 이뇨, 해독, 해열, 소염

민간활용 | 민간에서는 뿌리를 설사, 위장염, 황달, 자궁내막염, 각기, 마비, 변비, 조충증
일 때 쓴다.

학명 | Eranthis stellata Maxim.

분류 | 쌍떡잎식물 이판화군 미나리아재비목 미나리아재비과

원산지 | 한국

분포 | 한국(강원 · 평북 · 함북)

생육상 | 여러해살이풀

너도바람꽃

서식 산지의 반그늘에서 자란다.

줄기 덩이줄기는 공 모양이고 수염뿌리가 많고, 줄기는 연약하고 곧게 서며 높이는 15cm 정도이다.

잎
· 근생엽은 길이 5−10cm의 긴 엽병이 있으며 3개로 깊게 갈라진다.
· 측열편은 다시 2개씩 깊게 갈라지고 각 열편은 우상으로 갈라진다.
· 최종 열편은 선형이다.
· 총포엽은 대가 없으며 윤상으로 달리고 불규칙한 선형으로 갈라진다.
· 줄기 끝의 꽃 기부에 총포가 있다.

꽃
· 꽃은 3~4월에 핀다.
· 지름 2cm정도로서 흰색이고 화경은 길이 1cm 정도로 끝에 1개의 꽃이 달린다.
· 꽃받침잎은 5~6개로서 크며 꽃잎같고 난형이다.
· 꽃잎은 꽃받침 안쪽에 여러 개가 있으며 막대기 모양으로 작다.
· 끝이 2개로 갈라져 황색의 꿀샘을 이루고 수술은 여러 개이다.
· 암술(심피)은 2~3개이고 꽃밥은 연한 자주색이다.

열매
· 열매는 골돌과로 6월에 성숙하며 2~3개로 반달 모양이다.
· 종자는 갈색이고 둥글며 밋밋한 편이다.

약 용 활 용

생약명 | 죽절향부(竹節香附)

이용부위 | 뿌리

채취시기 | 여름

약성미 | 성질은 따뜻하고 맛은 맵다.

주치활용 | 풍한습비, 상풍감모, 풍담, 사지경련, 골절동통, 옹종, 금창

효능 | 거풍습, 소옹종

학명 | Davallia mariesii

분류 | 양치식물 고사리목 넉줄고사리과

분포 | 한국(황해 이남 지역), 일본, 타이완, 중국 등지

생육상 | 여러해살이풀

넉줄고사리

서식 산지의 바위나 나무껍질 등에 붙어서 자란다.

줄기 뿌리줄기는 길게 옆으로 뻗는다.

잎
- 잎이 드문드문 달리고 비늘조각으로 덮인다.
- 비늘조각은 줄 모양의 바소꼴이고 갈색 또는 잿빛을 띤 갈색이며 막질이고 끝이 뾰족하다.
- 잎자루는 떨어지기 쉬운 비늘조각이 드문드문 달리며 뿌리줄기의 마디에서 나온다.
- 잎몸은 세모진 달걀 모양이고 3~4회 깃꼴로 깊게 갈라진다.
- 잎조각은 달걀 모양의 긴 타원형이고 짧은 자루가 있으며 끝이 약간 뾰족하고, 작은잎조각은 긴 타원 모양 또는 바소꼴이다.

포자 포자낭군은 컵 모양이고 작은잎조각의 잎맥 끝에 1개씩 달리며, 포막이 있다.

약용활용

생약명 | 골쇄보(骨碎補)

이용부위 | 뿌리줄기

채취시기 | 뿌리줄기-겨울과 봄, 비늘줄기 -수시

약성미 | 성질은 따뜻하고 맛은 쓰며 독이 없다.

주치활용 | 신허요통, 이명, 이롱, 치아요동, 근골절상, 반독, 백전풍

효능 | 보신, 강골, 속상, 지통

주의 | 음허 및 어혈이 없는 자는 신중을 기하여 복용해야 한다.

2011 ⓒ 넓은잎천남성

학명 | Arisaema robustum

분류 | 외떡잎식물 천남성목 천남성과

분포 | 한국(경남, 경기)

생육상 | 여러해살이풀

넓은잎천남성

서식 산지의 그늘진 습지에서 자란다.

줄기 알줄기는 편평한 구형이고 윗부분에서 수염뿌리가 사방으로 퍼지며 2~3개의 작은 알줄기가 달린다.

잎
· 잎은 1개씩 달리고 잎자루가 있다.
· 작은잎은 5개로 중앙부의 것이 가장 크고 긴 타원형 또는 달걀 모양이며 양 끝이 좁고 잎자루가 있다.

꽃
· 꽃은 암수딴그루 육수꽃차례를 이루고 꽃덮개는 없다.
· 포는 녹색이지만 때때로 윗부분에 자줏빛이 돈다.

열매 장과는 적색으로 익으며 옥수수알처럼 달린다.

─ 약 용 활 용 ─

생약명 | 천남성(天南星)

이용부위 | 줄기

채취시기 | 가을

약성미 | 성질은 따뜻하고 맛은 쓰고 맵고 독이 많다.

주치활용 | 운동신경을 부활하고 중풍, 반신불수, 운동 신경마비, 안면신경마비, 팔다리

효능 | 상통, 거풍, 거담, 항암

민간활용 | 민간약으로 곤충에 물린 데 외용했다.

학명 | Marsilea quadrifolia

분류 | 양치식물 고사리목 네가래과

분포 | 동아시아, 유럽, 인도 북부 등지

생육상 | 여러해살이풀

네가래

서식 논이나 못, 또는 늪에서 무리지어 자란다.

줄기 뿌리줄기는 가늘고 길며 땅 속을 옆으로 기며 불규칙하게 갈라지고 연한 갈색 털이 있다.

잎
· 잎자루는 물 속에 있으나 물이 마르면 곧게 서기도 한다.
· 잎몸은 4개의 작은잎이 잎자루 끝에서 수평으로 퍼진 모양이다.
· 작은잎은 거꾸로 선 삼각형이고 자루가 없다.
· 얇은 종이와 같으며 털이 없고 가장자리가 밋밋하다.
· 작은잎 뒷면에는 줄 모양의 연한 갈색 비늘조각이 있다.
· 잎맥은 밑부분에서 부채살같이 퍼져 끝부분에서 가장자리를 달리는 잎맥과 연결된다.

포자
· 여름부터 잎자루 밑부분에서 1개의 짧은 가지가 나오는데, 이 가지가 2~3개로 갈라진다.
· 그 끝에 포자낭과가 1개씩 달린다.
· 포자낭과는 타원 모양이고 표면에 부드러운 털이 있다.
· 포자낭과 속에 대포자낭과 소포자낭이 있어 암수한그루이다.

약 용 활 용

생약명 | 빈(蘋)

이용부위 | 전초(뿌리 제외)

채취시기 | 봄, 여름, 가을

약성미 | 성질은 차고 맛은 시다.

주치활용 | 코피, 토혈, 소변 출혈, 림프절결핵, 유방염, 치질

효능 | 청열, 이수, 해독, 지혈

2011 ⓒ 노랑꽃창포

학명 | Iris pseudoacorus

분류 | 외떡잎식물 백합목 붓꽃과

원산지 | 유럽

생육상 | 여러해살이풀

노랑꽃창포

서식 연못가에 많이 심는다.

줄기
· 뿌리줄기는 짧고 수염뿌리는 황갈색이다.
· 꽃줄기는 가지가 갈라진다.

잎 잎은 이열로 배열하며 양면에 융기한 주맥이 있다.

꽃
· 꽃은 5월에 노란색으로 피며 꽃 밑에 2개의 큰 포가 있다.
· 외화피는 3개로 넓은 달걀 모양이고 밑으로 처지며 밑부분이 좁아지고,
· 내화피는 3개이며 긴 타원형이다.
· 암술대는 3개로 갈라진 다음 다시 2개로 갈라지며 갈라진 조각에는 뾰족한 톱니가 있다.
· 3개의 수술은 암술대가 갈라진 밑부분과 붙어 있다.
· 씨방은 하위로 통꼴이고 황색이다.

열매 삭과는 다소 밑으로 처지고 삼각상 타원형으로 끝이 뾰족하며 3개로 갈라진다.

─ 약 용 활 용 ─

생약명 | 옥선화(玉蟬花)

이용부위 | 뿌리줄기

채취시기 | 여름(6~7월)

약성미 | 성질은 평하고 맛은 달고 독이 없다.

주치활용 | 주독, 상처 곪은데, 감기, 기침, 기관지염, 폐관련질병

효능 | 이뇨

민간활용 | 뿌리줄기를 주독, 해수, 백일해 등에 사용한다.

2011 ⓒ 노랑물봉선화

속명 | 노랑물봉선

학명 | Impatiens nolitangere

분류 | 쌍떡잎식물 무환자나무목 봉선화과

분포 | 한국(경남, 경북, 경기, 평북, 함남, 함북)

생육상 | 한해살이풀

0312

노랑물봉선화

서식 산기슭의 습지에서 자란다.

줄기 전체에 털이 없고 연하며, 줄기는 물기가 많고 곧게 서며 가지를 치고 특히 마디가 두드러진다.

잎
· 잎은 어긋나고 잎자루가 있으며 타원형으로 가장자리에 둔한 톱니가 있다.
· 잎 뒷면은 백색이 돌며 약간 뽀얗고 막질이다.

꽃
· 8~9월에 연한 황색 꽃이 피는데, 꽃의 안쪽에 적갈색 반점이 있고 총상꽃차례를 이루며 가지 끝에 2~4송이씩 붙는다.
· 꽃대는 가늘고 아래로 늘어진다.
· 포(苞)는 선형이고 꿀주머니는 밑으로 굽는다.
· 수술은 5개로 꽃밥이 붙고 암술은 1개이다.

열매 열매는 삭과로 좁고 길며 양 끝이 뾰족하고, 익은 후에는 과피가 벌어져 종자가 튀어나오게 된다.

약용활용

생약명 | 이엽봉선화(耳葉鳳仙花), 수금봉(水金鳳)

이용부위 | 뿌리

채취시기 | 여름, 가을

약성미 | 성질은 따뜻하고 맛은 달다.

주치활용 | 외상출혈, 월경부조, 통경, 질타손상, 풍습동통, 음낭습진

효능 | 지혈, 활혈, 조경, 서근, 활락

민간활용 | 민간에서는 씨앗을 소화해독에 쓴다.

학명 | Nymphoides peltata

분류 | 쌍떡잎식물 용담목 용담과

분포 | 한국(전북, 경남, 경기), 일본, 중국, 몽골, 시베리아, 유럽 등지

생육상 | 여러해살이풀

노랑어리연꽃

서식 물풀로 늪이나 못에서 자란다.

줄기 뿌리줄기는 물 밑의 흙 속에서 옆으로 벋고 줄기는 실 모양으로 길게 자란다.

잎
· 잎은 마주나며 긴 잎자루가 있고 물 위에 뜬다.
· 넓은 타원형으로 밑부분이 2개로 갈라지거나 붙는다.
· 잎 앞면은 녹색이고 뒷면은 자줏빛을 띤 갈색이며 약간 두껍다.
· 가장자리에 물결 모양의 톱니가 있다.

꽃
· 7~8월에 노란 꽃이 핀다.
· 산형꽃차례로 마주난 잎겨드랑이에서 2~3개의 꽃대가 나와 물 위에 2~3송이씩 달린다.
· 꽃받침은 5개로 깊게 갈라지며, 갈라진 조각은 바소꼴이다.
· 화관은 5개로 갈라지고 수술은 5개이다.

열매
· 열매는 삭과로 타원형이며 9~10월에 익는다.
· 종자는 달걀을 거꾸로 세워 놓은 모양이고 납작하며 날개가 있다.

약용활용

생약명 | 행채(荇菜)
이용부위 | 전초
채취시기 | 여름(7~9월 꽃이 필 때)
주치활용 | 감기, 홍역, 수종, 옹종, 열림
효능 | 청열, 이뇨, 소종, 해독
민간활용 | 잎과 전초를 고미건위, 사열 등의 약으로 쓴다.

2011 ⓒ 노랑제비꽃

학명 | Viola orientalis

분류 | 쌍떡잎식물 측막태좌목 제비꽃과

분포 | 한국(전지역), 일본, 중국, 헤이룽강

생육상 | 여러해살이풀

노랑제비꽃

서식 산의 풀밭에서 자란다.

줄기
· 땅속줄기는 곧게 서고 빽빽이 난다.
· 잎을 제외하고는 털이 거의 없거나 잔 털이 약간 난다.

잎
· 뿌리에 달린 잎은 2~3장으로 심장 모양이다.
· 가장자리에 물결 모양의 톱니가 있다.
· 잎자루는 잎보다 3~5배 길고 붉은빛을 띤 갈색이다.
· 줄기에 달린 잎은 잎자루가 없고 마주나며, 앞면은 윤이 난다.
· 턱잎은 넓은 달걀 모양이고 가장자리가 밋밋하다.

꽃
· 꽃은 4~6월에 노란색으로 핀다.
· 꽃대는 가운데에 포가 있다.
· 꽃받침은 바소꼴이다.
· 부속체는 달걀 모양이며 가장자리가 밋밋하다.
· 꽃잎은 5장이고 길다.

열매 열매는 삭과로 달걀 모양 타원형이고 8~9월에 익으며 털이 없다.

이용 어린 싹은 식용하고 관상용으로 심는다.

약 용 활 용

생약명 | 자화지정(紫花地丁)

이용부위 | 전체

채취시기 | 성질은 차고 맛은 맵고 쓰다.

주치활용 | 통경, 부인병, 소아발육 촉진, 중풍, 발한, 태독, 맹장염

효능 | 청열, 해독

2011 ⓒ 노루귀

학명 | Hepatica asiatica

분류 | 쌍떡잎식물 미나리아재비목 미나리아재비과

분포 | 한국(전지역), 중국, 헤이룽강 등지

생육상 | 여러해살이풀

노루귀

서식 산의 나무 밑에서 자란다.

줄기 뿌리줄기가 비스듬히 자라고 마디가 많으며 검은색의 잔뿌리가 사방으로 퍼져나간다.

잎
· 잎은 뿌리에서 뭉쳐나고 긴 잎자루가 있으며 3개로 갈라진다.
· 갈라진 잎은 달걀 모양이고 끝이 뭉뚝하며 뒷면에 솜털이 많이 난다.

꽃
· 4월에 흰색 또는 연한 붉은색 꽃이 피는데 잎보다 먼저 긴 꽃대 위에 1개씩 붙는다.
· 총포는 3개로 녹색이고 흰 털이 빽빽이 난다.
· 꽃잎은 없고 꽃잎 모양의 꽃받침이 6~8개 있다.
· 꽃받침은 대부분 연한 자줏빛이며 수술과 암술이 여러 개 있다.

열매 열매는 수과로서 털이 나며 6월에 총포에 싸여 익는다.

이용 봄에 어린 잎을 나물로 먹으며 관상용으로 심는다.

약 용 활 용

생약명 | 장이세신(樟耳細辛)

이용부위 | 전초

채취시기 | 여름

약성미 | 성질은 차고 맛은 쓰고 뿌리에 독이 있다.

주치활용 | 두통, 치통, 복통, 기침, 장염, 설사

효능 | 진통, 진해, 소종

민간활용 | 진통, 충독, 종기, 장치료 등에 사용된다.

주의 | 뿌리에 독성분이 함유되어 있다.

2011 ⓒ 노루발톱

학명 | Pyrola japonica

분류 | 쌍떡잎식물 진달래목 노루발과

분포 | 한국(전북, 경남, 경북, 강원, 경기, 평북, 함남), 일본, 타이완, 중국, 헤이룽강

생육상 | 상록 여러해살이풀

노루발톱

서식 숲속에서 자란다.

줄기 뿌리줄기가 옆으로 벋으면서 퍼져나간다.

잎
· 꽃줄기는 곧게 서고 잎은 1~8개가 밑동에 달리고 둥글거나 넓은 타원형이다.
· 잎자루와 더불어 자줏빛을 띠지만, 잎맥부분은 연한 녹색이고 가장자리에 얕은 톱니가 있다.

꽃
· 꽃은 6~7월에 피고 노란빛을 띤 흰색이거나 흰색이며 5~12개가 밑을 향하여 총상꽃차례로 달린다.
· 화관은 넓은 타원형이고 5갈래로 갈라진다.
· 수술은 10개이고 암술대는 1개이다.
· 씨방은 납작하고 꽃받침은 5갈래로 갈라지나 밑동은 붙는다.

열매 열매는 삭과로서 납작한 공 모양이며 9월에 갈색으로 익는다.

약용활용

생약명 | 녹제초

이용부위 | 전초

채취시기 | 봄~여름(6~7월)

약성미 | 성질은 평하고 맛은 달고 쓰다.

주치활용 | 류머티스성 관절염, 타박상, 고혈압, 요도염, 월경과다, 발기부전, 부인의 음허, 백대하

효능 | 보허, 익신, 거풍, 조경

2011 ⓒ 노루삼

학명 | Actaea asiatica
분류 | 쌍떡잎식물 미나리아재비목 미나리아재비과
분포 | 한국(제주 제외), 일본, 중국, 헤이룽강 등지
생육상 | 여러해살이풀

노루삼

서식 산지의 나무 그늘에서 자란다.

줄기 뿌리줄기는 짧고 크며 수염뿌리가 많다.

잎
· 잎은 어긋나고 긴 잎자루가 있으며 2~4회 3장의 작은잎으로 된 겹잎이다.
· 작은잎은 달걀 모양 또는 달걀 모양 바소꼴로 끝이 뾰족하고 깊이 패어 들어간 모양의 톱니가 있다.

꽃
· 꽃은 흰색으로 6월에 피고 줄기 끝에 총상꽃차례로 달린다.
· 화관은 작고 꽃잎은 넓은 주걱 모양으로 4개이다.
· 꽃받침조각은 4개인데 일찍 떨어진다.
· 수술은 여러 개다.

열매 열매는 장과로 공 모양이며 8월에 검은빛으로 익는다.

이용 뿌리줄기는 해독제 등으로 사용한다.

약용활용

생약명 | 녹두승마(綠豆升摩)

이용부위 | 뿌리줄기

채취시기 | 가을

약성미 | 성질은 서늘하고 맛은 맵고 약간 쓰다.

주치활용 | 두통, 신경통, 감모, 해수, 백일해, 기관지염, 학질

효능 | 구풍, 해표, 진해, 청열

학명 | Astilbe chinensis var. davidii

분류 | 쌍떡잎식물 장미목 범의귀과

분포 | 한국, 일본, 중국, 헤이룽강

생육상 | 여러해살이풀

노루오줌

서식 산지의 냇가나 습한 곳에서 자란다.

줄기 뿌리줄기는 굵고 옆으로 짧게 뻗으며 줄기는 곧게 서고 갈색의 긴 털이 난다.

잎
· 잎은 어긋나고 잎자루가 길며 2~3회 3장의 작은잎이 나온다.
· 작은잎은 긴 달걀 모양 또는 달걀 모양 긴 타원형이다.
· 끝은 뾰족하며 밑은 뭉뚝하거나 심장 모양이고 때로 가장자리에 톱니가 있다.

꽃
· 꽃은 7~8월에 붉은빛을 띤 자주색으로 핀다.
· 원추꽃차례로 줄기 끝에 달리며 짧은 털이 난다.
· 화관은 작고 꽃잎은 5개로 줄 모양이다.
· 꽃받침은 5개로 갈라지며 갈라진 조각은 달걀 모양이다.
· 수술은 10개이고 암술대는 2개이다.

열매
· 열매는 삭과로 9~10월에 익는다.
· 끝이 2개로 갈라진다.

이용 어린 순은 나물로 하고 포기 전체를 약용한다.

약용활용

생약명 | 적소마(赤小麻)

이용부위 | 줄기, 잎, 꽃

채취시기 | 여름~가을

약성미 | 성질은 차고 맛은 쓰다.

주치활용 | 두통, 감기, 기침

효능 | 해열

민간활용 | 잎은 강장의 목적, 또는 콩팥질병에 쓰인다

2011 ⓒ 녹두

학명	Phaseolus radiatus
분류	쌍떡잎식물 장미목 콩과
원산지	인도
분포	한국, 중국, 인도 등지
생육상	한해살이풀

녹두

서식 따뜻한 기후의 양토에서 잘 자란다.

줄기 줄기는 가늘고 세로로 난 맥이 있고 10여 개의 마디가 있으며 가지를 친다.

잎 잎은 1쌍의 떡잎과 갓 생겨난 잎이 나온 뒤, 3개의 작은잎으로 된 겹잎이 나온다.

꽃 꽃은 노란색으로 8월에 피며 잎겨드랑이에 몇 개씩 모여나나 3~4쌍만이 열매를 맺는다.

열매
· 열매는 협과로 처음에는 녹색이지만 익으면 검어지고 길고 거친 털로 덮인다.
· 한 꼬투리에 10~15개의 종자가 들어 있다.
· 종자는 녹색인 것이 많으나 노란색, 녹색을 띤 갈색, 검은빛을 띤 갈색인 것도 있다.

이용 청포(녹두묵), 빈대떡, 떡고물, 녹두차, 녹두죽, 숙주나물 등으로 먹는다.

약용활용

생약명 | 녹두(綠豆)

이용부위 | 종자

채취시기 | 가을

약성미 | 성질은 차고 맛은 달고 독이 없다.

주치활용 | 해독, 뇌막염, 뇌염, 장티푸스

효능 | 해열, 해독

민간활용 | 민간에서는 피부병을 치료하는 데 쓰며 해열. 해독작용을 한다.

2011 ⓒ 누린내풀

학명 | Coryopteris divaricata
분류 | 쌍떡잎식물 통화식물목 마편초과
분포 | 한국(제주, 경남, 충남, 강원, 경기), 일본, 중국
생육상 | 여러해살이풀

누린내풀

서식 산과 들에서 자란다.

줄기
· 전체에 짧은 털이 있고 불쾌한 냄새가 난다.
· 줄기는 모나고 많이 갈라진다.

잎
· 잎은 마주나고 넓은 달걀 모양이다.
· 끝이 뾰족하고 밑은 둥글며 가장자리에 둔한 톱니가 있다.

꽃
· 7~8월에 하늘색을 띤 자주색 꽃이 피는데 줄기와 가지 끝에 원뿔형으로 달린다.
· 각 잎겨드랑이의 꽃이삭에는 긴 꽃대가 있다.
· 꽃받침은 종 모양이며 녹색이고 5개로 갈라진다.
· 화관통은 윗부분이 2개로 갈라져 넓게 벌어지며 암술과 수술은 밖으로 나온다.

열매
· 열매는 꽃받침보다 짧고 4개로 갈라진다.
· 종자는 달걀을 거꾸로 세워 놓은 모양이며 털이 없다.

약 용 활 용

생약명 | 화골단(化骨丹)

이용부위 | 전초

채취시기 | 여름(7~8월)

약성미 | 성질은 평하고 맛은 약간 맵고 쓰다.

주치활용 | 감모두통, 해수, 백일해, 림프선염, 목예

효능 | 해열, 소염, 지해, 피임, 이뇨

민간활용 | 민간에서는 포기째 이뇨제로 쓴다.
잎 · 줄기 · 뿌리를 달여 그 물을 환부에 발라 완선을 치료할 수 있다.

2011 ⓒ 눈개승마

학명	Aruncus dioicus var. kamtschaticus
분류	쌍떡잎식물 장미목 장미과
분포	한국(경남, 경북, 강원, 경기, 평북, 함남, 함북), 일본, 중국
생육상	여러해살이풀

눈개승마

서식 높은 산에서 자란다.

줄기 뿌리줄기는 나무처럼 단단하고 굵다.

잎
· 잎은 어긋나고 긴 잎자루가 있으며 2~3회 깃꼴겹잎이다.
· 작은잎은 막질이고 달걀 모양이며 끝은 뾰족하고 밑은 뭉뚝하다.
· 겹톱니가 있고 양면에 털이 없거나 잔 털이 난다.

꽃
· 꽃은 암수딴그루로 5~8월에 노란빛을 띤 흰색으로 피며 원추꽃차례를 이룬다.
· 꽃차례는 짧은 털이 난다.
· 꽃받침은 끝이 5개로 갈라지고 꽃잎은 5개이며 주걱 모양이다.
· 수꽃은 20개의 수술이 있고 암꽃은 곧게 선 3개의 씨방이 있으며 암술대는 짧다.

열매 열매는 긴 타원형의 골돌과로 10월에 익으며 아래로 늘어지는데, 익을 때 윤이 난다.

이용
· 말려서 나물로 식용하면 고기 맛이 나며 풍미가 뛰어난 식물이다.
· 어린 순을 쉬나물이라 부르며 식용한다.

약용활용

생약명 | 죽토자(竹土子)

이용부위 | 전초

채취시기 | 봄, 여름(5~8월)

약성미 | 성질은 평하고 맛은 달고 쓰며 독이 없다.

주치활용 | 타박상, 피곤으로 근골이 아픈 데, 편도선염

효능 | 보신, 수렴, 해열

민간활용 | 민간에서는 전초를 해독제, 지혈제 등에 약으로 쓴다.

속명 | 누운괴불주머니, 눈뿔꽃, 덩굴괴불주머니

학명 | Corydalis ochotensis

분류 | 쌍떡잎식물 이판화군 양귀비목 현호색과

분포 | 한국(전지역), 일본, 헤이룽강 등지

생육상 | 두해살이풀

0332

눈괴불주머니

서식 산지의 습지에서 자란다.

줄기
- 전체에 흰빛을 띤다.
- 가지가 많이 갈라져서 덩굴식물처럼 엉키며 능선이 있다.
- 줄기는 모가 난다.

잎
- 잎은 어긋나고 잎자루가 길며 삼각형이다.
- 2~3회 3장의 작은잎이 나온다.
- 마지막 갈래조각은 흔히 3개로 갈라지며 대에 날개가 있다.

꽃
- 꽃은 7~9월에 피고 노란색이다.
- 총상꽃차례에 달린다.
- 포는 달걀 모양이며 가장자리가 밋밋하다.

열매
- 열매는 삭과로 긴 달걀을 거꾸로 세워놓은 모양이다.
- 나검은빛 종자가 2줄로 들어 있다.

약 용 활 용

생약명 | 황자근(黃紫菫)

이용부위 | 전초

채취시기 | 봄~여름(5~7월)

약성미 | 성질은 차고 맛은 쓰고 떫으며 독이 있다.

주치활용 | 종기, 이질, 폐결핵, 각혈, 두통

효능 | 청열해독, 이뇨, 지사, 진통

민간활용 | 민간에서 진경, 조경, 진통, 타박상, 두통 등에 약으로 쓴다.

주의 | 유독성 식물이다.

학명	Lepidium apetalum
분류	쌍떡잎식물 양귀비목 겨자과
원산지	북아메리카
분포	전남, 경북, 경기
생육상	두해살이풀

다닥냉이

서식 들 또는 인가 주변의 빈 터에서 자란다.

줄기
· 위쪽에서 다소 가지를 친다.
· 전체에 털이 거의 없고, 줄기는 곧게 선다.

잎
· 뿌리잎은 잎자루가 길고 한 군데에서 많이 나와 퍼지며 우상복엽이다.
· 줄기잎은 어긋나고 잎자루가 없으며 밑쪽에서부터 위로 올라가면서 기수 우상 및 도피
침상의 단엽을 거쳐 선형이 된다.
· 잎 가장자리에 톱니가 있다.

꽃
· 5~7월에 작은 十자 모양의 흰색 꽃이 가지와 줄기 끝에 뭉쳐 달린다.
· 6개의 수술 중 4개는 길며, 1개의 암술이 있다.

열매 열매는 끝이 오목하게 파진 원반형이며, 종자는 갈색의 작은 원반형으로 가장자리에 백
색의 막질이 있다.

이용 어린 순을 식용한다.

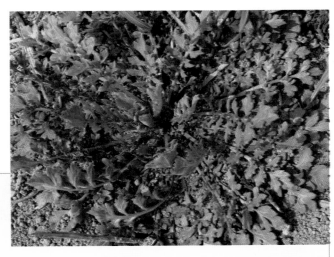

약용활용

생약명 | 정력자(葶藶子)

이용부위 | 종자

채취시기 | 여름(7월)

약성미 | 성질은 차갑고 맛은 시고 쓰며 독이 없다.

주치활용 | 담연옹폐, 단해담다, 흉협창만, 부득평와, 흉복수종, 소편불리.

효능 | 사폐, 평천, 이수, 소종, 치습, 사수제, 보양

민간활용 | 간장병, 신장병으로 인한 복수나, 몸이 붓고 배뇨가 곤란할 때 말린 다닥냉이
씨앗을 달여서 복용한다.

주의 | 풍한해수와 비위허약이나 진음부족으로 인한 부종에는 복용을 피한다.

2011 ⓒ 닥풀

학명 | Hibiscus manihot

분류 | 쌍떡잎식물 아욱목 아욱과

원산지 | 중국

생육상 | 한해살이풀

닥풀

서식 밭에서 재배한다.

줄기 전체에 털이 있고, 줄기는 둥근 기둥 모양이며 곧게 서고 가지를 치지 않는다.

잎
- 잎은 어긋나고 잎자루가 길며, 잎몸은 손바닥 모양으로 5~9개로 깊게 갈라진다.
- 갈라진 조각은 바소 모양 또는 거꾸로 선 바소 모양이고 가장자리에 거친 톱니가 있다.
- 턱잎은 바소 모양으로 가늘고 작다.

꽃
- 꽃은 8~9월에 가운데 부분이 짙은 자주색을 띠는 노란 색으로 피고 줄기 끝에 총상꽃 차례를 이루며 달린다.
- 꽃 밑에 있는 작은 포는 4~5개로 넓은 바소 모양이다.
- 화관은 종 모양이며, 꽃잎은 5개이고 서로 겹쳐지며 세로 맥이 있다.
- 수술은 여러 개의 수술대가 합쳐진 단체수술이며, 암술머리와 꽃받침은 5개로 갈라진다.

열매 열매는 삭과이고 긴 타원 모양이며 5개의 모가 난 줄과 굳센 털이 있고 10월에 익는다.

이용 뿌리는 점액이 많기 때문에 종이를 만드는 데 중요한 풀감이 된다.

약용활용

생약명 | 황촉규(黃蜀葵)

이용부위 | 뿌리, 종자

채취시기 | 가을

약성미 | 성질은 약간 차며 맛은 달고 독이 없다.

주치활용 | 신장결석

효능 | 소종, 해독

민간활용 | 오줌소태와 난산을 다스리는 데 썼다. 또한 악창의 고름과 진물에 썼다.

2011 ⓒ 단풍마

학명 | Dioscorea quinqueloba
분류 | 외떡잎식물 백합목 마과
분포 | 제주, 경남, 충남, 강원, 경기
생육상 | 여러해살이 덩굴식물

단풍마

서식 산과 들에서 자란다.

줄기 굵은 뿌리줄기는 옆으로 벋고, 줄기는 다소 연하며 많은 가지가 갈라지고 물체를 감으면서 길게 뻗는다.

잎
· 잎은 어긋나고 밑 부분이 심장 모양이고 손바닥 모양으로 5~9개로 갈라진다.
· 갈라진 조각 중 가운데 것은 좁은 달걀 모양이고 끝이 뾰족하며, 옆에 있는 것은 끝이 둥글거나 둔하다.
· 잎자루는 길고 밑 부분에 1쌍의 작은 돌기가 있다.

꽃
· 꽃은 암수 딴 그루이고 6~7월에 피며 잎겨드랑이에 수상꽃차례를 이루며 작은 꽃들이 많이 달린다.
· 수꽃이삭은 때때로 갈라지고 수꽃의 꽃대는 짧다.
· 수꽃과 암꽃 모두 작은꽃자루가 없고, 수꽃의 화피조각은 바소 모양이고 끝이 뾰족하거나 둔하며 수술은 6개이다.
· 암꽃의 화피조각은 긴 타원 모양이다.

열매
· 열매는 삭과이고 3개의 날개가 있다.
· 종자는 타원 모양 또는 넓은 타원 모양이고 가장자리에 날개가 있다.

약 용 활 용

생약명 | 천산룡(穿山龍)
이용부위 | 뿌리줄기
채취시기 | 이른 봄, 가을
약성미 | 성질이 약간 차고 맛은 쓰다.
주치활용 | 어혈, 기침, 천식, 발진, 만성기관지, 갑상선, 동맥경화, 풍습성 관절염, 요 타박상, 기침, 천식, 만성기관지염, 종기, 갑상선질환, 고혈압, 뇌혈관경화증
효능 | 진해, 거담, 조종, 이뇨
민간활용 | 자양 강장 및 지사제로 사용한다.

2011 ⓒ 단풍터리풀

학명 | Filipendula palmata (Pallas) Maxim.

분류 | 쌍떡잎식물 장미목 장미과

분포 | 강원, 경기

생육상 | 여러해살이풀

단풍터리풀

서식 산에서 자란다.

줄기 줄기는 곧게 서고 모가난 줄이 있다.

잎
· 잎은 어긋나고 1회 깃꼴겹잎이다.
· 끝의 작은잎은 크기가 크며 손바닥 모양으로 5~7개로 갈라진다.
· 갈라진 조각은 바소 모양이며 잎 앞면에 털이 거의 없으나 뒷면 잎맥 위에 잔털이 있다.
· 끝이 뾰족하며 가장자리에 깊이 패어 들어간 모양의 톱니가 있다.
· 옆쪽의 작은잎은 작은 것과 큰 것이 교대로 3~6쌍이 달린다.
· 턱잎은 바소꼴의 긴 타원 모양이다.

꽃
· 꽃은 6월에 연분홍색으로 피고 가지 끝과 줄기 끝에서 산방꽃차례 모양의 취산꽃차례
  를 이루며 달린다.
· 꽃받침조각은 4~5개이고 달걀 모양이며, 꽃잎은 4~5개이고 타원 모양이다.
· 수술은 많고 꽃잎보다 길다.

열매 열매는 수과이고 긴 타원 모양이며 털이 없거나 가장자리에 털이 있다.

약 용 활 용

생약명	문자초(蚊子草)
이용부위	뿌리
채취시기	봄, 여름
약성미	성질은 서늘하고 맛은 쓰다.
주치활용	풍습관절염, 간질병
효능	거풍습, 지경
민간활용	화상과 동상에 짓찧어 바른다.

학명 | Trifolium lupinaster L.

분류 | 쌍떡잎식물 장미목 콩과

분포 | 전남, 경기

생육상 | 여러해살이풀

달구지풀

서식 풀밭에서 흔히 자란다.

줄기 줄기는 모여나고 곧게 서거나 비스듬히 자라며, 보통 가지가 갈라지지 않는다.

잎
· 잎은 어긋나고 짧은 잎자루가 있으며 5개의 작은잎이 손바닥 모양으로 달린다.
· 작은잎은 바소 모양 또는 긴 타원 모양이고 끝과 밑이 뾰족하며 잎맥이 뚜렷하고 뒷면 잎맥 위에 털이 있다.
· 턱잎은 막질이고 윗부분까지 잎자루와 합쳐서 통 모양이 된다.

꽃
· 꽃은 6~9월에 짙은 붉은 색으로 핀다.
· 잎겨드랑이에서 나온 꽃대에 두상꽃차례를 이루며 10~20송이가 부챗살처럼 달린다.
· 꽃받침은 10개의 맥이 있고 끝이 5개로 갈라지는데, 첫째 꽃받침조각이 가장 길다.
· 꽃잎은 꽃받침조각보다 2배 길다.

열매 열매는 협과이고 꼬투리에 4~6개의 종자가 들어 있다.

약 용 활 용

생약명 | 야화구(野火球)
이용부위 | 전체
채취시기 | 봄
주치활용 | 림프절결핵, 치질. 호흡기병, 당뇨, 버짐
효능 | 청열, 해독, 진통, 소종
민간활용 | 전초 추출액으로 호흡기 질병을 다스리거나 선병 때 추출액으로 씻어낸다.

학명 | Allium monanthum

분류 | 외떡잎식물 백합목 백합과

분포 | 충남, 강원, 경기

생육상 | 여러해살이풀

달래

서식 산과 들에서 자란다.

줄기
- 여러 개가 뭉쳐난다.
- 비늘줄기는 넓은 달걀 모양이고 겉 비늘이 두껍고 밑에는 수염뿌리가 있다.

잎
- 잎은 1~2개이며 줄 모양 또는 넓은 줄 모양이다.
- 9~13개의 맥이 있고 밑 부분이 잎집을 이룬다.

꽃
- 꽃은 4월에 흰색 또는 붉은빛이 도는 흰색으로 피고 잎 사이에서 나온 1개의 꽃줄기 끝에 1~2개가 달린다.
- 포는 막질이며 달걀 모양이고 갈라지지 않는다.
- 꽃잎은 6개이고 긴 타원 모양 또는 좁은 달걀 모양이며 수술보다 길거나 같고 끝이 둔하다.
- 수술은 6개이고 밑 부분이 넓으며 꽃밥은 보라색이다.
- 암술은 1개이고 암술머리는 3개로 갈라진다.

열매 열매는 삭과로 작고 둥글다.

이용 전초를 식용한다.

약 용 활 용

생약명 | 소산(小蒜)

이용부위 | 뿌리, 잎

채취시기 | 전초－봄(4, 5월), 알뿌리－여름(7월)

약성미 | 성질은 따뜻하고 맛은 맵다.

주치활용 | 자궁혈종, 월경분순, 벌레 물린 데

효능 | 신경안정, 살균작용, 보혈

민간활용 | 심통에 식초를 넣고 끓여서 복용한다.

학명 | Oenothera odorata

분류 | 쌍떡잎식물 도금양목 바늘꽃과

원산지 | 칠레

분포 | 전국 각지

생육상 | 두해살이풀

달맞이꽃

서식 남아메리카 칠레가 원산지인 귀화식물이며 물가·길가·빈터에서 자란다.

줄기 굵고 곧은 뿌리에서 1개 또는 여러 개의 줄기가 나와 곧게 서며 전체에 짧은 털이 난다.

잎 잎은 어긋나고 줄 모양의 바소꼴이며 끝이 뾰족하고 가장자리에 얕은 톱니가 있다.

꽃
- 꽃은 7월에 노란색으로 피고 잎겨드랑이에 1개씩 달리며 저녁에 피었다가 아침에 시든다.
- 꽃받침조각은 4개인데 2개씩 합쳐지고 꽃이 피면 뒤로 젖혀진다.
- 꽃잎은 4개로 끝이 파진다.
- 수술은 8개이고, 암술은 1개이며 암술머리가 4개로 갈라진다.
- 씨방은 원뿔 모양이며 털이 있다.

열매
- 열매는 삭과로 긴 타원 모양이고 4개로 갈라지면서 종자가 나온다.
- 종자는 여러 개의 모서리각이 있으며 젖으면 점액이 생긴다.

이용 한방에서 뿌리를 월견초라는 약재로 쓰는데, 감기로 열이 높고 인후염이 있을 때 물에 넣고 달여서 복용하고, 종자를 월견자(月見子)라고 하여 고지혈증에 사용한다.

약용활용

생약명 | 월견초(月見草), 월견자(月見子), 대소초(待宵草)

이용부위 | 뿌리, 종자

채취시기 | 가을(9~10월)

주치활용 | 감기, 기관지염, 인후염

효능 | 해열, 소염

민간활용 | 잎을 짓찧어 그 즙을 바르면 거뜬히 치료된다.

주의 | 기름기가 많으므로 데쳐서 우려내야 한다.

2011 ⓒ 달뿌리풀

학명 | Phragmites japonica Steud.
분류 | 외떡잎식물 화본목 화본과
분포 | 한국
생육상 | 여러해살이풀

달뿌리풀

서식 냇가의 모래땅에서 자란다.

뿌리 근경은 지상으로 뻗으며 마디에서 뿌리가 내린다.

줄기
· 줄기가 길게 땅 위로 뻗고, 마디에서 줄기가 곧게 선다.
· 원줄기는 속이 비고 마디에 털이 있다.

잎
· 잎은 호생하며 끝이 길게 뾰족해진다.
· 엽초는 윗부분에 자줏빛이 돌며 길고 줄기를 완전히 감싸며 마디마다 긴 흰털이 있다.
· 엽설은 털이 줄로 돋은 것같다.

꽃
· 꽃은 8~9월에 자주색 꽃을 피운다.
· 원추화서는 가지가 거의 윤생하고 소축 및 그 밖의 부분에 털이 긴 털이 있다.
· 소수는 3~4개의 소화가 들어 있다.
· 포영은 거의 같고 피침형으로서 끝이 뾰족하며 3맥이 있고 호영보다 길다.
· 첫째 호영은 웅성이며 좁은 피침형이고 다른 것은 선상 피침형으로서 양성이다.
· 모두 3맥이 있고 기반 양쪽에 긴 털이 있다.
· 수술은 3개이고 인피는 쐐기형으로서 2개이다.
· 암술은 깃털 모양이다.

약 용 활 용

생약명 | 노근(蘆根)

이용부위 | 줄기

채취시기 | 여름(7~8월)

약성미 | 성질은 차고 맛은 달고 독이 없다.

주치활용 | 폐옹번열, 반위

효능 | 청열, 제번, 생진, 지구

학명 | Commelina communis

분류 | 외떡잎식물 분질배유목 닭의장풀과

분포 | 한국, 일본, 중국, 우수리강 유역, 사할린, 북아메리카

생육상 | 한해살이풀

닭의장풀

서식 길가나 풀밭, 냇가의 습지에서 흔히 자란다.

줄기
· 줄기 윗부분은 곧게 선다.
· 줄기 밑부분은 옆으로 비스듬히 자라며 땅을 기고 마디에서 뿌리를 내리며 많은 가지가 갈라진다.

잎
· 잎은 어긋나고 달걀 모양의 바소꼴이다.
· 잎 끝은 점점 뾰족해지고 밑부분은 막질의 잎집으로 된다.

꽃
· 꽃은 7~8월에 하늘색으로 피고 잎겨드랑이에서 나온 꽃줄기 끝의 포에 싸여 취산꽃차례를 이루며 달린다.
· 포는 넓은 심장 모양이고 안으로 접히며 끝이 갑자기 뾰족해진다.
· 꽃받침조각은 3개이고 타원 모양이다.
· 꽃잎은 3개인데, 그 중 2개는 크고 둥글며 하늘색이고, 나머지 하나는 바소 모양이고 흰색이며 작다.
· 2개의 수술과 꽃밥이 없는 4개의 헛수술이 있고, 암술은 1개이다.

열매 열매는 타원 모양의 삭과이고 마르면 3개로 갈라진다.

이용 봄에 어린 잎을 식용한다.

약용활용

생약명 | 압척초(鴨蹠草)

이용부위 | 전초

채취시기 | 여름~가을

약성미 | 성질은 차고 맛은 달고 쓰며 독이 없다.

주치활용 | 소변불리, 수종각기, 열리, 인후종통, 장학, 정창, 토혈, 혈붕, 황달, 시선염

효능 | 한열, 장학, 담음, 단독, 발열, 간질, 이뇨, 천식

민간활용 | 생잎의 즙을 화상에 사용한다.

2011 ⓒ 담배

학명 | Nicotiana tabacum
분류 | 쌍떡잎식물 통화식물목 가지과
분포 | 남아메리카 열대
생육상 | 여러해살이풀(온대 지방에서 재배할 때는 한해살이풀)

담배

줄기 줄기는 곧게 선다.

잎
- 잎과 줄기에는 점액을 분비하는 선모가 빽빽이 있어 끈적끈적하다.
- 잎은 어긋나고 끝이 뾰족한 타원 모양이고 가장자리가 밋밋하다.
- 잎자루는 짧고 날개가 있으며 밑으로 흐른다.

꽃
- 꽃은 7~8월에 피고 줄기 끝에 큰 원추꽃차례를 이루며 달린다.
- 꽃받침은 원통 모양이고 길이가 작은꽃가지와 비슷하며 선모가 있고 갈라진 조각은 바소 모양이다.
- 화관은 깔때기 모양이고 윗부분이 5개로 갈라지며 연한 붉은 색이다.
- 수술은 5개이고 밖으로 나오지 않거나 약간 나오며 씨방은 2칸으로 나뉜다.

열매
- 열매는 삭과이고 달걀 모양이며 꽃받침으로 싸여 있고 많은 종자(1과에 약 2,000개)가 들어 있다.
- 종자는 짙은 갈색이고 둥근 모양이다.

약용활용

생약명 | 연초(煙草)

이용부위 | 잎

채취시기 | 여름(7~8월)

약성미 | 성질은 따뜻하고 맛은 맵고 쓰며 독이 있다.

주치활용 | 식체에 의한 포창, 기결동통, 개선, 독사교상, 소화불량, 통증

효능 | 행기, 지통, 해독, 살충

민간활용 | 종기, 악창, 옴, 버짐에는 환부에 붙여 치료하며, 개나 뱀에 물린 데도 효과가 있다.

2011 ⓒ 담배풀

학명 | Carpesium abrotanoides
분류 | 쌍떡잎식물 초롱꽃목 국화과
분포 | 한국(경기, 황해, 경북 이남), 일본, 중국
생육상 | 두해살이풀

담배풀

서식 들이나 산기슭에서 자란다.

줄기 뿌리는 양끝이 뾰족한 원기둥 모양이며 목질이다.

잎
- 뿌리에서 나온 잎은 크지만 꽃이 필 때쯤 말라서 없어진다.
- 줄기에서 나온 잎은 어긋나고 줄기 밑부분의 잎은 넓은 타원 모양 또는 긴 타원 모양이다.
- 끝이 둔하고 잎맥 위에 털이 있으며 잎자루에 날개가 있다.
- 가장자리에는 불규칙한 톱니가 있고, 앞면은 녹색이며, 뒷면은 연두 빛이고 선점이 있다.
- 줄기 위로 올라가면서 잎은 작아지고 긴 타원 모양이며 잎자루가 없어진다.

꽃
- 꽃은 8~9월에 노란 색으로 피고 잎겨드랑이에 지름 1cm의 두상화 모양으로 달린다.
- 두상화에 자루가 없는 점이 같은 속의 다른 종과 구별할 수 있는 뚜렷한 특징이다.
- 총포는 둥근 종 모양이다.
- 갈라진 포 조각은 3줄로 배열하는데, 겉에 있는 것은 달걀 모양이고 끝이 뾰족하며, 가운데 있는 것과 안쪽에 있는 것은 긴 타원 모양이고 끝이 둥글다.

열매 열매는 수과로 선점이 있어 점액을 분비하는데, 이 점액 때문에 열매가 동물의 몸에 붙어 멀리 퍼져 나간다.

이용 어린 순을 식용한다.

약 용 활 용

생약명 | 학슬(鶴蝨)

이용부위 | 전초, 열매

채취시기 | 가을(10월)

약성미 | 성질 따뜻하고 맛은 맵고 쓰며 독이 없다.

주치활용 | 구제약, 종기, 타박상, 급성편도선염, 급성간염, 경련, 구충, 피부소양증

효능 | 거담, 청열, 파혈, 해독, 살충

2011 ⓒ 당근

· 학명 | Daucus carota var. sativa

분류 | 쌍떡잎식물 산형화목 산형과

원산지 | 아프가니스탄

분포 | 유럽, 북아프리카, 아시아

생육상 | 두해살이풀

당근

줄기	뿌리는 굵고 곧으며 황색·감색·붉은색을 띠고 가지가 갈라지며 세로로 모가 난 줄이 있고 퍼진 털이 있다
잎	· 잎은 잘게 찢어진 3회 깃꼴겹잎이고 털이 있다. · 뿌리에서 나온 잎은 잎자루가 길다.
꽃	· 꽃은 7~8월에 흰색으로 피고, 줄기 끝과 잎겨드랑이에서 나온 꽃줄기 끝에 산형꽃차례를 이루며 달린다. · 3,000~4,000개의 작은 꽃이 1주일간 핀다. · 총포는 잎 모양이고 뒤로 젖혀지며 갈라진다. · 꽃받침과 꽃잎은 각각 5개이고 수술도 5개이며 1개의 암술이 있다. · 씨방은 하위이다.
열매	· 열매는 분과로 긴 타원 모양이고 가시 같은 털이 있다. · 열매가 익으면 뿌리와 잎이 말라버린다.
이용	뿌리는 채소로 식용하는데, 비타민 A와 비타민 C가 많고, 맛이 달아 나물·김치·샐러드 및 서양 요리에 많이 이용한다.

─ 약 용 활 용 ─

생약명	호나복(胡蘿葍)
이용부위	뿌리
채취시기	가을
약성미	성질은 평하고 맛은 달며 독이 없다.
주치활용	이질. 백일해. 해수. 복부팽만, 부종, 고혈압, 폐렴, 중풍, 대하증, 신경통, 구충
효능	익정, 익기
민간활용	즙을 내어 하루에 한 컵씩 식전에 마신다.

2011 ⓒ 대반하

학명 | Pinellia tripartita (Blume) Schott

분류 | 외떡잎식물 천남성목 천남성과

분포 | 한국 거제도

생육상 | 여러해살이풀

대반하

서식 거제도 상록수림 밑에서 난다.

잎
· 잎은 1~4장이고 잎자루에 육아가 없다.
· 잎몸은 깊게 3갈래로 갈라지고 갈래는 난형 또는 좁은 난형이다.

꽃
· 꽃은 4~7월에 핀다.
· 꽃줄기는 20~50㎝, 불염포는 녹색 또는 자색을 띤 녹색이다.
· 현부는 난형이다.
· 내면에 소돌기가 밀생하고 외부는 매끈하다.

약 용 활 용

생약명 | 반하(半夏)

이용부위 | 알줄기

채취시기 | 6~7월경에 잎이 고사하기 전에 채취한다.

약성미 | 성질은 따뜻하고 유독하며 맛은 맵다.

주치활용 | 치담다천해, 담음현계, 풍담현운, 담궐두통, 구토반위, 흉완비민, 매핵기증, 생용외치옹담핵

효능 | 조습, 화담, 강역, 지구, 소비, 산결

민간활용 | 종기등에는 반하를 건조해서 가루로 만들어 밥과 섞어서 고약처럼 곱게 이긴 다음 기름종이나 창호지에 펴서 물집이 생긴 곳에 붙이면 효과가 있다.

주의 | 모든 혈증 및 음허로 인한 조해와 진액의 손상으로 인한 구갈에는 복용을 금한다.

2011 ⓒ 대사초

학명 | Carex siderosticta
분류 | 외떡잎식물 벼목 사초과
분포 | 한국(전역)
생육상 | 여러해살이풀

대사초

서식 산에서 자란다.

줄기
· 굵은 뿌리줄기와 뻗는 줄기가 있다.
· 밑동은 적갈색이고 초상엽으로 둘러싸여 있다.

잎 잎은 긴 타원형 또는 긴 바소꼴이며 끝이 점점 뾰족해지고 뒷면에는 가는 털이 나 있다.

꽃
· 꽃은 양성으로 4~5월에 핀다.
· 작은이삭은 5~8개이며 곧게 선다.
· 각 작은 이삭의 윗부분에는 수꽃이 갈색으로, 밑부분에는 암꽃 1~2개가 녹색으로 달린다.
· 과포는 포영보다 짧고 부리는 극히 짧고 끝이 밋밋하다.
· 암술대는 곧고 끝이 3개로 갈라진다.

열매 열매는 수과로 타원형이고 끝에 작은 돌기가 있으며 7~8월에 익는다.

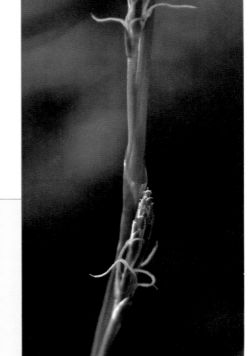

약용활용

생약명 | 애종근(崖棕根)
이용부위 | 뿌리
채취시기 | 가을~겨울
약성미 | 성질은 따뜻하고 맛은 맵고 달다.
주치활용 | 생리통, 오로칠상, 부인의 혈기
효능 | 활혈작용

2011 ⓒ 댑싸리

학명 | Kochia scoparia

분류 | 쌍떡잎식물 이판화군 중심자목 명아주과

분포 | 유럽 및 아시아

생육상 | 한해살이풀

댑싸리

서식 뜰에서 재배하던 것이 들로 퍼졌다.

줄기 줄기는 처음에 녹색이었다가 붉게 된다.

잎
- 잎은 어긋나고 바소꼴 또는 줄 모양의 바소꼴이다.
- 양 끝이 좁고 가장자리가 밋밋하고 3개의 맥이 있으며 긴 털이 나 있다.

꽃
- 꽃은 7~8월에 연한 녹색으로 핀다.
- 대가 없는 꽃이 잎겨드랑이에 몇 개씩 모여 달린다.
- 꽃 밑에 포가 있으며 윗부분의 잎이 포처럼 작아지므로 전체가 수상꽃차례로 된다.
- 양성화와 암꽃이 같이 달리고 꽃받침은 꽃이 핀 다음 자라서 열매를 둘러싸며 뒤쪽의 것은 날개같이 된다.
- 수술은 5개이고 씨방은 넓은 달걀 모양이다.

이용 식물체는 마른 다음 빗자루를 만든다.

약 용 활 용

생약명 | 지부자
이용부위 | 종자
채취시기 | 여름~가을(8~9월)
약성미 | 성질은 차고 맛은 달고 쓰다.
주치활용 | 방광염, 요도염, 신우염
효능 | 이뇨, 해열, 습열

2011 ⓒ 댕댕이덩굴

<table>
<tr><td>학명</td><td>Coculus trilobus</td></tr>
<tr><td>분류</td><td>쌍떡잎식물 이판화군 미나리아재비목 방기과</td></tr>
<tr><td>원산지</td><td>북아메리카</td></tr>
<tr><td>분포</td><td>북아메리카, 영국, 유럽</td></tr>
<tr><td>형태</td><td>낙엽활엽 덩굴식물</td></tr>
</table>

댕댕이덩굴

서식 들판이나 숲가에서 자란다.

줄기 줄기는 3m 정도이다.

잎
· 잎은 어긋나고 달걀 모양이며 윗부분이 3개로 갈라지기도 한다.
· 줄기와 잎에 털이 있다.
· 잎 끝은 뾰족하고 밑은 둥글며 3~5맥이 뚜렷하다.

꽃
· 꽃은 양성화로 5월말 경에 황백색으로 잎겨드랑이에서 원추꽃차례를 이루어 핀다.
· 꽃받침조각과 꽃잎 및 수술은 각각 6개이며 암꽃은 6개의 헛수술과 3개의 심피가 있다.
· 암술대는 원기둥 모양이고 갈라지지 않는다.

열매 열매는 핵과로 공 모양이고 10월에 검게 익으며 흰가루로 덮여 있다.

약 용 활 용

생약명 | 목방기

이용부위 | 뿌리

채취시기 | 봄, 가을

약성미 | 성질은 평하고 맛은 쓰고 맵다.

주치활용 | 부종, 중풍, 수족경련통, 소변불리, 각기, 안면신경마비, 방광염, 오줌소태, 류머티즘관절염, 옴, 부스럼, 고혈압

효능 | 이뇨, 해열, 진통, 강압

학명 | Codonopis lanceolata

분류 | 쌍떡잎식물 합판화군 초롱꽃과

분포 | 한국, 일본, 중국

생육상 | 여러해살이 덩굴식물

더덕

서식 숲속에서 자란다.

줄기 뿌리는 도라지처럼 굵고 식물체를 자르면 흰색의 즙액이 나온다.

잎
· 잎은 어긋나고 짧은 가지 끝에서는 4개의 잎이 서로 접근하여 마주나므로 모여 달린 것 같다.
· 바소꼴 또는 긴 타원형이다.
· 잎 가장자리는 밋밋하고 앞면은 녹색, 뒷면은 흰색이다.

꽃
· 8~9월에 종 모양의 자주색 꽃이 짧은 가지 끝에서 밑을 향해 달린다.
· 꽃받침은 끝이 뾰족하게 5개로 갈라지며 녹색이다.
· 화관은 끝이 5개로 갈라져서 뒤로 말리며 겉은 연한 녹색이고 안쪽에는 자주색의 반점이 있다.

열매 열매는 9월에 익는다.

이용 봄에 어린 잎을, 가을에 뿌리를 식용한다.

약 용 활 용

생약명 | 산해라(山海螺)

이용부위 | 뿌리

채취시기 | 가을(10월)

약성미 | 성질은 서늘하고 맛은 달고 쓰다.

주치활용 | 임파선염, 유선염, 기침, 인후염, 폐농양, 젖 분비부족, 종기

효능 | 강장, 해열, 거담, 해독, 최유, 배농, 소종

민간활용 | 비만인 경우 더덕 뿌리를 계속 달여 먹으면 효과적이다.
음부가 가려운 데는 더덕을 가루로 만들어 물에 타서 마신다.

2011 ⓒ 덩굴별꽃

학명 | Stellaria diversiflora Maxim.

분류 | 쌍떡잎식물 중심자목 석죽과

분포 | 경북 일월산

생육상 | 여러해살이 덩굴식물

덩굴별꽃

서식 산과 들에서 자란다.

줄기
· 줄기가 가늘고 꼬불꼬불한 털이 있다.
· 가지가 많이 갈라지고 마디에서 뿌리가 내린다

잎
· 잎은 마주나고 달걀 모양 또는 달걀 모양 바소꼴이다.
· 잎 끝은 뾰족하고 밑은 갑자기 좁아져 잎자루가 된다.

꽃
· 7~8월에 흰색 꽃이 가지 끝에 1개씩 옆을 향해 핀다.
· 꽃받침은 처음에는 통 모양으로 꽃이 피면 가운데까지 갈라진다.
· 꽃잎은 5개이고 끝이 2개로 갈라진다.
· 수술은 10개, 암술대는 3개이고 씨방은 1실(室)이다.

열매
· 열매는 삭과인데 지 둥글고 종자는 많다.
· 종자는 타원형으로 둔한 돌기가 있으며 검은 갈색이다.

─ **약 용 활 용** ─

생약명 | 번루(繁縷)

이용부위 | 전초

채취시기 | 가을(9월)

약성미 | 성질은 평하고 독이 없다.

주치활용 | 골절, 타박상, 풍습통, 종기, 임파선결핵

효능 | 활혈(活血), 거어(祛瘀), 최유(催乳)

민간활용 | 전초와 꽃은 피먹이약으로 치질, 자궁출혈에 쓰이며 기침날 때 달여서 먹기도 한다.
씨와 전초의 추출액은 눈병 때에 눈을 씻는다.
뿌리는 강심약으로 쓰이며 탈모증에도 쓰인다.

학명 | Cyrtomium falcatum

분류 | 양치식물 고사리목 면마과

분포 | 제주, 완도, 여수, 순천, 부산, 울릉도, 통천, 백령도

생육상 | 상록 여러해살이풀

도깨비고비

서식 바닷가와 섬의 바위틈에서 자란다.

줄기 뿌리줄기는 굵고 짧으며 옆으로 뻗고 끝에서 잎이 뭉쳐 나온다.

잎
· 잎자루는 비늘조각이 붙는데 특히 밑부분에 많다.
· 비늘조각은 달걀 모양 또는 바소꼴이고 막질이다.
· 갈색 또는 검은빛을 띤 갈색이고 끝이 뾰족하다.
· 잎몸은 3~11쌍의 잎조각으로 이루어졌다.
· 잎조각은 달걀 모양 또는 달걀 모양의 긴 타원형이다.
· 끝부분이 위를 향하면서 낫처럼 굽으며 밑부분이 둥글고 가장자리가 밋밋하거나 물결 모양이다.
· 짧은 자루가 있고 표면에 윤기가 있으며, 어릴 때에는 붉은빛이 도는 갈색 비늘조각으로 덮이지만 곧 떨어진다.

포자 포자낭군은 잎조각 뒷면 전체에 흩어져 있고, 포막은 둥글며 가운데 부분이 검은빛이 도는 갈색이며 둘레는 흰색이다.

┌─ 약 용 활 용 ─

생약명 | 구척(狗脊)

이용부위 | 전초

채취시기 | 여름, 가을

약성미 | 성질이 차고 부드럽고 맛은 달다.

주치활용 | 골절, 골중독, 동통, 이명, 타박상, 치통, 아통, 삼충, 금창, 자궁출혈

효능 | 지혈, 살충, 익기, 보신, 강장, 활혈, 진통, 해열작용

학명 | Bidens bipinnata

분류 | 쌍떡잎식물 초롱꽃목 국화과

분포 | 한국, 중국, 타이완, 일본, 인도, 말레이시아, 오스트레일리아, 터키

생육상 | 한해살이풀

도깨비바늘

서식 산과 들에서 자란다.

줄기 털이 다소 있으며 줄기는 네모진다.

잎
· 잎은 마주나고 양면에 털이 다소 있으며 2회 깃꼴로 갈라진다.
· 갈라진 조각은 달걀 모양 또는 긴 타원형으로 끝이 뾰족하고 톱니가 있다.
· 위로 올라갈수록 작아지고 밑부분의 잎은 때로 3회 깃꼴로 갈라진다.

꽃
· 8~10월에 노란색 꽃이 피고, 원추꽃차례를 이룬다.
· 가지 끝과 줄기 끝에 꽃이 달린다.
· 총포조각은 줄 모양이고 털이 있으며 포조각은 5~7개이다.
· 설상화는 1~3개로 노란색이다.

열매
· 열매는 수과이고 좁은 줄 모양이다.
· 관모는 거꾸로 된 가시가 있어 다른 물체나 동물에 잘 붙는다.

이용 어린 잎은 식용한다.

─ 약 용 활 용 ─

생약명 | 귀침초(鬼針草)

이용부위 | 전초

채취시기 | 여름, 가을(8~10월)

약성미 | 성질이 평하고 맛이 쓰다.

주치활용 | 감기, 학질, 열이 나는 현상, 간염, 황달, 신장염, 위통, 설사, 장염, 맹장염, 당뇨병, 인후염, 기관지염, 오줌이 잘 나오지 않는 증세

효능 | 해열, 이뇨, 해독, 소종

2011 ⓒ 도깨비부채

학명 | Kodgersia podophylla
분류 | 쌍떡잎식물 장미목 범의귀과
분포 | 한국(경북, 강원, 평북, 함남, 함북), 일본
생육상 | 여러해살이풀

도깨비부채

서식 깊은 산에서 자란다.

줄기 뿌리줄기는 크고 굵다. 줄기는 곧게 선다.

잎
- 잎은 손바닥 모양 겹잎으로 어긋나고 잎자루는 길며 3~6개로 갈라진다.
- 작은잎은 5개가 나오며, 윗부분의 것은 1~4개의 작은잎이 나온다.
- 작은잎은 달걀을 거꾸로 세운 듯한 모양으로 가장자리에 불규칙한 톱니가 있다.
- 작은잎은 뒷면 맥 위에 잎자루의 윗부분과 더불어 털이 있다.

꽃
- 꽃은 6월에 노란빛을 띤 흰색으로 피는데, 취산형 원추꽃차례로 줄기 끝에 크게 달려 많은 꽃이 달린다.
- 꽃잎은 없고 꽃받침은 5개로 깊게 갈라지며 그 조각은 긴 달걀 모양으로 흰색이다.
- 수술은 10개이고 꽃받침보다 길며 암술머리는 2개이다.

열매 열매는 삭과로 넓은 달걀 모양이며 8월에 익는다.

약용활용

생약명 | 반룡칠(盤龍七)

이용부위 | 뿌리, 줄기

채취시기 | 가을

약성미 | 성질은 평하고 맛은 시고 떫다.

주치활용 | 타박상, 골절, 관절염, 월경부조

효능 | 활혈, 조경, 거풍습

학명 | Xanthium strumarium

분류 | 쌍떡잎식물 초롱꽃목 국화과

분포 | 한국(전역)

생육상 | 한해살이풀

도꼬마리

서식 들이나 길가에서 자란다.

줄기 전체에 강한 털이 많이 나 있고 줄기는 곧게 선다.

잎
· 잎은 잎자루가 길고 넓은 삼각형이며 끝이 뾰족하다.
· 잎 밑은 심장 밑 모양, 3~5개로 얕게 갈라지며 양면에 털이 있다.
· 가장자리에 거친 톱니가 있고 뒷면에는 3맥이 뚜렷하다.

꽃
· 8~9월에 노란색 꽃이 피는데 암꽃과 수꽃이 따로 피는 두상화이다.
· 수꽃은 다소 둥근 모양이고 많으며 끝에 붙는다.
· 총포 조각은 고르게 나 있으며 1줄이다.
· 화관은 통으로 된 곤봉 모양이고 다소 털이 있으며 꽃밥이 있다.
· 암꽃은 밑부분에 있고 암술은 2개이며 2개의 가시가 있다.
· 총포에 싸여 있는데, 꽃이 핀 후 1cm 이상이 된다.

열매
· 총포는 갈고리 같은 가시가 있고 그 안에 열매인 수과가 2개 들어 있다.
· 수과는 넓은 타원형으로 바깥쪽에 갈고리 같은 가시가 있다.

약 용 활 용

생약명 | 창이자(蒼耳子)

이용부위 | 열매

채취시기 | 여름(8월), 가을(9월)

약성미 | 성질은 따뜻하고 맛은 맵고 쓰며 독기 있다.

주치활용 | 백전풍, 종기, 악창, 치통, 축농증, 중이염

효능 | 진통, 산풍, 거습, 소종, 해열

민간활용 | 줄기와 잎을 짠 즙을 개나 모기에 물렸을 때 바르면 효과가 있다고 한다.
옴의 치료에 도꼬마리의 잎과 줄기를 삶은 후 그 물에 환부를 담그면 효과가 있다.

주의 | 복용하는 동안 돼지고기, 닭고기, 소고기 등 모든 육류와 술 · 커피 · 인스턴트 음료 · 라면 등을 일체 먹지 말아야 한다.

2011 ⓒ 도둑놈의갈고리

학명 | Desmodium oxyphyllum

분류 | 쌍떡잎식물 장미목 콩과

분포 | 한국(전남, 경남, 경북, 충북, 강원, 경기, 황해, 평북)

생육상 | 여러해살이풀

도둑놈의갈고리

서식 산이나 들에서 자란다.

줄기 뿌리는 목질로서 단단하고 줄기는 곧게 서며 위쪽은 가지를 친다.

잎
· 잎은 어긋나고 줄기 위에 많이 붙으며 작은잎이 3장씩 나온다.
· 작은잎은 달걀 모양으로 끝이 뾰족하거나 둔하고 톱니는 없으며 뒷면 맥 위에 털이 있다.
· 잎자루는 짧고 턱잎은 실 모양이다.

꽃
· 7~8월에 연분홍색 꽃이 잎겨드랑이에서 나온 긴 꽃대에 총상꽃차례로 핀다.
· 꽃받침은 얇으며 꽃받침통은 짧고 다소 입술 모양이다.

열매 열매는 협과로 편평하고 2마디로 되어 있으며 껍질에 가시가 있어 다른 물체에 잘 붙는다.

이용 풀 전체를 가축의 사료로 쓴다.

약 용 활 용

생약명 | 산마황(山馬蝗)

이용부위 | 전초

채취시기 | 봄~가을(5~10월)

약성미 | 맛은 쓰다.

주치활용 | 타박상, 관절염, 요통, 류머티즘, 화농성유선염

효능 | 활락, 해독, 소종, 산어, 거습풍

민간활용 | 전초 달인 액을 반으로 나누어 아침·저녁으로 복용한다.

2011 ⓒ 도라지

학명 | Platycodon grandiflorum

분류 | 쌍떡잎식물 초롱꽃목 초롱꽃과

분포 | 한국, 일본, 중국

생육상 | 여러해살이풀

도라지

서식 산과 들에서 자란다.

줄기 뿌리는 굵고 줄기는 곧게 자라며 자르면 흰색 즙액이 나온다.

잎
· 잎은 어긋나고 긴 달걀 모양 또는 넓은 바소꼴로 가장자리에 톱니가 있으며, 잎자루는 없다.
· 잎의 끝은 날카롭고 밑부분이 넓다.
· 잎 앞면은 녹색이고 뒷면은 회색빛을 띤 파란색이며 털이 없다.

꽃
· 꽃은 7~8월에 하늘색 또는 흰색으로 위를 향하여 피고 끝이 퍼진 종 모양으로, 끝이 5개로 갈라진다.
· 꽃받침도 5개로 갈라지고 그 갈래는 바소꼴이다.
· 수술은 5개, 암술은 1개이고 씨방은 5실(室)이며 암술머리는 5개로 갈라진다.

열매 열매는 삭과로서 달걀 모양이고 꽃받침조각이 달린 채로 익는다.

번식 번식은 종자로 잘된다.

이용 봄·가을에 뿌리를 채취하여 날것으로 먹거나 나물로 먹는다.

약용활용

생약명 | 길경(桔梗)

이용부위 | 뿌리

채취시기 | 가을

주치활용 | 기침, 거담, 해열진해, 배농, 해수담다, 흉민불창, 인통음아, 폐옹토농, 창양농성불궤

효능 | 항암, 이인, 거담

민간활용 | 도라지는 대개 5년이 넘은 것을 수확하는데, 이것이 약효가 더욱 좋다고 한다.

주의 | 음허로 인한 만성해수와 해혈증상에는 복용을 피한다.

학명 │ Adenophora grandiflora

분류 │ 쌍떡잎식물 초롱꽃목 초롱꽃과

분포 │ 한국(설악산, 금강산)

생육상 │ 여러해살이풀

도라지모시대

서식 산에서 자란다.

줄기 줄기는 곧게 선다.

잎
- 밑동에 달린 잎은 위로 올라가면서 짧아져 없어진다.
- 모양은 달걀 모양 바소꼴이며 끝이 뾰족하고 불규칙한 톱니가 있다.

꽃
- 꽃은 8월에 하늘색으로 피는데 총상꽃차례에 밑을 향하여 달린다.
- 포는 바소꼴이고 가장자리가 밋밋하거나 다소 톱니가 있다.
- 작은꽃대는 가운데 꽃받침조각과 길이가 비슷하고, 꽃받침조각은 바소꼴이며 가장자리가 밋밋하다.
- 화관은 넓은 종 모양이고 끝이 5개로 갈라진다.
- 수술은 5개이며 수술대 밑쪽이 넓어져서 중앙까지 붙는다.
- 꽃밥은 떨어져 있으며 암술대는 통부보다 길거나 같다.
- 씨방은 3실(室)이다.

열매 열매는 10월에 익는다.

이용 어린 순은 나물로 먹고 뿌리는 기관지염이나 폐렴 등에 약용한다.

약용활용

생약명 | 제니(薺苨)

이용부위 | 뿌리

채취시기 | 봄, 가을

약성미 | 성질은 서늘하고 맛은 달고 조금 달다.

주치활용 | 경기, 한열, 익담, 해독, 거담

효능 | 청열, 해독

민간활용 | 민간약으로 종기난 데, 벌레 물린 데, 뱀에 물린 데에 해독제로 달여 먹기도 한다.

2011 ⓒ 독말풀

학명 | Datura stramonium

분류 | 쌍떡잎식물 통화식물목 가지과

원산지 | 열대 아메리카

생육상 | 한해살이풀

독말풀

서식 귀화식물이며 민가 부근에서 재배 또는 야생한다.

줄기 줄기는 굵은 가지를 치며 자줏빛이다.

잎 잎은 달걀 모양으로 어긋나고 잎자루는 길며 가장자리에 고르지 않은 톱니가 있다.

꽃
· 꽃은 8~9월에 줄기 끝이나 잎겨드랑이에 크게 붙어 핀다.
· 화관은 연한 자줏빛이고 나팔 모양이며 통 모양의 꽃받침이 화관을 감싼다.
· 화관의 끝은 5개로 갈라지고 갈라진 조각 끝에 길고 날카로운 돌기가 있다.
· 수술은 5개이며 암술은 1개이다.

열매 열매는 달걀 모양으로 가시돌기가 많이 난 삭과로, 10월에 익으면 4조각으로 갈라져 검은 종자가 나온다.

이용 종자와 잎은 맹독성이나 잎은 천식용 담배로 사용한다.

약 용 활 용

생약명 | 만타라자(曼陀羅子)

이용부위 | 전초(뿌리 제외)

채취시기 | 잎(7월중순), 씨(10~11월)

약성미 | 맛은 쓰고 독이 있다.

주치활용 | 천식, 마취, 탈항, 각기, 경풍, 간질, 진정, 나병

효능 | 진통, 마취, 평천

주의 | 너무 많이 먹으면 기억이 감퇴하고 죽을 수도 있다.

2011 ⓒ 독미나리

학명 | Cicuta virosa

분류 | 쌍떡잎식물 산형화목 미나리과

분포 | 한국, 일본, 중국, 시베리아, 유럽, 북아메리카

생육상 | 여러해살이풀

독미나리

서식 습지에서 자란다.

줄기
- 맹독이 있고 땅속줄기는 녹색으로 굵고 마디가 있으며 마디 사이가 비어 있다.
- 땅속줄기 끝에서 속이 빈 원줄기가 자라며 가지가 갈라진다.

잎
- 뿌리에 달린 잎과 밑부분의 잎은 삼각형 달걀 모양으로 잎자루가 길다.
- 잎은 2회 깃꼴로 갈라지고, 마지막으로 갈라진 조각에 톱니가 있다.
- 위로 올라갈수록 잎이 작아지면서 잎자루도 없어진다.

꽃
- 꽃은 6~8월에 흰색으로 피고 큰 복산형꽃차례로 달린다.
- 큰 산경 끝에 20개 내외의 산경이 있는데, 그 작은 산경에 10개 내외의 꽃이 달리며, 작은포조각이 있다.

열매 열매는 달걀 모양 구형으로 10월에 익으며 굵은 능선이 있다.

약용활용

생약명 | 독근(毒芹)

이용부위 | 뿌리

주치활용 | 독근근은 독이 있으므로 내복을 금한다.

효능 | 소염, 진통

민간활용 | 민간에서는 전초를 구풍, 월경통, 통경, 거담제의 약으로 쓴다.

2011 ⓒ 독활

학명 | Aralia contientalis
분류 | 쌍떡잎식물 산형화목 두릅나무과
분포 | 동아시아 지역의 산지
생육상 | 여러해살이풀

독활

서식 산에서 자란다.

줄기 꽃을 제외한 전체에 털이 약간 있다.

잎
- 잎은 어긋나고 홀수 2회 깃꼴겹잎으로서 어릴 때에는 연한 갈색 털이 있다.
- 작은잎은 달걀 모양 또는 타원형이고 가장자리에 톱니가 있다.
- 잎 표면은 녹색이고 뒷면은 흰빛이 돌며 잎자루 밑부분 양쪽에 작은 떡잎이 있다.

꽃
- 꽃은 7~8월에 크고 연한 녹색으로 핀다.
- 원추꽃차례가 자라며 총상으로 갈라진 가지 끝에 산형꽃차례로 달린 양성화이다.

열매 열매는 장과로서 9~10월에 검게 익는다.

이용 이른 봄 어린 순은 식용하며, 가을에 잎이 죽은 다음 흙을 덮어서 어린 순이 길게 자랄 수 있도록 한다.

약 용 활 용

생약명 | 독활(獨活)

이용부위 | 뿌리

채취시기 | 봄-가을(4~10월)

약성미 | 성질은 따뜻하고 맛은 맵고 쓰며 독이 없다.

주치활용 | 풍한습비, 요슬동통, 관절굴신불리, 오한발열, 지체심중

효능 | 거풍, 제습, 해표, 지통

민간활용 | 열치에 독활의 뿌리를 그늘에 말린 것을 달여 마시거나 검게 태운 재를 분말로 내어 마시면 효과가 있다.

주의 | 혈허발경과 혈허두통과 기혈양허로 인한 편신동통에는 복용을 피한다.

2011 ⓒ 돌꽃

학명 | Rhodiola saccharinensis

분류 | 쌍떡잎식물 장미목 돌나물과

분포 | 한국(북한지역)

생육상 | 여러해살이풀

돌꽃

서식 깊은 산의 바위에서 자란다.

줄기 뿌리줄기는 굵고 밑동이 비늘 같은 잎으로 둘러싸여 있으며, 줄기는 뭉쳐나고 곧게 선다.

잎 잎은 어긋나고 잎자루는 없으며 바소꼴 또는 달걀을 거꾸로 세운 바소 모양의 선형으로 톱니가 있다.

꽃
· 꽃은 2가화로 7~8월에 백색으로 피는데 산방상 취산꽃차례를 줄기 끝에 단다.
· 꽃잎은 4개로 원상 바소꼴이고 꽃받침보다 길다.
· 꽃받침조각도 4개로 바소꼴이고, 수술 8개는 꽃잎보다 다소 길며 암술대는 4개이다.

열매 열매는 삭과로 달걀 모양이다.

약 용 활 용

생약명 | 홍경천(紅景天)

이용부위 | 전초

채취시기 | 여름~가을(7~9월)

약성미 | 성질은 차고 맛은 달고 떫다.

주치활용 | 당뇨병, 피부병, 폐결핵, 빈혈, 신경증, 고혈압

효능 | 보신, 활혈, 양심, 안신, 조경, 지혈, 청폐, 지해, 명목

2011 ⓒ 돌나물

학명 | Sedum sarmentosum
분류 | 쌍떡잎식물 장미목 돌나물과
분포 | 전국 각지
생육상 | 여러해살이풀

돌나물

서식 산에서 자란다.

줄기
· 줄기는 옆으로 뻗으며 각 마디에서 뿌리가 나온다.
· 꽃줄기는 곧게 선다.

줄기
· 잎은 보통 3개씩 돌려나고 잎자루가 없으며 긴 타원형 또는 바소꼴이다.
· 잎 양끝이 뾰족하고 가장자리는 밋밋하다.

꽃
· 꽃은 황색으로 8~9월에 피며 취산꽃차례를 줄기 끝에 이룬다.
· 5개의 꽃잎은 바소꼴로 끝이 뾰족하고 꽃받침보다 길다.
· 꽃받침조각은 5개인데 타원상 바소꼴로 끝이 뭉뚝하다.
· 수술은 10개이며 꽃잎과 거의 같은 길이이다.

열매 열매는 골돌과이고 5개의 심피가 있다.

이용 지상부는 어린 지상부를 나물로 무쳐 먹는다.

약용활용

생약명	불갑초(佛甲草), 석지갑(石指甲)
이용부위	전초
채취시기	여름(7월)
약성미	성질은 차고 맛은 달다.
주치활용	동맥경화, 중풍, 심장병, 해열해독, 황달, 타박상, 간경병
효능	살균, 소염, 소종, 해독
민간활용	타박상에 돌나물의 전초를 달여 먹고, 생즙을 내어 바르거나 붙이면 효과가 있다. 종독에 돌나물을 생으로 짓이겨 붙이면 효과가 있다.

2011 ⓒ 돌바늘꽃

학명 | Epilobium cephalostigma Hausskn
분류 | 쌍떡잎식물 도금양목 바늘꽃과
분포 | 제주, 경북, 충북, 강원, 경기
생육상 | 여러해살이풀

돌바늘꽃

서식 산의 습지에서 자란다.

줄기 뿌리줄기는 짧고 전체에 가는 털이 나고 줄기는 곧게 서며 가지를 친다.

잎
- 잎은 마주나고 잎자루가 매우 짧으며 달걀 모양 긴 타원형 또는 바소꼴이다.
- 잎 밑이 좁고 끝이 뾰족하며 가장자리에 가는 톱니가 있다.

꽃
- 7~8월에 엷은 홍색 꽃이 피는데 긴 줄기 끝 또는 잎겨드랑이에 1개가 달린다.
- 꽃대는 없고 꽃잎은 4개이며 2갈래로 얕게 갈라진다.
- 꽃받침조각은 4개이고 바소꼴이다.
- 수술은 8개이고 암술은 1개인데 암술머리가 4개로 갈라진다.
- 씨방은 하위이고 가늘며 길다.

열매
- 열매는 삭과(蒴果)로 좁고 길며 종자는 작은 알맹이이다.
- 관모는 붉은 갈색이며 9월에 익는다.

약 용 활 용

생약명 | 심담초(心膽草), 유엽채(柳葉茶)

이용부위 | 전초

채취시기 | 여름(7~8월)

약성미 | 성질은 서늘하고 맛은 떫다.

주치활용 | 방광염, 고혈압, 신장염, 적리, 요도염, 각기

효능 | 낭혈, 거담, 치암, 지혈, 해열

주의 | 유독성 식물이므로 함부로 먹거나 약으로 쓰면 안 된다.

2011 ⓒ 돌콩

학명 | Glycine soja

분류 | 쌍떡잎식물 장미목 콩과

분포 | 전국 각지

생육상 | 한해살이 덩굴식물

돌콩

서식 들에서 자란다.

줄기 전체에 갈색 털이 있고, 줄기는 가늘며 길고 다른 물체를 감는다.

잎
· 잎은 어긋나고 긴 잎자루가 있으며 3출복엽이다.
· 작은잎은 달걀 모양 긴 타원형 또는 바소꼴이고 가장자리에 톱니가 없다.
· 턱잎은 넓은 바소꼴이고 잎맥이 있다.
· 작은 턱잎은 바소꼴이고 끝이 뾰족하며 3맥이 있다.

꽃
· 꽃은 7~8월에 홍자색으로 피는데 총상꽃차례이다.
· 꽃받침은 종형이고 털이 있으며 5개로 갈라진다.
· 화관은 나비 모양이다.
· 수술은 10개로서 각각 2개로 갈라진다.

열매
· 열매는 털이 많고 콩꼬투리와 비슷하다.
· 종자는 타원형이거나 신장형 비슷하며 약간 편평하다.
· 종자는 콩과 마찬가지로 쓸 수 있다.

약 용 활 용

생약명 | 야두등

이용부위 | 줄기잎

채취시기 | 가을(9~10월)

약성미 | 성질은 따뜻하고 맛은 달고 독이 없다.

주치활용 | 신체가 허약한 경우, 비장이 허약한 경우, 식은땀이나 아무런 이유 없이 땀이
흐를 때 자한(自汗)

효능 | 위와 비장을 실하게 해주고 자양작용을 하며 땀을 머물게 해준다. 건비(健脾)

2011 ⓒ 동의나물

학명 | Caltha palustris var. membranacea

분류 | 쌍떡잎식물 미나리아재비목 미나리아재비과

분포 | 전국 각지

생육상 | 여러살이풀

동의나물

서식 습지에서 자란다.

잎
- 흰색의 굵은 뿌리에서 잎이 뭉쳐난다.
- 잎은 심장 모양의 원형 또는 달걀 모양의 심원형이다.
- 가장자리에 둔한 톱니가 있거나 밋밋하다.

꽃
- 꽃은 꽃잎이 없으며 꽃받침조각이다.
- 4~5월에 피고 황색이며 꽃줄기 끝에 1~2개씩 달리고 작은꽃가지가 있다.

열매 열매는 골돌로 4~16개씩 달리고 끝에 암술대가 붙어 있다.

이용
- 원예 및 조경용―습지나 연못 주변에 지피식물로 이용할 수 있다.
- 유독식물이므로 어린 잎을 삶아서 말려 나물로 이용한다.

약용활용

생약명 | 마제초

이용부위 | 전초

채취시기 | 봄(4~5월)

약성미 | 성질은 차고 맛은 약간 쓰며 독이 있다.

주치활용 | 관절염, 타박상, 화상, 두통, 신장병, 당뇨

효능 | 진정, 진통, 흥분, 항균

민간활용 | 지상부와 뿌리는 골절상에 찧어 붙인다.

2011 ⓒ 동자꽃

학명 | Lychnis cognata

분류 | 쌍떡잎식물 중심자목 석죽과

분포 | 한국(경남, 경북, 충북, 강원, 경기, 황해, 평북, 함남)

생육상 | 여러해살이풀

동자꽃

서식 산에서 자란다.

줄기 전체에 털이 없고 줄기는 몇 개씩 모여나며 곧게 서고 마디가 뚜렷하다.

잎
- 잎은 어긋나고 긴 타원형 또는 달걀 모양 타원형으로 끝이 날카로우며 잎자루가 없고 가장자리에 톱니가 없다.
- 잎 앞뒷면과 가장자리에 털이 있고 황록색이다.

꽃
- 꽃은 6~7월에 주홍색으로 백색 또는 적백색의 무늬가 있다.
- 줄기 끝과 잎겨드랑이에서 낸 짧은 꽃자루 끝에 1송이씩 붙고 취산꽃차례를 이루어 핀다.
- 꽃받침은 긴 곤봉 모양이고 끝이 5개로 갈라진다.
- 꽃잎은 5개이고 납작하게 벌어지며 양쪽에 1개씩의 좁은 조각이 있다.
- 가장자리에 짧고 작은 톱니가 있으며 꽃의 안쪽에 10개의 작은 비늘조각이 있다.
- 수술은 10개, 암술은 5개이다.

열매 열매는 삭과로 꽃받침통 속에 들어 있다.

이용 꽃이 아름다워 원예용으로 개발할 가치 있는 꽃이다.

약 용 활 용

생약명	천열전추라(淺裂剪秋羅)
이용부위	전초
채취시기	여름, 가을
약성미	성질은 차고 맛은 달다.
주치활용	두창, 소갈
효능	해열, 해독, 감한

2011 ⓒ 두루미꽃

학명 | Majanthemum bifolium

분류 | 외떡잎식물 백합목 백합과

분포 | 한국

생육상 | 여러해살이풀

두루미꽃

 서식 높은 산의 침엽수 숲 속에서 자란다.

 줄기
- 뿌리줄기는 가늘고 길며 백색이고 옆으로 뻗는다.
- 줄기는 곧게 선다.

잎
- 잎은 2~3개가 어긋나고 긴 잎자루가 있다.
- 심장 모양으로 끝이 뾰족하고 뒷면 맥 위에 돌기 같은 털이 다소 있다.

꽃
- 5~6월에 백색 꽃이 피는데 줄기 끝에 이삭 모양의 총상꽃차례를 이루어 작은 꽃을 단다.
- 화피는 4조각으로 달걀을 거꾸로 세운 모양이고 4개의 수술은 화피조각보다 짧다.
- 꽃받침조각은 3개이고 끝이 둥글다.

열매 열매는 장과로 둥글고 빨갛게 익는다.

┌─ 약 용 활 용 ─

생약명 | 이엽무학초(二葉舞鶴草)

이용부위 | 전초

채취시기 | 여름(7~8월)

주치활용 | 외상출혈, 토혈, 혈뇨, 월경과다

효능 | 지혈, 양혈

학명	Arisaema heterophyllum Blume
분류	외떡잎식물 천남성목 천남성과
분포	제주, 경기
생육상	여러해살이풀

두루미천남성

서식 산의 풀밭에서 자란다.

줄기
- 알줄기는 편평한 구형이고 위에 몇 개의 작은 알줄기가 붙는다.
- 헛줄기는 서고 원기둥 모양인데 녹색이다.

잎
- 잎은 헛줄기 끝에서 1개가 나오는데 잎자루가 길고 잎몸은 새발 모양으로 갈라진다.
- 갈래는 7~11개이고 긴 타원형이며 끝이 날카롭고 톱니는 없다.
- 특히 가운데 1개의 갈래는 작다.

꽃
- 꽃은 2가화(二家花)로 5~6월에 피며 육수꽃차례(肉穗花序)를 이루는데 잎보다 길게 나온다.
- 불염포(佛焰苞)는 녹색에 자줏빛을 띤다.
- 꽃대 상부가 곤봉 모양이나 회초리 모양으로 발달하는 것도 있다.
- 수꽃이삭은 많고 작은 수꽃이 붙어 있다.
- 꽃이삭은 여러 개의 작은 씨방으로 된 암꽃이 모여 있다.

열매 열매는 장과(漿果)로 꽃대에 긴 타원형으로 모여 붙어 빨갛게 익는다.

이용 알줄기는 독성이 강하며 약으로 쓴다.

약 용 활 용

생약명 | 천남성(天南星)

이용부위 | 전초

약성미 | 성질은 따뜻하고 맛은 쓰고 매우며 독이 있다.

주치활용 | 풍질현훈, 구안와사, 구토, 파상풍, 종창

효능 | 산결소종, 거담, 치천해, 이뇨, 진통, 강장

주의 | 열매는 맹독성이므로 어린이들이 따먹지 않도록 주의해야 한다.

2011 ⓒ 두메부추

학명 | Allium senescens

분류 | 외떡잎식물 백합목 백합과

분포 | 한국(경북, 함북)

생육상 | 여러해살이풀

두메부추

서식 산에서 자란다.

줄기 비늘줄기는 달걀 모양 타원형으로 외피가 얇은 막질이며 섬유가 없다.

잎 잎은 뿌리에서 많이 나온다.

꽃
- 꽃은 산형꽃차례를 이루고 8~9월에 엷은 홍자색으로 핀다.
- 꽃자루에 많은 꽃이 뭉쳐 핀다.
- 작은꽃자루는 회색빛을 띤 파란색이며 세로로 날개가 있다.
- 화피갈래조각은 6개이고 달걀 모양 바소꼴이다.
- 수술대는 밑부분이 넓지만 톱니가 없고 수술은 꽃잎보다 길거나 비슷하다.

열매 열매는 삭과로 공 모양이며 종자는 검다.

이용 어린 잎은 식용하다.

약용활용

생약명 | 산구(山韭, 産具)

이용부위 | 줄기

채취시기 | 봄~초여름(5~7월)

약성미 | 성질은 따뜻하고 맛은 맵고 달다.

주치활용 | 이뇨, 구충, 곽란, 건위, 풍습, 충독, 진정, 건뇌, 해독, 소화, 강장, 진통, 강심

효능 | 익신(益腎), 소변빈수(小便頻數)

민간활용 | 민간에서는 비늘줄기를 이뇨제·강장제 등으로 약용한다.

학명 | Papaver coreanum

분류 | 쌍떡잎식물 양귀비목 양귀비과

분포 | 한국(백두산)

생육상 | 두해살이풀

두메양귀비

서식 | 높은 산의 중턱 이상에서 자란다.

뿌리 | 뿌리가 땅 속으로 곧게 들어가 있다.

줄기 | 전체에 퍼진 털이 있다.

잎
· 잎은 뿌리에서 뭉쳐나고 다소 긴 잎자루를 가지며 달걀 모양 타원형으로 1~2회 깃꼴로 갈라진다.
· 갈라진 조각은 달걀 모양 타원형 또는 바소꼴이고 끝은 뾰족하고 가끔 갈라지지 않은 잎이 함께 있다.

꽃
· 꽃줄기는 외가닥 또는 2~3가닥으로 곧게 또는 비스듬히 난다.
· 7~8월에 노란빛을 띤 녹색 꽃이 꽃줄기 끝에 1송이 핀다.
· 꽃받침조각은 2개인데, 타원형 배 모양이고 꽃잎은 4개가 다소 둥글다.
· 수술은 많고 씨방은 달걀을 거꾸로 세운 듯한 모양이며 암술대는 방사형으로서 씨방꼭지를 우산 모양으로 덮는다.

열매 | 열매는 삭과로 달걀 모양 구형이고 퍼진 털이 있다.

이용 | 관상용으로 가치가 있다.

┌─ 약 용 활 용 ─
│ 생약명 | 조선앵속(朝鮮罌粟)
│ 이용부위 | 열매
│ 주치활용 | 복통 · 복사 · 해수, 위장병
│ 효능 | 진통, 진경

0409

학명 | Polygonatum odoratum var. pluriflorum

분류 | 외떡잎식물 백합목 백합과

분포 | 한국, 일본, 중국

생육상 | 여러해살이풀

둥굴레

서식 산과 들에서 자란다.

줄기 굵은 육질의 뿌리줄기는 옆으로 뻗고 줄기는 6개의 능각이 있으며 끝이 비스듬히 처진다.

잎
- 잎은 어긋나고 한쪽으로 치우쳐서 퍼진다.
- 긴 타원형이고 잎자루가 없다.

꽃
- 6~7월에 녹색빛을 띤 흰색 꽃이 1~2개씩 잎겨드랑이에 달리며, 작은꽃대는 밑부분에서 서로 합쳐진다.
- 수술은 6개이고 통부 위쪽에 붙으며 수술대에 잔 돌기가 있다.
- 꽃밥은 수술대의 길이와 거의 같다.

열매 열매는 장과로 둥글고 9~10월에 검게 익는다.

이용
- 어린 순을 식용, 근경은 식용 및 약용한다.
- 화훼용으로서의 둥굴레는 절화 · 절엽 · 분화 · 정원용 어디나 좋다.

약 용 활 용

생약명 | 옥죽(玉竹), 황정(黃精)

이용부위 | 뿌리줄기

채취시기 | 가을~이른 봄

약성미 | 성질은 서늘하고 맛은 달며 독이 없다.

주치활용 | 허약체질, 폐결핵, 마른기침, 구강건조증, 당뇨, 심장쇠약, 협심증, 빈뇨증

효능 | 자양, 강장, 지갈

주의 | 담습, 기체인 사람은 쓰지 않는다.

속명 | 둔엽와송, 응달바위솔, 둥근바이솔

학명 | Orostachys malacophyllus

분류 | 쌍떡잎식물 장미목 돌나물과

분포 | 한국(제주, 경북, 강원, 함북)

생육상 | 여러해살이풀

둥근바위솔

서식 산의 바위 위나 바위 근처에서 자란다.

줄기 뿌리줄기는 짧고 굵으며 끝에서 잎이 뭉쳐나고 꽃이 피어 열매를 맺으면 죽는다.

잎
· 뿌리에서 나온 잎은 육질이고 주걱 모양 비슷하며 끝은 둔하고 연한 녹색이다.
· 잎은 잎겨드랑이에서 나오고 잎자루가 없다.

꽃
· 9~12월에 짧은 꽃대가 있는 흰색 꽃이 다닥다닥 달리며 총상꽃차례를 이룬다.
· 포는 달걀 모양이고 꽃받침조각과 꽃잎은 각각 5개이다.
· 수술은 10개로서 꽃잎보다 약간 길고 꽃밥은 자줏빛이 도는 붉은색이다.
· 씨방은 5개이고 열매는 골돌과로 긴 타원형이며 11월에 익는다.

이용 잎의 모양이 특이해서 관상용으로 많이 이용한다.

약 용 활 용

생약명 | 석탑화(石塔花)

이용부위 | 줄기, 잎, 꽃, 열매, 껍질

채취시기 | 여름~가을

약성미 | 성질은 차며 맛은 시고 독이 없다.

주치활용 | 학질, 간염, 습진, 치칠에 생긴 부스럼, 적리, 코피 흐르는 증세, 종기, 화상

효능 | 해열, 지혈, 소종

민간활용 | 잎은 즙을 짜서 벌레에 물리거나 화상을 입었을 때 쓴다.

2011 ⓒ 둥근이질풀

학명 | Geranium koreanum

분류 | 쌍떡잎식물 쥐손이풀목 쥐손이풀과

분포 | 경남, 경기, 강원

생육상 | 여러해살이풀

둥근이질풀

서식 산에서 자란다.

줄기 전체에 털이 약간 있고 줄기는 곧게 서며 가지를 친다.

잎
· 잎은 마주나고 뿌리에서 나온 잎은 긴 잎자루가 있으며 줄기에서 나온 잎은 잎자루가 거의 없거나 짧다.
· 잎은 3~5개로 약간 깊게 갈라지고 갈라진 조각은 끝이 뾰족하며 큰 톱니가 있다.
· 턱잎은 넓은 달걀 모양이며 막질이다.

꽃
· 꽃은 6~7월에 연분홍색으로 피는데 산형꽃차례에 달린다.
· 꽃잎은 5개이고 달걀 모양이며 꽃받침조각도 5개이다.
· 수술은 10개이고 수술대 밑동에 털이 있으며 암술은 1개이다.

열매 열매는 삭과로 털이 있으며 5분과로 열린다.

이용 전체를 약용으로 쓴다.

약 용 활 용

생약명 | 현초(玄草)

이용부위 | 전초

채취시기 | 봄~여름(5~8월)

약성미 | 성질은 약간 따뜻하고 맛은 쓰고 맵다.

주치활용 | 위장병, 대하증, 방광염, 피부염, 위궤양, 각기병, 부종, 고혈압, 류머티즘성 관절염

효능 | 거풍제습(祛風除濕), 지사(止瀉)

민간활용 | 체해서 복통과 설사가 일어났을 때 전초(全草) 말린 것을 반량이 될 때까지 달여서 1회 내지 2~3회 더 복용하면 효과가 있다.
지상부(잎, 줄기)를 무좀 치료에 쓴다.

2011 ⓒ 둥근잎꿩의비름

학명 | Hylotelephium ussuriense

분류 | 쌍떡잎식물 장미목 돌나물과

분포 | 경북 청송 주왕산

생육상 | 여러해살이풀

둥근잎꿩의비름

서식 계곡의 바위틈에서 자란다.

뿌리 몇 개의 굵은 뿌리가 있고 밑으로 처지며 붉은빛이 돈다.

잎
· 잎은 마주나며 달걀 모양 원형 또는 타원형이다.
· 잎자루는 없고 가장자리에 불규칙하고 둔한 톱니가 있다.

꽃
· 꽃은 7~8월에 피며 짙은 홍색빛을 띤 자주색으로 줄기 끝에 둥글게 모여 달린다.
· 꽃받침은 끝이 5개로 갈라지고 갈라진 조각은 바소꼴이며 녹색이다.
· 꽃잎은 5개이고 배 모양이다.
· 수술은 10개로 그 중 5개는 꽃잎과 마주 붙고, 수술대는 꽃잎과 길이가 비슷하며, 꽃밥은 붉고 화분은 노랗다.
· 암술은 5개가 서로 떨어져 있고 꽃잎과 마주 붙는다.

열매 열매는 10월에 익는다.

이용
· 관상용으로 이용된다.
· 어린 순은 식용한다.

─── 약 용 활 용 ───

생약명 | 경천(景天, 驚天, 敬天)

이용부위 | 뿌리, 잎

채취시기 | 여름~가을(8~9월)

약성미 | 성질은 평하고 맛은 쓰고 시며 독이 없다.

주치활용 | 대하증, 간경, 폐경

효능 | 선혈, 지혈, 소종

2011 ⓒ 둥근잎나팔꽃

학명	Ipomoea purpurea Roth
분류	쌍떡잎식물 꼭두서니목 메꽃과
원산지	열대 아메리카(귀화식물)
분포	중·남부 지방에 널리 분포
생육상	한해살이 덩굴식물

둥근잎나팔꽃

줄기 줄기는 덩굴성이며 감아 오르거나 길게 뻗으며, 밑으로 향하는 털이 있다.

잎
· 잎은 어긋나고 길이 7~8cm이다.
· 나팔꽃과 비슷하지만 잎이 심장형이고 가장자리가 밋밋하다.

꽃
· 꽃은 7~10월에 피며 잎자루보다 길며 1~5개의 꽃이 달린다.
· 작은 꽃대는 기부에 2개의 포가 있다.
· 꽃받침은 피침형이며 끝이 뾰족하고 거친 털이 기부 근처에 난다.
· 꽃은 크기가 크고 홍색빛을 띤 자주색이지만 흰색이나 자줏빛 등이 있으며 깔때기 모양이다.

열매 열매는 편구형이며 3개의 삭편이 있다.

약 용 활 용

생약명 | 견우자(牽牛子)

이용부위 | 열매

채취시기 | 가을(10~11월)

약성미 | 성질은 차고 맛은 쓰고 독이 있다.

주치활용 | 치수종창만, 이변불통, 담음적취, 기역해천, 충적복통, 회충, 조충병

효능 | 사수, 통변, 소담, 척음, 살충, 공적

주의 | 습열이 혈분에 있는 자와 기허자가 비위허약으로 비만이 된 증에는 복용을 피한다.

2011 ⓒ 들깨

학명 | Perilla frutescens var. japonica

분류 | 쌍떡잎식물 통화식물목 꿀풀과

원산지 | 인도의 고지, 중국 중남부

분포 | 한국, 중국, 인도, 일본

생육상 | 한해살이풀

들깨

서식	낮은 지대의 인가 근처에 야생으로 자란다.

줄기	줄기는 네모지고 곧게 서며 긴 털이 있다.

잎	· 잎은 마주나고 달걀 모양 원형으로 뾰족하며 밑부분은 둥글다. · 잎은 톱니가 있고 앞면은 녹색이지만 뒷면에는 자줏빛이 돈다.

꽃	· 꽃은 8~9월에 총상꽃차례를 이루고 흰색이며 작은 입술 모양의 통꽃이 많이 핀다. · 꽃받침은 위쪽은 3개로, 아래쪽은 2개로 갈라진다. · 화관은 아랫입술꽃잎이 약간 길며 4개의 수술 중 2개가 길다.

열매	열매는 분과로서 꽃받침 안에 들어 있으며 둥글고 겉에 그물무늬가 있다.

이용	· 유료작물로 재배하며, 잎에 특이한 냄새가 있으며 식용한다. · 종자에서 짜낸 기름은 용도가 많다. 이 밖에도 페인트 · 니스 · 리놀륨 · 인쇄용 잉크 · 방수용구칠과의 혼용, 포마드 · 비누 등의 원료로 쓰인다. · 백지에 기름을 먹여 유지 장판지로 쓰기도 한다. 깻묵은 사료와 비료가 된다.

약용활용

생약명	백소자(白蘇子), 백소경(白蘇梗), 백소엽(白蘇葉)
이용부위	종자, 줄기
채취시기	종자―가을(10월), 줄기 · 잎―여름(6~7월)
약성미	성질은 따뜻하고 맛은 맵고 독이 없다.
주치활용	기울, 식체, 흉격비민, 위 · 복부의 동통, 임신복통, 하타감, 악조
효능	순기, 소식, 지통, 안태

학명 | Euphorbia helioscopia

분류 | 쌍떡잎식물 이판화군 쥐손이풀목 대극과

분포 | 한국(제주, 경남, 경북, 경기)

생육상 | 두해살이풀

등대풀

서식 들에서 자란다.

줄기
· 줄기는 둥근 기둥 모양이고 뭉쳐나며 곧게 서고 가지를 친다.
· 윗 부분에 긴 털이 있고 줄기를 자르면 유액이 나온다.

잎
· 잎은 어긋나고 잎자루가 없으며 주걱 모양의 거꾸로 선 달걀 모양 또는 거꾸로 선 달걀 모양이다.
· 밑으로 갈수록 점차 좁아진다.
· 가지가 갈라지는 끝부분 밑에서 5개의 잎이 돌려난다.
· 가는 톱니가 있다.

꽃
· 총포 잎은 넓은 거꾸로 선 달걀 모양이고, 꽃이삭에는 많은 배상꽃차례가 달린다.
· 작은 총포는 황록색이고 합쳐져서 단지처럼 된다.
· 위쪽만이 4개의 포조각으로 되고 총포 안에는 1개의 암꽃과 몇 개의 수꽃이 있다.

열매
· 열매는 삭과이다.
· 종자는 갈색으로 거꾸로 선 달걀 모양이다.

이용 잎과 줄기는 등의 효능이 있어 등에 사용한다.

─ 약 용 활 용 ─

생약명 | 택칠(澤漆)

이용부위 | 전초

채취시기 | 봄(4월)

약성미 | 성질은 서늘하고 맛은 맵고 쓰며 독이 있다.

주치활용 | 수종, 기침, 골수염, 이질, 나력결핵, 선창

효능 | 이수, 해독, 거담

민간활용 | 전초를 몸이 부었을 때 이뇨제로 쓴다.
　　　　　　피부질환에는 달인 물로 자주 씻어준다.

주의 | 기혈이 허한 자는 복용을 피한다.

학명 | Corydalis ternata

분류 | 쌍떡잎식물 이판화군 양귀비목 현호색과

분포 | 한국(광릉)

생육상 | 여러해살이풀

들현호색

서식 산기슭이나 논밭 근처에서 자란다.

줄기
· 땅속줄기는 옆으로 벋고 곳곳에 둥근 덩이줄기가 생겨 번식한다.
· 줄기는 홀로 또는 밑동에서 여러 개가 모여난다.

잎
· 잎은 어긋나고 잎자루가 길며 석 장의 작은잎이 나온 잎이다.
· 작은잎은 달걀 모양 또는 달걀 모양 타원형으로 밑은 좁고 끝이 뭉뚝하며 가장자리에 깊이 패어 들어간 모양의 톱니가 있다.

꽃
· 꽃은 붉은 자주색으로 4월에 총상꽃차례를 이루고 끝에 피며 꽃은 약간 많다.
· 꽃받침조각은 2개이나 뚜렷하지 않다.
· 작은꽃대는 가늘고 길며 달걀 모양의 바소꼴로 포가 붙는다.
· 화관의 한쪽은 입술 모양이고 다른 한쪽은 약간 구부러진 좁은 통 모양의 꿀주머니가 있다.
· 수술은 6개인데 2개의 수술대 끝에 3개씩 달린다.

열매 열매는 삭과로 긴 타원형의 줄 모양이고 끝이 뾰족하며 6~7월에 익는다.

약용활용

생약명 | 현호색(玄胡索)

이용부위 | 줄기

채취시기 | 여름(6~7월)

약성미 | 성질은 따뜻하고 맛은 맵고 쓰다.

주치활용 | 속이 거북하게 아플 때, 월경통이나 월경불순, 산후 어혈(瘀血)로 배가 아플 때, 산후출혈로 정신이 혼미할 때, 허리와 무릎이 아플 때, 고환과 음낭등의 질환으로 일어나는 신경통, 요통 및 타박상

효능 | 진통, 진정, 진경, 활혈, 자궁수축

2011 ⓒ 둥굴나물

학명 | Eupatorium chinensis var. simplicifolium

분류 | 쌍떡잎식물 합판화군 초롱꽃목 국화과

분포 | 한국, 중국, 일본, 필리핀 등지

생육상 | 여러해살이풀

등골나물

서식 산과 들의 초원에서 자란다.

줄기 전체에 가는 털이 있고 원줄기에 자주빛이 도는 점이 있다.

잎
· 밑동에서 나온 잎은 작고 꽃이 필 때쯤이면 없어진다.
· 중앙부에 커다란 잎이 마주나고 짧은 잎자루가 있다.
· 달걀 모양 또는 긴 타원형이고 가장자리에 톱니가 있다.
· 잎의 앞면은 녹색이고 뒷면에는 선점이 있으며 양면에 털이 있다.
· 잎맥은 6~7쌍으로서 올라갈수록 길어지고 좁아진다.

꽃
· 꽃은 7~10월에 핀다.
· 흰 자줏빛으로 두상꽃차례를 이룬다.
· 총포는 원통형이고 선점과 털이 있으며, 갓털은 흰색이다.

열매 열매는 수과로 11월에 익는다.

이용 어린 순은 식용한다.

◦ 약 용 활 용 ◦

생약명 | 칭간초(秤杆草)

이용부위 | 전초

채취시기 | 여름, 가을

약성미 | 성질은 평하고 맛은 쓰고 맵다.

주치활용 | 황달, 통경, 중풍, 고혈압, 산후복통, 토혈, 폐렴

효능 | 발표, 산한, 투진

2011 ⓒ 딱지꽃

학명 | Potentilla chinensis

분류 | 쌍떡잎식물 이판화군 장미목 장미과

분포 | 한국, 일본, 중국, 아무르, 타이완

생육상 | 여러해살이풀

딱지꽃

서식 들이나 강가, 바닷가 등지에서 자란다.

줄기 뿌리는 굵고 줄기는 보랏빛으로 몇 개가 뭉쳐나며 줄기잎에는 털이 많다.

잎
- 잎은 어긋나고 깃꼴겹잎이다.
- 작은잎은 다시 깃꼴로 갈라지고 그 조각은 바소꼴이다.
- 앞면에는 털이 거의 없으나 뒷면에는 흰 솜털이 많이 난다.
- 턱잎은 달걀 모양 또는 넓은 타원형이며 깃꼴로 갈라진다.

꽃
- 6~7월에 노란색 꽃이 가지 끝에 피며 산방상 취산꽃차례를 이룬다.
- 꽃잎은 5개이고 거꾸로 된 심장 모양이며, 포는 손바닥 모양으로 갈라진다.
- 꽃받침은 5조각이다.

열매 열매는 수과로 넓은 달걀 모양이며 세로로 주름이 있고 뒷면에 능선이 있다.

이용 어린 잎을 식용한다.

약 용 활 용

생약명 | 위릉채(萎陵菜)

이용부위 | 전초

채취시기 | 가을(9~10월)

약성미 | 성질은 파고 맛은 쓰고 독이 없다.

주치활용 | 적리복통, 구리부지, 치창출혈, 옹종창독

효능 | 청열, 해독, 양혈, 지리

민간활용 | 마른 버짐이나 종기 치료에 생품을 짓찧어서 환부에 붙이거나 말린 약재를 가루로 빻아 기름으로 개어서 바르면 효과가 있다.
줄기와 잎을 봄·가을에 채취하여 두창에 바르거나 말려서 해열과 이뇨에 사용하며, 토혈·혈변·장출혈에 달여 먹는다.

주의 | 비위허한으로 인한 구이부지에는 복용을 피한다.

학명 | Physalis angulata L

분류 | 쌍떡잎식물 합판화군 통화식물목 가지과

분포 | 제주, 경북, 경기 등지

생육상 | 한해살이풀

땅꽈리

서식 들이나 길가에서 자란다.

줄기 줄기는 가지를 많이 친다.

잎
- 잎은 어긋나고 달걀 모양 또는 타원형으로 끝은 뾰족하며 밑이 둥글고 가장자리에 톱니가 있다.
- 잎자루는 길다.

꽃
- 7~8월에 황백색의 작은 꽃이 피는데, 잎겨드랑이에서 밑을 향해 달린다.
- 꽃받침은 통 모양이고 끝이 얕게 5개로 갈라지며, 짧은 털이 있고 녹색이다.
- 화관(花冠)은 종 모양으로, 꽃받침보다 길고 가장자리가 오각형이 된다.
- 꽃밥은 자줏빛을 띤다.
- 수술은 5개이며, 꽃받침은 꽃이 진 다음 자라서 녹색의 둥근 열매를 완전히 둘러싼다.

열매 열매는 익은 후에도 녹색이다.

약 용 활 용

생약명 | 천포자(天泡子)

이용부위 | 전초

채취시기 | 여름(7~8월)

약성미 | 성질은 차고 맛은 시고 쓰다.

주치활용 | 기생충, 임질, 안질, 임파선염, 후통, 황달, 사독, 늑막염, 간염, 간경화, 자궁염, 난소염

효능 | 이뇨, 해열, 거풍, 진통, 해독

주의 | 유독성 식물이므로 주의해야 한다.

학명 | Euphorbia humifusa

분류 | 쌍떡잎식물 이판화군 쥐손이풀목 대극과

분포 | 동아시아

생육상 | 한해살이풀

땅빈대

서식 밭에서 자란다. 땅 위를 기며, 자르면 흰 젖 같은 즙액이 나온다.

줄기 가지는 보통 2개씩 갈라지며 붉은색이 돈다.

잎
· 잎은 마주나며 수평으로 퍼져서 2줄로 배열되어 있다.
· 긴 타원형으로 양끝이 둥글지만 밑부분은 한쪽이 좁고 가장자리에 잔 톱니가 있다.

꽃 꽃은 8~9월에 피며 1개의 꽃같이 보이는 꽃이삭이 잎겨드랑이에서 자란다.

열매
· 열매는 삭과로 달걀 모양이며 3개의 능선이 있고, 3개로 갈라진다.
· 종자는 회갈색이고 달걀 모양이다.

약 용 활 용

생약명 | 지금초(地錦草)

이용부위 | 전초

채취시기 | 여름, 가을

약성미 | 성질은 평하고 맛은 맵다.

주치활용 | 타박상, 습진, 화상, 장염, 황달, 해수출혈, 혈변, 유즙불통

효능 | 청열, 해독, 활혈, 지혈, 이습, 통유

민간활용 | 구충제, 간질, 광견병에 쓰인다.

2011 ⓒ 땅채송화

속명	갯채송화, 각시기린초
학명	Sedum oryzifolium
분류	쌍떡잎식물 이판화군 장미목 돌나물과
분포	한국(제주, 경남, 울릉도, 충남, 황해도), 일본 등지
생육상	여러해살이풀

땅채송화

서식 바닷가의 바위 겉에서 자란다.

줄기 줄기는 옆으로 뻗어 많은 가지를 내며 원줄기 윗부분과 가지가 모여 곧게 선다.

잎 잎은 어긋나고 원뿔형의 달걀을 거꾸로 세운 모양 또는 타원형으로 끝이 뭉뚝하며, 잎자루는 없다.

꽃 · 꽃은 노란색으로 6~7월에 피며, 꽃이삭은 흔히 3개로 갈라진다.
· 꽃잎은 5개이고 넓은 바소꼴로 끝이 날카로우며 뾰족하다.
· 꽃받침조각은 5개이고 달걀 모양의 타원형이며, 수술은 10개이고 꽃잎보다 짧다.

열매 10월에 열매를 맺는다.

이용 관상용, 약용으로 쓰이며 어린 순은 먹기도 한다.

┌─ 약 용 활 용 ─

생약명 | 반지련(半支蓮)

이용부위 | 지상부

채취시기 | 여름, 가을

약성미 | 성질은 차고 맛은 쓰다.

주치활용 | 타박상, 피부발진

효능 | 청열, 소염

2011 ⓒ 땅콩

학명 | Arachis hypogaea

분류 | 쌍떡잎식물 이판화군 장미목 콩과

원산지 | 브라질

생육상 | 한해살이풀

땅콩

줄기 원줄기는 밑부분에서 갈라져서 옆으로 비스듬히 자라므로 사방으로 퍼지며 전체에 털이 있다.

잎
- 잎은 어긋나고 짝수 1회 깃꼴겹잎으로 잎자루가 길다.
- 작은잎은 4개이고 거꾸로 선 달걀 모양 또는 달걀 모양으로 끝이 둥글고 턱잎은 크며 끝이 길게 뾰족해진다.

꽃
- 7~9월에 노란색 꽃이 잎겨드랑이에 1개씩 달린다.
- 꽃자루가 없으며 나비 모양의 꽃의 대처럼 보이는 꽃받침통 끝에 꽃받침조각·꽃잎 및 수술이 달린다.
- 꽃받침통 안에 1개의 씨방이 있고 실 같은 암술대가 밖으로 나온다.
- 수정이 되면 씨방 밑부분이 길게 자라서 씨방이 땅속으로 들어간다.
- 꼬투리는 긴 타원형으로 두껍고 딱딱하며 황백색으로 겉에 그물 모양의 맥이 있고 속에 2~3개의 종자가 들어 있다.

종자 종자는 타원형 또는 긴 타원형이고 종피는 적갈색이며 배는 황백색이다.

이용
- 종자는 살이 쪄서 몸집이 크고 두툼하고 기름기가 있으며 식용한다.
- 볶아서 간식용으로 먹고 땅콩버터·과자용 등으로 널리 쓰이며, 낙화생유는 식용기름·마가린·기계유·윤활유 등에 쓰인다.
- 줄기와 잎은 질소 함량이 많아서 가축의 사료로 알맞으며 또한 녹비로 쓰인다.
- 땅콩 껍질도 사료와 제지 원료로 사용한다.

─ 약 용 활 용 ─

생약명 | 낙화생(落花生)

이용부위 | 종자

채취시기 | 가을(9~10월)

약성미 | 성질은 평하고 맛은 달다.

주치활용 | 지혈, 항암, 변비

효능 | 윤폐, 화위

민간활용 | 땅콩은 능히 비를 보호하고 폐를 윤활하게 한다.

학명 | Gnaphalium affine

분류 | 쌍떡잎식물 초롱꽃목 국화과

분포 | 동아시아

생육상 | 두해살이풀

떡쑥

서식 들과 밭, 길가, 빈터에서 흔히 자란다.

줄기 줄기는 밑동에서 갈라져 곧게 서고 전체에 흰색 털이 덮여 흰빛이 돈다.

잎
· 뿌리에서 나온 잎은 꽃이 필 때쯤 말라죽는다.
· 줄기에서 나온 잎은 어긋나고 주걱형 또는 거꾸로 세운 바소 모양이다.
· 가장자리가 밋밋하며 끝 부분은 둥글거나 뾰족하고 밑 부분이 좁아져 줄기로 흐른다.

꽃
· 꽃은 5~7월에 노란색으로 피고 줄기 끝에 산방꽃차례를 이루며 많은 두상화가 달린다.
· 두상화의 가운데에 통 모양의 양성화가 있고 가장자리에 실 모양의 암꽃이 있다.
· 총포는 구형의 종 모양이다.
· 총포조각은 3줄로 배열하고 누런 빛을 띠며 달걀 모양 또는 긴 타원 모양이다.

열매 열매는 수과이고, 관모는 황백색이 돌며 밑부분이 완전히 합쳐지지 않는다.

이용 어린 것은 나물로 먹는다.

약용활용

생약명 | 서국초(鼠麴草)

이용부위 | 전초

채취시기 | 봄~여름(5~7월)

약성미 | 성질은 평하고 맛은 달다.

주치활용 | 근육통, 요통, 관절염, 위궤양, 피부 가려움증, 해수, 가래, 천식, 기관지염, 감기몸살

효능 | 지혈, 건위, 하리, 거담, 해열, 진해, 거풍

민간활용 | 몸이나 습진에 고추와 함께 태워 그 재를 참기름에 개어 바르면 효과가 있다고 한다.

2011 ⓒ 뚝갈

학명 | Patrinia villosa

분류 | 쌍떡잎식물 꼭두서니목 마타리과

분포 | 한국, 일본, 중국

생육상 | 여러해살이풀

뚝갈

서식 산과 들의 볕이 잘 드는 풀밭에서 자란다.

줄기 줄기는 곧게 서고 전체에 흰색의 짧은 털이 빽빽이 나고 밑 부분에서 가는 기는가지가 나와 땅속 또는 땅 위로 벋으며 번식한다.

잎
· 잎은 마주나고 달걀 모양 또는 타원 모양이다.
· 깃꼴로 깊게 갈라지고, 갈라진 조각의 끝은 뾰족하고 가장자리에 톱니가 있다.
· 잎 표면은 짙은 녹색이고 뒷면은 흰빛이 돈다.
· 잎자루는 있으나 줄기 윗부분의 잎에는 없다.

꽃
· 꽃은 7~8월에 흰색으로 피고 가지와 줄기 끝에 산방꽃차례를 이루며 달린다.
· 화관은 끝이 5개로 갈라지며 통부가 짧다.
· 4개의 수술과 1개의 암술이 있고, 씨방은 하위이고 3실이며 그 중 1실만이 열매를 맺는다.

열매
· 열매는 건과이고 달걀을 거꾸로 세운 모양이며 둘레에 날개가 있다.
· 날개는 둥근 심장 모양이다.

이용 어린 순은 나물로 먹는다.

약용활용

생약명 | 백화패장(白花敗醬), 패장초(敗醬草)

이용부위 | 전초

채취시기 | 연중

약성미 | 성질은 서늘하고 맛은 맵고 쓰며 독이 없다.

주치활용 | 치사옹, 하리, 적백대하, 산후어체복통, 목적종통, 옹종개선

효능 | 청열, 해독, 소종, 배농, 거어, 지통

민간활용 | 뚝갈의 전초나 뿌리를 짓이겨 환부에 붙이면 어혈에 효과가 있다.

주의 | 비위허약으로 인한 설사, 식욕부진, 허한하탈자는 복용을 피한다.

2011 ⓒ 뚝새풀

학명 | Alopecurus aequalis var. amurensis

분류 | 외떡잎식물 벼목 화본과

분포 | 북아메리카를 제외한 북반구 온대와 한대

생육상 | 한해살이풀

뚝새풀

서식 논밭 같은 습지에서 무리지어 난다.

줄기 줄기는 밑부분에서 여러 개로 갈라져 곧게 서서 자란다.

잎
- 잎은 편평하고 흰색이 도는 녹색이다.
- 잎혀는 반달 모양 또는 달걀 모양이며 흰색이다.

꽃
- 꽃은 5~6월에 피고 꽃이삭은 원기둥 모양이다.
- 연한 녹색이고, 작은이삭은 좌우로 납작하며 1개의 꽃이 들어 있다.
- 포영은 밑부분이 서로 합쳐지고 끝이 둔하며 3개의 맥이 있고 맥에 털이 있다.
- 호영은 포영의 길이와 비슷하고 끝이 둔하며 5개의 맥이 있고 뒷면에 짧은 까끄라기가 있다.
- 수술은 3개이고, 암술은 1개이며, 꽃밥은 오렌지색이다.

이용 소의 먹이로 쓰는데, 꽃이 핀 것은 소가 먹지 않는다.

약용활용

생약명 | 간맥랑(看麥娘)

이용부위 | 전초(뿌리 제외)

채취시기 | 봄(4~5월)

약성미 | 성질은 차고 맛은 달다.

주치활용 | 전신부종, 소아의 수두, 소아의 복통설사

효능 | 이수소종, 해독

민간활용 | 종자는 찧어서 뱀에 물린 데 바른다.

2011 ⓒ 뚱딴지

학명 | Helianthus tuberosus

분류 | 쌍떡잎식물 초롱꽃목 국화과

원산지 | 북아메리카

생육상 | 여러해살이풀

뚱딴지

줄기
· 땅속줄기의 끝이 굵어져서 덩이줄기가 발달한다.
· 줄기는 곧게 서고 가지가 갈라지며 높이가 1.5~3m이고 센 털이 있다.

잎
· 잎은 줄기 밑부분에서는 마주나고 윗부분에서는 어긋나며 긴 타원 모양이다.
· 끝이 뾰족하며 가장자리에 톱니가 있고 밑 부분이 좁아져 잎자루로 흘러 날개가 된다.

꽃
· 꽃은 8~10월에 피고 줄기와 가지 끝에 지름 8cm의 두상화를 이루며 달린다.
· 두상화 가장자리에 있는 설상화는 노란색이고 11~12개이며, 두상화 가운데 있는 관상화는 노란색 · 갈색 · 자주색이다.
· 총포는 반구형이고, 총포 조각은 바소 모양이며 끝이 뾰족하다.

열매 열매는 수과이다.

덩이줄기 덩이줄기는 길쭉한 것에서 울퉁불퉁한 것까지 모양이 매우 다양하고 크기와 무게도 다양하다.

이용 유럽에서는 요리에 넣는 야채로 덩이줄기를 많이 이용하고, 프랑스에서는 가축의 사료로 쓰기 위해 오랫동안 심어 왔다.

약 용 활 용

생약명 | 국우(菊芋)
이용부위 | 뿌리줄기
채취시기 | 가을(11월)
약성미 | 성질은 차고 맛은 달다.
주치활용 | 신경통, 류머티즘, 당뇨병, 골절상
효능 | 청열양혈(淸熱凉血), 해열 지혈작용

2011 ⓒ 띠

학명 | Imperata cylindrica var. koenigii

분류 | 외떡잎식물 벼목 화본과

분포 | 북아메리카, 아시아, 아프리카의 온대에서 열대

생육상 | 여러해살이풀

띠

서식 산이나 들의 볕이 잘 드는 풀밭이나 강가에서 무리지어 자란다.

뿌리줄기 단단한 비늘조각이 덮인 뿌리줄기가 옆으로 길게 뻗는다.

줄기 줄기는 뿌리줄기의 마디에서 나와 곧게 서며 마디에 털이 있다.

잎
- 잎은 주로 뿌리에서 나오고 편평하며 줄 모양이다.
- 끝이 뾰족하고 밑 부분이 좁아져 줄기를 감싸는 잎집이 된다.

꽃
- 꽃은 5~6월에 흰색으로 피고 줄기 끝에 수상꽃차례 모양의 원추꽃차례를 이루며 달린다.
- 꽃차례는 은백색의 긴 털로 덮인다.
- 작은이삭은 긴 타원 모양이다.
- 밑부분이 긴 털에 둘러싸이고 자루가 긴 것과 짧은 것이 쌍을 이루며 마주난다.
- 포영은 막질이고 바소 모양이며 끝이 뾰족하고 맥이 약간 있으며, 호영은 퇴화하여 매우 작은 비늘 조각으로 된다.
- 수술은 2개이다.
- 암술머리 2개로 길게 갈라지며 짙은 자색이다.

이용
- 꽃이 피지 않은 어린 이삭을 날것으로 먹는다.
- 잎은 지붕을 덮거나 도롱이를 만드는 데 사용한다.

약 용 활 용

생약명 | 백모근(白茅根)

이용부위 | 뿌리줄기

채취시기 | 봄(4~6월)

약성미 | 성질은 따뜻하고 맛이 달다.

주치활용 | 혈열토혈, 육혈, 요혈, 열병번갈, 황달, 수종, 열임삽통

효능 | 양혈, 지혈, 청열, 이뇨

민간활용 | 백모근을 하루분을 달여 졸인 다음 수시로 여러 번 마시면 이뇨, 소염, 정혈제가 된다.

주의 | 비위 허한자와 수다불갈자는 복용을 피한다.

2011 ⓒ 마

학명 | Dioscorea batatas

분류 | 외떡잎식물 백합목 마과

분포 | 한국, 일본, 타이완, 중국

생육상 | 덩굴성 여러해살이풀

마

서식 중국 원산으로 약초로 재배하며 산지에서 자생한다.

줄기 식물체에 자줏빛이 돌고 뿌리는 육질이며 땅 속 깊이 들어간다.

잎
· 잎은 삼각형 비슷하고 심장밑 모양이다.
· 잎자루는 잎맥과 더불어 자줏빛이 돌고 잎겨드랑이에 주아가 생긴다.

꽃
· 꽃은 단성화로 6~7월에 피고 잎겨드랑이에서 1~3개씩 수상꽃차례를 이룬다.
· 수꽃이삭은 곧게 서고 암꽃이삭은 밑으로 처진다.

열매 열매는 삭과로 10월에 익으며 3개의 날개가 있고 둥근 날개가 달린 종자가 들어 있다.

약용활용

생약명 | 산약(山藥)

이용부위 | 줄기

채취시기 | 가을(10월)

약성미 | 성질은 평하고 맛은 달다.

주치활용 | 피부습진, 단독

효능 | 건위, 강장

민간활용 | 전액으로 훈세하거나 짓찧어서 환부에 바른다.

2011 ⓒ 마늘

학명 | Allium scorodorpasum var. viviparum Regel

분류 | 외떡잎식물 백합목 백합과

원산지 | 아시아 서부

생육상 | 여러해살이풀

마늘

줄기 비늘줄기는 연한 갈색의 껍질 같은 잎으로 싸여 있으며, 안쪽에 5~6개의 작은 비늘줄기가 들어 있다.

잎 잎은 바소꼴로 3~4개가 어긋나며, 잎 밑부분이 잎집으로 되어 있어 서로 감싼다.

꽃
· 7월에 잎 겨드랑이에서 속이 빈 꽃줄기가 나와 그 끝에 1개의 큰 산형꽃이삭이 달리고 총포는 길며 부리처럼 뾰족하다.
· 꽃은 흰 자줏빛이 돌고 꽃 사이에 많은 무성아가 달리며 화피갈래조각은 6개이고 바깥쪽의 것이 크다.
· 비늘줄기, 잎, 꽃자루에서는 특이한 냄새가 나며 비늘줄기를 말린 것을 대산이라 한다.

이용
· 모든 음식의 조리에서는 필수적인 양념으로 쓰인다.
· 마늘에는 탄수화물과 아미노산의 일종인 알리인이 들어 있다.
· 마늘은 생으로 이용되고 그 밖에 여러 가지 조리에 이용되고 있으며 연한 잎과 줄기도 식용한다.
· 한국의 고기요리에서는 마늘이 많이 쓰이는데, 고기의 비린내를 없애주고 맛을 좋게 하며 소화도 돕는 작용이 있다.

약 용 활 용

생약명 | 대산(大蒜)

이용부위 | 뿌리, 열매

채취시기 | 가을(9월)

약성미 | 성질은 따뜻하고 맛은 맵다.

주치활용 | 음식적대, 완복냉통, 수종비만, 수용성하리, 이질, 말라리아, 백일해, 옹저중독, 백독선창, 사충교상

효능 | 행대기, 난비위, 소옹적, 해독, 살충

민간활용 | 대산(大蒜)을 국부적으로 응용하면 자극성을 가진다.
대산의 정유는 토기의 혈당을 내리고 사람의 위액분비를 억제하고 빈혈을 일으킨다.

학명 | Polygonum aviculare
분류 | 쌍떡잎식물 이판화군 마디풀목 마디풀과
분포 | 북반구 온대지방
생육상 | 한해살이풀

마디풀

서식 길가에서 자란다.

줄기 전체에 털이 없고 말라도 빛깔이 변하지 않으며, 밑에서 가지가 갈라져서 옆으로 자라거나 곧게 서고 딱딱한 느낌을 준다.

잎
- 잎은 어긋나고 긴 타원형 또는 줄 모양의 타원형이며 잎자루와의 사이에 마디가 있다.
- 잎집 모양의 턱잎은 막질이고 2개로 크게 갈라지고 다시 가늘게 갈라지며 가는 맥과 더불어 가장자리에 털이 있다.

꽃
- 꽃은 양성화로 6~7월에 피고 잎겨드랑이에 1개 또는 여러 개가 달리며 꽃잎은 없다.
- 꽃받침은 녹색 바탕에 백색 또는 붉은빛이 돌며 5개로 갈라진다.
- 수술은 6~8개이고 암술은 3개이다.

열매 열매는 세모지며 화피보다 짧고 광택이 없으며 잔 점이 있다.

이용 어린 순은 식용한다.

약 용 활 용

생약명 | 편축

이용부위 | 전초

채취시기 | 여름~가을(8~9월)

약성미 | 성질은 차고 맛은 쓰다.

주치활용 | 열림삽통, 혈림, 피부습진, 음상, 소변단적, 부종, 피부습진, 음양대하, 치질, 곽란, 황달, 창종

효능 | 이뇨, 살충, 외치

민간활용 | 식용, 약용으로 쓰이나 대개 가축의 사료로 쓰인다.

주의 | 다뇨 자, 중허소변불리자는 금한다.

2011 ⓒ 마름

학명 | Trapa japonica

분류 | 쌍떡잎식물 이판화군 도금양목 마름과

분포 | 전국 각지

생육상 | 한해살이풀

마름

서식 연못이나 소택지에서 자란다.

줄기 뿌리는 진흙 속에 박고 줄기가 길게 자라서 물 위에 뜬다.

잎
· 잎은 뭉쳐난 것처럼 보이며 잎자루에 굵은 부분이 있는데 이는 공기 주머니로서 물 위에 뜰 수 있도록 해준다.
· 잎몸은 마름모꼴 비슷한 삼각형이며 잔 톱니가 있다.
· 물 속 원줄기의 마디에서 깃 같은 뿌리가 내린다.

꽃
· 7~8월에 흰빛 또는 다소 붉은빛이 도는 꽃이 잎 겨드랑이에 피는데 꽃잎은 4개이다.
· 화편은 짧고 위를 향하지만 열매가 커짐에 따라서 밑으로 굽는다.
· 꽃받침잎은 털이 있고, 수술은 4개, 암술은 1개이다.

열매 열매는 딱딱하고 역삼각형이며 양 끝에 꽃받침조각이 변한 가시가 있고 중앙부가 두드러진다.

이용 종자는 1개씩 들어 있으며 식용한다.

약용활용

생약명 | 능각

이용부위 | 열매

채취시기 | 가을(9월)

약성미 | 성질은 서늘하고 맛은 달다.

주치활용 | 요퇴근골통, 사지마비, 풍습입규증, 열독, 주독, 사망독

효능 | 청서, 해열, 제번, 지갈, 익기, 건비

민간활용 | 암을 치료하는 데, 술독을 푸는 데 사용해 왔다.

주의 | 말라리아나 전염성하리에는 금한다. 마름의 열매를 생식하면 소화가 촉진되지만, 너무 많이 먹으면 오히려 좋지 않다. 복부팽만

2011 ⓒ 마삭줄

학명 | Trachelospermum asiaticum var. intermedium

분류 | 쌍떡잎식물 합판화군 용담목 협죽도과

분포 | 한국(남부지방), 일본

생육상 | 덩굴식물

마삭줄

줄기 | 줄기에서 뿌리가 내려 다른 물체에 붙어 올라가고 적갈색이 돈다.

잎
· 잎은 마주나고 타원형 또는 달걀 모양이다.
· 표면은 짙은 녹색이고 윤기가 있다.
· 뒷면은 털이 있거나 없고 가장자리는 밋밋하다.

꽃
· 꽃은 5~6월에 피고, 흰색에서 노란색으로 변하고 취산꽃차례를 이룬다.
· 꽃받침과 꽃잎은 끝이 5개로 갈라지고, 수술은 5개이다.
· 꽃밥 끝이 꽃통부의 입구까지 닿는다.

열매 | 열매는 골돌이며 2개씩 달린다.

이용 | 사철 푸른 잎과 진홍색의 선명한 단풍을 즐길 수 있으며 꽃과 열매를 감상할 수 있어 관상용으로 키우기도 한다.

약용활용

생약명	낙석등(絡石藤)
이용부위	열매
채취시기	여름~가을(7~9월)
약성미	성질이 약간 차고 맛은 쓰다.
주치활용	근골통
효능	해열, 강장, 진통, 통경

2011 ⓒ 마타리

학명 | Patrinia scabiosaefolia

분류 | 쌍떡잎식물 합판화군 꼭두서니목 마타리과

분포 | 일본 열도의 북쪽부터 남으로 타이완, 중국 및 시베리아 동부

생육상 | 여러해살이풀

마타리

서식 산이나 들에서 자란다.

줄기
· 뿌리줄기는 굵으며 옆으로 뻗고 원줄기는 곧추 자란다.
· 윗부분에서 가지가 갈라지고 털이 없으나 밑부분에는 털이 약간 있으며 밑에서 새싹이 갈라져서 번식한다.

잎 잎은 마주나며 깃꼴로 깊게 갈라지고 양면에 복모가 있고 밑부분의 것은 잎자루가 있으나 위로 올라가면서 없어진다.

꽃
· 꽃은 여름부터 가을에 걸쳐서 피고 노란색이며 산방꽃차례를 이룬다.
· 화관은 노란색으로 5개로 갈라지며 통부가 짧고 수술은 4개, 암술은 1개이다.
· 씨방은 3실이지만 1개만이 성숙하여 타원형의 열매로 된다.

열매 열매는 약간 편편하고, 배면에 맥이 있으며 뒷면에 능선이 있다.

─── 약 용 활 용 ───

생약명 | 패장(敗醬)

이용부위 | 전초

채취시기 | 겨울(11월)

약성미 | 성질은 약간 차며 맛은 맵고 쓰며 독이 없다.

주치활용 | 장옹, 하리, 적백대하, 장염, 이질, 장염, 간염, 눈결막염, 유선염, 폐옹, 임파선 결핵, 편도선염, 종기

효능 | 청열, 설결, 파어, 배농, 소염, 어혈

민간활용 | 뿌리를 달인 즙으로 눈을 씻으면 유행성 눈병을 다스린다.

2011 ⓒ 만년청

학명 | Rohdea japonica

분류 | 외떡잎식물 백합목 백합과

분포 | 한국, 일본 난대, 중국

생육상 | 상록 여러해살이풀

만년청

잎
· 굵은 땅속줄기 끝에서 잎이 모여난다.
· 잎은 넓은 바소꼴이며 육질이고 윤기가 있다.

꽃
· 꽃은 5~7월에 연한 노란색이나 흰색으로 피고 잎 사이에서 자란 수상꽃차례에 빽빽이 달린다.
· 꽃자루는 잎 사이에서 나온다.
· 수술은 6개이고 암술대는 짧으며 암술머리는 3갈래이다.
· 꽃밥은 달걀 모양이고 씨방은 둥글고 3실이며 각 실에 밑씨가 2개씩 들어 있다.

열매 열매는 장과이고 둥글며 8월에 붉게 익는다.

이용 뿌리에 로데인이라는 배당체가 들어 있어 강심제와 이뇨제로 사용한다.

약용활용

생약명 | 만년청(萬年靑)
이용부위 | 뿌리줄기
채취시기 | 수시
약성미 | 성질은 차고 맛은 달고 쓰며 독이 있다.
주치활용 | 심력쇠갈, 인후종통, 수종, 팽창, 각혈, 토혈, 정창, 사교상, 탕상
효능 | 강심, 이뇨, 청열, 해독, 지혈

2011 ⓒ 만삼

학명 | Codonopsis pilosula
분류 | 쌍떡잎식물 초롱꽃목 초롱꽃과
분포 | 한국(지리산 천왕봉과 강원 이북), 중국, 우수리강 등지
생육상 | 덩굴성 여러해살이풀

만삼

서식 깊은 산속에서 자란다.

뿌리 뿌리는 도라지 모양이다.

줄기 자르면 즙이 나온다.

잎
- 잎은 어긋나지만 짧은 가지에서는 마주나고 달걀 모양 또는 달걀 모양 타원형이며 양면에 잔털이 나고 뒷면은 흰색이다.
- 잎자루는 털이 난다.

꽃
- 꽃은 7~8월에 피고 곁가지 끝에 1개씩 달리며 바로 밑 잎겨드랑이에도 핀다.
- 꽃받침은 바소꼴이며 5개로 갈라지고 꽃받침조각은 바소꼴이다.
- 화관은 종처럼 생기며 끝이 5개로 갈라진다.
- 수술은 5개, 암술은 1개이고 암술대의 끝부분은 3갈래로 갈라진다.

열매 열매는 삭과로서 10월에 익는다.

약 용 활 용

생약명 | 만삼(蔓蔘)

이용부위 | 뿌리

채취시기 | 가을이나 겨울에 채취 6년에서 8년 정도 된 것이 효과가 있다.

약성미 | 맛은 달고 성질은 평하다.

주치활용 | 비위허약, 식욕부진, 대변설사, 사지무력, 정신불안, 폐허해수, 인후염, 편도선염

효능 | 보기, 보혈, 천식, 진해, 거담, 공하, 건위, 경풍, 지갈, 강장

민간활용 | 약으로 할 경우 설탕을 넣지 않는 게 좋다. 3개월이 지나면 엷은 담황색으로 익는데, 이때쯤이면 먹을 수 있으며, 반주로 이용하면 더 좋다

2011 ⓒ 만수국

학명 | Tagetes patula

분류 | 쌍떡잎식물 초롱꽃목 국화과

원산지 | 멕시코

분포 | 한국, 유럽, 아프리카 등지

형태 | 한해살이풀

만수국

서식 양지바른 모래흙에서 잘 자란다.

줄기 줄기 밑에서 가지가 많이 갈라지고 털이 없으며 녹색이다.

잎
· 잎은 어긋나거나 마주나고 1회 깃꼴겹잎이다.
· 작은잎은 줄 모양 바소꼴이거나 바소 모양이다.
· 가장자리에 뾰족한 톱니와 유점이 있다.

꽃
· 꽃은 초여름부터 서리가 내릴 때까지 피며 노란색, 적갈색, 주홍색 등 색깔이 다양하다.
· 총포는 포조각 밑부분이 합쳐져서 컵처럼 된다.
· 설상화는 끝부분이 5개로 갈라진다.

열매 열매는 수과로서 끝에 가시 같은 관모가 있다.

이용 관상용으로 쓰며 다양한 품종이 있다.

약용활용

생약명 | 만수국(萬壽菊)

이용부위 | 꽃

채취시기 | 여름, 가을

약성미 | 성질은 서늘하고 맛은 쓰고 약간 맵다.

주치활용 | 두훈목현, 풍화안통, 소아경풍, 감기해수, 백일해 유방선염, 유행성 이하선염

효능 | 평간, 청열, 거풍, 화담

2011 ⓒ 말나리

학명 | Lilium distichum

분류 | 외떡잎식물 백합목 백합과

분포 | 한국, 중국 북동부, 헤이룽강, 사할린섬, 캄차카반도 등지

생육상 | 여러해살이풀

말나리

서식 높은 지대에서 자란다.

줄기 둥근 비늘줄기에서 원줄기가 1개씩 나와 곧게 선다.

잎
· 잎은 어긋나는 것과 돌려나는 것이 함께 돋는다.
· 줄기 중간의 잎은 돌려나며 4~9개씩 달리지만 10~20개 달리는 것도 있다.
· 타원형이거나 바소꼴이다.
· 줄기 위쪽의 잎은 어긋나며 바소꼴이고 돌려난 잎보다 작다.

꽃
· 6~7월에 1~10개의 노란빛을 띤 빨간 꽃이 옆을 향하여 핀다.
· 안쪽에 짙은 갈색이 섞인 자줏빛 반점이 있다.
· 화피는 바소 모양으로서 6장이다.
· 수술은 6개, 암술 1개로 화피보다 짧다.

열매
· 열매는 삭과로서 달걀처럼 생긴 타원형이며 3개의 능선이 있다.
· 10월에 익는다.

이용 비늘줄기와 줄기, 어린 잎을 식용하며 꽃은 관상용으로 쓴다.

약 용 활 용

생약명 | 윤엽백합(輪葉百合)

이용부위 | 줄기

채취시기 | 가을

약성미 | 성질은 평하고 맛은 달며 약간 쓰다.

주치활용 | 피로회복, 종독

효능 | 자양, 강장, 건위

민간활용 | 자양, 강장, 건위, 종창 등에 다른 약재와 같이 처방하여 약으로 쓴다.

2011 ⓒ 말냉이

학명 | Thlaspi arvense

분류 | 쌍떡잎식물 양귀비목 겨자과

분포 | 한국, 아시아, 유럽, 북아메리카 등지

생육상 | 두해살이풀

말냉이

서식 낮은 지대의 밭이나 들에서 자란다.

줄기 잿빛이 섞인 녹색을 띠고 줄기에는 능선이 있으며 털이 없다.

잎
· 뿌리에 달린 잎은 모여 나와서 옆으로 퍼지고 넓은 주걱 모양이며 잎자루가 있다.
· 줄기에 달린 잎은 어긋나고 거꾸로 선 바소 모양의 긴 타원형이며 가장자리에 톱니가 있다.

꽃
· 꽃은 4~5월에 피고 흰색이며 총상꽃차례에 달린다.
· 6개의 수술 중 4개는 길다.
· 꽃받침은 긴 타원형이고 꽃잎은 좁은 달걀 모양이다.
· 수술은 6개 중 4개가 길고 암술은 1개이다.

열매
· 열매는 납작하고 달걀을 거꾸로 세워 놓은 듯한 둥근 모양이며 7~8월에 익는다.
· 넓은 날개가 있고 끝이 오므라지며 종자에는 주름이 있다.

이용 어린 순을 나물로 먹는다.

약용활용

생약명 | 석명, 종자─석명자

이용부위 | 전초

채취시기 | 전초─봄, 열매─여름

약성미 | 성질은 따뜻하고 맛은 달고 매우며 독이 없다.

주치활용 | 신장염, 자궁내막염, 자궁암, 협심증, 황달, 소변불리, 안질, 목적종통, 유루, 심복요통, 신염

효능 | 화중익기, 이간명목, 보간

2011 ⓒ 말똥비름

학명 | Sedum bulbiferum

분류 | 쌍떡잎식물 장미목 돌나물과

분포 | 한국(제주, 전남, 경남), 일본 등지

생육상 | 두해살이풀

말똥비름

| 서식 | 논밭 근처 등의 습기가 있는 곳에서 자란다. |

| 줄기 | 줄기의 밑부분이 옆으로 벋으면서 마디에서 뿌리를 내린다. |

| 잎 | 잎은 밑에서는 마주나고 윗부분에서는 어긋나며 주걱형이고 잎겨드랑이에 2쌍의 잎이 달린 살순이 붙어 있다. |

| 꽃 | ·꽃은 6~8월에 피고 노란색이며 원줄기 끝에서 갈라진 가지에 한쪽으로 치우쳐서 달린다.
·꽃 밑에 포가 1개씩 있다.
·꽃받침은 5개로서 긴 타원 모양이며 꽃잎은 바소꼴이고 5개이다.
·수술은 10개이며 심피는 5개가 밑에서 서로 붙는다. |

약용활용

생약명 | 소전초

이용부위 | 전초

채취시기 | 봄~가을

약성미 | 성질은 서늘하고 맛은 떫다.

주치활용 | 강장, 단독, 선혈, 대하증

효능 | 한열, 풍습, 발진

민간활용 | 선혈, 대하증 등에 다른 약재와 같이 처방하여 쓴다. 줄기에서 나는 잎을 찧어서 환부에 붙이면 화상(火傷)을 치료할 수 있다고 한다.

2011 ⓒ 맑은대쑥

학명 | Artemisia keiskeana
분류 | 쌍떡잎식물 초롱꽃목 국화과
분포 | 한국, 일본, 중국 북부
생육상 | 여러해살이풀

맑은대쑥

서식 산지에서 흔히 자란다.

줄기 뿌리줄기는 굵고 꽃이 달리지 않는 원줄기는 옆으로 비스듬히 자라면서 끝에서 잎이 모여난다.

잎
· 뿌리에 달린 잎은 꽃이 피면 마른다.
· 잎은 어긋나고 주걱 모양이며 가장자리에 톱니가 있고, 뒷면에 선점과 더불어 비단 같은 털이 난다.
· 밑부분은 좁아져 잎자루가 된다.

꽃
· 꽃은 7~9월에 피고 노란빛을 띤 갈색 관상화로 된 작은 두상화가 원추꽃차례로 달린다.
· 꽃자루는 짧고 가늘다.
· 총포에는 털이 없고 총포조각은 3~4줄로 늘어선다.
· 바깥조각은 넓은 달걀 모양, 가운뎃조각은 타원 모양이다.

열매 열매는 수과로서 달걀을 거꾸로 세워 놓은 모양이다.

이용 어린 순은 나물로 먹는다.

약 용 활 용

생약명 | 암려

이용부위 | 전초

채취시기 | 여름~가을(8~9월)

약성미 | 성질은 약간 차며 맛은 쓰고 매우며 독이 없다.

주치활용 | 부인병, 통경, 무월경

효능 | 행어, 거습

2011 ⓒ 망초

학명 | Erigeron canadensis

분류 | 쌍떡잎식물 초롱꽃목 국화과

원산지 | 북아메리카

분포 | 한국(전지역)과 전세계

형태 | 두해살이풀

망초

줄기 굵은 털이 난다.

잎
- 뿌리에 달린 잎은 주걱 같은 바소꼴이고 가장자리에 톱니가 있으며 꽃이 필 때 시든다.
- 줄기에 달린 잎은 어긋나고 촘촘히 달리며 거꾸로 선 바소꼴이다.
- 가장자리에 톱니가 있거나 혹은 톱니가 없고 위로 올라가면서 줄 모양이 된다.

꽃
- 꽃은 7~9월에 피고 원줄기 끝에서 가지가 많이 갈라져서 전체적으로 원추꽃차례를 이룬다.
- 설상화는 흰색이고 총포는 종 모양이며 털이 난다.
- 포조각은 줄 모양이며 4~5줄로 늘어선다.

열매 열매는 수과로서 흰색 관모가 있다.

이용 어린 잎은 식용하며 북아메리카에서는 약재로 쓴다.

┌─ 약 용 활 용 ─

    생약명 | 비봉

  이용부위 | 전체

    약성미 | 성질은 서늘하고 맛은 쓰다.

주치활용 | 구강염, 중이염, 결막염, 풍습골통, 혈뇨

      효능 | 청열, 해독, 거풍, 지양

2011 ⓒ 매미꽃

학명 | Hylomecon hylomeconoides (NAKAI)

분류 | 쌍떡잎식물 양귀비목 양귀비과

분포 | 한국(지리산, 한라산)

생약명 | 여러해살이풀

매미꽃

줄기	· 굵고 짧은 뿌리줄기에서 잎이 뭉쳐난다. · 자르면 피 같은 즙이 나온다.
잎	· 뿌리에 달린 잎은 잎자루가 길고 3~7개의 작은잎으로 된 깃꼴겹잎이다. · 작은잎은 타원형, 달걀 모양 또는 달걀을 거꾸로 세워 놓은 모양 등이다. · 가장자리에 날카로운 톱니나 깊이 패어 들어간 흔적이 있고 털이 난다.
꽃	· 꽃은 6~7월에 피고 노란색이며 꽃자루 끝에 1개 또는 여러 개씩 달린다. · 포는 바소꼴이고 꽃받침조각은 달걀 모양의 타원형이며 2개이다. · 둥근 모양의 꽃잎은 4개이며 수술은 많다.
열매	· 열매는 삭과로 좁은 원기둥 모양이고 끝에 긴 부리가 있다. · 종자는 둥근 모양이며 노란빛을 띤 갈색이다.

약 용 활 용

생약명 | 하청화(荷青花)

이용부위 | 뿌리

채취시기 | 연중 수시로 채취

약성미 | 성질은 평하고 맛은 쓰다.

주치활용 | 류머티스성 관절염, 타박상, 노상

효능 | 거풍습, 서근, 활락, 산어, 소종, 지통, 지혈

2011 ⓒ 매발톱꽃

학명 | Aquilegia buergariana var. oxysepala
분류 | 쌍떡잎식물 미나리아재비목 미나리아재비과
분포 | 한국, 중국, 시베리아 동부
생육상 | 여러해살이풀

0478

매발톱꽃

서식 산골짜기 양지쪽에서 자란다.

줄기 줄기 윗부분이 조금 갈라진다.

잎
- 뿌리에 달린 잎은 잎자루가 길며 2회 3장의 작은잎이 나온 잎이다.
- 작은잎은 넓은 쐐기꼴이고 2~3개씩 2번 갈라지며 뒷면은 흰색이다.
- 줄기에 달린 잎은 위로 올라갈수록 잎자루가 짧아진다.

꽃
- 꽃은 6~7월에 피는데, 자줏빛을 띤 갈색이고 가지 끝에서 아래를 향하여 달린다.
- 꽃받침은 꽃잎 같고 꽃받침조각은 5개이다.
- 꽃잎은 5장이고 누른빛을 띤다.
- 꽃잎 밑동에 자줏빛을 띤 꿀주머니가 있다.

열매 열매는 골돌과로서 5개이고 8~9월에 익으며 털이 난다.

이용 꽃이 아름다워 관상 가치가 있는 식물이다.

약 용 활 용

생약명 | 누두채(漏豆菜)

이용부위 | 전초

주치활용 | 월경불순 등 부인병

효능 | 통경, 활혈

민간활용 | 전초의 수전액을 민간에서는 신경발작, 황달, 간질병, 위장염에 쓴다.

2011 ⓒ 매자기

학명 | Scirpus fluviatilis
분류 | 외떡잎식물 벼목 사초과
분포 | 한국, 일본, 타이완, 중국
생육상 | 여러해살이풀

매자기

서식 연못이나 늪의 얕은 물에 자란다.

줄기
· 줄기는 삼각형이고 굵은 땅속줄기에서 나온다.
· 땅속줄기를 벋으면서 덩이줄기가 생긴다.

잎 잎은 줄기 아랫부분에 달리는데, 줄기보다 길고 납작하며 잎집은 갈색을 띠기도 한다.

꽃
· 꽃은 7~10월에 피고 1~4개의 작은이삭이 달린 가지가 줄기 끝에서 산방상으로 늘어 선다.
· 작은이삭은 긴 타원형이고 녹색이다.
· 포는 잎처럼 생기고 2~4개이며 꽃이삭보다 길다.
· 화피는 6장이고 암술머리는 3개이다.
· 작은이삭의 비늘조각은 넓은 타원 모양이고 겉에 잔털이 나며 끝이 2개로 갈라지는데, 그 사이에 긴 까끄라기가 난다.

열매 열매는 수과로서 10월에 익으며 세모진 긴 타원형이고 잿빛을 띤 갈색이다.

이용 덩이줄기는 식용한다.

┌─ 약 용 활 용 ─────────────

　생약명 | 형삼릉(荊三棱)

　이용부위 | 줄기

　채취시기 | 가을

　약성미 | 성질은 따뜻하고 맛은 쓰고 독이 없다.

　주치활용 | 어혈동통, 월경불순, 혈훈, 기혈체, 기창만, 심복통, 산후복통, 적취

　효능 | 파혈, 지통, 행기, 소적

　민간활용 | 민간에서는 학질, 최유, 어혈, 구토, 통경, 진통 등에 약으로 쓰인다.

2011 ⓒ 맥문동

학명 | Liriope platyphylla

분류 | 외떡잎식물 백합목 백합과

분포 | 한국, 일본, 중국, 타이완

생육상 | 상록 여러해살이풀

맥문동

서식 그늘진 곳에서 자란다.

뿌리 줄기 짧고 굵은 뿌리줄기에서 잎이 모여 나와서 포기를 형성하고, 흔히 뿌리 끝이 커져서 땅콩 같이 된다

줄기 줄기는 곧게 선다.

잎 잎은 짙은 녹색을 띠고 선형이며 밑부분이 잎집처럼 된다.

꽃
・꽃은 5~6월에 피고 자줏빛이며 수상꽃차례의 마디에 3~5개씩 달린다.
・꽃이삭은 작은꽃가지에 마디가 있다.

열매 씨방 상위이며 열매는 삭과로 둥글고 일찍 과피가 벗겨지므로 종자가 노출되며 자흑색 이다.

약 용 활 용

생약명 | 맥문동(麥門冬)

이용부위 | 뿌리

채취시기 | 봄(3~4월), 가을(10~11월)

약성미 | 성질은 서늘하고 맛은 달고 약간 쓰며 독이 없다.

주치활용 | 폐조건해, 토혈, 각혈, 폐위, 폐옹, 허노번열, 소갈, 열병상진, 인건구조, 변비

효능 | 소염, 강장, 진해, 거담, 강심

민간활용 | 맥문동은 사포닌을 함유하고 있어 가래를 없애고 기침을 멈추게 하며 위를 보하는 강장의 묘약이라 하였다.

학명 | Ophiopogon jaburan (Kunth) Lodd.

분류 | 외떡잎식물 백합목 백합과

원산지 | 한국

분포 | 전남, 경남 등 섬

형태 | 여러해살이풀

맥문아재비

| 서식 | 바닷가 산지 그늘이나 습지에서 자란다. |

| 줄기 | 지하경이 옆으로 뻗고 잎이 총생한다.. |

| 잎 | · 잎은 선형이며 두껍다.
· 짙은 녹색에 광택이 나며 9~13개의 맥이 있다. |

| 꽃 | · 꽃은 5~7월에 피며 흰색 바탕에 연한 자줏빛이 돈다.
· 밑으로 처지며 화경은 편평하고 윗부분이 넓으며 좁은 날개가 있다.
· 화서의 소화경은 3~8개씩 모여 달리며 중앙 또는 윗부분에 관절이 있다.
· 첫째 포는 선형으로서 밑부분의 양쪽이 막질이다.
· 화피열편과 수술은 각 6개이며 수술대는 꼬불꼬불하다. |

| 열매 | 열매는 나출된 종자로 되어 있으며 청색이다. |

약 용 활 용

생약명	맥문동(麥門冬)
이용부위	뿌리
채취시기	가을, 겨울
약성미	성질은 약간 차고 맛은 달다.
주치활용	신장염, 감기, 진정, 창종
효능	이뇨, 해열, 소염, 진정
민간활용	민간에서 뿌리를 이뇨제, 소염제, 해열제, 진정제 등의 약으로 쓴다.

2011 ⓒ 맨드라미

학명 | Celosia cristata

분류 | 쌍떡잎식물 중심자목 비름과

원산지 | 인도

생육상 | 한해살이풀

맨드라미

 서식 열대 인도산이며 관상용으로 심는다.

줄기
· 줄기는 곧게 선다.
· 흔히 붉은빛이 돌며 털이 없다.

잎 잎은 어긋나고 달걀 모양 또는 달걀 모양의 바소꼴이며 잎자루가 있다.

꽃
· 꽃은 7~8월에 피고 편평한 꽃줄기에 잔꽃이 밀생한다.
· 꽃색은 홍색, 황색, 백색 등이다.
· 화피조각은 5개로 바소꼴이다.
· 편평한 꽃줄기의 윗부분이 보다 넓어지고 주름진 모양이 마치 수탉의 볏과 같이 보인다.

열매 열매는 달걀 모양이며 꽃받침으로 싸여 있고 옆으로 갈라져서 뚜껑처럼 열리며 3~5개씩의 검은 종자가 나온다.

이용 꽃은 관상용으로 이용한다.

약용활용

생약명 | 계관화(鷄頭花)

이용부위 | 꽃

채취시기 | 여름(7~8월)

약성미 | 성질은 차고 맛은 달고 독이 없다.

주치활용 | 치창, 이질, 토혈, 비출혈, 혈붕, 담마진

효능 | 지사제 양혈(凉血), 지혈

민간활용 | 풀 전체를 채집하여 말린 것을 달여 마시면 산기(疝氣), 심장병 등에 효과가 있으며 변통도 잘 된다고 한다.

학명 | Petasites japonicus

분류 | 쌍떡잎식물 초롱꽃목 국화과

분포 | 한국, 일본

생육상 | 여러해살이풀

머위

서식 산록의 다소 습기가 있는 곳에서 잘 자란다.

줄기 굵은 땅속줄기가 옆으로 뻗으면서 끝에서 잎이 나온다.

잎
- 뿌리잎은 잎자루가 길고 신장 모양이다.
- 가장자리에 치아상의 톱니가 있고 전체적으로 꼬부라진 털이 있다.
- 이른 봄에 잎보다 먼저 꽃줄기가 자라고 꽃이삭은 커다란 포로 싸여 있다.

꽃
- 꽃은 2가화이며 암꽃이삭은 꽃이 진 다음 자란다.
- 암꽃은 백색, 수꽃은 황백색이고 모두 관모가 있다.

열매 열매는 수과로 원통형이다.

이용 잎자루는 산채로서 식용으로 한다.

약용활용

생약명 | 관동화(款冬花), 봉두채(蜂斗菜)

이용부위 | 꽃

채취시기 | 머위꽃봉오리－이른 봄, 뿌리－늦여름, 가을

약성미 | 성질은 서늘하고 맛은 맵고 달다.

주치활용 | 기침, 천식, 태독, 인후염, 편도선염, 기관지염

효능 | 진해, 해열, 거담, 건위, 풍습, 진정, 종창, 이뇨

민간활용 | 뜸질을 해서 생긴 창에는 꽃을 그늘에 말려 이것을 가루로 만들어 바르면 효과가 있다.

2011 ⓒ 멀꿀

학명 | Stauntonia hexaphylla

분류 | 쌍떡잎식물 미나리아재비목 으름덩굴과

분포 | 한국, 일본, 타이완, 중국

형태 | 상록 덩굴식물

멀꿀

 줄기　원줄기는 15m 정도 뻗으며 일년생 줄기는 녹색이 난다.

 잎
- 잎은 어긋나며 5~7개의 작은잎으로 된 손바닥 모양 겹잎이다.
- 작은잎은 두껍고 달걀 모양 또는 타원형이며 가장자리가 밋밋하다.

꽃
- 꽃은 5월에 피고 1가화이며 황백색이고 총상꽃차례에 달린다.
- 암꽃의 작은꽃가지는 가을에 적갈색으로 되고 많은 피목이 있어 거칠다.

 열매
- 열매는 장과로 달걀 모양 또는 타원형이고 10월에 적갈색으로 익고 과육은 으름보다 맛이 좋다.
- 종자는 달걀 모양의 타원형으로 흑색이다.

이용
- 잎이 아름다워 조경수로 심는다.
- 열매를 식용한다.
- 줄기는 민속가구용으로 사용한다.

약 용 활 용

생약명	야목과(野木瓜)
이용부위	뿌리. 줄기
채취시기	가을(10월)
약성미	성질은 평하고 맛은 약간 쓰다.
주치활용	배농, 신염, 임질
효능	통경, 강심, 이뇨, 지통, 진통, 진정

2011 ⓒ 메귀리

학명 | Avena fatua L.

분류 | 외떡잎식물 벼목 화본과

분포 | 유럽과 서아시아

생육상 | 두해살이풀

메귀리

서식 들에서 자란다.

줄기 1포기에서 3~4대가 나온다.

잎 잎집은 통형으로 밑동까지 갈라진다.

꽃
· 꽃은 5~6월에 피고 원추꽃차례는 퍼지며, 가지는 돌려붙고 잔 돌기가 있다.
· 작은이삭은 녹색이고 3~4개의 작은꽃으로 구성되며 밑으로 처진다.
· 포영은 능선이 없고 벌어진다.
· 호영은 끝이 2개로 갈라지고 겉에 털이 있다.
· 밑에 견모가 속생하고 뒷면에서 꼬부라진 까끄라기가 나온다.

약용활용

생약명 | 야연맥(野燕麥)

이용부위 | 종자

채취시기 | 줄기와 잎을 결실전에 채취하여 쇄건한다.

약성미 | 성질은 따뜻하고 맛은 달고 독이 없다.

주치활용 | 토혈, 도한, 부녀의 홍붕, 허한

효능 | 온보(溫補), 허한(虛汗)

2011 ⓒ 메꽃

학명 | Calystegia japonica
분류 | 쌍떡잎식물 통화식물목 메꽃과
분포 | 한국, 중국, 일본
생육상 | 덩굴식물

메꽃

서식 들에서 흔히 자란다.

줄기 하얀 뿌리줄기가 왕성하게 자라면서 군데군데에 덩굴성 줄기가 자란다.

잎 잎은 어긋나고 타원상 바소꼴이며 양쪽 밑에 귀 같은 돌기가 있다.

꽃
· 꽃은 6~8월에 피고 연한 홍색이며 잎겨드랑이에 긴 꽃줄기가 나와서 끝에 1개씩 위를 향하여 달린다.
· 꽃받침 밑에 달린 2개의 포는 녹색이며 심장형이다.
· 꽃은 깔때기형이다.
· 5개의 수술과 1개의 암술이 있고 흔히 열매를 맺지 않는다.

이용 봄에 땅속줄기와 어린 순을 식용 또는 나물로 한다

약 용 활 용

생약명 │ 구구앙(狗狗秧)

이용부위 │ 전초

채취시기 │ 여름~가을

약성미 │ 성질은 차고 맛은 달다.

주치활용 │ 소화불량, 당뇨병, 골절, 창상, 방광염, 고혈압

효능 │ 건위, 소식, 강장, 청열, 자음, 항압, 이뇨, 피로회복

민간활용 │ 메꽃은 기(氣)를 늘리고 얼굴의 주름을 없애며 얼굴색을 좋게 한다.

2011 ⓒ 메밀

학명 | Fagopyrum esculentum

분류 | 쌍떡잎식물 마디풀목 마디풀과

원산지 | 동부 아시아의 북부 및 중앙 아시아

생육상 | 한해살이풀

메밀

서식 메밀은 각지에서 재배한다.

뿌리 뿌리는 천근성이나 원뿌리는 가뭄에 강하다.

줄기 줄기 속은 비어 있다.

잎 잎은 원줄기 아래쪽 1~3마디는 마주나지만 그 위의 마디에서는 어긋난다.

꽃
· 꽃은 백색이고 7~10월에 무한꽃차례로 무리지어 핀다.
· 꽃에는 꿀이 많아 벌꿀의 밀원이 되고 타가수정을 주로 한다.
· 수술은 8~9개이며 암술은 1개이다.
· 메밀꽃은 같은 품종이라도 암술이 길고 수술이 짧은 장주화와 암술이 짧다.
· 수술이 긴 단주화가 거의 반반씩 생기는데 이것을 이형예현상이라고 한다.

열매 열매는 성숙하면 갈색 또는 암갈색을 띠며 모양은 세모진다.

이용
· 풋것은 베어 사료로 쓰며, 잎은 채소로도 이용된다.
· 가루는 메밀묵이나 면을 만드는 원료가 되어 한국에서는 옛날부터 메밀묵과 냉면을 즐겨 먹었다.

약 용 활 용

생약명 | 교맥(喬麥)

이용부위 | 종자

채취시기 | 가을

약성미 | 성질은 평하고 맛은 시고 독이 없다.

주치활용 | 급성장염, 장위적체, 만성 하리, 이질, 적유단독, 옹저, 화상

효능 | 개위관장, 하기소적

민간활용 | 민간에서는 메밀가루를 술로 반죽하여 타신과 손가락병 등에 바르면 효과가 있다.

주의 | 잎을 생으로 먹으면 동풍으로 신체소양 또는 설사를 일으킨다. 종자는 소화가 잘 안 되고, 자주 먹으면 현기증이 일어나므로 주의한다.

2011 ⓒ 며느리밑씻개

학명 | Persicaria senticosa

분류 | 쌍떡잎식물 마디풀목 마디풀과

분포 | 한국, 일본, 중국

생육상 | 덩굴성 한해살이풀

며느리밑씻개

서식 들에서 흔히 자란다.

줄기 가지가 많이 갈라지면서 붉은빛이 돌며 네모진 줄기와 더불어 갈고리 같은 가시가 있어 다른 물체에 잘 붙는다.

잎 잎은 어긋나고 삼각형으로 가장자리가 밋밋하며 잎 같은 턱잎이 있다.

꽃
· 꽃은 양성이고 7~8월에 피며 가지 끝에 모여 달리고 꽃대에 잔털과 선모가 있다.
· 꽃잎이 없고 꽃받침은 깊게 5개로 갈라지며 연한 홍색이지만 끝부분은 적색이다.
· 수술은 8개, 암술은 3개이다.

열매 열매는 수과로 둥글지만 다소 세모지고 흑색이며 대부분 꽃받침으로 싸여 있다.

이용 어린 순은 나물로 먹는다.

약용활용

생약명 | 낭인(廊茵)

이용부위 | 전체

채취시기 | 여름에 채취하여 쇄건한다.

약성미 | 성질은 평하고 맛은 시고 약간 맵다.

주치활용 | 사두창, 옹랑, 영아의 태독, 자궁하수, 위통, 사교상, 습진, 소양통, 외치내치

효능 | 행혈, 산어, 소종, 해독

학명 | Persicaria perfoliata

분류 | 쌍떡잎식물 마디풀목 마디풀과

분포 | 한국, 일본, 중국, 말레이시아

생육상 | 한해살이 덩굴식물

며느리배꼽

서식 들에서 흔히 자란다.

줄기 갈고리 같은 가시가 있어 다른 물체에 잘 붙어 올라간다.

잎
· 잎은 어긋나게 붙는다.
· 긴 잎자루가 다소 올라붙어서 배꼽같이 보인다고 하여 배꼽이라는 이름이 생겼으며 삼각형이다.
· 잎가장자리가 밋밋하고 뒷면은 흰빛이 돌며 잎맥을 따라 잔가시가 있다.
· 턱잎은 잎같이 생기고 나팔처럼 퍼진다.

꽃
· 꽃은 엷은 녹백색으로 7~9월에 피고 수상꽃차례로 달리며 꽃이삭 밑에 잎 같은 포가 있다.
· 화피는 5개, 수술은 8개이며 암술은 3개이다.

열매 열매는 달걀 모양의 구형이고 다소 세모지며 윤기가 나는 흑색이고 육질화한 하늘색 꽃받침으로 싸여 있다.

이용 어린 순은 나물로 먹는다.

약용활용

생약명 | 강판귀(扛板歸), 자리두(刺梨頭), 용선초(龍仙草)

이용부위 | 전초

채취시기 | 가을

약성미 | 성질은 평하 맛은 쓰다.

주치활용 | 수종, 황달, 하리, 말라리아, 이질, 백일해, 습진, 개선, 임탁, 단독

효능 | 이수, 소종, 청열, 활혈, 해독

민간활용 | 민간에서는 피부병, 옴, 양모 등에 쓰인다.

주의 | 허약체질에는 복용에 주의를 요한다.

2011 ⓒ 먹쇠채

학명 | Scorzonera ruprechtiana Lipshitz et Kraschen.

분류 | 쌍떡잎식물 초롱꽃목 국화과

분포 | 한국, 중국, 몽골, 시베리아

생육상 | 여러해살이풀

떡쇠채

서식 양지에서 자란다.

줄기 줄기는 곧게 서며 굵고 곧은 뿌리에서 잎이 모여 나오며 자란다.

잎
· 뿌리잎은 선상 바소꼴이고 처음에는 털이 있으나 없어진다.
· 가장자리가 밋밋하고 자르면 흰 유액이 나온다.

꽃
· 꽃은 5~6월에 피고 1개의 꽃대가 자라서 끝에 1개의 황색 두상화가 달린다.
· 포는 선상 바소꼴이다.

열매 열매는 수과(瘦果)로 선형이며 관모(冠毛)는 연한 갈색이다.

이용 연한 꽃대를 생식하고 어린 순은 나물로 먹는다.

약 용 활 용

생약명 | 아총(鴉葱)

이용부위 | 뿌리

채취시기 | 여름, 가을

약성미 | 성질은 차고 맛은 약간 쓰고 짜다.

주치활용 | 오로칠상, 정창옹종

효능 | 소종, 해독

민간활용 | 민간에서는 뿌리를 보신장양으로 쓰기로 한다.

2011 ⓒ 멸가치

학명 | Adenocaulon himalaicum
분류 | 쌍떡잎식물 초롱꽃목 국화과
분포 | 한국, 일본, 중국, 히말라야
생육상 | 여러해살이풀

멸가치

서식 응달의 다소 습기가 있는 곳에서 자란다.

줄기
- 줄기는 곧게 서고 짧은 뿌리줄기에서 1대의 원줄기가 나와 가지가 갈라진다.
- 윗부분에 대가 있는 선이 있고 줄기와 잎의 뒷면에 선모가 밀생한다.

잎
- 잎은 어긋나고 삼각상 신장형이다.
- 잎 뒷면에는 솜털 같은 털이 밀생하고 흰빛이 되며 가장자리에 톱니가 있다.

꽃
- 꽃은 백색으로 8~9월에 피고 가지 끝에 두상화가 1개씩 달린다.
- 총포는 반구형이고 포조각은 5~7개이다.

열매 열매는 수과로 곤봉같이 생기고 방사상으로 퍼지며 선이 밀생하여 끈적끈적하고 관모는 없다.

이용
- 어린 잎을 식용한다.
- 염료식물로 이용한다.

약 용 활 용

생약명 | **야로**(野蕗)

이용부위 | **전초**

채취시기 | **봄~여름**(6~7월)

주치활용 | 기침, 천식, 산후복통, 수종, 소변불통, 종기, 악창

효능 | 지해, 평천, 이뇨, 산어, 소염제, 지혈제

학명 | Chenopodium album var. centrorubrum

분류 | 쌍떡잎식물 중심자목 명아주과

분포 | 한국, 일본, 중국 북동부

생육상 | 한해살이풀

명아주

줄기 녹색줄이 있다.

잎
- 잎은 어긋나고 삼각상 달걀 모양이다.
- 어릴 때 중심부에 붉은빛이 돌고 가장자리에 물결 모양의 톱니가 있다.

꽃
- 꽃은 양성이고 황록색이며 수상꽃차례에 밀착하여 전체적으로 원추꽃차례가 된다.
- 꽃잎이 없고 꽃받침은 5개로 갈라지며 5개의 수술과 1개의 암술이 있다.

열매 열매는 꽃받침으로 싸인 포과이고 검은 종자가 들어 있다.

이용 어린 순은 나물로 먹고 생즙은 일사병과 독충에 물렸을 때 쓴다.

약용활용

생약명 | 려(藜)

이용부위 | 전초

채취시기 | 봄(5~6월 꽃이 피기 전)

약성미 | 성질은 평하며 맛은 달고 약간 독이 있다.

주치활용 | 이질, 복사, 습창양진, 독충교상

효능 | 청혈, 이습, 살충, 건위, 진통, 강장

민간활용 | 독충에 물렸을 때 생잎을 짓찧어 즙(汁)을 내어 바르면 해독되고 또한 어루러기에 바르면 효과가 있다.

주의 | 명아주는 나물로 많이 복용하므로 알레르기에 주의하여야 한다.

2011 ⓒ 모데미풀

학명 | Megaleranthis saniculifolia

분류 | 쌍떡잎식물 미나리아재비목 미나리아재비과

분포 | 한국 특산종(소백산, 덕유산, 설악산)

생육상 | 여러해살이풀

모데미풀

서식 깊은 산의 다소 습기가 있는 곳이나 능선상에서 자란다.

줄기 모여나기 한다.

잎
- 잎은 모두 뿌리에서 나오고 3개로 완전히 갈라진다.
- 갈래조각은 다시 2~3개로 갈라진 다음 깊이 패어 들어간 모양의 톱니가 생기거나 다시 2~3개로 갈라진다.

꽃
- 꽃은 5월에 백색으로 핀다.
- 밑에 줄기잎처럼 보이는 커다란 포가 돌려붙는다.
- 꽃받침조각과 꽃잎은 각각 5개씩이고 수술과 암술은 많다.

열매 열매는 골돌이고 끝에 암술대가 붙어 있고 방사상으로 배열한다.

┌─ **약 용 활 용** ─────────

생약명 | 은연초(銀蓮草)

이용부위 | 뿌리

채취시기 | 여름

약성미 | 유독성

효능 | 진경, 진통, 강심, 황달, 살충, 충독

민간활용 | 민간에서는 뿌리를 중풍실음, 냉풍, 진경, 이뇨, 강심, 살충, 충독등에 약으로 쓰기도 한다.

주의 | 유독성 식물이므로 임의복용을 피한다.

2011 ⓒ 모래지치

학명 | Messerschmidia sibirica
분류 | 쌍떡잎식물 통화식물목 지치과
분포 | 아시아와 유럽 온대에서 난대
생육상 | 여러해살이풀

모래지치

서식	바닷가의 모래땅에서 자란다.
땅속줄기	땅속줄기가 옆으로 뻗으면서 자란다.
줄기	줄기는 곧게 서며 가지가 비스듬히 퍼지고 잎이 밀생하며 흰 털이 있어 녹백색으로 보인다.
잎	잎은 어긋나고 주걱형 또는 긴 타원상 바소꼴로 두꺼우며 눈털이 있다.
꽃	·꽃은 8월에 피고 취산꽃차례에 달리며 백색이다. ·꽃받침과 꽃잎은 각각 5개로 갈라지고 씨방은 4실이며 갈라지지 않고 수술은 5개이다.
열매	열매는 핵과이며 4개의 둔한 능선이 있다.

┌─ 약 용 활 용 ─

생약명 | 사인초(砂引草)

이용부위 | 전초

주치활용 | 인견간결, 경부림프절 결핵

효능 | 양혈, 활혈투진, 제창해독

2011 ⓒ 모시대

학명 | Adenophora remotiflora

분류 | 쌍떡잎식물 초롱꽃목 초롱꽃과

분포 | 한국, 일본, 중국 북동부

생육상 | 여러해살이풀

모시대

서식 산지의 다소 그늘진 곳에서 자란다.

줄기 줄기는 곧게 서며 뿌리는 도라지 뿌리처럼 굵다.

잎
· 잎은 어긋나고 밑부분의 것은 잎자루가 길다.
· 달걀 모양의 심장형 · 달걀 모양 또는 넓은 바소꼴이고 가장자리에 뾰족한 톱니가 있다.
· 잎자루는 위로 올라갈수록 짧아진다.

꽃
· 꽃은 8~9월에 피고 자줏빛이다.
· 종처럼 생긴 꽃이 엉성한 원추꽃차례로 밑을 향하여 달린다.
· 화관은 끝이 5개로 갈라지며 5개의 수술과 1개의 암술이 들어 있다.

열매 씨방 하위이며 열매는 삭과다.

― 약 용 활 용 ―

생약명 | 제니

이용부위 | 잎

채취시기 | 봄(5월)

약성미 | 성질은 평하고 맛은 쓰다.

주치활용 | 이질, 중이염, 이명, 이농, 관절의 통증

효능 | 해독, 거풍, 거담

학명 | Pilea mongolica

분류 | 쌍떡잎식물 쐐기풀목쐐기풀과

분포 | 한국, 일본, 중국, 아무르, 우수리

생육상 | 한해살이풀

모시물통이

서식 그늘진 습지에서 흔히 자란다.

줄기 줄기는 곧게 선다.

잎 잎은 마주나고 마름모꼴의 달걀모양으로 양 끝이 좁아지며 가장자리에 톱니가 있다.

꽃
· 꽃은 1가화로 9월에 핀다.
· 잎겨드랑이에 모여서 밀산꽃차례를 형성하며 연한 녹색이다.
· 꽃받침조각은 길고 짧은 것이 있으나 꽃이 핀 다음 열매를 감싼다.

열매 열매는 수과로 달걀모양이며 편평하다.

이용 어린 잎과 줄기는 식용한다.

약 용 활 용

생약명 | 투경냉수화(透莖冷水花)

이용부위 | 뿌리, 줄기, 잎

채취시기 | 여름~가을

약성미 | 성질은 차고 맛은 달다.

주치활용 | 당뇨병, 임신중 태동, 유산전소증, 외상출혈, 급성신우신염, 요도염, 자궁내막염

효능 | 지혈, 억균작용, 혈액응고

2011 ⓒ 모시풀

학명 | Boehmeria nivea (L.) GAUDICH.

분류 | 쌍떡잎식물 쐐기풀목 쐐기풀과

분포 | 한국, 중국, 일본, 필리핀, 인도, 인도네시아

생육상 | 여러해살이풀

모시풀

뿌리
- 모시는 땅 속에서 땅속줄기가 형성되어 상당히 굵게 자라는데 이것을 흡지라고 한다.
- 이 흡지의 각 마디에서 가는 뿌리가 발생하여 근군을 형성한다.

줄기
- 매년 흡지의 각 마디에서 여러 개의 새 줄기가 발생한다.
- 한 그루에서 10개 이상의 줄기가 생성되며, 어릴 때에는 녹색을 나타내나 성숙하면 다갈색으로 변한다.
- 줄기의 인피부에 생성되는 섬유 세포가 우리들이 이용하는 섬유이다.
- 모시풀의 잎은 긴 잎자루가 있으며, 잎몸은 넓은 염통 모양으로 되어 있고, 잎 둘레는 톱날 모양으로 되어 있다.

잎 잎은 어긋나며, 잎 뒷면에 흰털이 있는 백모시와 털이 없는 녹모시가 있다.

꽃
- 꽃은 작은 단성화이며 암수 한 몸이나 암꽃은 줄기의 상부 마디에, 수꽃은 하부 마디에 착생한다.
- 양자가 갈라지는 마디에는 양성의 단성화 또는 양전화도 착생된다.
- 수꽃은 4개의 포 및 4개의 수술로 되어 있으며 아침 10~12시경에 핀다.
- 암꽃은 털이 많은 포에 싸여 있으며 개화할 때는 암술머리가 외부에 노출된다.

열매 종자는 평평한 방추형을 나타내고 갈색이며 매우 작다.

약 용 활 용

생약명 | 저마(苧麻)

이용부위 | 꽃

채취시기 | 여름(7~8월)

약성미 | 성질은 차고 맛은 달다.

주치활용 | 열병, 대갈, 대광, 혈림, 토혈, 하열, 적백대하, 단독, 옹종, 타박상, 사교상 및 독충교상

효능 | 청열, 지혈, 해독, 산어

주의 | 위약, 설사자, 혈열병이 아닌 자는 복용을 금한다.

2011 ⓒ 목화

학명 | Gossypium

분류 | 쌍떡잎식물 아욱목 아욱과

원산지 | 인도

분포 | 열대, 온대지방

생육상 | 한해살이풀

목화

서식 열대지방 원산이 많으나, 섬유작물로서 온대지방에서도 널리 재배하고 있다.

줄기 줄기가 곧게 자라면서 가지가 갈라진다.

잎 잎은 어긋나고 3~5개가 손바닥 모양으로 갈라지며, 턱잎은 세모꼴의 바소꼴이다.

꽃
· 꽃은 백색 또는 황색이다.
· 5개의 꽃잎은 나선상으로 말린다.
· 꽃받침 밑에 톱니가 있는 3개의 포(苞)가 있고, 안쪽에 작은 꽃받침이 있다.
· 1개의 암술과 약 130개의 수술이 있다.

열매
· 열매는 삭과로 달걀 모양이며 끝이 뾰족하다.
· 삭과가 성숙하면 긴 솜털이 달린 종자가 나오는데, 털은 모아서 솜을 만들고 종자는 기름을 짠다.

이용 면사, 면직물, 혼방직물, 그물 같은 용도 이 외에 이불솜, 옷솜, 탈지면 같은 제면용, 면화약 · 셀룰로이드 등의 공업원료로 이용한다.

— 약 용 활 용 —

생약명 | 면화자(棉花子)

이용부위 | 종자

채취시기 | 가을

약성미 | 성질은 뜨겁고 맛은 맵다.

주치활용 | 체허해천, 산기, 붕대, 자궁탈수

효능 | 보허, 평천. 조경, 강장, 지혈, 소종, 통경

주의 | 남성 불임자는 복용을 피한다.

학명 | Raphanus sativus var. hortensis for. acanthiformis Makino

분류 | 쌍떡잎식물 양귀비목 겨자과

분포 | 한국, 일본, 중국 등

생육상 | 한해살이풀 또는 두해살이풀

무

잎	· 뿌리잎은 1회 깃꼴겹잎이며 어긋난다. · 털이 있고 최종 갈래조각이 가장 크다.
꽃	· 꽃줄기는 자란 다음 가지를 치며, 그 밑에서 총상꽃차례가 발달한다. · 꽃은 4~5월에 피며 연한 자주색 또는 거의 백색이다. · 십자형으로 배열되며 작은 꽃자루가 있다. · 꽃받침은 줄 모양의 긴 타원형이다. · 꽃잎은 넓은 달걀을 거꾸로 세운 모양의 쐐기형이며, 꽃받침보다 2배 정도 길다. · 1개의 암술과 6개의 수술 중 4개가 길다.
열매	· 열매는 각과이며, 터지지 않는다. · 한 꼬투리에 2~10개의 씨가 들어 있다. · 종자는 달걀 모양으로 적갈색인 것도 황색 및 회갈색인 것도 있다.

약 용 활 용

생약명 | 내복자(萊菔子)

이용부위 | 종자

채취시기 | 가을

약성미 | 성질은 따뜻하고 맛은 맵고 독이 없다.

주치활용 | 식적기체, 흉민복장, 하리후중, 소화불량, 이질, 유방염, 유즙분비 부족, 해수, 천식, 변비

효능 | 하기, 정천, 소식, 화담, 항균

학명 | Arisaema thunbergii

분류 | 외떡잎식물 천남성목 천남성과

분포 | 한국, 일본

생육상 | 여러해살이풀

무늬천남성

잎
- 알줄기에서 1개의 잎이 자라고 작은잎은 9~17개이다.
- 중앙의 작은잎은 선상 바소꼴 또는 바소꼴로 톱니가 없으며 물결 모양이다.

꽃
- 꽃은 4월 중순~5월경에 피고 2가화이다.
- 포는 검은 자줏빛이 돌고 현부는 달걀 모양이며 통부의 위를 덮고 앞으로 처지면서 끝이 실처럼 가늘어진다.
- 수상꽃차례이다.
- 포 안에서 현부 위로 나와서 채찍처럼 밑으로 처지며 밑부분은 방추상으로 굵어지면서 주름살이 생긴다.

열매 열매는 장과로 적색으로 익는다.

약 용 활 용

생약명 | 천남성(天南星)

이용부위 | 줄기

채취시기 | 가을

약성미 | 성질은 따뜻하고 맛은 쓰고 맵다.

주치활용 | 운동신경을 부활하고 중풍, 반신불수, 운동 신경마비, 안면신경마비, 팔다리 폈다 구부렸다 작용에 도움이 된다.

효능 | 거담, 진경, 소종, 거풍

민간활용 | 민간약으로 곤충에 물린 데 외용했다.

2011 ⓒ 무릇

학명 | Scilla scilloides

분류 | 외떡잎식물 백합목 백합과

분포 | 아시아 동북부의 온대에서 아열대까지

생육상 | 여러해살이풀

무릇

서식 약간 습기가 있는 들판에서 무성하게 자란다.

줄기 줄기는 곧게 서며, 땅 속에 달걀 모양의 둥근 형태의 비늘줄기가 있다.

잎 잎은 봄과 가을에 2개씩 나온다.

꽃
· 꽃은 7~9월에 피고 꽃줄기가 나와 끝에 총상꽃차례가 발달한다.
· 꽃은 연한 홍자색이고 화피갈래조각과 수술은 각각 6개이며 암술은 1개이다.
· 씨방은 타원형이고 잔털이 3줄로 돋아 있다.

열매 열매는 달걀을 거꾸로 세운 모양이다.

이용 비늘줄기와 어린 잎을 엿처럼 오랫동안 조려서 먹으며, 구황식물의 하나이다.

약 용 활 용

생약명 | 면조아(綿棗兒)

이용부위 | 뿌리줄기

채취시기 | 봄(4~5월)

약성미 | 성질은 차고 맛은 쓰고 독이 없다.

주치활용 | 임질을 내려가게 하고, 산후의 혈민과 태가 나오지 아니함을 치료, 정창

효능 | 소종, 지갈, 구충제

2011 ⓒ 문주란

학명 | Crinum asiaticum var. japonicum

분류 | 외떡잎식물 백합목 수선화과

분포 | 한국(제주), 열대 아시아, 북아메리카 해안

생육상 | 상록 여러해살이풀

문주란

서식 온난한 해안의 모래땅에서 자란다.

줄기 비늘줄기는 원주형이다.

잎
· 잎은 털이 없고 육질이다.
· 밑부분은 잎집으로 되어 비늘줄기를 둘러싸고, 윗부분은 뒤로 젖혀진다.

꽃
· 꽃은 7~9월에 피고 산형꽃차례에 2개의 커다란 포와 많은 꽃이 달린다.
· 꽃 사이에 선 모양의 포가 있다.
· 꽃은 백색이고 향기가 있으며 6개의 화피조각과 수술이 있고 1개의 암술이 있다.

열매 열매는 삭과이다.

이용
· 한국에서 유일하게 자생하는 군락지인 제주 토끼섬은 천연기념물 19호로 지정, 보호되고 있다.
· 관상용으로 이용된다.

― 약 용 활 용 ―

생약명 | 나군대(羅裙帶)

이용부위 | 잎

채취시기 | 수시

약성미 | 성질은 차고 맛은 달고 독이 약간 있다.

주치활용 | 옹종창독, 타박골절, 두통, 관절통, 해수, 후통, 아통, 종통

효능 | 청화, 해독, 산어, 소종, 진통. 해독

학명 | Monochoria vaginalis var. plantaginea

분류 | 외떡잎식물 분질배유목 물옥잠과

분포 | 한국, 일본, 타이완, 중국, 인도, 말레이시아 등지

생육상 | 한해살이풀

물달개비

서식 논이나 못의 물가에서 자란다. 줄기는 5~6개씩 뭉쳐 나오고 짧으며 각 1개씩의 잎이 달린다.

잎
- 잎은 넓은 바소 모양 또는 세모진 달걀 모양이다.
- 밑이 둥글거나 약간 심장 모양이고 가장자리가 밋밋하다.
- 뿌리에서 나온 잎의 잎자루와 줄기에 달린 잎의 잎자루가 있다.

꽃
- 꽃은 9월에 푸른 자주색으로 피고 3~7개가 총상꽃차례를 이루며 달린다.
- 꽃차례는 길이가 잎보다 짧으며 꽃이 피면 밑으로 숙인다.
- 화피조각은 6개이고 긴 타원 모양이다.
- 수술은 6개이고 그 중 1개가 크며 수술대 한쪽에 톱니 같은 돌기가 있다.

열매
- 열매는 삭과이고 타원 모양이며 밑으로 처지고 종자가 많이 들어 있다.
- 종자는 세로 줄이 있으며 옆으로 뚜렷하지 않은 줄이 있다.

약 용 활 용

생약명 | 압설초(鴨舌草), 곡초

이용부위 | 전초

채취시기 | 가을(9월 꽃 필 때)

약성미 | 맛은 쓰고 성질은 서늘하다.

주치활용 | 이질, 급성편도선염, 치주염, 단독, 장염, 정창, 고열, 해수, 천식

효능 | 청열, 이뇨, 소종, 해독

학명	Hypericum ascyron
분류	쌍떡잎식물 측막태좌목 물레나물과
분포	한국, 시베리아 동부, 중국, 일본 등지
생육상	여러해살이풀

물레나물

서식 산기슭이나 볕이 잘 드는 물가에서 자란다.

줄기 줄기는 곧게 서고 네모지며 가지가 갈라지고 윗부분은 녹색이고 밑 부분은 연한 갈색이며 목질이다.

잎
· 잎은 마주나고 바소꼴이다.
· 끝이 뾰족하고 밑 부분이 줄기를 감싸며 가장자리가 밋밋하고 투명한 점이 있으며 잎 자루가 없다.

꽃
· 꽃은 6~8월에 핀다.
· 황색 바탕에 붉은빛이 돌고 가지 끝에 1개씩 위를 향하여 달린다.
· 꽃받침조각은 5개이고 달걀 모양이며 맥이 많다.
· 꽃잎은 5개이고 넓은 달걀 모양이며, 5개가 모두 한쪽 방향으로 굽어 바람개비 모양을 이룬다.
· 수술은 수가 많고, 암술은 1개이며 암술대는 끝이 깊게 5개로 갈라진다.

열매
· 열매는 삭과이고 달걀 모양이다.
· 종자는 작은 그물맥이 있고 한쪽에 모가 난 줄이 있다.

이용
· 어린 순은 나물로 먹는다.
· 관상가치가 있는 원예식물이다.

약 용 활 용

생약명 | 홍한련(紅旱蓮)

이용부위 | 전초

채취시기 | 가을

주치활용 | 두통, 토혈, 타박상, 부스럼, 종기, 중이염, 화상

효능 | 평간, 지혈, 패독, 소종, 국소마취, 대장염, 이뇨, 해열, 통경약

민간활용 | 민간에서는 전초 달임물을 두통, 현기증, 위염, 편도염, 류머티즘에 약으로 썼으며, 뿌리는 건위약, 해열약으로 썼다.

주의 | 많이 먹으면 피부염을 일으킬 염려가 있다.

2011 ⓒ 물매화

학명 | Parnassia palustris

분류 | 쌍떡잎식물 장미목 범의귀과

분포 | 북반구의 온대와 아한대

생육상 | 여러해살이풀

물매화

서식 산지의 볕이 잘 드는 습지에서 자란다.

줄기 줄기는 3~4개가 뭉쳐나고 곧게 선다.

잎
· 뿌리에서 나온 잎은 뭉쳐나고 가장자리가 밋밋하고 잎자루가 길다.
· 줄기에 달린 잎은 1개이고 잎자루가 없으며 밑 부분이 줄기를 감싼다.

꽃
· 꽃은 7~9월에 흰색으로 피고 줄기 끝에 1개씩 위를 향해 달린다.
· 꽃받침조각은 5개이며 긴 타원 모양이고 녹색이다.
· 꽃잎은 5개이고 넓은 달걀 모양 또는 타원 모양이며 수평으로 퍼진다.
· 수술은 5개이고, 헛수술은 5개이며 12~22개로 갈라지고 끝이 황색을 띤 녹색의 작은 구 모양이다.
· 씨방은 상위이고, 암술대는 4개로 갈라진다.

열매 열매는 삭과이고 넓은 달걀 모양이다.

── 약 용 활 용 ──

생약명 | 매화초
이용부위 | 전초(뿌리 제외)
채취시기 | 여름(7~9월)
약성미 | 성질은 서늘하고 맛은 쓰다.
주치활용 | 종기, 급성간염, 맥관염, 황달, 동맥염
효능 | 해독, 종기, 청열, 양혈

2011 ⓒ 물봉선

학명 | Impatiens textori
분류 | 쌍떡잎식물 무환자나무목 봉선화과
분포 | 한국, 일본, 중국 동북부
생육상 | 한해살이풀

물봉선

서식 산골짜기의 물가나 습지에서 무리 지어 자란다.

줄기 줄기는 곧게 서고 육질이며 많은 가지가 갈라지고 마디가 굵다.

잎 잎은 어긋나고 넓은 바소꼴이며 끝이 뾰족하고 가장자리에 예리한 톱니가 있다.

꽃
- 꽃은 8~9월에 붉은빛이 강한 자주색으로 핀다.
- 가지 윗부분에 총상꽃차례를 이루며 달리는데, 작은꽃자루와 꽃대가 아래쪽으로 굽는다.
- 꽃의 밑 부분에 작은 포가 있으며, 꽃받침조각과 꽃잎은 각각 3개이다.
- 꿀주머니는 넓으며 끝이 안쪽으로 말린다.
- 수술은 5개이고 꽃밥은 합쳐진다.

열매 열매는 삭과이고 바소꼴이며 익으면 터지면서 종자가 튀어나온다.

약용활용

생약명 | 야봉선화(野鳳仙花)

이용부위 | 전초

채취시기 | 여름~가을철

약성미 | 성질은 차고 맛은 쓰다.

주치활용 | 타박상, 해독제, 궤양, 악창, 피부궤양

효능 | 해독, 청량, 방부

주의 | 전체에 독이 있어서 잘못 먹으면 매우 쓰고, 구토를 유발하여 위장을 해친다.

2011 ⓒ 물양지꽃

학명 | Potentilla cryptotaeniae

분류 | 쌍떡잎식물 장미목 장미과

분포 | 한국, 중국 동북부, 일본, 우수리강 유역, 아무르 등지

생육상 | 여러해살이풀

물양지꽃

서식 깊은 산 속의 냇가에서 자란다.

줄기 줄기는 전체에 털이 있다.

잎
- 뿌리에서 나온 잎은 꽃이 필 때 말라 없어진다.
- 줄기에서 나온 잎은 어긋난다.
- 석 장의 작은잎이 나온 잎이고, 잎자루는 줄기 밑부분에서 길지만 윗부분에서는 짧다.
- 턱잎은 길이의 절반 이상이 잎자루에 붙는다.
- 작은잎은 타원 모양이고 양 끝이 좁으며 끝이 뾰족하고 가장자리에 둔한 겹톱니가 있다.

꽃
- 꽃은 7~8월에 황색으로 피고 가지 끝에 취산꽃차례를 이루며 달린다.
- 꽃받침조각은 달걀 모양의 바소꼴이며, 부악편은 거꾸로 세운 바소꼴이다.
- 꽃잎은 5개이고 달걀을 거꾸로 세운 모양의 원형이다.
- 꽃받침조각과 거의 같고, 수술은 20개이며, 암술은 수가 많다.

열매 열매는 수과이고 달걀 모양이며 털이 없고 주름이 있다.

이용 어린 순은 나물로 먹는다.

┌─ 약 용 활 용 ─

생약명 | 낭아위릉채(狼牙萲陵菜)

이용부위 | 전초

채취시기 | 봄~여름(5~8월)

주치활용 | 타박상, 만성기침, 복통, 설사, 이질, 창독, 구내염

효능 | 해독, 향균, 지혈, 구충

2011 ⓒ 물옥잠

학명 | Monochoria korsakowi

분류 | 외떡잎식물 분질배유목 물옥잠과

분포 | 한국, 일본, 중국, 시베리아 동부, 우수리강 유역 등지

생육상 | 여러해살이풀

물옥잠

서식 논과 늪의 물 속에서 자란다.

줄기 줄기는 스폰지같이 구멍이 많아 연약하다.

잎
- 줄기 밑부분의 잎은 잎자루가 길지만 줄기 위로 올라갈수록 잎자루가 짧아지고 밑 부분이 넓어져서 줄기를 감싼다.
- 잎몸은 심장 모양이고 가장자리가 밋밋하고 끝이 뾰족하다.

꽃
- 꽃은 9월에 청색을 띤 자주색으로 핀다.
- 줄기 끝에 총상꽃차례를 이루며 달린다.
- 꽃 밑부분에 칼집 모양의 포가 있다.
- 화피는 6개로 갈라지고 수평으로 퍼지며, 갈라진 조각은 타원 모양이고 끝이 둔하다.
- 수술은 6개인데, 그 중 5개는 짧고 노란색이며, 나머지 한 개는 길고 자주색이다.
- 암술대는 가늘고 비스듬히 올라간다.
- 씨방은 상위이고 자라면서 밑을 향하여 처진다.

열매 열매는 삭과이고 달걀 모양의 긴 타원형이며 끝에 암술대가 남아 있다.

약 용 활 용

생약명 | 우구(禹韭, 憂懼, 偶句)

이용부위 | 줄기잎

채취시기 | 가을

약성미 | 성질은 차고 맛은 달고 짜다.

주치활용 | 천식, 기침

효능 | 청열, 거습, 정천, 해독, 소종, 해수, 천식, 해열

2011 ⓒ 물칭개나물

학명 | Veronica undulata Wall.

분류 | 쌍떡잎식물 통화식물목 현삼과

분포 | 한국, 일본, 타이완, 중국 동북부, 아무르, 사할린 등지

생육상 | 두해살이풀

물칭개나물

서식 물가의 습지에서 자란다.

줄기 줄기는 곧게 서고 부드러우며 약간 육질이다.

잎
· 잎은 마주나고 자줏빛이 돌며 바소꼴 또는 긴 타원 모양의 바소꼴이다.
· 끝이 뾰족하고 가장자리에 물결 모양의 잔 톱니가 있다.
· 잎자루가 없으며 잎의 밑부분은 둥글거나 약간 심장 모양이고 줄기를 감싼다.

꽃
· 꽃은 8월에 연한 자줏빛 줄이 있는 흰색으로 피고 잎겨드랑이와 줄기 끝에 총상꽃차례를 이루며 달린다.
· 작은꽃자루는 선모가 있다. 포는 넓은 줄 모양이고 작은꽃자루와 길이가 비슷하다.
· 꽃받침은 4개로 갈라지고, 갈라진 조각은 긴 타원 모양이다.
· 화관은 4개로 갈라지고 수술은 2개, 암술은 1개이다.

열매 열매는 삭과이고 둥글고 4개로 갈라진다.

이용 어린 순은 나물로 먹는다.

약 용 활 용

생약명 | 수고매(水苦蕒)

이용부위 | 줄기

채취시기 | 5~6월

약성미 | 성질은 서늘하고 맛은 쓰다.

주치활용 | 감기, 인후의 동통, 노상으로 인한 기침 및 출혈의 증상

효능 | 청열, 이습, 지혈, 화어

학명 | Phytolacca americana

분류 | 쌍떡잎식물 중심자목 자리공과

원산지 | 북아메리카

생육상 | 한해살이풀

미국자리공

서식 굵은 뿌리에서 줄기가 나온다.

줄기 줄기는 윗부분에서 가지가 갈라지고 붉은빛이 강한 자주색이다.

잎
· 잎은 어긋나고 긴 타원 모양 또는 달걀 모양의 타원형이다.
· 양끝이 좁고 가장자리가 밋밋하다.

꽃
· 꽃은 6~9월에 붉은빛이 도는 흰색으로 피고 총상꽃차례를 이루며 달린다.
· 꽃받침조각은 5개이고, 수술과 암술대는 각각 10개씩이다.

열매
· 열매는 장과이고 꽃받침이 남아 있고 붉은빛이 강한 자주색으로 익으며 검은 색 종자가 1개씩 들어 있다.
· 종자는 광택이 있으며, 심피가 서로 붙어 있으므로 열매가 익어도 갈라지지 않는다.

약용활용

생약명 | 상륙(商陸)

이용부위 | 뿌리

채취시기 | 가을(10~11월)

약성미 | 성질 차고 맛은 쓰고 독이 있다.

주치활용 | 수종, 이뇨, 신장염, 배에 물이 고인 경우, 목구멍이 아픈 데, 곪는 데, 악창

효능 | 통변행수, 소종독

민간활용 | 열독종에는 상륙근에 소금을 조금 넣어 찧어 하루 한번씩 붙인다

주의 | 상륙은 흰 것과 붉은 것 2종이 있는데 적색 상륙은 독이 심하여 내복하면 부작용이 심하므로 외용으로 쓴다.

2011 ⓒ 미나리

학명 | Oenanthe javanica

분류 | 쌍떡잎식물 산형화목 미나리과

분포 | 한국, 일본, 중국, 타이완, 말레이시아, 인도 등지

생육상 | 여러해살이풀

미나리

서식 습지에서 자라고 흔히 논에 재배한다.

줄기
- 줄기 밑 부분에서 가지가 갈라져 옆으로 퍼지고 가을에 기는줄기의 마디에서 뿌리가 내려 번식한다.
- 줄기는 털이 없고 향기가 있다.

잎
- 잎은 어긋나고 1~2회 깃꼴겹잎이다.
- 잎자루는 위로 올라갈수록 짧아진다.
- 작은잎은 달걀 모양이고 끝이 뾰족하고 가장자리에 톱니가 있다.

꽃
- 꽃은 7~9월에 흰색으로 피고 줄기 끝에 산형꽃차례를 이룬다.
- 꽃차례는 잎과 마주나며 5~15개의 작은꽃자루로 갈라지고 각각 10~25개의 꽃이 달린다.
- 작은총포의 조각은 6개이고 줄 모양이다.
- 꽃잎은 5개이며 안으로 구부러지고, 씨방은 하위이다.

열매 열매는 분과이고 타원 모양이며 가장자리에 모가 나 있다.

이용 연한 부분은 주로 채소로 이용한다.

약용활용

생약명 | 수근(水芹)

이용부위 | 전초

채취시기 | 여름(6~7월)

약성미 | 성질이 차고 맛이 달고 독이 없다.

주치활용 | 혈변, 임질, 황달, 혈압, 갈증, 신경통, 류머티즘

효능 | 이뇨, 강장, 해독

2011 ⓒ 미나리냉이

학명 | Cardamine leucantha

분류 | 쌍떡잎식물 양귀비목 겨자과

분포 | 한국, 일본, 중국 북부, 시베리아 동부 등지

생육상 | 여러해살이풀

미나리냉이

서식	산지의 그늘진 곳에서 자란다.
땅속줄기	땅속줄기가 길게 옆으로 벋으면서 번식한다.
줄기	줄기는 전체에 부드러운 털이 있다.

잎
· 잎은 어긋나고 깃꼴겹잎이다.
· 작은잎은 5~7개이고 넓은 바소 모양 또는 달걀 모양의 긴 타원형이다.
· 끝이 뾰족하고 가장자리에 불규칙한 톱니가 있다.

꽃
· 꽃은 6~7월에 흰색으로 피고 가지와 줄기 끝에 총상꽃차례를 이루며 달린다.
· 꽃받침조각은 4개이며 타원 모양이다.
· 꽃잎은 4개이며 달걀을 거꾸로 세운 모양이고 꽃받침보다 2배 이상 길다.
· 6개의 수술 중 4개가 길고, 1개의 암술이 있다.

열매	열매는 장각과이다.
이용	어린 순은 나물로 먹는다.

약용활용

생약명	채자칠(采子七)
이용부위	뿌리
채취시기	가을(9월)
주치활용	백일해
효능	유해물질 해독
민간활용	백일해에 물을 넣고 달여서 복용한다.

학명 | Ranunculus japonicus

분류 | 쌍떡잎식물 미나리아재비목미나리아재비과

분포 | 한국, 일본, 중국

생육상 | 여러해살이풀

미나리아재비

서식 산과 들의 볕이 잘 들고 습기가 있는 곳에서 자란다.

줄기 줄기는 곧게 서고 윗부분에서 가지가 여러 개 갈라지며 흰색 털이 빽빽이 있다.

잎
- 뿌리에서 나온 잎은 잎자루가 길고 깊게 3개로 갈라지며 갈라진 조각은 다시 2~3개로 갈라지고 가장자리에 톱니가 있다.
- 줄기에서 나온 잎은 잎자루가 없고 3개로 갈라지며 갈라진 조각은 줄 모양이다.

꽃
- 꽃은 6월에 짙은 노란색으로 피고 취산상으로 갈라진 작은꽃자루에 1개씩 달린다.
- 꽃받침조각은 5개이고 타원 모양이며 겉에 털이 있고 수평으로 퍼진다.
- 꽃잎은 5개이고 달걀을 거꾸로 세운 모양의 원형이며 꽃받침조각보다 2~2.5배 길다. 수술과 암술은 많은 수가 있다.

열매 열매는 수과이고 달걀을 거꾸로 세운 모양의 원형이며 약간 편평하고 구형의 덩어리를 이루며 모여 달린다.

이용 연한 순은 식용한다.

약용활용

생약명 | 모간(毛茛, 毛幹)

이용부위 | 전초. 뿌리

채취시기 | 여름~가을

약성미 | 성질은 따뜻하고 맛은 맵고 독이 있다.

주치활용 | 고혈압 , 간질병, 몸이 부어오르는 부종, 만성대장염, 위통, 편두통, 황달, 학질, 치통, 관절이 쑤시고 아픈 데

효능 | 진통, 소종, 해열

민간활용 | 민간에서는 발포약으로 썼으며, 곪은 상처가 낫지 않고 부풀기만 할 때 잎을 짓찧어 붙이면 고름이 터져나왔다고 한다.

주의 | 독성이 있어서 복용할 때에 주의를 요한다.

학명 | Mimosa pudica

분류 | 쌍떡잎식물 장미목 콩과

원산지 | 브라질

생육상 | 한해살이풀

미모사

서식 브라질이 원산지인 관상 식물로 원예에서는 한해살이풀로 취급한다.

줄기 전체에 잔털과 가시가 있다.

잎
- 잎은 어긋나고 긴 잎자루가 있으며 보통 4장의 깃꼴겹잎이 손바닥 모양으로 배열한다.
- 작은잎은 줄 모양이고 가장자리가 밋밋하며 턱잎이 있다.
- 잎을 건드리면 밑으로 처지고 작은잎이 오므라들어 시든 것처럼 보인다. 밤에도 잎이 처지고 오므라든다.

꽃
- 꽃은 7~8월에 연한 붉은 색으로 피고 꽃대 끝에 두상꽃차례를 이루며 모여 달린다.
- 꽃받침은 뚜렷하지 않으며, 꽃잎은 4개로 갈라진다.
- 수술은 4개이고 길게 밖으로 나오며, 암술은 1개이고 암술대는 실 모양이며 길다.

열매 열매는 협과이고 마디가 있으며 겉에 털이 있고 3개의 종자가 들어 있다.

약 용 활 용

생약명	함수초(含羞草)
이용부위	전초
채취시기	여름(7~8월 개화기)
약성미	성질은 차고 맛은 달고 독이 있다.
주치활용	장염, 위염, 신경쇠약으로 인한 불면증, 신경과민으로 인한 안구충혈, 동통
효능	청열, 안신, 소적, 해독
민간활용	대상포진에 짓찧어 환부에 붙인다.

2011 ⓒ 미역취

학명 | Solidago virga—aurea var, asiatica
분류 | 쌍떡잎식물 초롱꽃목 국화과
분포 | 한국, 일본
생육상 | 여러해살이풀

미역취

서식 산과 들의 볕이 잘 드는 풀밭에서 자란다.

줄기 줄기는 곧게 서고 윗부분에서 가지가 갈라지며 짙은 자주색이고 잔털이 있다.

잎
- 꽃이 필 때 뿌리에서 나온 잎은 없어진다.
- 줄기에서 나온 잎은 날개를 가진 잎자루가 있고 달걀 모양, 달걀 모양의 긴 타원형 또는 긴 타원 모양의 바소꼴이다.
- 끝이 뾰족하고 표면에 털이 약간 있으며 가장자리에 톱니가 있다.
- 줄기 위로 갈수록 잎이 작아지고 폭이 좁아지며 잎자루가 없어진다.

꽃
- 꽃은 7~10월에 노란 색으로 피고 3~5개의 두상화가 산방꽃차례를 이루며 달리고 전체가 커다란 꽃이삭을 형성한다.
- 두상화는 가장자리에 암꽃인 설상화가 1열로 배열하고 가운데에 양성화인 관상화가 여러 개 있다.
- 총포는 통 같은 종 모양이고 포 조각은 4줄로 배열한다.

열매 열매는 수과이고 원통 모양이다.

이용 어린순을 나물로 먹는다.

약용활용

생약명 | 일지황화(一枝黃花)

이용부위 | 전초

채취시기 | 여름~가을

약성미 | 성질은 서늘하고 맛은 맵고 쓰다.

주치활용 | 감기두통, 인후종통, 황달, 백일해, 소아의 경련, 타박상, 옹종발배, 아장풍, 편도선염

효능 | 소풍, 청열, 소종, 해독, 건위, 이뇨, 항균, 항암

2011 ⓒ 미치광이풀

학명 | Scopolia japonica

분류 | 쌍떡잎식물 통화식물목 가지과

분포 | 한국, 일본

생육상 | 여러해살이풀

미치광이풀

서식 깊은 산골짜기의 그늘에서 자란다.

뿌리 줄기 뿌리줄기는 굵고 옆으로 벋으며 끝에서 줄기가 나온다.

줄기 줄기는 곧게 서고 윗부분에서 몇 개의 가지가 갈라지며 털이 없다.

잎 잎은 어긋나고 긴 타원 모양이며 가장자리는 대부분 밋밋하고 끝이 뾰족하며 잎자루가 있다.

꽃
· 꽃은 4~5월에 짙은 보라색으로 피고 잎겨드랑이에 1개씩 달려서 밑으로 처진다.
· 꽃받침은 녹색이고 5개로 불규칙하게 갈라지며, 화관은 종 모양이고 끝이 얕게 5개로 갈라지며, 수술은 5개이다.

열매 열매는 삭과이고 둥글며 꽃받침에 싸이고 다 익으면 뚜껑이 열리듯이 갈라져서 종자가 나온다.

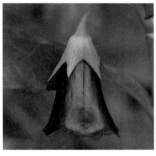
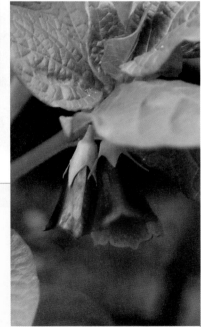

약 용 활 용

생약명 | 낭탕근(莨菪根)

이용부위 | 줄기, 잎

채취시기 | 여름

약성미 | 성질은 차고 맛은 쓰며 독이 있다.

주치활용 | 진통, 신경약, 부교감신경 말초 마비약

효능 | 진정, 진경

주의 | 전초에 맹독이 들어 있어서 오용했을 때는 환각상태를 일으켜 미쳐서 발광하며 날뛰는데 많은 양일 때는 죽을 수도 있다.

2011 ⓒ 민들레

학명 | Taraxacum platycarpum

분류 | 쌍떡잎식물 초롱꽃목 국화과

분포 | 한국, 중국, 일본

생육상 | 여러해살이풀

민들레

서식 들판에서 볕이 잘 드는 곳에서 자란다.

줄기 줄기는 없고, 잎이 뿌리에서 뭉쳐나며 옆으로 퍼진다.

잎
· 잎은 거꾸로 세운 바소꼴이고 깃꼴로 깊이 패어 들어간 모양이다.
· 가장자리에 톱니가 있고 털이 약간 있다.

꽃
· 꽃은 4~5월에 노란색으로 피고 잎과 길이가 비슷한 꽃대 끝에 두상화가 1개 달린다.
· 꽃대에 흰색 털이 있으나 점차 없어지고 두상화 밑에만 털이 남는다.
· 바깥쪽 총포 조각은 좁은 달걀 모양 또는 넓은 바소모양이며 곧게 서고 끝에 뿔 모양의 돌기가 있다.

열매
· 열매는 수과이고 긴 타원 모양이다.
· 갈색이고 윗부분에 가시 같은 돌기가 있으며 연한 흰빛이 돈다.

이용 어린 잎은 나물로 먹는다.

약 용 활 용

생약명 | 포공영(蒲公英)

이용부위 | 전초

채취시기 | 봄(3~4월 꽃이 처음 필 때)

약성미 | 성질은 차며 맛은 쓰고 달며 독이 없다.

주치활용 | 정창종독, 유옹, 나병, 눈충혈, 인통, 폐옹, 양옹, 습열황달, 열림삽통

효능 | 청열, 해독, 소종, 산결, 이뇨, 통림

주의 | 외증의 만종무두와 부적부종 자는 복용을 금하고, 음저와 외증이궤 자는 복용을 금한다.

2011 ⓒ 민백미꽃

학명 | Cynanchum ascyrifolium

분류 | 쌍떡잎식물 용담목 박주가리과

분포 | 한국, 일본, 중국 북동부

생육상 | 다년초

민백미꽃

서식 산지의 볕이 잘 드는 풀밭에서 자란다.

줄기
- 줄기는 곧게 서고 가지가 갈라지지 않으며 잔털이 있다.
- 줄기를 자르면 우유 같은 유액이 나온다.

잎
- 잎은 마주나고 타원 모양 또는 달걀을 거꾸로 세운 모양의 타원형이다.
- 끝부분이 뾰족하고 가장자리가 밋밋하며 잔털이 있고 뒷면 맥 위에 굽은 털이 있다.

꽃
- 꽃은 5~7월에 흰색으로 피고 줄기 끝과 줄기 윗부분에 있는 잎겨드랑이에 산형꽃차례를 이루며 5~6개씩 달린다.
- 꽃받침은 5개로 갈라지며, 꽃받침조각은 넓은 바소꼴이고 털이 있다.
- 화관은 5개로 갈라지고, 갈라진 조각은 좁은 달걀 모양이며 털이 없다.
- 부화관은 달걀 모양의 삼각형이고 수술대보다 약간 짧다.
- 수술은 암술 둘레를 싸고 있다.

열매 열매는 골돌과이고 뿔 모양이며 종자에 흰색 털이 있다.

약 용 활 용

생약명 | 백전(白前)

이용부위 | 뿌리

채취시기 | 가을~이듬해 봄

약성미 | 성질은 약간 따뜻하고 맛은 맵고 쓰다.

주치활용 | 기침이 심하고 가래가 많을 때

효능 | 해열, 거담, 진해약

밀

학명	Triticum aestivum(vulgare)
분류	외떡잎식물 벼목 화본과
원산지	아프가니스탄이나 카프카스
분포	온대 지방
생육상	한해살이풀

서식 주로 온대 지방의 밭에서 재배한다.

줄기 줄기는 뭉쳐나고 곧게 서며 표면이 밋밋하고 마디가 길다.

뿌리
· 싹이 틀 때 3개의 씨뿌리가 나오고 점점 증가해 7~8개가 된다.
· 뿌리는 보리보다 더 깊이 들어가므로 수분과 양분의 흡수력이 강하여 가뭄이나 척박토에도 잘 견딘다.

잎	· 잎은 넓은 바소 모양이다.
	· 끝이 점점 좁아지고 뒤로 처진다.
	· 잎집은 윗쪽 가장자리에 흰색 부속물이 있어 줄기를 감싼다.
	· 줄기에는 20개 내외의 마디가 있고 각 마디에 1개의 작은이삭이 어긋나면서 달린다.

꽃	· 작은이삭은 1쌍의 호영 속에 4~5개의 꽃이 있다.
	· 호영은 9개의 맥이 있다.
	· 밀의 꽃은 아침부터 피기 시작하지만 오후에 가장 많이 핀다.
	· 한 이삭에서는 끝에서 1/3 부근의 작은이삭부터 꽃이 핀다.
	· 1개의 작은이삭에서는 가장 밑에 있는 꽃부터 피기 시작한다.
	· 작은이삭의 개화시간은 20~90분, 한 이삭의 개화기간은 3~4일, 한 포기에서 개화기간은 8일이다.
	· 이삭의 모양은 밑동이 굵고 위가 가는 추형과 위아래가 가늘고 중간이 굵은 방추형이다.
	· 밑동이 가늘고 위가 굵은 곤봉형, 전체가 균등하게 굵은 막대기형의 4가지로 구분된다.

열매	· 열매는 영과이고 넓은 타원 모양이며 갈색이다.
	· 종자는 타원 모양이고 배가 있는 쪽에 깊은 골이 있다.

이용	· 밀은 동양에서 보조식량으로 쓰이지만 서양에서는 주식량이며, 쌀과 함께 세계의 2대 식량 작물이다.
	· 90% 이상이 제분되어 제면, 제빵, 제과·공업용으로 쓰인다.
	· 간장과 된장의 원료로도 쓰이며 밀기울은 좋은 사료이다.
	· 밀짚은 질기고 빳빳하여 밀짚모자 등을 만드는 데 이용한다.

약 용 활 용

생약명 | 소맥(小麥)

이용부위 | 열매

채취시기 | 6월

약성미 | 밀의 성분은 차지만, 가루는 따뜻하며 독이 조금 있다.

주치활용 | 몸 속을 보하며 기를 더하게 한다. 장위를 두터히 하며 기력을 강하게 한다. 오장을 도와서 오래 먹으면 사람을 실하게 한다.

효능 | 해열

주의 | 가루에는 열독이 있으니 묵어서 검은 빛이 있는 것일수록 더 많다.

2011 ⓒ 바다나물

학명 | Angelica decursiva

분류 | 쌍떡잎식물 산형화목 미나리과

분포 | 한국, 일본, 중국 등지

생육상 | 여러해살이풀

바디나물

서식 산과 들의 습지 근처에서 자란다.

뿌리줄기 뿌리줄기는 짧고 뿌리가 굵다.

줄기 곧게 서고 모가 진 세로줄이 있으며 윗부분에서 가지가 갈라진다.

잎
· 잎은 어긋나고 깃꼴로 갈라지며 작은잎은 3~5개이다.
· 작은잎은 3~5개로 깊게 또는 완전히 갈라지고 밑 부분이 밑으로 흘러 날개 모양이 되며 가장자리에 톱니가 있다.
· 뿌리에서 나온 잎과 줄기 밑부분에 달린 잎은 잎자루가 길다.
· 줄기 윗부분에 달린 잎은 잎자루 밑 부분이 잎집이 되어 줄기를 감싼다.

꽃
· 꽃은 8~9월에 짙은 자주색으로 피고, 커다란 복산형꽃차례를 이루며 달린다.
· 우산 모양을 이룬 작은 꽃대는 10~20개이고 각각 20~30개의 꽃이 달린다.
· 총포는 1~2개이고 넓으며 작은총포는 5~7개이고 줄 모양의 바소꼴이다.

열매 열매는 분과이고 편평한 타원 모양이다.

이용 어린 순은 나물로 먹는다. 절화 또는 공원이나 정원에 심어 관상한다.

약 용 활 용

생약명 | 일전호(日前胡)

이용부위 | 뿌리

채취시기 | 봄(3월), 가을(9월)

약성미 | 성질은 서늘하고 맛은 쓰고 매우며 독이 없다.

주치활용 | 사기, 기관지염, 감기, 빈혈, 부인병, 두통, 간질, 치통

효능 | 강기, 거담, 선산, 풍열, 진통, 진정, 진해, 건위, 익기, 정혈 ,이뇨, 해열, 통경

2011 ⓒ 바람꽃

학명 | Anemone narcissiflora L.
분류 | 쌍떡잎식물 미나리아재비목 미나리아재비과
분포 | 한국, 중국, 시베리아, 유럽, 일본, 북아메리카 등지
생육상 | 여러해살이풀

바람꽃

| 서식 | 높은 지대에서 자란다. |

줄기 굵은 뿌리줄기에서 자란 줄기는 긴 흰색 털이 있다.

잎
· 뿌리에서 나온 잎은 잎자루가 길고 3개로 갈라진 갈래조각은 다시 잘게 갈라진다.
· 줄기 끝에 3개의 잎이 달리고 그 가운데에서 몇 개의 꽃이 산형(傘形)으로 자란다.

꽃
· 꽃은 7~8월에 흰색으로 핀다.
· 꽃잎이 없으나 꽃잎 같은 꽃받침조각이 5개 또는 7개인 것도 있다.
· 꽃자루는 1~4개이고 총포는 줄 모양이다.

열매 열매는 수과로서 넓은 타원형이고 가장자리에 두꺼운 날개가 있으며 끝에 꼬부라진 암술대가 남아 있다.

약 용 활 용

생약명	죽절향부(竹節香附)
이용부위	전초
채취시기	여름
약성미	성질은 따뜻하고 맛은 맵다.
주치활용	사지마비, 종통, 요통, 골절통
효능	거품, 소염

2011 ⓒ 바랭이

학명 | Digitaria sanguinalis
분류 | 외떡잎식물 벼목 화본과
분포 | 온대와 열대 지방
생육상 | 한해살이풀

바랭이

서식 밭에서 흔히 자라는 잡초이다.

줄기 밑부분이 지면으로 뻗으면서 마디에서 뿌리가 내리고 곁가지와 더불어 곧게 자란다.

잎
· 잎은 줄 모양이며 분록색 또는 연한 녹색이다.
· 잎집에는 흔히 털이 있다.

꽃
· 꽃은 7~8월에 피고 수상꽃차례를 이루며, 꽃이삭은 3~8개의 가지가 손가락처럼 갈라진다.
· 작은이삭은 대가 있는 것과 없는 것이 같이 달리고 연한 녹색 바탕에 자줏빛이 돌며 흰털이 있다.
· 포영은 1개이고 작은이삭보다 길다.

열매 열매는 10월에 익는다.

약 용 활 용

생약명 | 마당(馬唐)

이용부위 | 전체

채취시기 | 여름

약성미 | 성질은 차고 맛은 달다.

주치활용 | 조중, 명목

효능 | 보익

2011 ⓒ 바보여뀌

학명 | Persicaria pubescens
분류 | 쌍떡잎식물 마디풀목 마디풀과
분포 | 동부 아시아, 말레이시아, 인도 등지
생육상 | 한해살이풀

바보여뀌

서식 | 물가에서 자란다.

줄기 | 줄기는 곧게 서고 홍자색을 띠며 털이 있다.

잎
· 잎은 타원형 바소꼴로 양면에 짧은 털이 있고 뒷면에 선점이 있다.
· 마르면 식물체가 붉은빛을 띤 갈색으로 변한다.

꽃
· 꽃은 8월에 피는데 흰색 바탕에 연한 붉은빛이 돈다.
· 꽃차례는 가늘고 밑으로 쳐져서 꽃이 드문드문 달린다.
· 화피는 녹색이고 윗부분이 붉은색이며 선점이 있다.

열매
· 열매가 익을 때는 홍록색이 나타나므로 아름답다.
· 열매는 검은색 수과로서 세모진 달걀 모양이고 10월에 익으며 잔 점이 있다.

약 용 활 용

생약명 | 홍초(紅焦)

이용부위 | 전초

채취시기 | 가을(10~11월)

약성미 | 성질은 따뜻하며 맛은 맵고 독이 없다.

주치활용 | 류머티즘성 관절염, 말라리아, 각기, 창종, 이질, 복강내의 적괴, 황현

효능 | 산혈, 소적, 지통

2011 ⓒ 바위떡풀

학명 | Saxifraga fortunei var. incisolobata
분류 | 쌍떡잎식물 장미목 범의귀과
분포 | 한국, 일본, 중국 동북부와 우수리강, 사할린섬
생육상 | 여러해살이풀

바위떡풀

서식 습한 바위에 붙어서 자란다.

줄기 전체에 털이 있거나 없다.

잎
· 뿌리에서 나온 잎은 잎자루가 길고 밑부분에 막질의 턱잎이 있다.
· 신장 모양으로 가장자리가 얕게 갈라지고 톱니가 있으며 표면에 털이 있다.

꽃
· 꽃은 7~8월에 흰색이나 흰빛을 띤 붉은색으로 피며 원추상 취산꽃차례을 이룬다.
· 꽃줄기는 털이 있는 것과 없는 것이 있으나 작은꽃가지에는 짧은 선모가 있다.
· 꽃잎은 5개인데 위쪽 3개는 작고 밑의 2개는 크기 때문에 대(大)자로 보인다.

열매 열매는 달걀 모양 삭과로 10월에 익는다.

이용 어린 순은 식용한다. 식물체는 중이염에 약용한다.

약 용 활 용

생약명	화중호이초(華中虎耳草)
이용부위	전체
채취시기	여름(8월)~가을(9월)
주치활용	종이염, 풍진, 습진, 단독, 폐종, 치질 신장병을 다스리고 콩팥의 기능을 원활하게 해준다.
효능	거풍, 청열, 양혈해독, 해수토혈
민간활용	잎과 뿌리를 보익에 약으로 쓴다.

2011 ⓒ 바위손

학명 | Selaginella tamariscina (P. Beauv.) Spring

분류 | 관다발식물 부처손목 부처손과

분포 | 한국, 일본, 중국

생육상 | 상록초본

바위손

서식 바위 위에서 자란다.

줄기
· 땅속줄기가 땅 속이나 선태식물 사이로 뻗으면서 끝이 곧게 자란다.
· 3~4회 깃꼴로 갈라져서 달걀 모양 또는 긴 달걀 모양의 잎처럼 된다.
· 밑부분은 잎자루 모양이 된다.

잎
· 잎은 비늘 같고 4줄로 배열한다.
· 밑은 비슷하지만 윗부분에서 2가지의 형태이다.
· 가장자리에는 잔 톱니가 있다.

포자
· 포자낭이삭은 작은가지 끝에 1개씩 달리고 네모진다.
· 포자엽은 삼각 모양의 달걀 모양이다.

약 용 활 용

생약명 | 권백(卷柏)

이용부위 | 전초

채취시기 | 가을철

약성미 | 성질은 평하고 맛은 맵다.

주치활용 | 간염, 황달, 대하증, 신장염, 수종, 천식, 탈항, 천식, 변혈

효능 | 지혈, 통경, 해열

2011 ⓒ 바위솔

'학명 | Orostachys japonicus

분류 | 쌍떡잎식물 장미목 돌나물과

분포 | 한국, 일본

생육상 | 여러해살이풀

바위솔

서식 산지의 바위 겉에 붙어서 자란다.

잎
· 뿌리에서 나온 잎은 방석처럼 퍼지고 끝이 굳어져서 가시같이 된다.
· 원줄기에 달린 잎과 여름에 뿌리에서 나온 잎은 끝이 굳어지지 않으며 잎자루가 없고 바소꼴로 자주색 또는 흰색이다.

꽃
· 꽃은 흰색으로 9월에 피고 수상꽃차례에 빽빽이 난다.
· 포는 바소꼴이고 끝이 날카로우며 꽃잎과 꽃받침조각은 각각 5개씩이다.
· 수술은 10개이고 씨방은 5개이며 꽃밥은 붉은색이지만 점차 검은색으로 된다.

열매
· 열매는 10월에 익는다.
· 여러해살이풀이지만 꽃이 피고 열매를 맺으면 죽는다.

이용 잎을 습진에 사용한다.

약 용 활 용

생약명 | 와송(瓦松)

이용부위 | 전체

채취시기 | 여름~가을

약성미 | 성질은 서늘하고 맛은 시며 쓰다.

주치활용 | 학질, 감염, 습진, 치창, 옹종, 육혈, 혈리, 화상

효능 | 청열, 해독, 이습, 이리, 렴창, 소종, 통경, 지혈

민간활용 | 민간에서 암치료제로 많이 사용한다.

2011 ⓒ 바위채송화

학명 | Sedum polystichoides
분류 | 쌍떡잎식물 장미목 돌나물과
분포 | 한국, 일본, 중국
생육상 | 여러해살이풀

바위채송화

서식 산지의 바위 곁에서 자란다.

줄기
- 밑부분이 옆으로 비스듬히 자라면서 가지가 갈라져서 포기로 된다.
- 줄기의 밑부분은 갈색이 돌며 꽃이 달리지 않는 가지에는 잎이 빽빽이 난다.

잎 잎은 어긋나고 줄 모양이며 육질이다.

꽃
- 꽃은 8~9월에 노란색으로 피고 대가 없으며 취산꽃차례에 달린다.
- 포는 꽃보다 다소 길고, 꽃받침조각과 꽃잎은 5개씩이다.
- 수술은 10개이고 꽃잎보다 짧으며, 심피는 5개이고 밑부분에 약간 붙는다.

열매 열매는 골돌과로 5개이다.

┌─ 약 용 활 용 ─

생약명 | 유엽경천(柳葉景天)

이용부위 | 뿌리잎

채취시기 | 여름(7~8월)

약성미 | 성질은 차고 맛은 달다.

주치활용 | 발열, 동통

효능 | 강장, 선혈, 단종창

2011 ⓒ 바위취

학명 | Saxifraga stolonifera

분류 | 쌍떡잎식물 장미목 범의귀과

분포 | 한국, 일본

생육상 | 상록성 여러해살이풀

바위취

서식 그늘지고 축축한 땅에서 잘 자란다.

줄기
· 전체에 붉은빛을 띤 갈색 털이 길고 빽빽이 난다.
· 짧은 뿌리줄기에서 잎이 뭉쳐나며, 잎이 없는 기는줄기 끝에서 새싹이 난다.

잎
· 잎은 신장 모양이다.
· 표면은 녹색 바탕에 연한 색의 무늬가 있고 뒷면은 자줏빛을 띤 붉은색이다.

꽃
· 5월에 흰색 꽃이 핀다.
· 꽃은 원추꽃차례를 이루며, 홍색이 도는 자주색의 선모가 있다.
· 꽃받침과 꽃잎은 각각 5개로 갈라지고 수술은 10개이며 암술대는 2개이다.

열매
· 열매는 삭과로서 달걀 모양이고 2개로 갈라진다.
· 종자는 달걀 모양이고 돌기가 있다.

약용활용

생약명 | 호이초(虎耳草)

이용부위 | 전초

채취시기 | 여름(6~8월)

약성미 | 성질은 차고 맛은 약간 쓰고 맵다.

주치활용 | 습진, 중이염, 단독, 폐종, 치질, 풍진, 화상, 농창, 백일해, 어린이경련, 동상, 종기, 해수토혈 벌레나 뱀에 물린 데

효능 | 거풍, 청열, 양혈, 해독, 소염, 진해

민간활용 | 어린이 경련에는 잎 열장쯤을 잘 씻어 소금을 조금 넣고 문댄 후 그 즙을 짜서 잎 속에 넣어 두면 효과가 뛰어나다.

주의 | 약간의 독성이 있다.

2011 ⓒ 박

학명 | Lagenaria leucantha

분류 | 쌍떡잎식물 박목 박과

원산지 | 인도, 아프리카

생육상 | 덩굴성 한해살이풀

박

줄기
· 푸른빛을 띤 초록색이다.
· 전체에 짧은 털이 있으며 줄기의 생장이 왕성하고 각 마디에서 많은 곁가지가 나온다.

잎 잎은 어긋나고 심장형이나 얕게 갈라지며 잎자루가 있다.

꽃
· 꽃은 단생의 합판화관으로 5개로 갈라진다.
· 박과식물의 꽃은 대부분 노란색이나 박은 일부 야생종을 제외하고는 모두 흰색이다.
· 보통 오후 5~6시에 꽃이 피어 다음날 아침 5~7시에 시드는 것이 특색이다.
· 수술은 3개의 꽃밥이 가볍게 붙어 있으며, 암술머리가 3개로 갈라진다.
· 씨방하위로 3개의 태좌가 있다.
· 화분은 생활력이 왕성하며 수정은 개화 10시간 전부터 꽃이 시든 후까지 가능하다.

열매
· 열매는 장과로 종류에 따라 다르다.
· 씨는 흑갈색으로 표면에 솟아오른 4개의 줄이 있고 각 줄에는 짧은 털이 빽빽이 난다.

약용활용

생약명 | 호로(葫蘆)

이용부위 | 열매

채취시기 | 열매－여름, 종자－가을

주치활용 | 열매 － 수종, 복창, 황달. 종자 － 치간화농, 치아동통. 백일해, 중독

효능 | 이뇨

민간활용 | 열매의 껍질을 말린 것에 감초를 섞어 달여 마시면 백일해 또는 기침멎이에 좋다. 또한 과실의 껍질에 대나무 잎을 넣어 달여 마셔도 좋다.

2011 ⓒ 박새

학명 | Veratrum patulum

분류 | 외떡잎식물 백합목 백합과

분포 | 한국, 중국 동북부, 동부 시베리아, 일본

생육상 | 여러해살이풀

박새

서식 깊은 산 습지에서 무리를 지어서 자란다.

뿌리 줄기 뿌리줄기는 짧고 굵으며 굵은 뿌리가 사방으로 퍼진다.

줄기
· 원줄기는 곧게 원뿔형으로 속이 비어 있다.
· 줄기 밑부분에 묵은 비늘조각잎의 평행맥이 흰색 또는 연한 갈색의 섬유로 남아 있다.

잎 잎은 어긋나고 밑에서는 잎집만이 원줄기를 둘러싸며 중앙의 것은 타원형으로 세로주름이 진다.

꽃
· 꽃은 7~8월에 피고 연한 노란 빛을 띤 흰색이며 단성화이고 원추꽃차례에 달린다.
· 꽃차례에는 꼬불꼬불한 털이 빽빽이 나며 포는 달걀 모양이다.
· 화피갈래조각과 수술은 6개씩이고 암술머리는 3개이다.

열매 열매는 삭과로서 3개로 갈라진다.

약용활용

생약명 | 동운초(東雲草), 여로(藜蘆)

이용부위 | 뿌리, 뿌리줄기

채취시기 | 봄(5~6월)

약성미 | 성질은 차고 맛은 쓰고 독이 있다.

주치활용 | 고혈압 완화 , 중풍담용, 신경통. 후비, 폐결핵

효능 | 최토, 살충, 지담

주의 | 체허기약자는 복용을 금한다.

학명 | Metaplexis japonica

분류 | 쌍떡잎식물 용담목 박주가리과

분포 | 한국, 일본, 중국 등지

생육상 | 여러해살이 덩굴식물

박주가리

서식 들판의 풀밭에서 자란다.

줄기 땅속줄기가 길게 뻗어가고 자르면 흰젖 같은 유액(乳液)이 나온다.

잎
· 잎은 마주나고 긴 심장형이며 가장자리가 밋밋하다.
· 잎 끝은 뾰족하고 뒷면은 분록색이다.

꽃
· 꽃은 7~8월에 흰색으로 피고 잎겨드랑이에서 나온 총상꽃차례에 달린다.
· 화관은 넓은 종처럼 생기고 5개로 깊게 갈라지며 안쪽에 털이 털이 빽빽이 난다.
· 꽃은 넓은 바소꼴이며 겉에 사마귀 같은 돌기가 있다.

열매 종자는 편평한 달걀을 거꾸로 세운 듯한 모양이며 한쪽에 명주실 같은 털이 있다.

이용
· 종자의 털은 솜 대신 도장밥과 바늘쌈지를 만든다.
· 흰 유액에 독성분이 들어 있으며 연한 순을 나물로, 잎과 열매를 강장·강정·해독에 약용한다.
· 종자를 식용한다.

약 용 활 용

생약명 | 라마자(蘿藦子)

이용부위 | 전초

채취시기 | 가을

약성미 | 성질은 따뜻하고 맛은 달고 약간 맵다.

주치활용 | 허손노상, 양위, 대하, 유즙불통, 단독, 창종

효능 | 보기, 생유, 해독, 강정, 강장

민간활용 | 줄기나 잎을 자를 때 흘러나오는 흰 유액(乳液)을 손등의 사마귀 및 뱀이나 거미 등에 물린 데나 종기 등에 바르면 효과가 있다.

주의 | 약재에는 절대로 철물이 닿지 않도록 한다.

2011 ⓒ 박쥐나물

학명 | Cacalia auriculata var. matsumurana
분류 | 쌍떡잎식물 초롱꽃목 국화과
분포 | 한국(전역), 일본, 만주
생육상 | 여러해살이풀

박쥐나물

서식 해발고도 1,000m 이상의 높은 산에서 자란다.

줄기 윗부분에서 가지가 갈라지며 엉킨 털이 있다.

잎
· 잎은 어긋나고 콩팥 모양이다.
· 끝은 짧게 뾰족하고 밑은 심장 모양이며 가장자리에 불규칙한 톱니가 있다.
· 양면에 털이 없고 뒷면 맥 위에 짧은 털이 있다.
· 잎자루는 밑부분이 별로 넓지 않다.

꽃
· 꽃은 8~9월에 자주색의 두상화가 줄기 끝에 총상꽃차례로 달린다.
· 두상화 속에 3~6개의 작은꽃이 핀다.
· 총포는 좁은 통 모양이며 털이 없고 5개로 갈라진다.

열매
· 열매는 수과로 원기둥 모양이며 털이 없다.
· 관모는 흰색이다.

이용 어린 잎은 나물로 먹는다.

약 용 활 용

생약명 | 각향(角香)

이용부위 | 지상부

채취시기 | 봄(5월 초)

약성미 | 성질은 **따뜻**하고 맛은 맵다.

주치활용 | 종기, 옴, 버짐의 치료

효능 | 살충

2011 ⓒ 박하

학명 | Mentha arvensis var. piperascens

분류 | 쌍떡잎식물 통화식물목 꿀풀과

분포 | 전세계

생육상 | 여러해살이 숙근초

박하

서식 습기가 있는 들에서 자란다.

줄기 줄기는 단면이 사각형이고 표면에 털이 있다.

잎
· 잎은 자루가 있는 홑잎으로 마주나고 가장자리는 톱니 모양이다.
· 잎 표면에는 기름샘이 있어 여기서 기름을 분비하는데, 정유의 대부분은 이 기름샘에 저장된다.

꽃
· 여름에서 가을에 줄기의 위쪽 잎겨드랑이에 엷은 보라색의 작은 꽃이 이삭 모양으로 달린다.
· 수술이 4개이고 1개의 암술은 끝이 2개로 갈라지며 씨방은 4실이다.
· 꽃은 주로 오전 중에 피는데 암술은 꽃이 핀 후 3~4일, 수술은 2~3일 만에 수정된다.

열매 종자는 달걀 모양의 연한 갈색으로 가볍고 작으며 20 → 30 → 15℃ 의 변온에서 발아가 잘 된다.

약용활용

생약명 | 박하(薄荷)

이용부위 | 전초

채취시기 | 여름~가을 사이 2회 채취

약성미 | 성질은 서늘하고 맛은 맵고 독이 없다.

주치활용 | 혈리, 곽란, 구토, 소화, 타박상, 풍열, 결핵, 구풍, 십이지장 구충제, 위경련, 장통, 치통

효능 | 지사, 건위, 발한, 지혈, 진양, 진통

민간활용 | 해열, 청량, 방향건위, 박하약을 전제로 하여 복용한다.

주의 | 음허발열과 해수자한, 한다 및 표허에는 복용을 금한다.

학명 | Lithospermum zollingeri

분류 | 쌍떡잎식물 통화식물목 지치과

분포 | 한국, 일본, 타이완 등지

생육상 | 여러해살이풀

반디지치

 서식 양지쪽 풀밭이나 바닷가 모래땅에서 자란다.

 줄기
· 원줄기에 퍼진 털이 있고 다른 부분에는 비스듬히 선 털이 있다.
· 꽃이 진 다음 옆으로 가지가 길게 뻗어서 끝이 땅에 닿으면 뿌리가 내리고 싹이 돋는다.

 잎
· 잎은 어긋나고 거센 털이 있어 거칠며 가장자리가 밋밋하다.
· 모양은 긴 타원형이고 끝이 날카롭고 밑은 좁아져 잎자루처럼 생겼다.

꽃
· 꽃은 5~6월에 피고 윗부분의 잎겨드랑이에 1개씩 달리며 벽자색이다.
· 꽃받침과 화관은 각각 5개씩 갈라진다.
· 수술도 5개이고, 화관은 겉에 누운 털이 있고 안쪽에 5줄의 털이 있다.

열매 열매는 분과로서 8월에 익으며 흰색이고 겉이 밋밋하다.

이용 관상용으로 심는다.

약 용 활 용

생약명 | 지선도(地仙桃)

이용부위 | 열매

채취시기 | 여름(7~8월)

약성미 | 성질은 따뜻하고 맛은 달고 맵다.

주치활용 | 화상, 동상, 피부병, 복부동통, 위산결, 토혈, 위한동통, 타박상, 골절

효능 | 온중, 건위, 소종, 지통

민간활용 | 피부병, 화상, 동상, 이뇨제 등의 약재로 쓰였다.

2011 ⓒ 반하

학명 | Pinellia ternata
분류 | 외떡잎식물 천남성목 천남성과
분포 | 한국, 일본, 중국
생육상 | 여러해살이풀

반하

서식 밭에서 자란다.

잎
- 지름 1cm 정도의 알뿌리에서 1~2개의 잎이 자란다.
- 밑부분이나 위쪽에 1개의 주아가 생겼다가 떨어져서 번식한다.
- 잎은 3개의 작은잎으로 된 겹잎이다.
- 작은잎은 털이 없고 모양이 달걀 모양이나 바소꼴 등 변화가 많다.

꽃
- 꽃줄기 포는 녹색이다.
- 겉에 털이 없으나 안쪽에는 털이 있다.
- 꽃은 6월에 피고 육수꽃차례에 달린다.
- 암꽃은 밑에, 수꽃은 위에 달리며 끝이 길게 자란다.
- 꽃은 노란빛을 띤 흰색이다.

열매 열매는 녹색 장과이다.

약 용 활 용

생약명 | 반하(半夏)

이용부위 | 알줄기

채취시기 | 6~7월 경에 잎이 고사하기 전에 채취한다.

약성미 | 성질은 따뜻하고 유독하며 맛은 맵다.

주치활용 | 치담다천해, 담음현계, 풍담현운, 담궐두통, 구토반위, 흉완비민, 매핵기증, 생용외치옹담핵

효능 | 조습, 화담, 강역, 지구, 소비, 산결

민간활용 | 종기 등에는 반하를 건조해서 가루로 만들어 밥과 섞어서 고약처럼 곱게 이긴 다음 기름종이나 창호지에 펴서 물집이 생긴 곳에 붙이면 효과가 있다.

주의 | 모든 혈중 및 음허로 인한 조해와 진액의 손상으로 인한 구갈에는 복용을 금한다.

학명 | Sonchus oleraceus

분류 | 쌍떡잎식물 초롱꽃목 국화과

원산지 | 유럽

분포 | 한국, 일본, 타이완, 중국, 사할린섬, 유럽, 아메리카 등지

생육상 | 한해살이 또는 두해살이풀

방가지똥

서식 길가나 들에서 자라는 잡초이다.

줄기 줄기는 곧게 서고 속이 비어 있으며 자르면 하얀 즙이 나온다.

잎
· 뿌리에 달린 잎은 작으며 긴 타원 모양의 넓은 바소꼴로서 일찍 시든다.
· 줄기에 달린 잎은 어긋나고 잎자루가 없으며 원줄기를 거의 둘러싸고 깃처럼 갈라진다.
· 밑부분의 잎은 날개가 달린 잎자루가 있다.
· 잎 가장자리에 불규칙한 톱니가 있고 톱니 끝이 가시같이 뾰족하다.

꽃
· 꽃은 5~9월에 노란색이나 흰색으로 피고 산형 비슷하게 늘어선다.
· 꽃대는 선모가 난다.
· 총포는 꽃이 핀 다음 밑부분이 커진다.
· 총포조각은 3~4줄로 늘어서고 능선을 따라 선모가 난다.

열매
· 열매는 수과로서 갈색이고 10월에 익는다.
· 관모는 흰색이다.

이용 어린 순은 나물로 먹는다.

약용활용

생약명 | 고채(苦菜, 菰菜)
이용부위 | 전초
채취시기 | 봄(5월)
약성미 | 성질은 차고 맛은 쓰다.
주치활용 | 소화불량, 이질, 악창, 소아종기, 이질, 황달, 혈림, 치루, 독사교상
효능 | 양혈, 소종, 소염

2011 ⓒ 방동사니

학명 | Cyperus amuricus

분류 | 외떡잎식물 벼목 사초과

분포 | 한국(남쪽 섬), 일본, 타이완, 중국, 우수리강, 헤이룽강

생육상 | 한해살이풀

초본류

방동사니

서식　들이나 밭에서 흔히 자란다.

뿌리　수염뿌리가 뭉쳐난다.

잎
- 잎은 뿌리에서 나오고 꽃줄기에서는 어긋나며 줄 모양이다.
- 연하고 끝이 뒤로 처진다. 밑동의 잎집은 줄기를 감싼다.

꽃
- 꽃은 8~10월에 핀다.
- 꽃줄기는 잎 사이에서 각각 1개씩 나오고 잎 같은 포(苞)가 달린다.
- 그 사이에서 길고 작은 가지가 갈라져서 각각 많은 작은이삭이 달린다.
- 작은이삭은 납작한 줄 모양이며 붉은 갈색이며 10~20개씩의 꽃이 달린다.
- 비늘조각은 끝이 둥근 달걀을 거꾸로 세워 놓은 모양이며 끝에 짧은 돌기가 있다.
- 암술대는 짧고 끝이 3개로 갈라지며, 수술은 2개이다.

열매
- 열매는 수과로서 10~11월에 익는다.
- 세모진 달걀을 거꾸로 세워 놓은 모양이며 검은 갈색이고 검은색 점이 있다.

약 용 활 용

생약명 ｜ 향부자(香附子)

이용부위 ｜ 줄기잎꽃

채취시기 ｜ 가을(9월)

약성미 ｜ 성질은 평하고 맛은 약간 달면서 쓰다.

주치활용 ｜ 해수, 천식, 기침

효능 ｜ 거담, 해열, 진통, 항염증

민간활용 ｜ 줄기와 잎을 거담제 등의 약으로 쓴다.

2011 ⓒ 방아풀

학명 | Isodon japonicus

분류 | 쌍떡잎식물 통화식물목 꿀풀과

분포 | 한국, 일본

생육상 | 여러해살이풀

방아풀

서식 | 산과 들에서 자란다.

줄기 | 줄기는 곧게 서고 네모진 능선에 밑을 향한 털이 나며 가지를 많이 낸다.

잎
- 잎은 마주나고 넓은 달걀 모양이다.
- 가장자리에 톱니가 있고 밑이 갑자기 좁아져서 잎자루의 날개가 된다.
- 빛깔은 녹색이며 맥 위에 잔털이 난다.

꽃
- 꽃은 8~9월에 연한 자줏빛으로 피고 원추꽃차례에 달린다.
- 꽃받침은 5갈래로 갈라지고 그 조각은 삼각형이다.
- 화관(花冠)은 입술 모양이다.
- 윗입술꽃잎은 4갈래로 갈라지고 아랫입술꽃잎은 밋밋하다.
- 수술과 암술이 화관 밖으로 나온다.

열매 | 열매는 분열과로서 납작한 타원형이며 윗부분에 선점이 있고 10월에 익는다.

이용 | 어린 순은 나물로 먹는다.

약 용 활 용

생약명 | 연명초(延命草)

이용부위 | 전초

채취시기 | 개화기

약성미 | 성질은 차고 맛은 쓰다.

주치활용 | 소화불량, 복통, 질타손상, 인후종통, 사교상, 옹종, 암

효능 | 건위, 이뇨

민간활용 | 만성 위병에 방아풀 전체를 말려 적당한 양으로 물에 달인 즙을 차 대용으로 오랫동안 장복하면 좋은 효과가 있다.

주의 | 음허화왕인 사람은 쓰지 않는다.

2011 ⓒ 배암차즈기

학명 | Salvia plebeia R. Br.

분류 | 쌍떡잎식물 통화식물목 꿀풀과

분포 | 한국, 일본, 중국, 말레이시아, 인도, 호주

생육상 | 두해살이풀

배암차즈기

| 서식 | 약간 습기가 있는 도랑 근처에서 자란다. |

| 줄기 | · 네모지며 밑을 향한 잔털이 난다. |
| | · 뿌리에 달린 잎은 방석처럼 퍼져서 겨울을 지내고 꽃이 필 때쯤 스러진다. |

| 잎 | · 줄기에 달린 잎은 마주나고 주름이 많으며 긴 타원형이다. |
| | · 가장자리에 둔한 톱니와 잔털이 난다. |

꽃	· 꽃은 5~7월에 연한 자주색으로 핀다.
	· 줄기 윗부분의 잎겨드랑이에 총상꽃차례로 달린다.
	· 꽃차례는 짧은 털이 빽빽이 난다.
	· 꽃받침에 털과 선점이 있고 화관은 입술 모양이며 2개의 수술이 있다.

| 열매 | 열매는 분열과이며 넓은 타원형이다. |

| 이용 | 어린 잎은 나물로 먹으며, 민간에서는 포기 전체를 약으로 쓴다. |

약 용 활 용

생약명 | 여지초(荔枝草)

이용부위 | 전체

채취시기 | 봄(4~5월)

주치활용 | 해열, 토혈, 혈뇨, 붕루, 복수, 인후종통, 옹종

효능 | 양혈, 이뇨, 소종, 해독, 살충

학명 | Agastache rugosa

분류 | 쌍떡잎식물 통화식물목 꿀풀과

분포 | 한국, 일본, 타이완, 중국 등지

생육상 | 여러해살이풀

배초향

서식 양지쪽 자갈밭에서 자란다.

줄기 줄기는 곧게 서고 윗부분에서 가지가 갈라지며 네모진다.

잎
· 잎은 마주나고 달걀 모양이다.
· 끝이 뾰족하고 밑은 둥글며 긴 잎자루가 있으며 가장자리에 둔한 톱니가 있다.

꽃
· 꽃은 입술 모양이며 7~9월에 피고 자줏빛이 돌며 윤산꽃차례에 달리고 향기가 있다.
· 꽃차례는 이삭 모양이다.
· 꽃받침은 5개로 갈라지고 화관은 윗입술 모양 꽃잎은 작고 아랫입술은 크며 5개로 갈라진다.
· 4개의 수술 중 2개는 길다.

열매 열매는 분열과로서 납작하고 달걀 모양의 타원형이다.

이용
· 정원 주변의 햇빛이 잘 드는 곳에 심거나 지피식무로 식재 가능하고 절화용 소재로 이용하여도 좋다.
· 전초에서 강한 향기가 나므로 잘 말려서 차로 음용할 수 있다.
· 염료용으로 이용할 수 있다.

약 용 활 용

생약명 | 곽향(藿香)

이용부위 | 전초

채취시기 | 여름(7~8월)

약성미 | 성질 따뜻하고 맛은 맵고 달다.

주치활용 | 토사, 복통, 흉민, 식상, 감기, 두통, 해표, 화중, 행기, 해서, 구토설사

효능 | 동맥경화억제, 위장기운보충, 습열제거

민간활용 | 지상부를 감모, 간염에 사용한다.

주의 | 양명위가실사로 인한 작구작장 자는 복용을 금한다.

2011 ⓒ 배추

학명 | Brassica campestris L., Brassica pekinensis Pupr.

분류 | 쌍떡잎식물 양귀비목 십자화과

원산지 | 중국

생육상 | 두해살이풀

배추

잎	· 겉잎은 달걀을 거꾸로 세워 놓은 모양이다.
	· 잎 중앙에 넓은 흰색의 가운데맥이 있으며 녹색이거나 연한 녹색이다.
	· 뿌리에 달린 잎은 땅에 깔리고 가장자리에 불규칙한 톱니가 있으며 양쪽 면에 주름이 있다.
	· 줄기에 달린 잎은 줄기를 싼다.

꽃	· 꽃은 십자화관이며 짙은 노란색이다.
	· 총상꽃차례를 이루며 밑동으로부터 위끝을 향하여 꽃이 핀다.
	· 1개의 암술과 6개의 수술이 있는데, 그 중 4개는 길고 2개는 짧다.
	· 암술이 먼저 성숙하므로 꽃 피기 전 4~5일부터 수정이 가능하다.

열매	· 열매는 긴 뿔처럼 생겼으며 2실로 되어 있고 그 사이에 얇은 막이 있다.
	· 완숙하면 양쪽의 과피는 앞끝부터 쪼개져서 종자가 떨어진다.
	· 1개의 열매에는 20~28개의 밑씨가 들어 있다.
	· 보통 상태에서 수정하면 18~25개의 종자를 생산한다.

약 용 활 용

생약명	백채(白菜)
이용부위	종자
채취시기	가을
약성미	성질은 평하며 서늘하고 맛은 달고 독이 없다.
주치활용	소화불량, 식욕부진, 구갈, 불면증
효능	건비 건위 변비 해열
민간활용	배추씨 기름을 머리에 바르면 머리카락이 길게 자란다.

2011 ⓒ 백미꽃

학명 | Cynanchum atratum

분류 | 쌍떡잎식물 용담목 박주가리과

분포 | 한국, 일본, 중국, 우수리강, 헤이룽강, 몽골

생육상 | 여러해살이풀

백미꽃

서식 산과 들에서 자란다.

줄기 가지가 없으며 전체에 잎과 털이 빽빽이 나며 줄기는 곧게 선다.

잎
· 잎은 마주나고 타원형이며 가장자리가 밋밋하고 짧은 잎자루가 있다.
· 잎 끝이 뾰족하고 밑은 둥근 모양이다.

꽃
· 꽃은 5~7월에 피고 검은 자주색이며 잎겨드랑이에서 산형으로 갈라진 작은꽃자루 끝에 달린다.
· 꽃받침은 녹색이고 5개로 갈라진다.
· 화관(花冠)은 겉에 털이 드문드문 나고 안쪽은 털이 없으며 짙은 자주색이고 5개로 깊게 갈라진다.
· 부화관조각은 타원형이고 암술대와 같은 길이이다.

열매
· 열매는 골돌과로서 넓은 바소꼴이고 9~10월에 익는다.
· 겉에 털이 빽빽이 나며 종자에도 길고 흰 털이 난다.

┌─ 약 용 활 용 ─

생약명 | 백미(白薇)

이용부위 | 뿌리

채취시기 | 봄, 가을

약성미 | 성질은 차고 맛은 쓰고 짜며 독이 없다.

주치활용 | 치온사상영발열, 음허발열, 골증로열, 산후혈허발열, 열림, 혈림옹저종독, 다한망양, 소화불량, 설사불지

효능 | 청열, 량혈, 이뇨, 통림, 해독, 료창, 해열, 부종

2011 ⓒ 백선

학명 | Dictamnus dasycarpus

분류 | 쌍떡잎식물 쥐손이풀목 운향과

분포 | 한국, 일본, 중국 북동부, 시베리아 동부

생육상 | 여러해살이풀

백선

서식 산기슭에서 자란다.

줄기 줄기는 곧게 서며 튼튼하다.

잎
· 잎은 깃꼴겹잎으로서 마주난다.
· 2~4쌍의 작은잎으로 구성되며 중축에 좁은 날개가 있다.
· 작은잎은 달걀 모양이거나 타원형이다.
· 가장자리에 잔 톱니와 유점이 있다.

꽃
· 꽃은 5~6월에 흰색이나 연한 붉은색으로 피고 줄기 끝에 총상꽃차례로 달린다.
· 꽃잎은 5개로서 긴 타원형이다.
· 꽃받침은 5장이며 끝이 뾰족한 바소꼴이다.
· 작은꽃자루에 털과 선모가 있어 강한 향기가 난다.
· 수술은 10개이고 씨방은 5실이다.

열매 열매는 삭과로서 8월에 익으며 5개로 갈라지고 털이 난다.

─ 약 용 활 용 ─

생약명 | 백선피(白鮮皮)

이용부위 | 뿌리껍질

채취시기 | 봄, 가을

약성미 | 성질은 차고 맛은 쓰고 독이 없다.

주치활용 | 습열창독, 황수림리, 습진, 풍진, 개선창라, 풍습열비, 황달

효능 | 청열, 조습, 거풍, 해독

민간활용 | 민간에서 뿌리를 낙태, 통경, 두통, 풍질, 황달, 산유, 중풍, 이뇨 등에 약재로
쓴다.

주의 | 혈열성 자궁출혈 산후에 혈허증으로 수반되는 현휘증 등에는 금한다.

2011 ⓒ 백일홍

학명 | Zinnia violacea Cav.

분류 | 쌍떡잎식물 초롱꽃목 국화과

원산지 | 멕시코

생육상 | 한해살이풀

백일홍

줄기 백일초

잎
· 잎은 마주나고 달걀 모양이다.
· 엽병이 없고 가장자리는 밋밋하며 털이 나서 거칠다.
· 끝이 뾰족하며 밑은 심장 모양이다.

꽃
· 꽃은 6~10월에 핀다.
· 두화는 긴 꽃줄기 끝에 1개씩 달린다.
· 꽃의 빛깔은 녹색과 하늘색을 제외한 여러 가지이다.
· 총포조각은 둥글고 끝이 둔하며 윗가장자리가 검은색이다.

열매 열매는 수과로서 9월에 익는다. 씨를 심어 번식한다.

약 용 활 용

생약명 | 백일초(百日草)

이용부위 | 전체

채취시기 | 봄~가을(5~10월)

주치활용 | 이질, 유방염

효능 | 청열

2011 ⓒ 뱀딸기

학명 | Duchesnea chrysantha

분류 | 쌍떡잎식물 장미목 장미과

분포 | 한국, 중국, 일본, 말레이시아, 인도

생육상 | 여러해살이풀

뱀딸기

서식 풀밭이나 논둑의 양지에서 자란다.

줄기 덩굴이 옆으로 뻗으면서 마디에서 뿌리가 내린다.

잎
· 잎은 어긋나고 뿌리에 달린 잎은 3장의 작은잎이 나온 잎이다.
· 작은잎은 달걀 모양이거나 달걀 모양 원형이다.
· 잎 가장자리에 이 모양의 톱니가 있고 뒷면에는 긴 털이 난다.
· 턱잎은 달걀 모양 바소꼴이고 가장자리가 밋밋하다.

꽃
· 꽃은 4~5월에 노란색으로 피며, 잎겨드랑이에서 긴 꽃줄기가 나와서 끝에 1개의 꽃이 달린다.
· 꽃받침조각은 달걀 모양이고 부꽃받침은 5개로 갈라지고 다시 얕게 3개로 갈라진다.
· 꽃잎은 넓은 달걀 모양이다.

열매 열매는 수과로서 6월에 익으며 둥글고 붉게 익으면 먹을 수 있다.

이용
· 열매를 아이들이 먹는다.
· 염료용으로 이용할 수 있다.

약 용 활 용

생약명 | 사매(蛇莓)

이용부위 | 전초

채취시기 | 초여름

약성미 | 성질은 차고 맛은 달고 쓰다.

주치활용 | 열병, 발작, 해수, 인후종통, 이질, 사교상

효능 | 청열, 양혈, 소종, 해독

민간활용 | 뱀 및 독충에 물렸을 때 신선한 뱀딸기를 찧어서 환부에 바른다.

2011 ⓒ 뱀무

학명 | Geum japonicum
분류 | 쌍떡잎식물 장미목 장미과
분포 | 한국, 일본, 중국
생육상 | 여러해살이풀

뱀무

서식 산과 들에서 자란다.

줄기 전체에 털이 난다.

잎
- 뿌리에 달린 잎은 잎자루가 길고 깃꼴로 갈라지며, 옆의 작은잎은 1~2쌍이고 작으며 작은잎 같은 부속체가 있다.
- 꼭대기 작은잎은 넓은 달걀 모양으로서 크고 흔히 3개로 갈라진다.
- 양면에 짧은 털이 나고 가장자리에 톱니가 있다.
- 줄기에 달린 잎은 어긋나고 작으며 3개로 갈라지고 잎처럼 생긴 턱잎이 있다.

꽃
- 꽃은 6월에 노란색으로 피며 가지 끝에 1개씩 달린다.
- 작은꽃자루에 벨벳 같은 털이 난다.
- 꽃받침은 5개로 갈라지며 털이 빽빽이 나고 꽃이 핀 뒤 젖혀진다.

열매
- 열매는 수과가 둥글게 모여 있는 형태이다.
- 암술대는 끝까지 남으며 갈고리와 비슷하다.

이용 어린 순은 나물로 먹는다.

약 용 활 용

생약명 | 수양매(垂楊梅)

이용부위 | 전체

채취시기 | 여름(7~8월)

약성미 | 성질은 따뜻하고 맛은 맵고 독이 없다.

주치활용 | 위궤양, 해수, 강심, 토혈, 적백리, 고혈압, 치혈

효능 | 이뇨, 진경, 구풍, 해열, 대하증

민간활용 | 신장병에는 약 4ℓ의 물에 음지에서 말린 뱀무 15g 정도를 넣고 끓여서 여러 번 차처럼 마시면 효과가 있다.

학명 | Tetragonia tetragonoides

분류 | 쌍떡잎식물 중심자목 석류풀과

분포 | 한국, 중국, 일본, 남아시아, 오스트레일리아, 남아메리카

생육상 | 여러해살이풀

번행초

서식	바닷가에서 자라며 재배도 한다.
줄기	털은 없으나 사마귀 같은 돌기가 있으며 밑에서 가지가 많이 갈라져 비스듬히 서거나 옆으로 뻗는다.
잎	· 잎은 어긋나고 달걀 모양 삼각형이다. · 끝이 둔하고 두껍다.
꽃	· 꽃은 봄부터 가을까지 노란색으로 피고 잎겨드랑이에 1~2개씩 달린다. · 꽃받침통은 4~5개의 가시 같은 돌기가 있으며 열매가 성숙할 때도 남아 있다. · 화피의 겉은 녹색, 안은 노란색이며 넓은 달걀 모양이다. · 수술은 9~16개, 암술대는 4~6개이고 노란색 꽃밥이 있다. · 씨방은 하위(下位)이며 달걀을 거꾸로 세워 놓은 모양이다.
열매	열매는 핵과로서 달걀 모양이며 겉에 돌기가 있다.
이용	연한 순은 나물로 먹는다.

약 용 활 용

생약명	번행초(蕃杏草)
이용부위	전체
채취시기	여름~가을(개화기)
약성미	성질은 평하고 맛은 달고 약간 맵다.
주치활용	장염, 패혈병, 홍종, 풍열목적, 암
효능	청열, 해독, 거풍, 소종
민간활용	민간에서는 전초를 위장약으로 쓴다.

학명 | Ixeris japonica

분류 | 쌍떡잎식물 초롱꽃목 국화과

분포 | 한국, 일본, 중국

생육상 | 여러해살이풀

벋은씀바귀

서식 습기가 있는 논둑에서 자란다.

줄기 뿌리줄기를 옆으로 뻗으면서 마디에서 잎이 나와 번식하고 자란다.

잎
· 뿌리에서 많은 잎이 나와 사방으로 퍼지고 꽃이 필 때까지 남으며 잎자루가 길다.
· 잎은 거꾸로 선 바소꼴이거나 주걱형 비슷하고 밑부분에 깊이 패어 들어간 모양의 톱니가 있다.

꽃
· 꽃은 5~7월에 노란색으로 피고 두화는 1~6개가 꽃자루 끝에 달린다.
· 총포는 통처럼 생기고 바깥조각은 달걀 모양, 안조각은 긴 타원 모양 바소꼴이며 23~24개의 작은 꽃이 들어 있다.

열매
· 열매는 수과로서 검은빛이 섞인 갈색이고 10개의 능선이 있으며 8~9월에 익는다.
· 관모는 흰색이다.

이용 이른 봄 어린 순과 뿌리는 나물로 먹는다.

약용활용

생약명 | 고채(苦菜)

이용부위 | 전초

채취시기 | 봄(꽃 피기 전)

주치활용 | 소화불량, 폐렴, 간염, 음낭습진, 타박상, 외이염, 종기

효능 | 해열, 건위, 소종, 조혈

2011 ⓒ 벌개미취

학명 | Aster koraiensis

분류 | 쌍떡잎식물 초롱꽃목 국화과

분포 | 한국(전남, 경남, 경북, 충북, 경기)

생육상 | 여러해살이풀

벌개미취

서식　습지에서 자란다.

줄기　옆으로 뻗는 뿌리줄기에서 원줄기가 곧게 자라고, 홈과 줄이 있다.

잎
- 뿌리에 달린 잎은 꽃이 필 때 진다.
- 줄기에 달린 잎은 어긋나고 바소꼴이며 딱딱하고 양 끝이 뾰족하다.
- 가장자리에 잔 톱니가 있고 위로 올라갈수록 작아져서 줄 모양이 된다.

꽃
- 꽃은 6~10월에 피는데, 두화(頭花)는 연한 자줏빛이며 줄기와 가지 끝에 1송이씩 달린다.
- 총포는 공을 반으로 잘라놓은 모양이다.
- 포조각은 긴 타원형이며 가장자리에 털이 나고 4줄로 늘어선다.

열매
- 열매는 수과로서 바소꼴이고 11월에 익는다.
- 어린순은 나물로 먹는다.

약 용 활 용

생약명｜자원(紫苑)

이용부위｜전체

채취시기｜봄~초여름

약성미｜성질은 약간 따뜻하고 맛은 쓰고 달다.

주치활용｜폐결핵성 기침, 기관지염, 진해, 거담, 해수, 가래, 천식, 복수암

효능｜항균, 이뇨, 진해, 거담

2011 ⓒ 벌깨덩굴

학명 | Meehania urticifolia

분류 | 쌍떡잎식물 통화식물목 꿀풀과

분포 | 한국(제주), 일본, 중국 북동부

생육상 | 여러해살이풀

벌깨덩굴

서식 산지의 그늘진 곳에서 자란다.

줄기
· 향기가 나며 줄기는 사각이고 5쌍 정도의 잎이 달린다.
· 길고 흰 털이 드문드문 나고, 꽃이 진 다음 옆으로 덩굴이 자라면서 마디에서 뿌리가 내려 다음해의 꽃줄기가 된다.

잎 잎은 마주나고 잎자루가 있으며 달걀 모양 심장형이고 가장자리에 둔한 톱니가 있다.

꽃
· 꽃은 5월에 자줏빛으로 피고 윗부분의 잎겨드랑이에서 나와서 한쪽에 2~6개 달린다.
· 통부가 길고 갑자기 굵어진다.
· 아래쪽 꽃잎의 가운데 갈래조각은 특히 크고 옆 갈래조각과 함께 짙은 자주색 점이 있으며 긴 흰색 털이 난다.
· 4개의 수술 중 2개가 길다.

열매 열매는 작은 견과로서 달걀을 거꾸로 세워 놓은 모양이며 털이 드문드문 난다.

이용 어린 잎을 식용한다

약용활용

생약명 | 미한화(美漢花)

이용부위 | 지상부

채취시기 | 봄~여름

주치활용 | 열을 내리고 종기의 독을 풀어주며, 통증을 없애고, 피와 기를 잘 돌게 한다.

효능 | 해열, 통증

2011 ⓒ 벌노랑이

학명 | Lotus corniculatus var. japonicus
분류 | 쌍떡잎식물 장미목 콩과
분포 | 한국, 일본, 중국, 타이완, 히말라야 산맥
생육상 | 여러해살이풀

벌노랑이

서식 산과 들의 양지에서 자란다.

줄기 밑동에서 가지가 많이 갈라져 비스듬히 자라거나 퍼지고 털이 없다.

잎
- 잎은 어긋나는데, 5개의 작은잎 중 2개는 원줄기에 가까이 붙어 턱잎같이 보이고, 3개는 끝에 모여 달린다.
- 끝이 뾰족하고 가장자리는 밋밋하다.
- 턱잎은 작거나 없다.

꽃
- 꽃은 6~8월에 노란색으로 피고 꽃줄기 끝에 산형(傘形)으로 달린다.
- 꽃받침은 5개로 갈라지고 그 조각은 줄 모양 바소꼴이다.
- 화관은 기판이 가장 크고 달걀을 거꾸로 세워 놓은 모양이다.

열매
- 열매는 협과로서 줄 모양이고 길이 3cm 정도로 곧다.
- 종자는 검은빛이다.

이용
- 답압에도 어느 정도 견딜 수 있으므로 지피용 소재로 다양하게 식재할 수 있다.
- 성질이 강건하고 토양을 특별히 가리지 않으므로 척박지 녹화 및 해변지구 녹화용 등으로도 좋다.

약용활용

생약명	백맥근(百脈根)
이용부위	뿌리, 전초
채취시기	봄(5~6월)
약성미	성질은 약간 차고 맛은 달다.
주치활용	감기, 부종, 인후통증, 장염, 치통, 해열
효능	하기, 지갈, 허로
민간활용	민간 약으로 꽃은 혈압강하약, 뿌리는 청열, 지혈에 쓰인다

2011 ⓒ 벌씀바귀

학명 | Ixeris polycephala

분류 | 쌍떡잎식물 초롱꽃목 국화과

분포 | 한국, 중국, 일본, 인도, 캅카스

생육상 | 두해살이풀

벌씀바귀

서식 논둑이나 벌판에서 흔히 자란다.

줄기 줄기는 곧게 자라지만 밑에서 가지가 갈라지기도 하고 털이 없다.

잎
- 뿌리에 달린 잎은 줄 모양 바소꼴이다.
- 밑부분이 좁고 가장자리 밑쪽에 톱니가 조금 있거나 밋밋하며 꽃이 필 때 없어지기도 한다.
- 줄기에 달린 잎은 바소꼴이다.
- 끝이 뾰족하며 원줄기를 둘러싸고 가장자리가 밋밋하다.

꽃
- 꽃은 5~7월에 노란색으로 핀다.
- 두화는 산방꽃차례로 늘어서고 꽃이 핀 다음에는 아래로 처진다.
- 포는 1~2개이고 총포는 원기둥 모양이다.
- 바깥조각은 달걀 모양이고 작으며 안조각은 달걀 모양 바소꼴이다.

열매 열매는 수과로서 짙은 갈색이고 깊은 홈이 있으며, 관모는 흰색이다.

이용 어린 순과 줄기는 나물로 먹는다.

약 용 활 용

생약명 | 황과채(黃瓜菜)

이용부위 | 전초

채취시기 | 봄

약성미 | 성질은 차고 맛은 쓰다.

주치활용 | 독사교상, 요결석, 음낭습진, 폐렴, 골절

효능 | 소종, 해열, 해독

민간활용 | 사마귀는 씀바귀의 잎이나 줄기에서 나오는 흰즙액을 손등의 사마귀에 바르면 사마귀가 스스로 떨어진다.

주의 | 씀바귀를 먹고 냉수나 아이스크림을 먹으면 장기가 한랭하여 기능이 침체된다.

2011 ⓒ 범꼬리

학명	Bistorta manshuriensis
분류	쌍떡잎식물 마디풀목 마디풀과
분포	한국, 중국 동북부, 헤이룽강, 우수리강
생육상	여러해살이풀

범꼬리

서식 산골짜기 양지에서 자란다.

줄기 뿌리줄기가 짧고 굵으며 잔뿌리가 많다.

잎
- 뿌리에 달린 잎은 어긋나고 잎자루가 길며 넓은 달걀 모양이고 점차 좁아져서 끝이 뾰족하고 밑은 심장밑 모양이다.
- 잎 가장자리는 밋밋하고 뒷면은 흰빛이다.
- 줄기에 달린 잎은 이와 비슷하지만 잎자루가 짧고 잎도 작다.
- 잎집은 막질이다.

꽃
- 꽃은 6~7월에 연분홍색 또는 흰색으로 피고 수상꽃차례에 달린다.
- 꽃잎은 없고 꽃받침은 5개로 갈라진다.
- 수술은 8개로 꽃받침보다 좀더 길고, 꽃밥은 연한 붉은빛을 띤 자주색이며 수술대 밑부분에 작은 샘이 있다.

열매 열매는 수과로서 9~10월에 익는데, 꽃받침에 싸이며 3개의 능선이 있다.

이용 어린 잎과 줄기는 식용한다.

약용활용

생약명 | 권삼(拳參)

이용부위 | 뿌리줄기

채취시기 | 가을—잎이 마르기 시작할 때, 봄—싹 트기 전

약성미 | 성질은 약간 차고 맛은 쓰고 떫다.

주치활용 | 적리, 열사, 폐열해수, 옹종, 나력, 구설생창, 토혈, 육혈, 치창출혈, 독사교상

효능 | 소열, 해독, 소종, 지혈

주의 | 옹종창독이이 실화열독에 속하지 아니한 때는 부적하며, 외상이 음중에 속한 때는 금한다.

학명 | Belamcanda chinensis

분류 | 외떡잎식물 백합목 붓꽃과

분포 | 한국, 일본, 중국

생육상 | 여러해살이풀

범부채

서식 산지와 바닷가에서 자란다.

뿌리줄기 뿌리줄기를 옆으로 짧게 뻗고 줄기는 곧게 서며 윗부분에서 가지를 낸다.

잎
· 잎은 어긋나고 칼 모양이며 좌우로 납작하고 2줄로 늘어선다.
· 빛깔은 녹색 바탕에 약간 흰빛을 띠며 밑동이 줄기를 감싼다.

꽃
· 꽃은 7~8월에 피는데, 수평으로 퍼지고 노란빛을 띤 빨간색 바탕에 짙은 반점이 있다.
· 가지 끝이 1~2회 갈라져서 한 군데에 몇 개의 꽃이 달리며 밑부분에 4~5개의 포가 있다.
· 화피갈래조각은 6개이고 타원형이다.
· 수술은 3개이고 씨방은 하위이다.
· 암술대는 곧게 서며 3갈래로 갈라진다.

열매
· 열매는 삭과로서 달걀을 거꾸로 세워놓은 모양이고 길이 3cm 정도이며 9~10월에 익는다.
· 종자는 공 모양이고 검은빛이며 윤이 난다.

이용 관상용으로 재배하기도 한다.

약 용 활 용

생약명 | 사간(射干)

이용부위 | 뿌리줄기

채취시기 | 봄, 가을에 채취

약성미 | 성질은 차며 맛은 쓰고 독이 있다.

주치활용 | 후비인통, 해역상기, 담연옹성, 라력, 결핵, 학모, 부녀경폐, 옹종창독

효능 | 강화, 해독, 산혈, 소담

민간활용 | 안질에는 말린 씨를 한 번에 한 알씩 달여 그 즙으로 눈을 씻거나 씨를 먹으면 낫는다.

2011 ⓒ 버

학명 | Oryza sativa

분류 | 외떡잎식물 벼목 화본과

원산지 | 동인도

생육상 | 한해살이풀

벼

서식 동인도 원산의 식용작물로 논이나 밭에 심는다.

잎 잎은 가늘고 길다.

꽃 성숙하면 줄기 끝에 이삭이 나와 꽃이 핀 후 열매를 맺는다.

이용 벼에서 얻어지는 것은 나락과 볏짚인데, 나락은 종자용을 제외하고는 도정하여 쌀과 왕겨·쌀겨 등으로 나누어진다.

─ 약 용 활 용 ─

생약명 | 갱미(粳米)

이용부위 | 전초

채취시기 | 가을(10월)

약성미 | 성질은 평하고 맛은 달다.

주치활용 | 열병번갈, 토혈, 비출혈, 풍열목적, 열격, 반위, 식체, 수양성불리, 복통, 소갈, 황달, 백탁, 치창, 열상

효능 | 보중익기, 건비화위, 제번갈, 지사리, 보비, 화중, 소식, 익위, 퇴허열, 지침한, 보기, 제풍습, 자음, 안태화혈

2011 ⓒ 벼룩나물

학명 | Stellaria alsine var. undulata

분류 | 쌍떡잎식물 이판화군 중심자목 석죽과

분포 | 동아시아 온대를 중심으로 분포

생육상 | 두해살이풀

벼룩나물

서식 논둑이나 밭에서 흔히 자란다.

줄기
- 털이 없고 밑에서 가지가 많이 갈라져서 퍼지기 때문에 커다란 포기로 자란 것처럼 보인다.
- 가는 실 모양의 줄기가 뿌리 근처에서 갈라져서 지면을 긴다.

잎
- 잎은 마주나고 1개의 엽맥이 있으며 측맥은 뚜렷하지 않다.
- 잎자루가 없으며 긴 타원형 또는 달걀 모양의 바소꼴이고 회록색이며 가장자리가 밋밋하다.

꽃
- 꽃은 4~5월에 피고 양성이며 취산꽃차례를 이룬다.
- 꽃받침조각은 5개이고 바소꼴로 끝이 둔하며 가장자리가 막질이다.
- 꽃잎은 5개로 꽃받침과 길이가 같고 2개로 깊게 갈라지지만 나중에 피는 꽃 중에는 없는 것도 있다.
- 수술은 6개, 암술은 1개이며, 암술대는 3개로 갈라진다.

열매 열매는 삭과로 타원형이고 꽃받침과 길이가 비슷하며 6개로 갈라진다.

이용 어린 순은 나물로 먹는다.

약용활용

생약명 | 천봉초(天蓬草)

이용부위 | 전초

채취시기 | 봄(4~5월 개화시)

약성미 | 성질은 따뜻하고 맛은 달고 약간 쓰다.

주치활용 | 감기, 치질, 이질설사, 타박상

효능 | 이질, 치루, 상풍감모, 질타손상

민간활용 | 이질, 치루, 타박상에 전초를 달인 액을 반으로 나누어 아침저녁으로 복용하고, 외용에는 짓찧어서 바른다.

학명 | Arenaria juncea

분류 | 쌍떡잎식물 이판화군 중심자목 석죽과

분포 | 한국, 중국, 몽골, 동부 시베리아

생육상 | 여러해살이풀

벼룩이울타리

 초본류

서식 산지에서 자란다.

줄기 굵은 뿌리에서 총생하여 자란다.

잎 뿌리잎은 줄 모양이며 원줄기의 1/2 정도이고, 줄기잎은 마주나서 밑부분이 원줄기를 감싸며 짧다.

꽃
· 꽃은 흰색이고 7~8월에 피며 잎겨드랑이와 끝에 작은꽃자루가 있는 꽃이 달린다.
· 꽃이삭에 선모가 있고 꽃받침조각과 꽃잎은 5개이며 수술은 10개이고 암술대는 3개 이다.

열매 열매는 삭과로 달걀 모양이고 꽃받침보다 다소 길며 6개로 갈라진다.

┌─ 약 용 활 용 ─────
│
│ 생약명 | 은시호(銀柴胡)
│ 이용부위 | 뿌리
│ 채취시기 | 봄, 가을
│ 약성미 | 성질은 차고 맛은 달다.
│ 주치활용 | 목적, 해수, 치은염
│ 효능 | 청열, 해독, 명목
└─

2011 ⓒ 벼룩이자리

학명 | Arenaria serpyllifolia

분류 | 쌍떡잎식물 이판화군 중심자목 석죽과

분포 | 한국, 일본, 타이완, 중국

생육상 | 한·두해살이풀

벼룩이자리

서식 경작지와 길가에서 흔히 자란다.

줄기 밑에서부터 가지가 많이 갈라지고 밑으로 향한 털이 있으며 밑에서 갈라진 가지는 옆으로 뻗어서 땅에 닿는다.

잎 잎은 마주나고 잎자루가 없으며 달걀 모양 또는 넓은 타원형이다.

꽃
· 흰꽃이 4~5월에 피며 작은꽃자루가 잎겨드랑이에서 1개씩 자라서 끝에 꽃이 1개씩 달린다.
· 전체적으로 취산꽃차례를 이룬다.
· 꽃잎과 꽃받침조각은 5개씩이고 수술은 10개이며 암술대는 3개이다.

열매 열매는 삭과로 6월에 익으며 달걀 모양이고 끝이 6개로 갈라진다.

이용 어린 순은 나물로 먹는다.

─ 약 용 활 용 ─

생약명 | 소무심채(小無心菜)

이용부위 | 전초

채취시기 | 여름~가을

약성미 | 성질은 시원하고 맛은 쓰다.

주치활용 | 치주염, 급성결막염, 인후통, 기침

효능 | 해독

2011 ⓒ 벽오동

학명 | Firmiana simplex
분류 | 쌍떡잎식물 이판화군 아욱목 벽오동과
분포 | 중국, 인도차이나, 타이완, 류큐
생육상 | 낙엽교목

벽오동

서식 전라도와 경상도에서 가로수로 심고 있으며 경기도에서도 곳에 따라 월동이 가능하다.

줄기 줄기에서 굵은 가지가 벌어지고 나무껍질은 녹색이다.

잎
· 잎은 달걀 모양으로 넓으며 어긋나지만 가지 끝에서는 모여 달리고 가장자리가 3~5개로 갈라진다.
· 잎자루는 잎보다 길다.

꽃
· 꽃은 6~7월에 연한 노란색으로 피고 원추꽃차례를 이루며 단성화이다.
· 하나의 꽃이삭에 암꽃과 수꽃이 달린다.
· 꽃받침조각은 5개이고 뒤로 젖혀지며 꽃잎은 없다.
· 합쳐진 수술대 끝에 10~15개의 꽃밥이 달린다.

열매 열매는 삭과로 성숙하기 전에 5개로 갈라져서 둥근 종자가 겉에 나타난다.

이용
· 종자는 볶아서 커피 대용품으로 사용한다.
· 수피는 섬유용으로 사용한다.
· 잘 썩지 않아 가야금, 문갑재, 장롱 등을 만드는 데 사용한다.

약용활용

생약명 | 오동자(梧桐子), 오동엽(梧桐葉), 오동근(梧桐根)

이용부위 | 전체

채취시기 | 종자—여름 가을, 잎—여름

약성미 | 성질은 차고 맛은 쓰다.

주치활용 | 구강염, 소화장애, 위통, 부정자궁출혈, 화상, 고혈압, 기침, 사지마비

효능 | 청열, 해독, 거풍

민간활용 | 기침 멎이에는 종자를 볶아서 달여 마시면 좋은 효과가 있다.

2011 ⓒ 별꽃

학명 | Stellaria media

분류 | 쌍떡잎식물 이판화군 중심자목 석죽과

분포 | 전세계

생육상 | 두해살이풀

별꽃

서식 밭이나 길가에서 자란다.

줄기 전체적으로 연한 녹색으로 밑에서 가지가 많이 나오며, 줄기에 1줄의 털이 있다.

잎
· 잎은 마주나고 달걀 모양이며 길이 1~2cm, 나비 8~15mm이다.
· 밑부분 잎은 잎자루가 길고 윗부분 잎은 잎자루가 없으며, 양면에 털이 없다.
· 가장자리에 톱니가 없으나 때로 물결 모양으로 되기도 한다.

꽃
· 꽃은 5~6월에 피고 흰색이며 취산꽃차례를 이룬다.
· 포(苞)는 작고 잎 같으며 가늘고 긴 꽃자루는 한쪽에 털이 있다.
· 꽃받침은 5개이다.
· 달걀 모양의 긴 타원형으로 다소 끝이 뭉뚝하며 길이 4mm 내외이고 녹색으로 외면에 선모가 빽빽이 나있다.
· 꽃잎도 5개이고 2개로 깊게 갈라진다.
· 수술은 1~7개이고 암술대는 3개이다.

열매
· 열매는 삭과로 달걀 모양이고 꽃받침보다 다소 길며 끝이 6개로 갈라진다.
· 종자는 껍질에 유두상 돌기가 있다.

이용 어린 잎과 줄기는 식용한다.

약 용 활 용

생약명 | 번루(蘩蔞)

이용부위 | 전초

채취시기 | 봄~여름(5~8월)

약성미 | 성질은 평하고 맛은 달고 약간 짜다.

주치활용 | 복통, 종기, 타박상

효능 | 구어혈, 활혈, 최유, 소종

민간활용 | 민간에서는 전초를 피임, 최유제, 정혈제 등으로 사용한다.

2011 ⓒ 병조희풀

학명 | Clematis heracleifolia

분류 | 쌍떡잎식물 이판화군 미나리아재비목 미나리아재비과

분포 | 한국, 중국

생육상 | 낙엽관목

병조희풀

서식 숲의 가장자리에서 자란다.

줄기 줄기의 밑부분은 목질이 발달하지만 윗부분은 죽는다.

잎
· 잎은 마주나고 3개의 작은잎으로 구성된다.
· 작은잎은 넓은 달걀 모양으로 끝이 뾰족하고 거칠며 가장자리에 거친 톱니가 드문드문 있으나 흔히 3개로 얕게 갈라진다.

꽃
· 꽃은 8~9월에 짙은 하늘색 또는 연한 보라색으로 피고 잡성이다.
· 화피갈래조각은 4개이며, 밑은 통 모양이고 윗가장자리가 안으로 말리며 끝이 뒤로 젖혀지고 겉에 털이 있다.

열매 열매는 9월에 익고 암술대가 끝에 남아 있으며 깃털 같은 흰색 털이 밀생한다.

약 용 활 용

생약명 | 초목단, 목단동

이용부위 | 뿌리

채취시기 | 봄~여름

주치활용 | 통풍을 없애고, 염증을 가라앉히는 효능, 수족관절통

효능 | 치냉, 건위, 거담

2011 ⓒ 보리

학명 | Hordeum vulgare var. hexastichon

분류 | 외떡잎식물 벼목화본과

분포 | 한국, 시베리아, 알프스, 아프가니스탄, 히말라야, 티베트, 페루 등

생육상 | 두해살이풀

보리

서식	주요 재배식물이다.
줄기	· 마디가 높고 원줄기는 둥글다. · 속이 비어 있고 마디 사이가 길다.
잎	· 잎은 어긋나고 넓은 줄 모양의 바소꼴로, 뒤로 젖혀지지 않는다. · 녹색 바탕에 다소 흰빛이 돈다. · 잎자루는 잎집으로 되어 원줄기를 완전히 둘러싸고 있다. · 녹색으로 털이 없으며, 잎혀는 짧다.
이삭	· 이삭은 줄기 끝에 달리고, 한 이삭에는 15~20개의 마디가 있다. · 한 마디에는 3개의 영화가 달린다. · 한 마디에 달리는 3개의 영화가 모두 여물어서 얼기설기 달린다. · 씨알의 배열이 6줄로 되어 여섯줄보리가 된다. · 3영화 중 가운데 영화만 여물고 2개의 영화는 퇴화되어, 씨알이 2줄로 배열되는 것은 두줄보리가 된다. · 보리의 영화에는 외영과 내영이 있고, 1개의 암술과 3개의 수술이 있다.

약 용 활 용

생약명	맥아(麥芽)
이용부위	열매
약성미	성질은 서늘하고 맛은 달고 짜다.
주치활용	식체, 소갈, 하리, 소변임통, 수종, 소화불량, 복부팽창감, 식욕부진, 구토, 설사, 유창불소
효능	화위, 관장, 이수, 소종, 이습, 이기, 소화촉진, 화중, 하기, 강장
민간활용	살결이 고와진다고 하여 옛날부터 피부가 거칠어지는 데 널리 쓰였다.
주의	소아의 단유에 쓰이므로 수유기간엔 복용하는 것이 좋지 않다.

2011 ⓒ 보풀

학명 | Sagittaria aginashi
분류 | 외떡잎식물 소생식물목 택사과
분포 | 한국, 일본
생육상 | 여러해살이풀

보풀

| 서식 | 연못이나 습지에서 자란다. |

| 줄기 | 뿌리줄기는 짧고 옆으로 뻗는 가지가 없으며 가을에 잎겨드랑이에 알줄기가 생긴다. |

잎
- 잎은 잎자루가 길고 화살 모양으로 윗부분이 보다 길며 가장자리가 밋밋한 바소꼴 또는 줄 모양이다.
- 잎 끝이 뾰족하고 뒷면에 잎맥이 튀어 나온다.

꽃
- 꽃은 7~9월에 흰색으로 피고 층층으로 달리며 꽃줄기는 돌려나는 총상꽃차례이다.
- 암꽃은 밑부분에 달리고 꽃받침조각과 꽃잎이 각각 3개씩이며 암술이 많고 헛수술이 있다.
- 수꽃은 윗부분에 달리고 암꽃과 비슷하지만 수술이 많다.

| 열매 | 열매는 연한 녹색이며 거꾸로 세운 달걀 모양이고 넓은 날개와 부리가 있다. |

| 이용 | 연못 주변이나 도랑 등에 수생식물로 식재한다. |

약용활용

생약명 | 수자고(水慈姑)

이용부위 | 전초

채취시기 | 여름, 가을

약성미 | 성질은 서늘하고 맛은 맵고 독이 없다.

주치활용 | 각종 창독에는 수자고에 난두발을 가하여 직찧어서 붙인다. 벌에 쏘인 데는 즙을 내어 바른다.
독사교상에는 수자고를 짓찧어서 환부에 붙인다.

효능 | 통증

민간활용 | 민간에서는 뿌리줄기 달임약을 개에 물린 데 쓰고, 가루는 상처, 궤양, 악성 종양에 바른다.

2011 ⓒ 복수초

학명 | Adonis amurensis

분류 | 쌍떡잎식물 이판화군 미나리아재비목 미나리아재비과

분포 | 한국, 일본, 중국

생육상 | 여러해살이풀

복수초

서식	숲 속 그늘에서 자란다.
뿌리줄기	뿌리줄기가 짧고 굵으며 흑갈색의 잔뿌리가 많이 나온다.
줄기	줄기는 윗부분에서 갈라지며 털이 없거나 밑부분의 잎은 막질로서 원줄기를 둘러 싼다.
잎	· 잎은 양면에 털이 없거나 뒷면에 작은 털이 있다. · 밑에서는 잎몸이 없고 밑부분뿐이며 위로 올라가면서 어긋나고 깃꼴로 두 번 잘게 갈라진다. · 최종 갈래조각은 줄 모양이고 잎자루 밑에 달린 턱잎은 갈라졌다.
꽃	· 꽃은 4월 초순에 피고 노란색이며 원줄기와 가지 끝에 1개씩 달린다. · 꽃받침조각은 짙은 녹색으로 여러 개이고 꽃잎은 20~30개가 수평으로 퍼진다. · 수술은 많다.
열매	열매는 수과로 꽃턱에 모여 달리며, 공 모양으로 가는 털이 있다.
이용	이른 봄철에 가장 먼저 피는 밝은 노란색 꽃이 관상가치가 뛰어나므로 낙엽성 교목의 하부식재용으로 좋다.

약용활용

생약명 | 복수초(福壽草)

이용부위 | 전체뿌리

채취시기 | 줄기—열매 맺을 때, 전초—개화기

약성미 | 성질은 평하고 맛은 쓰다.

주치활용 | 강심, 이뇨 진통 작용

효능 | 강심작용 이뇨

민간활용 | 뜨거운 물에 담궈 즙을 우려내어 하루 한 번 적당한 양을 마시면 심장병에 효과가 있다고 한다.

2011 ⓒ 복주머니난

학명 | Cypripedium macranthum
분류 | 외떡잎식물 난초목 난초과
분포 | 한국(제주 제외), 일본, 중국, 헤이룽강, 사할린섬, 시베리아
생육상 | 여러해살이풀

복주머니난

서식 산기슭의 풀밭에서 자란다.

줄기 · 짧은 뿌리줄기를 옆으로 벋고, 마디에서 뿌리를 내리며 털이 난다.
· 줄기는 곧게 선다.

잎 · 잎은 3~5개가 어긋나고 타원형이다.
· 털이 드문드문 나며 밑쪽은 잎집이 된다.

꽃 · 5~7월 붉은 자줏빛 꽃이 줄기 끝에 1개씩 핀다.
· 포는 잎 모양이다.
· 꽃잎 가운데 2개는 달걀 모양 바소꼴이고 끝이 뾰족하며 밑쪽에 약간의 털이 난다.
· 입술꽃잎은 큰 주머니 모양이다.

열매 열매는 삭과이며 7~8월에 익는다.

이용 뿌리는 중풍 요통, 전초는 강장·대하증 등의 약으로 쓰인다.

약 용 활 용

생약명 | 오공칠(蜈蚣七)

이용부위 | 전체

채취시기 | 가을

약성미 | 성질은 따뜻하고 맛은 쓰고 맵우며 독이 없다.

주치활용 | 전신부종, 하지수종, 백대, 임증, 류머티즘동통, 타박상, 노상, 중풍, 요통, 대하증, 강장

효능 | 이뇨, 소종, 활혈, 거어, 거풍습, 진통

민간활용 | 전초를 이뇨, 진통 등 약재로 쓰기도 한다.
꽃은 그늘에 말려 갈아 분말로 지혈에 사용한다.

2011 ⓒ 봄맞이

학명 | Androsace umbellata

분류 | 쌍떡잎식물 합판화군 앵초목 앵초과

분포 | 한국, 일본

생육상 | 한 · 두해살이풀

봄맞이

서식 들에서 흔히 자란다.

잎
- 뿌리잎은 사방으로 퍼져나간다.
- 잎은 거의 반원형이고 가장자리에 삼각상의 톱니와 더불어 거친 털이 있다.

꽃
- 꽃은 4~5월에 피고 흰색이며 긴 꽃줄기 끝에 4~10개의 꽃이 산형꽃차례를 이룬다.
- 포는 달걀 모양에서 바소꼴이다.
- 꽃받침과 꽃잎은 깊게 5개로 갈라지는데, 그 조각은 긴 타원형이고 수술은 5개이다.

열매 열매는 삭과로 거의 둥글고 윗부분이 5개로 갈라진다.

이용 봄에 어린 순은 식용한다.

약용활용

생약명 | 후롱초(喉嚨草)

이용부위 | 전체, 열매

채취시기 | 4월 초순

약성미 | 성질은 서늘하고 맛은 쓰고 달며 독이 없다.

주치활용 | 인후종통, 구창, 적안, 목예, 정 · 편두통, 치통, 류머티즘, 천식, 임탁, 붕 · 대하, 정창종독, 화상

효능 | 거풍, 청열, 소종, 해독

민간활용 | 전초 달임약을 목구멍이 아플 때, 상처에 마시거나 바른다.

2011 ⓒ 봉선화

학명 | Impatiens balsamina

분류 | 쌍떡잎식물 이판화군 무환자나무목 봉선화과

원산지 | 인도, 동남아시아

생육상 | 한해살이풀

봉선화

서식
- 햇볕이 드는 곳에서 잘 자라며 나쁜 환경에서도 비교적 잘 자란다.
- 습지에서도 잘 자라므로 습윤한 찰흙에 심고 여름에는 건조하지 않게 한다.

줄기 줄기는 곧게 자라고 육질이며 밑부분의 마디가 특히 두드러진다.

잎 잎은 어긋나고 잎자루가 있으며 바소꼴로 양 끝이 좁고 가장자리에 톱니가 있다.

꽃
- 4~5월에 씨를 뿌리면 6월 이후부터 꽃이 피기 시작한다.
- 꽃은 2~3개씩 잎겨드랑이에 달린다.
- 꽃대가 있어 밑으로 처지며 좌우로 넓은 꽃잎이 퍼져 있고 뒤에서 통상으로 된 꿀주머니가 밑으로 굽는다.
- 꽃 빛깔은 분홍색·빨간색·주홍색·보라색·흰색 등이 있고, 꽃 모양도 홑꽃·겹꽃이 있다.
- 수술은 5개이고 꽃밥이 서로 연결되어 있으며 씨방에 털이 있다.

열매 열매는 삭과로 타원형이고 털이 있으며 익으면 탄력적으로 터지면서 씨가 튀어나온다.

이용 관상용 재배, 염료용으로 이용할 수 있다.

― 약 용 활 용 ―

생약명 | 투골초(投骨草), 급성자(急性子)

이용부위 | 전초

채취시기 | 여름~가을

약성미 | 성질은 따뜻하고 맛은 쓰고 매우며 독이 있다.

주치활용 | 산후복통, 월경폐지, 소아비적, 간염, 적괴, 열격, 외양견종, 인후에 고기뼈가 걸려서 내려가지 않는 것

효능 | 파혈, 소적, 청간, 연견

학명	Pteris multifida
분류	고사리목 고사리과
분포	전남, 경남 및 남쪽섬
생육상	상록 양치식물

봉의꼬리

서식 돌틈과 숲 가장자리에서 자란다.

줄기 뿌리줄기는 옆으로 짧게 자라고 흑갈색 털이 있다.

잎
- 잎은 생식엽과 영양엽의 2가지가 있다.
- 잎몸은 잎자루와 길이가 비슷하다.
- 첫째잎조각은 다시 갈라지고 중앙에서 위의 갈래조각이 중축으로 흐르기 때문에 날개가 생긴다.
- 영양엽은 생식엽보다 훨씬 작고 잎조각의 나비가 넓으며 가장자리에 톱니가 있다.

포자
- 포자낭군은 뒤로 말린 잎조각의 가장자리에 달린다.
- 본종은 큰봉의꼬리에 비해 잎자루 상부에 현저한 날개가 있다.

약용활용

생약명 | 봉미초(鳳尾草)

이용부위 | 전초

채취시기 | 가을~겨울

주치활용 | 황달형 간염, 장염, 세균성이질, 임탁, 대하, 토혈, 혈변, 편도선염, 옹종창독, 습진

효능 | 청열, 이습, 양혈

민간활용 | 민간에서 잎을 달여 임질, 설사, 이질에 쓴다.

학명 | Typha orientalis
분류 | 외떡잎식물 부들목 부들과
분포 | 한국, 일본, 중국, 우수리, 필리핀
생육상 | 여러해살이풀

부들

서식 연못 가장자리와 습지에서 자란다.

줄기 뿌리줄기가 옆으로 뻗으면서 퍼지고 원주형이며 털이 없고 밋밋하다.

잎
· 잎은 줄 모양으로 줄기의 밑부분을 완전히 둘러싼다.
· 물에서 살지만 뿌리만 진흙에 박고 있을 뿐 잎과 꽃줄기는 물 밖으로 드러나 있다.

꽃
· 꽃은 6~7월에 노란색으로 피고 단성화이며 원주형의 꽃이삭에 달린다.
· 위에는 수꽃이삭, 밑에는 암꽃이삭이 달리며, 두 꽃이삭 사이에 꽃줄기가 보이지 않는다.
· 포는 2~3개이고 일찍 떨어지며 꽃에는 화피가 없고 밑부분에 수염같은 털이 있으며 수꽃에서는 화분이 서로 붙지 않는다.

열매 열매이삭은 긴 타원형이며 적갈색이다.

이용
· 과수와 잎은 꽃꽂이 소재로 이용되며, 마른 소재로 이용되기도 한다.
· 연못 또는 수재화단에 이용되며, 오염된 하수구 주변에 심으면 좋다.
· 잎은 공예품이나 방석을 만든다.

약 용 활 용

생약명 | 포황

이용부위 | 전체

채취시기 | 여름(7~8월)

약성미 | 성질은 평하고 맛은 달고 약간 맵다.

주치활용 | 외상출혈, 소변분리, 유옹

효능 | 이뇨

민간활용 | 화상을 입었을 때 부들 싹에 붙은 솜 같은 섬유질을 따서 환부에 붙이면 통증이 없어진다.

2011 ⓒ 부레옥잠

학명 | Eichhornia crassipes

분류 | 외떡잎식물 분질배유목 물옥잠과

원산지 | 열대, 아열대 아메리카

생육상 | 여러해살이풀

부레옥잠

서식 연못에서 떠다니며 자란다.

줄기 밑에 수염뿌리 처럼 생긴 잔뿌리들은 수분과 양분을 빨아들이고, 몸을 지탱하는 구실을 한다.

잎
- 잎은 달걀 모양의 원형으로 많이 돋으며 밝은 녹색에 털이 없고 윤기가 있다.
- 잎자루는 공 모양으로 부풀어 있으며 그 안에 공기가 들어 있어 표면에 떠 있을 수 있도록 한다.

꽃
- 꽃은 8~9월에 피고 연한 보랏빛이며 수상꽃차례를 이루고, 밑부분은 통으로 되며 윗부분이 깔때기처럼 퍼진다.
- 6개의 갈래조각 중에서 위의 것이 가장 크고, 연한 보랏빛 바탕에 황색 점이 있다.
- 6개의 수술 중 3개가 길고 수술대에 털이 있으며 암술대는 실처럼 길다.
- 씨방은 상위이다.

약 용 활 용

생약명	수호로(水葫蘆)
이용부위	전초
채취시기	여름, 가을
주치활용	열창에 짓찧어 도포한다.
효능	청량, 해독, 제습, 거풍열

2011 ⓒ 부용

학명 | Hibiscus mutabilis L.

분류 | 쌍떡잎식물 이판화군 아욱목 아욱과

원산지 | 중국

분포 | 제주도 서귀포에 자생

형태 | 낙엽활엽소교목

부용

서식 산과 들에서 자란다.

줄기 줄기 가지는 성모가 있고 초본성이다.

잎
- 잎은 호생하며 둥글고 3~7개로 갈라진다.
- 열편은 삼각상 난형이며 심장저이다.
- 끝이 뾰족하며 둔한 톱니가 있다.
- 표면에 성모와 잔돌기가 있어 거칠며 뒷면에 백색 성모가 밀생한다.
- 병에 성상모가 밀생한다.

꽃
- 꽃은 8~10월에 피고 연한 홍색이며 윗부분의 엽액에 1개씩 달린다.
- 꽃받침은 보통 중앙까지 5개로 갈라지고 선모가 섞여 있으며 소포가 꽃받침통보다 길다.
- 소포편은 8~10개로 선형이고 화경과 화통에 성상모가 밀생한다.

열매
- 열매는 삭과로 구형이고 황색 강모가 밀생한다.
- 맥이 있으며 종자는 많고 신장형이며 흑갈색이고 뒷면에 긴 백색 털이 있다.

약 용 활 용

생약명 | 목부용(木扶蓉), 부용엽(芙蓉葉)

이용부위 | 전초(지상부)

채취시기 | 여름~가을(8~10월)

주치활용 | 관절염, 늑막염, 목의 통증, 변비, 옹종, 화상, 폐열에서 오는 해수, 토혈, 백대하

효능 | 해독 , 해열, 완화 , 검활 소종, 숙취개선, 양혈, 이뇨, 청열

2011 ⓒ 부채마

학명 | Dioscorea nipponica

분류 | 외떡잎식물 백합목 마과

분포 | 한국, 일본, 중국

생육상 | 덩굴성 여러해살이풀

부채마

서식 산이나 들에서 자란다.

줄기 뿌리줄기는 옆으로 벋어가며 딱딱하다.

잎
· 잎은 어긋나고 대가 길고 3개로 갈라지며 달걀 모양이다.
· 가운데 갈래조각이 길어지고 옆갈래조각은 다시 3~5개로 갈라진다.
· 잎겨드랑이는 뒷면으로 튀어나오며 잔털이 있다.

꽃
· 꽃은 단성화이고 8월에 황록색으로 피는데, 완전히 벌어지지 않으며 수상꽃차례를 이룬다.
· 수꽃이삭은 수상꽃차례로 곧게 또는 비스듬히 서고, 암꽃이삭은 밑으로 처진다.
· 화피갈래조각과 수술은 6개씩이다.

열매 열매는 삭과로 3개의 날개가 있으며 밑으로 처진 대에서 위를 향하여 달린다.

약용활용

생약명 | 천산룡(穿山龍)
이용부위 | 뿌리줄기
채취시기 | 가을~겨울
약성미 | 성질은 평하고 맛은 쓰다.
주치활용 | 풍한습비, 만성기관지염, 소화불량, 피로에 의한 손상, 염좌, 학질, 옹종악창
효능 | 활혈, 서근, 소식체, 이수, 진해, 거담, 절학

2011 ⓒ 부채붓꽃

학명	Iris setosa
분류	외떡잎식물 백합목 붓꽃과
분포	한국, 중국 북동부, 시베리아 동부, 일본, 캄차카, 알류샨 열도
생육상	여러해살이풀

부채붓꽃

서식 습지에서 자란다.

줄기 뿌리줄기는 비스듬히 서고 섬유로 덮여 있다.

잎 잎은 두 줄로 배열되어 있고 주맥이 뚜렷하지 않다.

꽃
· 꽃줄기는 가지가 갈라지고 여러 개의 포가 있으며 속에서 붓꽃 같은 꽃이 나온다.
· 꽃은 6~7월에 피고 자줏빛이며 통부가 짧다.
· 외화피는 넓고 달걀을 거꾸로 세운 모양이며 밑부분에 노란색 맥이 있다.
· 내화피는 바소꼴로 끝이 뾰족하다.
· 암술대는 3개로 갈라진 다음 다시 2개로 갈라지고 갈래조각에 톱니가 있으며 꽃밥은 자주색이다.

이용 뿌리줄기를 약재로 사용한다.

약 용 활 용

생약명 | 두시초

이용부위 | 뿌리줄기

채취시기 | 연중

약성미 | 성질은 평하고 맛은 맵고 독이 없다.

주치활용 | 위통, 복통, 소화불량, 복창만, 적취, 질타손상, 치질, 옹종, 옴

효능 | 소적, 행수

민간활용 | 민간에서 근경을 개선 등의 피부병에 사용한다.

2011 ⓒ 부처꽃

학명 | Lythrum anceps

분류 | 쌍떡잎식물 이판화군 도금양목 부처꽃과

분포 | 한국, 일본

생육상 | 여러해살이풀

부처꽃

서식 냇가, 초원 등의 습지에서 자란다.

줄기 곧게 자라며 가지가 많이 갈라진다.

잎 잎은 마주나고 바소꼴이며 대가 거의 없고 원줄기와 더불어 털, 잎자루도 거의 없으며 가장자리가 밋밋하다.

꽃
· 꽃은 5~8월에 홍자색으로 피며 잎겨드랑이에 3~5개가 달려 층층이 달린 것같이 보인다.
· 포는 보통 옆으로 퍼지며 밑부분이 좁고 바소꼴 또는 달걀 모양의 긴 타원형이다.
· 꽃받침은 선이 있는 원주형으로 윗부분이 6개로 얕게 갈라진다.
· 꽃받침조각과 화관은 6개씩이고 꽃받침조각 사이에 옆으로 퍼진 부속체가 있다.
· 수술은 12개인데 긴 것, 짧은 것, 중간 것 등 3종류이다.

열매 열매는 삭과로 꽃받침통 안에 들어 있고 성숙하면 2개로 쪼개져 종자가 나온다.

이용 화단이나 정원의 연못 또는 습지에 심어 관상한다.

약용활용

생약명 | 천굴채(千屈菜)

이용부위 | 전체

채취시기 | 여름~가을(8~9월)

약성미 | 성질은 차갑고 맛은 쓰다.

주치활용 | 이질, 혈붕, 궤양, 세균성하리

효능 | 청혈, 지혈, 양혈

2011 ⓒ 부처손

학명 | Selaginella tamariscina
분류 | 관다발식물 석송목 부처손과
분포 | 한국, 중국, 일본, 타이완, 필리핀, 북인도
생육상 | 여러해살이풀

부처손

서식 건조한 바위 면에서 자란다.

줄기
· 담근체와 뿌리가 엉켜 줄기처럼 만들어진 끝에서 가지가 사방으로 퍼진다.
· 가지는 편평하게 갈라지고 앞면은 녹색, 뒷면은 다소 흰빛이 돈다.
· 습기가 없을 때는 말라 공처럼 되었다가, 습기가 있으면 다시 활짝 퍼진다.

잎 잎은 4줄로 배열되고 끝이 실처럼 길어지며 가장자리에 잔 톱니가 있다.

포자
· 포자낭이삭은 잔가지 끝에 1개씩 달리고 네모진다.
· 포자엽은 달걀 모양의 삼각 모양으로 가장자리에 톱니가 있다.
· 포자는 큰 것과 작은 것이 있다.

약용활용

생약명 | 권백(卷柏)

이용부위 | 전초

채취시기 | 봄, 가을

주치활용 | 월경폐지, 복중의 경결, 타박상, 복, 천식을 치료하고 볶아서 사용하면 토혈, 혈변, 혈뇨, 탈항.

효능 | 경폐, 통경, 수렴, 지혈, 활혈, 거어, 화어

민간활용 | 노인들이 힘이 없고 몸이 나른할 때 부처손을 달여 먹으면 기운이 난다.

2011 ⓒ 부추

학명 | Allium tuberosum
분류 | 외떡잎식물 백합목 백합과
분포 | 한국
생육상 | 여러해살이풀

부추

줄기 비늘줄기는 밑에 짧은 뿌리줄기가 있고 겉에 검은 노란색의 섬유가 있다.

잎
- 잎은 녹색으로 줄 모양으로 길고 좁으며 연약하다.
- 잎 사이에서 꽃줄기가 자라서 끝에 큰 산형꽃차례를 이룬다.

꽃
- 꽃은 7~8월에 피고 흰색이며 수평으로 퍼지고 작은 꽃자루가 길다.
- 화피갈래조각과 수술은 6개씩이고 꽃밥은 노란색이다.

열매 열매는 삭과로 거꾸로 된 심장 모양이고 포배로 터져서 6개의 검은색 종자가 나온다.

약 용 활 용

생약명 | 구자(韭子)

이용부위 | 전체

채취시기 | 잎—여름(7~8월), 씨—가을(9~10월)

약성미 | 성질은 따뜻하고 맛은 맵고 달며 독이 없다.

주치활용 | 양위몽유, 소변빈삭, 유뇨, 요슬산연냉통, 백탁대하, 건위, 정장, 화상

효능 | 보간신, 장양고정, 난요슬

민간활용 | 소변 불통은 부추를 삶아 그 즙으로 배꼽 아래를 씻으면 효과가 있다.

학명	Mirabilis jalapa
분류	쌍떡잎식물 중심자목 분꽃과
원산지	열대 아메리카
생육상	한해살이풀

분꽃

초
본
류

서식	열대 아메리카가 원산이며 관상용으로 심는다.

서식 열대 아메리카가 원산이며 관상용으로 심는다.

줄기 가지가 많이 갈라지며 마디가 높다.

잎 잎은 마주나고 달걀 모양이며 가장자리가 밋밋하다.

꽃
· 꽃은 6~10월에 피고, 분홍색·노란색·흰색 등 다양하며 오후에 피었다가 다음날 아침에 시든다.
· 포는 꽃받침같이 생기고 5개로 갈라진다.
· 꽃받침은 화관 모양으로 나팔꽃을 축소한 것같이 보인다.
· 5개의 수술과 1개의 암술은 꽃 밖으로 나온다.

열매
· 열매는 꽃받침으로 싸이고 검게 익으며 주름살이 많다.
· 종자의 배젖은 하얀 분질이다.

이용 관상용으로 심는다.

─ **약 용 활 용** ─

생약명 | 자말리(紫茉莉)

이용부위 | 뿌리

채취시기 | 뿌리-가을~겨울, 잎-가을

약성미 | 성질은 평하고 맛은 달고 쓰다.

주치활용 | 임탁, 대하증, 폐노토혈, 배중옹저, 급성관절염, 자궁출혈, 오림, 옹절, 옴, 기미 및 주근깨, 여드름

효능 | 이뇨, 사열, 활혈, 산어

민간활용 | 옴등의 피부병에 쓰인다.

주의 | 임산부는 금한다.

2011 ⓒ 분홍바늘꽃

학명 | Epilobium angustifolium
분류 | 쌍떡잎식물 도금양목 바늘꽃과
분포 | 한국(강원 황병산), 북반구의 온대와 한대
생육상 | 여러해살이풀

분홍바늘꽃

서식 양지에서 자란다.

줄기 땅속줄기가 옆으로 뻗으면서 때로 모여나고 가지가 그리 갈라지지 않는다.

잎
- 잎은 어긋나고 바소꼴로서 버들잎처럼 생겼으며 잔 톱니가 있으나 가장자리가 뒤로 말리기 때문에 밋밋한 것같이 보인다.
- 잎 끝은 뾰족하고 밑은 좁아져서 줄기에 달리며 뒷면은 분백색이다.

꽃
- 꽃은 7~8월에 피고 분홍색이며 원줄기 끝의 총상꽃차례에 달린다.
- 포는 줄 모양이다.
- 꽃받침조각과 꽃잎은 4개씩이고 수술 8개, 암술 1개이고 수술과 암술은 밑으로 굽는다.
- 씨방에는 짧고 꼬부라진 털이 빽빽이 난다.

열매 열매는 삭과로서 꼬부라진 털이 있으며 종자에 관모가 있다.

약 용 활 용

생약명 | 홍쾌자, 나우

이용부위 | 전초

채취시기 | 전초-여름~가을, 뿌리-가을

약성미 | 성질은 따뜻하고 맛은 맵고 쓰며 독이 약간 있다.

주치활용 | 소종, 지통, 접골 복부팽만

효능 | 소종, 지통, 접골, 하유(下乳), 윤장(潤腸)

민간활용 | 민간에서 전초와 뿌리줄기를 수렴약으로 설사, 적리에 쓰며, 그리고 구풍약, 건위약으로 위염과 결장암, 변비에도 쓴다.

학명 | Trifolium pratense

분류 | 쌍떡잎식물 장미목 콩과

원산지 | 유럽

생육상 | 여러해살이풀

붉은토끼풀

서식 풀밭에서 자란다.

줄기 전체에 털이 있다.

잎
- 잎은 어긋나고 3개로 갈라진 겹잎이다.
- 작은잎은 긴 타원형으로 끝이 둥글거나 다소 파이며 가장자리에 잔 톱니가 있고 표면 중앙에 팔(八)자의 흰 무늬가 있다.
- 턱잎은 잎자루의 밑부분에 붙어 있고 끝이 뾰족하고 가장자리는 밋밋하다.

꽃
- 꽃은 6~7월에 피고 홍색 빛을 띤 자주색이며 잎겨드랑이에 둥글게 모여 달린다.
- 꽃받침은 통 모양으로 끝이 5개로 갈라지고 뾰족하며 털이 많다.

약 용 활 용

생약명	홍삼엽(紅三葉), 금화채(金花菜)
이용부위	전체
채취시기	여름
주치활용	기침, 신장염, 동맥경화증, 골다공증, 기관지염, 여드름
효능	이뇨, 해열, 지혈, 소염

2011 ⓒ 붓꽃

학명 | Iris nertschinskia
분류 | 외떡잎식물 백합목 붓꽃과
분포 | 한국, 일본, 중국 북동부, 시베리아 동부
생육상 | 여러해살이풀

붓꽃

서식 산기슭 건조한 곳에서 자란다.

줄기 뿌리줄기가 옆으로 자라면서 새싹이 나와 뭉쳐나며 밑부분에 붉은 빛을 띤 갈색 섬유가 있다.

잎 잎은 도드라진 맥이 없으며 밑부분은 잎집처럼 되고 붉은빛이 도는 것도 있다.

꽃
· 꽃은 5~6월에 피고 자줏빛이며 꽃줄기 끝에 2~3개씩 달린다.
· 포는 잎처럼 생기고 녹색이며 작은포가 포보다 긴 것도 있다.
· 작은꽃자루는 작은포보다 짧고 씨방보다 길다.
· 외화피는 넓은 달걀을 거꾸로 세운 듯한 모양이며 밑부분에 옆으로 달린 자줏빛 맥이 있고 내화피는 곧게 선다.

열매
· 열매는 삭과로서 대가 있고 양 끝이 뾰족한 원기둥 모양이다.
· 종자는 갈색이고 삭과 끝이 터지면서 나온다.

이용 연못가나 화단, 정원에 심으며, 절화용으로 쓰인다.

약 용 활 용

생약명 | 두시초

이용부위 | 뿌리줄기

채취시기 | 연중

약성미 | 성질은 평하고 맛은 맵고 독이 없다.

주치활용 | 위통, 복통, 소화불량, 복창만, 적취, 질타손상, 치질, 옹종, 옴

효능 | 소적, 행수

민간활용 | 민간에서 근경을 개선 등의 피부병에 사용한다.

학명 | Amaranthus mangostanus

분류 | 쌍떡잎식물 중심자목 비름과

원산지 | 인도

분포 | 한국, 타이완, 중국, 말레이시아

생육상 | 한해살이풀

비름

서식 │ 길가나 밭에서 자란다.

줄기 │ 줄기에서 굵은 가지가 뻗는다.

잎
· 잎은 어긋나고 삼각형 또는 사각형의 넓은 달걀 모양으로 가장자리가 밋밋하다.
· 잎의 양면에는 털이 없으며 잎자루가 있다.

꽃
· 꽃은 양성화로 7월 경 잎겨드랑이에 모여 달리고 전체가 원추꽃차례를 이룬다.
· 원줄기 끝에 달린 꽃이삭은 길게 발달한다.
· 포는 달걀 모양으로 끝에 가시 같은 까끄라기가 있고 꽃받침보다 짧다.
· 수술은 3개, 암술은 1개이며 암술대는 3개로 갈라진다.

열매 │ 열매는 타원형으로 꽃받침보다 짧고 옆으로 갈라져서 종자가 나온다.

이용 │ 지상부 어린 순을 나물로 먹는다.

─ 약 용 활 용 ─

생약명 │ 현채(莧菜)

이용부위 │ 전초

채취시기 │ 잎—봄~여름, 종자—가을(9~10월)

약성미 │ 성질은 서늘하고 맛은 달다.

주치활용 │ 적백리, 대소변 불통

효능 │ 청열, 이규, 해열, 해독, 최유, 소종

민간활용 │ 치질, 종기, 뱀, 벌레에 물린 상처에 생잎을 짓찧어 환부에 붙인다.

2011 ⓒ 비비추

학명 | Hosta longipes

분류 | 외떡잎식물 백합목 백합과

분포 | 한국, 일본, 중국

생육상 | 여러해살이풀

비비추

서식 산지의 냇가에서 자란다.

잎
- 잎은 모두 뿌리에서 돋아서 비스듬히 자란다.
- 잎은 달걀 모양 심장형 또는 타원형 달걀 모양이며 끝이 뾰족하고 8~9맥이 있다.
- 잎 가장자리가 밋밋하지만 다소 물결 모양이다.

꽃
- 꽃은 연한 자줏빛으로 7~8월에 피고 한쪽으로 치우쳐서 총상으로 달린다.
- 포는 얇은 막질이고 자줏빛이 도는 흰색이며 작은 꽃자루의 길이와 거의 비슷하다.
- 화관은 끝이 6개로 갈라져서 갈래조각이 약간 뒤로 젖혀지고 6개의 수술과 1개의 암술이 길게 꽃 밖으로 나온다.

열매
- 열매는 삭과로서 비스듬히 서고 긴 타원형이다.
- 종자는 검은색으로서 가장자리에 날개가 있다.

이용
- 밀원식물도 되며 잎은 식용한다.
- 정원의 화단이나 암석정원의 바위 틈, 공원 등지에 조경용으로 식재하면 좋다.

약 용 활 용

생약명 | 자옥잠(紫玉簪)

이용부위 | 꽃

채취시기 | 여름(7~8월 개화기)

약성미 | 성질은 평하고 맛은 달고 약간 쓰다.

주치활용 | 부녀허약, 홍백붕대, 자궁출혈, 유정, 토혈, 기종, 인후홍종

효능 | 조기, 화혈, 보허

학명 | Asparagus schoberioides

분류 | 외떡잎식물 백합목 백합과

분포 | 한국, 일본, 타이완, 중국

생육상 | 여러해살이풀

비짜루

서식 산지의 풀밭과 그늘에서 자란다.

줄기 가지가 많이 갈라지며 다소 능선이 있다.

잎
· 원줄기와 굵은 가지의 잎은 밑을 향한 가시같이 되고, 잔 가지의 잎은 막질의 비늘조각으로 퇴화된다.
· 잔 가지는 잎처럼 생기고 줄 모양이다.

꽃
· 꽃은 암수딴그루로 5~6월에 단성화가 피고 연한 녹색이며 2~6개씩 모여 달린다.
· 작은 꽃자루는 끝에 마디가 있다.
· 화피갈래조각과 수술은 6개이다.
· 꽃밥이 수술대보다 짧다.

열매 열매는 장과로 둥글고 붉게 익는다.

이용 어린 순을 나물로 먹는다.

약 용 활 용

생약명 | 용수채(龍鬚菜)

이용부위 | 전초

채취시기 | 여름, 가을

약성미 | 성질은 약간 따뜻하고 맛은 쓰다.

주치활용 | 강장, 진정, 천식, 거담

효능 | 윤폐, 진해, 지혈, 이뇨

민간활용 | 근경을 강장, 천식, 이뇨, 진해, 진정, 양기, 보로에 약으로 쓴다.

학명 | hapontia uniflora

분류 | 쌍떡잎식물 초롱꽃목 국화과

분포 | 한국, 중국, 동부 시베리아

생육상 | 여러해살이풀

뻐꾹채

서식	건조한 양지에서 자란다.
뿌리	가지가 없고 굵은 뿌리가 땅 속 깊이 들어간다.

줄기
- 줄기에는 흰색 털로 덮여 있다.
- 원줄기는 꽃줄기 같고 줄이 있다.

잎
- 잎은 어긋나고 뿌리에서 나온 잎은 꽃이 필 때도 살아 있다.
- 밑부분의 잎과 더불어 거꾸로 세운 바소꼴 타원형이고 끝이 둔하며 깃처럼 완전히 갈라진다.
- 갈래조각은 6~8쌍이며 긴 타원형으로 가장자리에 불규칙한 톱니가 있다.

꽃
- 꽃은 6~8월에 피고 원줄기 끝에 두상화 1개가 달리며 홍색 빛을 띤 자주색이다.
- 총포는 반구형이고 포조각이 6줄로 배열한다.

열매	열매는 수과로 타원형이며 관모는 연한 갈색으로 여러 줄이 있다.
이용	어린 잎은 나물 또는 약용으로 한다.

약 용 활 용

생약명	누로(漏蘆)
이용부위	뿌리, 꽃
채취시기	봄, 가을
약성미	성질은 차고 맛은 쓰고 독이 없다.
주치활용	옹저발배, 유방의 종통, 유즙불통, 나력악창, 습비근맥구련, 골절동통, 열독혈리, 치창출혈
효능	청열, 해독, 소종, 비농, 하유, 근맥소통
민간활용	기가 허한 사람이나 창양평탑불기(瘡瘍平榻不起) 및 임산부는 뿌리액재의 복용을 금한다.

학명 | Youngia japonica

분류 | 쌍떡잎식물 초롱꽃목 국화과

분포 | 한국, 일본, 타이완, 중국, 인도, 폴리네시아, 오스트레일리아

생육상 | 두해살이풀

뽀리뱅이

서식 길가 또는 다소 그늘진 곳에서 자란다.

줄기 줄기는 곧게 서고 부드러운 털이 있으며 보통 1개 또는 2개이다.

잎
· 뿌리에서 나온 잎은 로제트형으로 비스듬히 퍼지고 거꾸로 세운 바소꼴이며 무잎처럼 갈라진다.
· 끝의 갈래조각이 제일 크고 옆갈래조각은 밑으로 갈수록 점차 작아진다.
· 줄기에는 잎이 없거나 1~4개가 달리고 깃꼴로 갈라지며 뿌리에서 나온 잎과 비슷하다.

꽃
· 꽃은 5~6월에 피고 두화는 산방상 원추꽃차례로 달리며 노란색이다.
· 꽃이 햇빛을 보면 피고 저녁에는 닫는 습성이 있다.
· 총포는 좁은 원기둥 모양이고 포조각이 2줄로 배열되며 5~6개의 작은꽃이 들어 있다.
· 화관은 노란색이며 통부는 윗부분에 털이 있다.

열매 열매는 장과로서 갈색이며 능선이 있고 관모는 흰색이다.

이용 전초는 어린 식물체를 나물로 먹는다.

약 용 활 용

생약명 | 황암채(黃鵪菜)
이용부위 | 전초
채취시기 | 봄~가을
약성미 | 성질은 서늘하고 맛은 달고 쓰며 독이 없다.
주치활용 | 감기, 치통, 결막염, 종기
효능 | 청열, 해독, 소종, 지통
민간활용 | 잎과 줄기를 자르면 스며 나오는 흰 즙을 물에 섞어 마시면 열이 내린다.

2011 ⓒ 사데풀

학명 | Sonchus brachyotus
분류 | 쌍떡잎식물 초롱꽃목 국화과
분포 | 한국, 일본, 중국
생육상 | 여러해살이풀

사데풀

서식 바닷가 또는 양지에서 자란다.

줄기 줄기는 무리지어 곧게 서고 잎과 함께 털은 없으며, 땅속줄기가 길게 옆으로 뻗는다.

잎
· 뿌리에서 나온 잎은 꽃이 필 때 없어진다.
· 줄기에서 나온 잎은 타원형으로 마디가 짧고 밑부분은 원줄기를 감싼다.
· 잎 가장자리는 밋밋한 것도 있으나 톱니가 있거나 깊게 패어져 있고 뒷면은 회색 빛을 띤 파란색이다.

꽃
· 꽃은 8~10월에 피고 노란색이며 두화는 3~5개씩 산형 비슷하게 배열한다.
· 포는 1~2개이고 포조각은 가운데 것이 보다 길다.
· 화관은 노란색이고 끝이 5개로 갈라진다.
· 통부는 윗부분에 털이 있다.

열매 열매는 수과로서 5개의 능선이 있고 관모는 위쪽이 흰색이며 밑부분이 갈색이다.

이용 어린 순을 나물로 먹으며 자르면 하얀 즙액이 나온다.

─ 약 용 활 용 ─

생약명 | 거매채(苣蕒菜)

이용부위 | 전초

채취시기 | 여름~가을(꽃이 피기 직전)

약성미 | 성질은 차고 맛은 쓰다.

주치활용 | 체균성 하리증, 후두염, 허약해수, 내치탈출, 백대

효능 | 청열, 해독, 보허, 지해

민간활용 | 민간에서는 전초를 달여 이뇨제, 지혈제로 먹는다. 전초즙을 종처가 빨리 터지게 하기 위하여 바른다.

2011 ⓒ 사마귀풀

학명 | Aneilema keisak

분류 | 외떡잎식물 분질배유목 닭의장풀과

분포 | 한국, 일본, 중국, 북아메리카 동쪽

생육상 | 한해살이풀

사마귀풀

서식 연못·냇가 등 습지에서 자란다.

줄기
- 줄기 밑부분이 옆으로 뻗으면서 가지가 갈라지고 각 마디에서 수염뿌리가 나온다.
- 붉은빛이 섞인 자줏빛을 띠며 줄기에 1줄로 털이 난다.

잎
- 잎은 어긋나고 좁은 바소꼴이며 끝이 점차 뾰족해지고 윤이 난다.
- 잎집에 털이 난다.

꽃
- 꽃은 8~9월에 연한 붉은빛을 띤 자주색으로 피고 잎겨드랑이에 1개씩 달린다.
- 포는 줄 모양이다.
- 꽃받침조각은 줄 모양 바소꼴, 꽃잎은 둥근 달걀 모양이며 각각 3개씩이다.
- 수술은 3개이고 수술대에 털이 나며 헛수술이 3개 있다.
- 씨방은 밑에 흰 털이 난다.

열매 열매는 타원 모양의 삭과로서 9~10월에 익는다.

약 용 활 용

생약명 | 수죽채(水竹菜)

이용부위 | 전초

채취시기 | 여름, 가을

약성미 | 성질은 평하고 맛은 달다.

주치활용 | 폐열해천, 적백하리, 소변불리, 인후종통, 간염, 고혈압

효능 | 청열, 이뇨, 소종, 해독

민간활용 | 민간에서 전초와 뿌리를 강정약, 치질치료약, 뱀에 물린 데, 산통, 기침, 천식 때 쓴다.

2011 ⓒ 사상자

학명 | Torilis japonica
분류 | 쌍떡잎식물 산형화목미나리과
분포 | 한국, 일본, 타이완, 중국, 아프리카, 유럽
생육상 | 두해살이풀

사상자

서식 풀밭에서 자란다.

줄기 전체에 눈털이 나며 줄기는 곧게 선다.

잎
· 잎은 어긋나고 3장의 작은잎이 나온 잎이 2회 깃꼴로 갈라진다.
· 끝이 뾰족하고 잎자루의 밑부분은 잎집처럼 원줄기를 감싼다.
· 작은잎은 달걀 모양 바소꼴이고 뾰족한 톱니가 있다.

꽃
· 꽃은 6∼8월에 흰색으로 피고 가지와 줄기 끝에 복산형꽃차례로 달린다.
· 소산경(小傘梗)은 5∼9개이며 각 6∼20개의 꽃이 달린다.
· 총포는 4∼8개이고 줄 모양이며 작은총포는 줄 모양이며 작은꽃자루에 붙는다.

열매
· 열매는 분열과로서 달걀 모양이다.
· 4∼10개씩 달리고 짧은 가시 같은 털이 있어, 다른 물체에 잘 붙는다.

이용 어린 순은 나물로 사용한다.

약 용 활 용

생약명 | 사상자(蛇床子)

이용부위 | 열매

채취시기 | 가을

약성미 | 성질은 따뜻하고 맛은 맵고 쓰며 곡이 없다.

주치활용 | 남자양위, 음랑습양, 여자대하음양, 자궁한랭불임, 풍습비통, 개선습창

효능 | 온신조양, 거풍조습, 살충

주의 | 하초에 습열이 있는 자와 신음부족자 및 상화역동으로 정관이 불고한 자는 복용을 금한다.

2011 ⓒ 사위질빵

학명 | Clematis apiifolia
분류 | 쌍떡잎식물 미나리아재비목 미나리아재비과
분포 | 한국, 일본, 중국
생육상 | 덩굴식물

사위질빵

서식 산과 들에서 흔히 자란다.

줄기 어린 가지에 잔털이 난다.

잎
· 잎은 마주나고 3장의 작은잎이 나온 잎이거나 2회 3장의 작은잎이 나온 겹잎이며 잎자루가 길다.
· 작은잎은 달걀 모양이거나 달걀 모양 바소꼴이다.
· 끝이 뾰족하고 가장자리에 깊이 패어 들어간 모양의 톱니가 있으며 뒷면 맥 위에 털이 난다.

꽃
· 꽃은 7~8월에 흰색으로 피고 잎겨드랑이에 취산상 원추꽃차례로 달린다.
· 꽃받침조각은 넓은 바소꼴이며 4개가 십자(十字) 모양으로 달린다.
· 꽃잎은 없으며 수술과 암술은 많다.
· 꽃밥은 줄 모양이다.

열매
· 열매는 수과로서 5~10개씩 모여 달리고, 9~10월에 익으며 흰색 또는 연한 갈색 털이 난 긴 암술대가 있다.
· 어린 잎과 줄기를 식용한다.

이용 조경 및 보안시설 은폐용으로 적합하며 염료용으로 이용할 수 있다.

약 용 활 용

생약명 | 여위(女萎)

이용부위 | 줄기

채취시기 | 가을

약성미 | 성질은 따뜻하고 맛은 맵다.

주치활용 | 사리탈항, 경간한열, 한열백병, 임부부종, 근골동통, 곽란설리

효능 | 천식, 풍질, 각기, 절상, 진통, 발한, 파상풍

민간활용 | 이뇨제로도 쓰인다.

주의 | 과량 복용하면 위장장애, 두통, 구토, 설사, 식욕감퇴, 사지무력, 부종 등의 증상이 나타난다.

2011 ⓒ 사철쑥

학명 | Artemisia capillaris

분류 | 쌍떡잎식물 초롱꽃목 국화과

분포 | 한국, 일본, 타이완, 중국, 필리핀

생육상 | 여러해살이풀

사철쑥

서식 냇가의 모래땅에서 흔히 자란다.

줄기 밑부분은 목질이 발달하여 나무같이 되고 가지가 많이 갈라진다.

잎
· 꽃이 피지 않는 가지는 끝에 잎이 뭉쳐나고 잎자루가 길다.
· 밑부분에 달린 잎은 잎자루가 길고 2회 깃꼴로 갈라진다.
· 갈래조각은 실처럼 가늘고 전체가 비단 같은 털로 덮인다.
· 위로 갈수록 잎이 작아진다.

꽃
· 꽃은 8~9월에 노란색으로 피고 두화(頭花)는 둥글며 원추꽃차례에 달린다.
· 꽃자루가 있다.
· 총포는 둥글고 털이 없으며 포조각은 3~4줄로 늘어선다.
· 바깥조각은 달걀 모양, 안조각은 타원 모양이다.

열매 열매는 수과이다.

약용활용

생약명 | 인진호(茵蔯蒿)

이용부위 | 전초

채취시기 | 봄

약성미 | 성질은 서늘하고 맛은 쓰고 독이 없다.

주치활용 | 해열, 두통, 풍습, 이뇨, 황달, 개선, 창질, 안질, 세안, 학질, 타박상, 관절염, 발한, 명목, 소염

효능 | 청리, 습열, 퇴황달

민간활용 | 눈에 열기가 나서 불편하면 사철쑥에 질경이 씨를 적당히 섞어 달인 물로 씻어낸다.

주의 | 습열로 인하지 않은 황달에는 복용을 금한다

2011 ⓒ 산골무꽃

학명 | Scutellaria pekinensis var. transitra (Makino) Hara

분류 | 쌍떡잎식물 통화식물목 꿀풀과

원산지 | 한국

생육상 | 여러해살이풀

산골무꽃

서식 전국 산지에서 자란다.

뿌리 백색 지하경이 옆으로 길게 뻗는다.

줄기 원줄기에 위로 굽은 백색 털이 다소 밀생하며 네모가 진다.

잎
· 잎은 대생하고 삼각상 넓은 난형이며 질이 얇고 끝이 둔하다.
· 밑부분이 다소 심장저이고 가장자리에 톱니가 있으며 양면에 털이 있다.

꽃
· 꽃은 5~6월에 피며 연한 자주색이다.
· 총상화서는 줄기 윗부분에 있는 잎모양의 포 가장자리에 1개씩 달려 모두 한쪽 방향을 향한다.
· 화서는 길이 3—6cm로서 퍼진 선모가 있거나 털이 없고 소화경에 털이 있다.
· 꽃받침은 꽃이 필 때는 열매가 익을 때는 상순에 부속편이 있다.
· 화관은 밑부분이 굽어 위를 향한다.
· 끝이 양순형으로 갈라지고 상순은 하순 길이의 1/2 정도이다.
· 하순은 3개로 갈라지고 모두 끝이 둔하다.
· 수술 4개 중 2개는 길고, 암술머리는 2개로 갈라진다.

열매 분과는 돌기가 있다.

약 용 활 용

생약명 | 한신초(韓信草)

이용부위 | 전초

채취시기 | 봄

약성미 | 성질은 평하고 맛은 맵고 쓰다.

주치활용 | 위장염, 해열, 폐렴, 타박상, 토혈, 해혈, 급성 인후질환, 치통

효능 | 거풍, 활혈, 해독, 지통

2011 ⓒ 산괴불주머니

학명 | Corydalis speciosa

분류 | 쌍떡잎식물 양귀비목 현호색과

분포 | 한국, 일본, 중국 동북부, 헤이룽강, 우수리강

생육상 | 두해살이풀

산괴불주머니

서식 습한 산지에서 자란다.

줄기 원줄기는 속이 비고 곧게 자라며 가지가 갈라지고 전체에 흰빛을 띤다.

잎
· 잎은 어긋나고 2회 깃꼴로 갈라진다.
· 갈래조각은 달걀 모양이며 다시 깃처럼 갈라지고 마지막 갈래조각은 줄 모양의 긴 타원형이며 끝이 뾰족하다.

꽃
· 꽃은 4~6월에 노란색으로 피며 총상꽃차례에 달린다.
· 포는 달걀 모양 바소꼴이고 때로 갈라진다.
· 화관은 끝이 입술 모양으로 갈라지고 밑부분은 꿀주머니로 된다.
· 수술은 6개이며 다시 2개씩 갈라진다.

열매 열매는 삭과로서 줄 모양이며, 종자는 둥글고 검은빛이며 겉에 가늘고 오목한 점이 흩어져 있다.

약 용 활 용

생약명 | 국화황련(菊花黃連), 황근(黃槿)

이용부위 | 전초

채취시기 | 봄(4~6월)

약성미 | 성질은 독이 있다.

주치활용 | 타박상, 옴, 종기, 이질, 복통

효능 | 진경, 조경, 진통, 해독

주의 | 과량 복용하면 어지럼증, 가슴두근거림, 혈압강하, 허탈 등의 증상이 나타나며 결국에는 호흡마비로 사망한다.

2011 ⓒ 산구절초

학명 | Chrysanthemum zawadskii

분류 | 쌍떡잎식물 초롱꽃목 국화과

분포 | 동아시아, 시베리아

생육상 | 여러해살이풀

산구절초

서식 높은 산지의 풀밭에서 자란다.

줄기 뿌리줄기가 옆으로 벋으면서 자라고 누운 털이 난다.

잎
· 잎은 어긋나고 밑부분에 달리는 잎은 잎자루가 길며 달걀 모양이다.
· 2회 깃꼴로 갈라지거나 깃처럼 완전히 갈라진다.
· 양면에 선점이 있거나 없다.

꽃
· 꽃은 7~10월에 붉은빛을 띤 흰색으로 피고 두화는 가지와 원줄기 끝에 1개씩 달린다..
· 설상화는 1줄로 달리는데, 끝부분이 2~3개씩 약간 갈라진다.
· 총포는 공을 반으로 자른 모양이고 포조각은 3줄로 늘어선다.
· 바깥조각은 줄 모양이고 막질이다.

열매 열매는 수과로서 긴 타원형이고 10~11월에 익는다.

약용활용

생약명 | 선모초(仙母草)

이용부위 | 전초

채취시기 | 가을(꽃이 필 때)

약성미 | 성질은 따뜻하고 맛은 쓰다.

주치활용 | 부인냉증, 위장병, 치통, 성주기불순, 불임증, 위냉, 소화불량, 신경통, 식욕촉진, 중풍

효능 | 온중, 조경, 소화, 전위, 보익, 정혈, 강장, 보온

민간활용 | 꽃과 설탕을 적당히 배합하여 소주나 고량주에 담가 1개월 경과 후 마시면 식욕증진과 강장의 효과가 있다고 한다.

2011 ⓒ 산국

속명 | 개국화

학명 | Chrysanthemum boreale

분류 | 쌍떡잎식물 초롱꽃목 국화과

분포 | 한국, 일본, 중국 북부

생육상 | 여러해살이풀

산국

서식 산지에서 자란다.

줄기
· 뿌리줄기는 길게 뻗으며 줄기는 모여나고 곧추선다.
· 흰털이 나며 가지가 많이 갈라진다.

잎
· 뿌리에 달린 잎은 꽃이 필 때 마른다.
· 줄기에 달린 잎은 어긋나고 긴 타원형의 달걀 모양이다.
· 깃꼴로 깊게 갈라지고 가장자리에 날카로운 톱니가 있다.

꽃
· 꽃은 9~10월에 노란색으로 피는데, 두화는 가지와 줄기 끝에 산형 비슷하게 달린다.
· 포조각은 3~4줄로 늘어서며 바깥조각은 줄 모양이거나 좁은 긴 타원 모양이다.
· 화관은 통 모양이며 끝이 5갈래로 갈라진다.

열매 열매는 수과로서 10~11월에 익는다.

이용 어린 순을 나물로 먹는다.

약용활용

생약명	야국화(野菊花)
이용부위	꽃
채취시기	여름~가을
약성미	성질은 약간 차고 맛은 쓰고 맵다.
주치활용	두통, 현기증, 고열, 폐렴, 기관지염, 두통, 고혈압, 위염, 구내염, 임파선염
효능	진정, 해독, 소종

2011 ⓒ 산달래

학명 | Allium grayi
분류 | 외떡잎식물 백합목 백합과
분포 | 한국, 일본, 타이완, 중국, 몽골 등지
생육상 | 여러해살이풀

산달래

서식 산과 들에서 자란다.

줄기 비늘줄기는 넓은 달걀 모양이며 막질로 덮여 있으며 늦가을에 잎이 나와서 겨울을 지낸다.

잎
- 꽃줄기 아랫부분에 2~4개의 잎이 달린다.
- 잎은 밑부분이 잎집이 되며 단면은 삼각형이고 윗면에 홈이 파인다.

꽃
- 꽃은 5~6월에 연한 붉은빛을 띤 자주색으로 피고 10여 개가 꽃줄기 끝에 산형꽃차례로 달린다.
- 포(苞)는 2개이며 막질이고 어린 꽃이삭을 완전히 둘러싼다.
- 화피는 달걀 모양 바소꼴이며 끝이 둔하다.
- 화피갈래조각과 수술은 6개씩이고 수술대는 화피갈래조각보다 길다.
- 암술대는 1개이고 종자는 검은색이며 꽃은 일부 또는 전부가 대가 없는 작은 구슬눈으로 변하기도 한다
- 꽃밥은 자줏빛이다.

열매 열매는 삭과이다.

약 용 활 용

생약명 | 소산(小蒜)

이용부위 | 줄기

채취시기 | 5월(단오)

약성미 | 성질은 따뜻하고 맛은 맵고 독이 없다.

주치활용 | 적괴, 식체, 비만, 복창, 옹종, 타박상

효능 | 적체, 산해, 지통

민간활용 | 인경을 건위, 정장 및 화상치료에 사용한다. 곽란, 토사를 그치게 하며 사충에 붙이기도 한다.

2011 ⓒ 산들깨

학명 | Mosla japonica
분류 | 쌍떡잎식물 통화식물목 꿀풀과
분포 | 한국, 일본
생육상 | 한해살이풀

산들깨

서식 산과 들의 양지쪽에서 자란다.

줄기
· 줄기는 곧추서며 네모지고 가지가 갈라진다.
· 포기 전체에 향기가 나고 마디에 털이 많이 난다.

잎
· 잎은 마주나고 긴 달걀 모양이다.
· 잎자루가 짧고 가장자리에 톱니가 있으며, 햇볕을 쬐는 부분은 자줏빛이 돈다.

꽃
· 꽃은 7~8월에 엷은 붉은빛을 띠는 자주색으로 피고 줄기나 가지 끝에 수상꽃차례로 달린다.
· 포(苞)는 달걀 모양이며 종자가 익을 때의 꽃받침보다 짧지만 밑부분의 몇 개는 길다.
· 꽃받침은 꽃이 진 다음 자라서 되고, 끝이 5개로 갈라진다.
· 화관(花冠)은 입술처럼 생기고, 4개의 수술 중 2개는 길다.

열매 열매는 작은 견과로서 둥글고 그물 무늬가 있다.

이용 전초를 구충약인 티몰의 원료로 사용한다.

약용활용

생약명 | 산자소(山紫蘇)

이용부위 | 전초

채취시기 | 가을(9~10월)

약성미 | 성질은 평하고 맛은 달고 향이 있으며 독이 없다.

주치활용 | 토혈, 혈리, 감기해수, 기관지염, 풍진

효능 | 구충, 살충청, 거풍습, 소종, 해독

민간활용 | 근육통에 산자소를 환부에 바른다.

속명 | 멩이, 맹이, 명이

학명 | Allium victorialis var. platyphyllum

분류 | 외떡잎식물 백합목 백합과

분포 | 한국, 일본, 중국 북부, 동부 시베리아, 캄차카 반도

생육상 | 여러해살이풀

산마늘

서식 산지에서 자란다.

줄기 비늘줄기는 바소꼴이고 그물 같은 섬유로 싸여 있다.

잎
- 잎은 넓고 크며 2~3개씩 달린다.
- 잎몸은 타원형이거나 달걀 모양이다.
- 가장자리는 밋밋하고 밑부분은 통으로 되어 서로 얼싸안는다.

꽃
- 꽃은 5~7월에 피고 꽃줄기 끝에 산형꽃차례로 달린다.
- 포는 달걀 모양이고 2개로 갈라진다.
- 화피는 긴 타원형으로서 6장이고 보통 흰빛이다.
- 수술은 6개이며 회피보다 길다.
- 꽃밥은 노란빛을 띤 녹색이다.
- 열매는 삭과로서 거꾸로 된 심장 모양이고 8~9월에 익는다.
- 3개의 심피로 되어 있으며 끝이 오목하고 종자는 검다.

이용
- 낙엽성 교목 하부의 지피용 소재로 적합하다.
- 식용 또는 향신료로 개발 가능성이 매우 높은 자생식물이다.

약 용 활 용

생약명 | 격총(挌塚), 명리(命利)

이용부위 | 줄기

채취시기 | 가을

약성미 | 성질은 약간 따뜻하고 맛은 맵다.

주치활용 | 소화불량, 심복통, 독사교상, 창독, 곽란, 감기, 신경통, 건망증, 불면증, 월경 불순, 자궁염, 기관지염, 고혈압, 동맥경화증, 조루증, 정충감소

효능 | 해독, 소화, 건위, 풍습, 강장, 이뇨, 구충, 최유, 온중, 강심

민간활용 | 민간에서 산마늘의 잎과 줄기는 위장병, 신경쇠약, 심장병, 기관지병, 헛배 부를 때, 월경이 없을 때, 땀을 흘리고자 할 경우에 즙, 술, 죽으로 두루 복용해 왔다.

주의 | 너무 많이 먹으면 위장이 상하므로 유의한다.

2011 ⓒ 산박하

속명 | 깻잎나물

학명 | Isodon inflexus (Thunb.) Kudo

분류 | 쌍떡잎식물 통화식물목 꿀풀과

원산지 | 한국

생육상 | 여러해살이풀

산박하

서식 전국 산지에서 자란다.

줄기 가지가 많으며 네모진 능선에 밑을 향한 짧은 백색 털이 있다.

잎
· 잎은 대생하고 삼각상 난형이며 끝이 뾰족하고 밑부분이 갑자기 좁아져서 엽병으로 흘러 날개같이 된다.
· 양면 맥 위에 드문드문 털이 있고 가장자리에 둔한 톱니가 있다.

꽃
· 꽃은 6~8월에 피며 취산화서는 원줄기 윗부분에서 대생하여 큰 화서를 형성한다.
· 꽃받침은 털이 있으며 열편은 좁은 삼각형이다.
· 화관은 자주색이고 순형이며 상순이 위를 향하고 하순은 고무신 같은 모양이다.
· 암술은 1개이고, 수술은 4개인데 2개가 길다.

열매 4분과는 꽃받침에 싸여 있으며 원반상이다.

약 용 활 용

생약명 | 박하(薄荷)

이용부위 | 전초

채취시기 | 여름~가을 사이 2회 채취

약성미 | 성질은 서늘하고 맛은 맵고 독이 없다.

주치활용 | 혈리, 곽란, 구토, 소화, 타박상, 풍열, 결핵, 구풍, 십이지장 구충제, 위경련, 장통, 치통

효능 | 지사, 건위, 발한, 지혈, 진양, 진통

민간활용 | 해열, 청량, 방향건위, 박하약을 전제로 하여 복용한다.

주의 | 음허발열과 해수자한, 한다 및 표허에는 복용을 금한다.

2011 ⓒ 산부추

학명 | Allium thunbergii
분류 | 외떡잎식물 백합목 백합과
분포 | 한국, 일본, 중국, 타이완
생육상 | 여러해살이풀

산부추

서식　산지나 들에서 자란다.

줄기
- 비늘줄기는 달걀 모양 바소꼴로서 밑부분과 더불어 마른 잎집으로 싸인다.
- 외피는 잿빛을 띤 흰색이고 두껍다.

잎　잎은 2~6개가 비스듬히 서고 둔한 삼각형이다.

꽃
- 꽃은 8~11월에 붉은 자줏빛으로 핀다.
- 꽃자루는 속이 비어 있으며 끝에 여러 송이가 산형으로 달린다.
- 포는 넓은 달걀 모양이다.
- 화피갈래조각은 6개로서 넓은 타원형이고 끝이 둥글며 뒷면에 녹색의 중륵이 있다.
- 수술은 6개이고 화피보다 길다.
- 씨방 밑동에 꿀주머니가 있으며 꽃밥은 자줏빛이다.

열매　열매는 삭과이다.

이용　비늘줄기와 어린 순은 식용한다.

약 용 활 용

생약명 | 해백, 야산(野蒜), 소산(小蒜)

이용부위 | 전초

채취시기 | 여름

약성미 | 성질은 **따뜻**하고 맛은 시고 달다.

주치활용 | 감기, 신경통, 요통, 가슴앓이, 소화촉진, 위암

효능 | 구충, 강심, 이뇨, 강장, 해독, 건위작용

2011 ⓒ 산비장이

학명 | Serratula coronata var. insularis

분류 | 쌍떡잎식물 초롱꽃목 국화과

분포 | 한국, 일본

생육상 | 여러해살이풀

산비장이

서식 산지에서 자란다.

줄기 세로줄이 있고 뿌리줄기가 나무처럼 단단하며 줄기는 곧게 선다.

잎
· 뿌리에 달린 잎은 달걀 모양 긴 타원형으로서 끝이 뾰족하고 깃처럼 완전히 갈라진다.
· 갈래조각은 타원형이고 가장자리에 불규칙한 톱니가 있다.
· 줄기에 달린 잎은 뿌리에 달린 잎과 비슷하지만 위로 갈수록 크기가 작아진다.

꽃
· 꽃은 7~10월에 연한 붉은 자줏빛으로 핀다.
· 두화는 가지 끝과 줄기 끝에 1개씩 달린다.
· 총포는 종 모양이고 노란빛을 띠는 녹색이다.
· 포조각은 6줄로 늘어서는데, 바깥조각과 가운뎃조각은 끝이 뾰족하고 겉에 거미줄 같은 털이 약간 난다.

열매
· 열매는 수과로서 원통형이다.
· 관모는 갈색이고 깃 같은 털이 없다.

이용 어린 순을 나물로 먹는다.

약용활용

생약명 | 위니호채(僞泥胡菜)

이용부위 | 전초

채취시기 | 봄—어린 잎, 줄기 · 뿌리—여름~가을

주치활용 | 월경통, 선통, 치질

효능 | 보간신(補肝腎), 익정수(益精髓), 명목(明目)

2011 ⓒ 산오이풀

학명 | Sanguisorba hakusanensis
분류 | 쌍떡잎식물 장미목 장미과
분포 | 한국(중부 이북), 만주
생육상 | 여러해살이풀

산오이풀

서식 고산지역의 습기가 많은 곳에서 자란다.

줄기 뿌리줄기가 굵고 옆으로 뻗는다.

잎
- 잎은 어긋나고 깃꼴겹잎이며 뿌리에 달린 잎은 잎자루가 길고 4~6쌍의 작은잎으로 구성된다.
- 작은잎은 줄 모양 긴 타원형이고 양 끝이 둥글며 뒷면이 흰색이고 가장자리에 톱니가 있다.
- 턱잎은 잎 모양이며 가장자리에 톱니가 있다.

꽃
- 꽃은 8~9월에 붉은 자줏빛으로 피고 가지 끝에 수상꽃차례로 다닥다닥 달린다.
- 꽃차례는 기둥 모양이고 꽃줄기에 털이 빽빽이 난다.
- 포는 바소꼴이며 4개의 꽃받침조각은 뒤로 젖혀지고 꽃잎은 없다.
- 수술은 9~11개로서 수술대는 윗부분이 넓다.
- 꽃밥은 마르면 노란 갈색이 되고, 밑부분은 짙은 갈색이다.

열매 열매는 수과로서 네모진다.

이용 어린 싹은 식용한다.

약 용 활 용

생약명 | 지유(地楡)

이용부위 | 뿌리

채취시기 | 가을~이듬해 봄

약성미 | 성질은 약간 차며 맛은 쓰고 시고, 떫으며 독이 없다.

주치활용 | 토혈, 비출혈, 혈리, 치루, 습진, 화상, 대하증, 월경과다, 동상

효능 | 양혈, 지혈, 청열, 해독

2011 ⓒ 산자고

학명 | Tulipa edulis

분류 | 외떡잎식물 백합목 백합과

분포 | 한국(제주, 무등산, 백양사), 일본, 중국

생육상 | 여러해살이풀

산자고

서식 양지바른 풀밭에서 자란다.

줄기
- 비늘줄기는 달걀 모양 원형으로 비늘조각은 안쪽에 갈색 털이 빽빽이 난다.
- 꽃줄기는 곧게 서고 위쪽에 잎 모양의 포가 3장 달린다.

잎
- 잎은 2장이 밑동에서 나온다. 줄 모양이며 끝이 뾰족하다.
- 잎몸은 흰빛을 띤 녹색이며 털이 없다.

꽃
- 꽃은 4~5월에 줄기 끝에 1~3송이가 달리는데, 넓은 종 모양이며 위를 향하여 벌어진다.
- 포(苞)는 바소꼴이고 2~3개이다.
- 화피갈래조각은 6개이고 바소꼴이며 끝이 둔하고 흰색 바탕에 자줏빛 맥이 있다.
- 수술은 6개로서 3개는 길고 3개는 짧다.
- 씨방은 녹색이고 세모난 타원 모양이며 1개의 암술대가 있다.

열매 열매는 삭과로서 세모나고 둥글며 끝에 암술대가 달린다.

이용 포기 전체를 식용한다.

약용활용

생약명 | 광자고(光慈姑), 산자고(山慈姑)

이용부위 | 전초

채취시기 | 가을, 봄

약성미 | 성질은 차고 맛은 맵고 독이 없다.

주치활용 | 나병, 인후종통, 사(蛇)·충(蟲)·광견상, 악창, 급성통풍성관절염, 임파선염, 산후의 어혈, 통풍, 화농성 종양

효능 | 청열해독, 소옹산결, 옹저정종, 강장, 강심, 진통, 진정, 항암효과

2011 ⓒ 산작약

학명 | Paeonia obovata

분류 | 쌍떡잎식물 미나리아재비목 미나리아재비과

분포 | 한국, 일본, 중국(둥베이), 헤이룽강, 우수리강 등지

생육상 | 여러해살이풀

산작약

서식 산지 숲속 그늘진 곳에서 자란다.

줄기 줄기는 곧게 서고 아랫부분이 비늘잎으로 싸인다.

뿌리 뿌리는 육질(肉質)이고 매우 굵으며 여러 개로 갈라진다.

잎
· 잎은 겹잎으로서 어긋나고 3갈래씩 2회 갈라진다.
· 작은잎은 달걀을 거꾸로 세워 놓은 모양이다.
· 끝이 뾰족하고 가장자리는 톱니가 없고 뒷면에 털이 성글게 난다.
· 잎자루가 길다.

꽃
· 꽃은 5~6월에 연한 붉은빛으로 피는데, 줄기 끝에 1송이씩 달린다.
· 꽃받침은 3갈래로 갈라지고 갈래조각은 달걀 모양이다.
· 꽃잎은 7~8개이며 달걀을 거꾸로 세워 놓은 모양이다.
· 수술은 여러 개이고 암술대가 길게 자라서 뒤로 젖혀진다.

열매
· 열매는 긴 타원 모양의 골돌과이다.
· 종자를 직접 땅에 뿌리거나 포기 나누기를 하여 번식한다.

약 용 활 용

생약명 | 초작약(草芍藥)

이용부위 | 뿌리

채취시기 | 초가을(8~9월)

약성미 | 성질은 약간 차고 맛은 쓰고 시며 독이 없다.

주치활용 | 두통현훈, 복통, 사지련통, 혈허위황, 월경불순, 월경통, 자한(自寒) ,냉증, 종창, 각혈 및 혈뇨

효능 | 진통, 진경, 정혈, 어혈, 보혈, 해열, 지혈, 이뇨, 소염

민간활용 | 뿌리 달임물은 밥맛을 돋우며, 위와 간에서 생기는 질병, 지랄병과 천식에 쓰여왔다고 전해진다.

주의 | 속이 차서 배가 아프고 설사를 하는 사람은 복용을 금하거나 약간 태워서 사용해야 한다.

학명 | Cynanchum paniculatum

분류 | 쌍떡잎식물 용담목 박주가리과

분포 | 한국, 일본, 중국 등지

생육상 | 여러해살이풀

산해박

서식 산과 들의 볕이 잘 드는 풀밭에서 자란다.

줄기 줄기는 곧게 서고 가늘며 딱딱하고 마디 사이가 길다.

잎
- 잎은 마주나고 바소꼴 또는 줄 모양이다.
- 끝이 매우 뾰족하고 밑 부분이 둔하며 가장자리에 짧은 털이 있고 뒤로 약간 말린다.
- 잎 뒷면은 흰빛이 도는 녹색이다.

꽃
- 꽃은 8~9월에 황색이 띤 갈색으로 피고 줄기 윗부분의 잎겨드랑이에 산방꽃차례를 이루며 여러 개가 달린다.
- 꽃받침은 5개로 갈라지고 갈라진 조각은 세모진 바소꼴이다.
- 화관은 5개로 갈라지고 갈라진 조각은 세모진 좁은 달걀 모양이다.
- 부화관의 갈라진 조각은 달걀 모양이고 곧게 서며 수술대보다 짧다.
- 수술은 5개이고 암술은 1개이다.

열매
- 열매는 골돌이고 좁은 바소꼴이며 털이 없다.
- 종자는 좁은 달걀 모양이고 좁은 날개가 있으며 가장자리가 밋밋하고 흰색의 관모가 있다.

약용활용

생약명 | 서장경(徐長卿)

이용부위 | 뿌리

채취시기 | 늦가을, 봄

약성미 | 성질은 따뜻하며 맛은 맵고 독이 없다.

주치활용 | 위통, 치통, 류머티스성 동통, 월경통, 복수, 습진, 소화불량, 독사교상, 요통, 신경통, 타박상, 피부염, 신경쇠약

효능 | 거풍, 이수, 진정, 지통, 해독, 소종, 진해, 활혈, 부종, 해열, 중풍, 익정, 금창, 출혈, 한열, 이뇨, 강장

주의 | 몸이 너무 허약한 사람은 복용하지 않게 주의한다.

삼

학명 | Cannabis sativa

분류 | 쌍떡잎식물 쐐기풀목 삼과

원산지 | 중앙아시아

생육상 | 한해살이풀

서식 열대 지방과 온대 지방에서 섬유 식물로 널리 재배하고 있다.

줄기
- 줄기는 곧게 서고 횡단면이 둔한 사각형이며 잔털이 있고 속이 비어 있으며 녹색이다.
- 줄기 표면에는 세로로 골이 파인다.
- 줄기의 횡단면은 표피세포 안쪽에 여러 층의 엽록소를 가진 하피가 있고 그 안쪽에 유조직이 있다.
- 그 안쪽에 우리가 이용하는 섬유가 있다.

잎	· 줄기 밑 부분에 달린 잎은 마주나고 잎자루가 길다. · 3~10개의 작은잎으로 갈라진 손바닥 모양의 겹잎이다. · 줄기 윗부분에 달린 잎은 어긋나고 3개의 작은잎으로 갈라지거나 홑잎이며 잎자루가 짧다. · 작은잎은 바소꼴이고 폭이 좁으며 양끝이 뾰족하고 표면이 거칠며 뒷면에 잔털이 빽빽이 있고 가장자리에 톱니가 있다.
꽃	· 꽃은 암수딴그루이고 7~8월에 연한 녹색으로 핀다. · 수꽃은 가지 끝의 잎겨드랑이에 원추꽃차례를 이루며 달린다. · 암꽃은 줄기 끝부분의 잎겨드랑이에 짧은 수상꽃차례를 이루며 달린다. · 수꽃은 큰 꽃밥을 가진 5개의 수술과 5개의 꽃받침조각이 있다. · 꽃이 피면 꽃밥이 가운데에서 세로로 갈라져 많은 수의 화분을 날려보내는 풍매화이다. · 암꽃은 매우 작고 꽃자루가 없다. · 1개의 암술이 있고 씨방은 1개의 꽃받침에 싸여 있으며 암술대는 2개로 갈라져 꽃받침 밖으로 나온다.
열매	· 열매는 수과이고 약간 편평한 달걀 모양의 원형이며 잿빛이 도는 흰색의 단단한 껍질이 있고 가을에 익는다. · 종자는 광택이 있고 잿빛이 도는 흰색 또는 잿빛이 도는 갈색을 띠며 표면에는 2줄의 무늬가 있다.
이용	· 대마 줄기의 섬유는 삼베를 짜거나 로프·그물·모기장·천막 등의 원료로 쓰이고, 열매는 향신료의 원료로 쓰인다. · 종자는 조미용이나 기름을 짜는 데 쓰인다.

약 용 활 용

생약명	화마인(火麻仁), 마자인(麻子仁)
이용부위	종자, 뿌리, 잎
채취시기	종자,뿌리—가을, 잎—수시
약성미	성질은 평하고 맛은 달고 독이 없다.
주치활용	소갈, 월경불순, 개창(옴), 위열, 진고로 인한 변비, 공수병, 풍비, 열림
효능	윤조, 통림, 활장, 활혈
민간활용	습관성 변비가 있을 때는 씨를 달여 마신다.
주의	모장골자는 복용을 금한다.

2011 ⓒ 삼백초

학명 | Saururus chinensis

분류 | 쌍떡잎식물 후추목 삼백초과

분포 | 한국, 일본, 중국 등지

생육상 | 여러해살이풀

삼백초

서식 습지에서 자란다.

줄기 뿌리줄기는 흰색이고 진흙 속에서 옆으로 뻗는다.

잎
- 잎은 어긋나고 달걀 모양의 타원형이다.
- 끝이 뾰족하며 밑부분이 심장 모양이고 5~7개의 맥이 있으며 가장자리가 밋밋하다.
- 잎 표면은 녹색이고 뒷면은 연한 흰색이지만, 줄기 윗부분에 있는 2~3개의 잎은 표면이 흰색이다.
- 잎자루는 밑부분이 넓어 줄기를 감싼다.

꽃
- 꽃은 양성화이고 6~8월에 흰색으로 피며 수상꽃차례를 이루며 달린다.
- 꽃차례는 잎과 마주나고 꼬불꼬불한 털이 있고 밑으로 처지다가 곧게 선다.
- 소포는 달걀 모양의 원형이고, 꽃잎은 없으며, 수술은 6~7개이다.
- 암술은 3~5개의 심피로 구성된다.

열매 열매는 둥글고 종자가 각 실에 1개씩 들어 있다.

이용 잎을 비롯하여 꽃 등이 관상 가치가 있다.

약용활용

생약명 | 삼백초(三白草)

이용부위 | 전초

채취시기 | 여름

약성미 | 성질은 차고 맛은 쓰고 맵다.

주치활용 | 소변불리, 수종, 임탁, 각기, 간염, 황달, 옹종, 사교상, 암종

효능 | 소염, 청열, 해독, 제습, 이뇨, 항암, 소종

민간활용 | 차처럼 계속해서 달여 마시면 고혈압, 암 등 성인병에 좋다.

주의 | 사람에 따라서는 삼백초 생즙을 복용하고 나서 구포를 일으키는 경우가 있으므로 주의해야 한다.

2011 ⓒ 삼지구엽초

학명 | Epimedium koreanum

분류 | 쌍떡잎식물 미나리아재비목 매자나무과

분포 | 한국, 중국 동북부 등지

생육상 | 여러해살이풀

삼지구엽초

서식 산지의 나무 그늘에서 자란다.

줄기
- 줄기는 뭉쳐나고 가늘고 털이 없으며 밑부분은 비늘 모양의 잎으로 둘러싸인다.
- 줄기 윗부분은 3개의 가지가 갈라지고 가지 끝마다 3개의 잎이 달리므로 삼지구엽초라고 한다.

잎
- 뿌리에서 나온 잎은 뭉쳐나고 잎자루가 길다.
- 줄기에 달린 잎은 달걀 모양이다.
- 끝이 뾰족하며 밑 부분은 심장 모양이고 가장자리에 털 같은 잔 톱니가 있다.

꽃
- 꽃은 5월에 피고 줄기 끝에 총상꽃차례를 이루며 밑을 향해 달린다.
- 꽃은 노란색을 띤 흰색이다.
- 꽃받침조각은 8개인데, 안쪽의 4개는 크고 서로 같은 크기이며, 바깥쪽의 4개는 작고 서로 크기가 다르다.
- 꽃잎은 4개이고 긴 꿀주머니가 있다.
- 수술은 4개이고 암술은 1개이다.

열매 열매는 골돌이고 양끝이 뾰족한 원기둥 모양이다.

이용 술을 담가서 마셔도 같은 효과를 얻을 수 있다.

약용활용

생약명 | 음양곽

이용부위 | 전초

채취시기 | 여름~가을

약성미 | 성질은 따뜻하고 맛은 달고 약간 맵다.

주치활용 | 불임, 음위, 발기불능, 권태감, 당뇨병, 반신불수, 월경불순, 소아야맹증, 천식발작, 허림, 백탁, 신경통, 건망증, 백대하, 신경쇠약, 귀울림, 이뇨장애, 장근골, 불감증, 양위유정, 근골위연, 풍습비통, 마목구련, 갱년기 고혈압

효능 | 강장, 장정, 음위

민간활용 | 민간에서는 음위, 신경쇠약, 건망증, 히스테리, 발기력 부족 등에 사용한다.

삽주

학명 | Atractylodes japonica

분류 | 쌍떡잎식물 초롱꽃목 국화과

분포 | 한국, 중국 동북부, 일본 등지

생육상 | 여러해살이풀

서식 산지의 건조한 곳에서 자란다.

뿌리줄기 뿌리줄기는 굵고 길며 마디가 있고 향기가 있다.

줄기 줄기는 곧게 서고 윗부분에서 가지가 몇 개 갈라진다.

잎	· 뿌리에서 나온 잎은 꽃이 필 때 말라 없어진다. · 줄기에 달린 잎은 어긋난다. · 줄기 밑부분에 달린 잎은 깊게 깃꼴로 3~5개로 갈라진다. · 타원 모양 또는 달걀을 거꾸로 세운 모양의 긴 타원형이다. · 표면에 윤기가 있고 뒷면에 흰빛이 돌며 가장자리에 가시 같은 톱니가 있다. · 줄기 윗부분에 달린 잎은 갈라지지 않고 잎자루가 거의 없다.
꽃	· 꽃은 암수 딴 그루이고 7~10월에 흰색으로 핀다. · 줄기와 가지 끝에 두상화가 1개씩 달린다. · 포는 꽃과 길이가 같고 2줄로 달리며 깃꼴로 갈라진다. · 두상화는 20~30개의 관상화가 있으며 총포는 종 모양이다. · 총포 조각은 7~8줄로 배열하며 바깥쪽 조각은 타원 모양이고 가운데 조각은 긴 타원 모양이며 안쪽 조각은 줄 모양이다. · 관상화의 화관은 끝이 5개로 갈라진다.
열매	열매는 수과이고 털이 있으며 갈색 관모가 있다.
이용	어린순을 나물로 먹는다.

약용활용

생약명 | 창출(蒼朮), 백출(白朮)

이용부위 | 뿌리

채취시기 | 가을(10~11월)

약성미 | 성질은 따뜻하고 맛은 달고 맵다.

주치활용 | 식욕부진, 소화불량, 위장염, 감기

효능 | 발한, 이뇨, 진통, 건위

2011 ⓒ 삿갓나물

속명	삿갓풀
학명	Paris verticillata
분류	외떡잎식물 백합목 백합과
분포	한국, 일본, 중국, 사할린, 시베리아
생육상	여러해살이풀

삿갓나물

서식 높은 산의 숲 속에서 자란다.

땅속 줄기 땅속줄기가 옆으로 길게 벋고 끝에서 줄기가 나온다.

줄기 줄기는 끝부분에 6~8개의 잎이 돌려난다.

잎
· 잎은 바소꼴이거나 긴 타원 모양, 또는 넓은 바소꼴이다.
· 끝이 뾰족하며 3개의 맥이 있고 가장자리가 밋밋하며 잎자루가 없다.

꽃
· 꽃은 6~7월에 피고 돌려난 잎 가운데서 나온 1개의 꽃자루 끝에 1개가 달린다.
· 꽃은 녹색이며 위를 향해 핀다.
· 꽃받침은 옆으로 퍼지고, 꽃받침조각은 4~5개이다.
· 넓은 바소꼴 또는 좁은 달걀 모양이고 끝이 뾰족하다.
· 꽃잎은 실 모양이고 황색이고 나중에는 밑으로 처진다.
· 수술은 8~10개이고 꽃밥이 길다.
· 암술대는 4개이고 씨방은 자줏빛이 도는 갈색이다.

열매 열매는 장과이고 둥글며 자줏빛이 도는 검은 색이다.

이용 어린 순은 나물로 먹는다.

약 용 활 용

생약명 | 조휴(蚤休)

이용부위 | 뿌리줄기

채취시기 | 가을, 겨울

약성미 | 성질은 차고 맛은 쓰다.

주치활용 | 천식, 종기, 만성기관지염, 외상 출혈, 어혈성 통증, 벌레 물린 데

효능 | 청열해독, 소종지통, 진해, 항균, 평천, 해독

민간활용 | 종기, 부스럼 등의 상처에 생장점의 잎을 찧어 붙인다.

주의 | 몸이 허약한 사람이나 임산부는 복용을 금한다. 독성이 있으므로 복용량을 철저히 지켜야 한다.

2011 ⓒ 상사화

학명 | Lycoris squamigera

분류 | 외떡잎식물 백합목 수선화과

원산지 | 중국

생육상 | 여러해살이풀

상사화

서식 관상용으로 심는다.

줄기
· 줄기는 넓은 달걀 모양이고 겉이 검은빛이 도는 짙은 갈색이다.
· 꽃줄기는 곧게 서고 약간 굵다.

잎 잎은 봄에 비늘줄기 끝에서 뭉쳐나고 줄 모양이며 6~7월에 마른다.

꽃
· 꽃은 8월에 피고 꽃줄기 끝에 산형꽃차례를 이루며 4~8개가 달린다.
· 총포는 여러 개로 갈라지고, 갈라진 조각은 바소꼴이며 막질이다.
· 붉은빛이 강한 연한 자주색이다.
· 화피는 밑부분이 통 모양이고 6개로 갈라져서 비스듬히 퍼진다.
· 갈라진 조각은 거꾸로 세운 바소꼴이고 뒤로 약간 젖혀진다.
· 수술은 6개이고 화피보다 짧으며, 꽃밥은 연한 붉은색이다.
· 암술은 1개이고, 씨방은 하위이며 3실이고 열매를 맺지 못한다.

이용 관상용으로 심고 있다. 화단에 심어 여름에 탐스런 꽃을 감상한다.

약용활용

생약명	상사화(相思花)
이용부위	줄기
채취시기	가을(9~10월)
약성미	성질은 평하고 맛은 맵다.
주치활용	구토, 창종, 기관지염, 결핵, 백일해, 각혈, 옴, 소아마비
효능	거담, 해열, 소종, 진통
민간활용	인경을 삶은 물에 발을 담그면 오래된 무좀도 낫는다.
주의	근경은 독성이 강하므로 복용이나 취급에 모두 주의해야 한다.

2011 ⓒ 상추

학명 | Lactuca sativa

분류 | 쌍떡잎식물 초롱꽃목 국화과

원산지 | 유럽과 서아시아

분포 | 한국, 중국, 일본, 미국, 영국 등 넓은 지역에서 재배

생육상 | 한해살이풀

상추

| 서식 | 채소로 널리 재배한다. |

| 줄기 | 줄기는 가지가 많이 갈라지고 전체에 털이 없다. |

잎
· 뿌리에서 나온 잎은 타원 모양이고 크다.
· 줄기에 달린 잎은 점차 작아진다.
· 윗부분에 달린 잎은 밑부분이 화살 밑 모양으로 줄기를 감싸며 양면에 주름이 많고 가장자리에 불규칙한 톱니가 있다.

꽃
· 꽃은 6~7월에 노란 색으로 핀다.
· 가지 끝에 두상화가 총상꽃차례를 이루며 1개씩 달리고 전체 모양이 산방꽃차례를 이루며 가지에 포가 많이 달린다.
· 총포는 원통 모양이고, 총포의 조각은 기와 모양으로 포개지고, 바깥쪽 조각은 짧으며 안쪽으로 갈수록 점차 길어진다.

열매 열매는 수과이고 모가 난 줄이 있으며 끝에 긴 부리가 있고 그 끝에 흰색의 관모가 낙하산 모양으로 펴져 있다.

이용 꽃대가 나오기 전에 잎을 따서 식용한다.

─ 약 용 활 용 ─

생약명 | 와거(萵苣)

이용부위 | 잎

채취시기 | 봄~가을(4~10월)

약성미 | 성질은 차고 맛은 쓰며 약간의 독이 있다.

주치활용 | 소변 출혈과 산모의 젖이 부족할 때, 고혈압, 빈혈

효능 | 진정, 이뇨, 신경안정, 해독, 빈혈치료, 내장보호, 통증해소, 간장보호, 유즙분비

민간활용 | 줄기는 이뇨제로 유효하며 잎은 땀띠에도 유효하다.

2011 ⓒ 새모래덩굴

학명 | *Menispermum dauricum*

분류 | 쌍떡잎식물 미나리아재비목 방기과

분포 | 한국, 중국, 시베리아 동부, 일본 등지

생육상 | 덩굴성 여러해살이풀

새모래덩굴

서식 풀밭이나 길가, 또는 산기슭에서 자란다.

줄기 줄기는 털이 없다.

잎
· 잎은 어긋나고 둥근 콩팥 모양 또는 둥근 심장 모양이고 가장자리는 얕게 5~7개로 갈라진다.
· 잎 표면은 녹색이고 뒷면은 흰빛이 돌며 양면에 털이 없다.
· 잎자루는 잎몸의 뒷면에 달린다.

꽃
· 꽃은 암수 딴 그루이고 5~6월에 노란 색으로 피며 잎겨드랑이에 나온 꽃대에 원추꽃차례를 이루며 달린다.
· 수꽃은 꽃받침조각이 4~6개이고 꽃잎이 6~10개이며 수술이 12~20개이다.
· 암꽃은 암술이 1개이고 암술머리는 2개이며 3개의 심피로 구성된다.

열매 열매는 핵과이고 둥글며 9월에 검은색으로 익는다. 종자는 편평하고 둥근 심장 모양이다.

── 약 용 활 용 ──

생약명 | 편복갈(蝙蝠葛)

이용부위 | 뿌리

채취시기 | 가을

약성미 | 성질은 차고 맛은 쓰며 독이 있다.

주치활용 | 인후염, 편도선염, 사지마비, 관절염, 복통, 이질, 장염, 신경통, 기관지염

효능 | 거풍, 이뇨, 소종, 소염

주의 | 유독성식물이므로 너무 과용하지 않도록 주의하고 장기복용은 피해야 한다.

2011 ⓒ 새우난초

학명 | Calanthe discolor

분류 | 외떡잎식물 난초목 난초과

분포 | 한국(제주·남부), 일본

생육상 | 여러해살이풀

새우난초

서식 숲 속에서 자란다.

뿌리줄기 뿌리줄기는 옆으로 벋고 염주 모양이며 마디가 많고 잔뿌리가 돋는다.

잎
- 잎은 두해살이로 첫해에는 2~3개가 뿌리에서 나와 곧게 자라지만 다음해에는 옆으로 늘어진다.
- 잎은 달걀을 거꾸로 세운 모양의 긴 타원형이고 양끝이 좁고 주름이 있다.

꽃
- 꽃은 4~5월에 어두운 갈색으로 피고 잎 사이에서 나온 꽃줄기에 총상꽃차례를 이루며 10개가 달린다.
- 꽃줄기는 짧은 털이 있으며 비늘 같은 잎이 1~2개 있다.
- 포는 바소꼴이고 마른 막질이다.
- 꽃받침조각은 달걀 모양의 긴 타원형이다.
- 꽃잎은 흰색, 연한 자주색 또는 붉은빛이 강한 자주색이다.
- 입술꽃잎은 3개로 깊게 갈라지고, 갈라진 조각 중 가운데 것은 끝이 오므라지고 안쪽에 3개의 모가 난 줄이 있다.

약 용 활 용

생약명 | 구자련환초(九子連環草)

이용부위 | 전초

채취시기 | 봄~여름(6~7월 개화 후)

약성미 | 성질은 따뜻하고 맛은 맵고 독이 없다.

주치활용 | 나병, 임파선염, 편도선염, 치질, 종기

효능 | 산결, 해독, 활혈, 서근, 소종, 강장, 혈액순환

민간활용 | 민간에서는 뿌리줄기를 강장제로 사용한다.

2011 ⓒ 새콩

학명 | Amphicarpaea edgeworthii var. trisperma
분류 | 쌍떡잎식물 장미목 콩과
분포 | 한국, 일본, 중국 등지
생육상 | 덩굴성 한해살이풀

새콩

서식 들에서 자란다.

줄기 식물체에 밑을 향한 털이 있다.

잎
- 잎은 어긋나고 석 장의 작은잎이 나온 잎이다.
- 작은잎은 달걀 모양이고 퍼진 털이 있으며 뒷면은 흰색을 띤다.
- 턱잎은 좁은 달걀 모양이고 6개의 맥이 있다.

꽃
- 꽃은 8~9월에 연한 자주색으로 핀다.
- 잎겨드랑이에서 나온 꽃대에 총상꽃차례를 이루며 3~6개가 달린다.
- 꽃받침은 털이 있고 끝이 5개로 갈라진다.
- 화관은 나비 모양이다.

열매
- 열매는 협과이고 편평한 타원 모양이며 둘레를 따라 털이 있고 약간 굽으며 3개의 종자가 들어 있다.
- 땅속줄기 끝에 달린 꽃이 개화하지 않고 폐쇄화가 되어 자가수분을 통해 땅 속에서도 열매를 맺는다.

이용
- 종자는 먹을 수 있다.
- 한방에서는 뿌리를 양형두라는 약재로 쓰는데, 사지동통에 효과가 있다.

약용 활용

생약명	양형두(兩型豆)
이용부위	종자
채취시기	가을(개화 후)
주치활용	사지동통
효능	지통

2011 ⓒ 생강

학명 | Zingiber officinale

분류 | 외떡잎식물 생강목 생강과

원산지 | 동남아시아

생육상 | 여러해살이풀

생강

서식	채소로 재배한다.
줄기	· 뿌리줄기는 옆으로 자라고 다육질이며 덩어리 모양이고 황색이며 매운 맛과 향긋한 냄새가 있다. · 뿌리줄기의 각 마디에서 잎집으로 만들어진 가짜 줄기가 곧게 서다.
잎	· 윗부분에 잎이 2줄로 배열한다. · 잎은 어긋나고 줄 모양의 바소꼴이며, 양 끝이 좁고 밑부분이 긴 잎집이 된다.
꽃	· 한국에서는 꽃이 피지 않는다. · 열대 지방에서는 8월에 잎집에 싸인 꽃줄기가 나오고 그 끝에 꽃이삭이 달리며 꽃이 핀다. · 꽃은 포 사이에서 나온다. · 꽃받침은 짧은 통 모양이고 화관의 끝부분은 3개로 갈라지며 갈라진 조각은 끝이 뾰족하다. · 수술은 1개이고 꽃밥은 황색이고 암술대는 실처럼 가늘다.
이용	뿌리줄기는 말려 갈아서 빵·과자·카레·소스·피클 등에 향신료로 사용하고, 껍질을 벗기고 끓인 후 시럽에 넣어 절이기도 하며 생강차와 생강주 등을 만들기도 한다.

약용활용

생약명	강(乾薑)
이용부위	뿌리줄기
채취시기	가을철
약성미	성질은 **따뜻하고** 맛은 맵다.
주치활용	소화불량, 구토, 설사, 혈액 순환 촉진, 항염증, 진통
효능	발한해표, 풍한구토, 해수
민간활용	감기에 생강을 씹어 먹고 땀을 낸다.

2011 ⓒ 생이가래

학명 | Salvinia natans (L.) ALL.

분류 | 양치식물 고사리목 생이가래과

분포 | 동아시아, 인도, 유럽 등

생육상 | 한해살이풀

생이가래

서식 괴어 있는 물 위에 떠서 자란다.

잎
- 잎은 3개씩 돌려나지만 2개는 마주나며 물 위에 뜨고 1개는 물 속에서 뿌리 역할을 한다.
- 물 위에 뜬 잎은 중축(中軸) 좌우에 깃처럼 배열되고 타원 모양이며 양 끝이 둔하다.
- 가장자리가 밋밋하며 양면은 원줄기와 더불어 잔털이 있다.
- 가을에는 물 속에 잠기며 물 속에 들어 있는 잎의 밑부분에 포자낭과가 형성된다.
- 포자는 크고 작은 것의 2가지 형태가 있다.

약 용 활 용

생약명 | 오공평(蜈蚣萍)

이용부위 | 전체

채취시기 | 가을~겨울

약성미 | 성질은 평하고 맛은 쓰다.

주치활용 | 습진, 화상 , 옹종, 어혈적통, 노열, 부종

효능 | 청열, 제습, 해독, 활혈, 소종, 지통

2011 ⓒ 서양민들레

학명 | Taraxacum officinale

분류 | 쌍떡잎식물 초롱꽃목 국화과

원산지 | 유럽

생육상 | 여러해살이풀

서양민들레

서식 도시 주변이나 농촌의 길가와 공터에서 흔히 볼 수 있다.

뿌리 뿌리가 땅 속 깊이 들어가고 줄기는 없다.

잎
- 잎은 뿌리에서 뭉쳐나고 사방으로 퍼지며 타원 모양이다.
- 끝이 예리하게 뾰족하며 깃 모양으로 깊게 갈라지고 가장자리가 밋밋하다.

꽃
- 꽃은 3~9월에 황색으로 피고 잎이 없는 꽃대 끝에 두상화 1개가 달린다.
- 총포조각은 줄 모양이며 녹색 또는 검은색이 돌고 털이 없다.
- 바깥쪽 포조각은 뒤로 젖혀지고 안쪽 포 조각은 곧게 선다.

열매
- 열매는 수과이고 갈색이며 편평하고 양 끝이 뾰족한 원기둥 모양이다.
- 짧은 돌기가 있으며 끝이 부리처럼 길다.
- 관모는 흰색이고 부리 끝에서 우산 모양으로 퍼진다.

이용
- 유럽에서는 잎을 샐러드로 먹고 뉴질랜드에서는 뿌리를 커피 대용으로 한다.
- 유럽에서는 만병통치의 효험이 있다고 하여 애용한다.

약 용 활 용

생약명 | 포공영(砲公英)

이용부위 | 전초

채취시기 | 봄(4~6월 꽃 피기 전)

약성미 | 성질은 차고 맛은 쓰고 달며 독이 없다.

주치활용 | 간장병, 담석증, 변비, 류머티스, 노이로제, 야맹증, 천식, 거담, 오한, 열병, 종기, 배뇨곤란, 유행병, 우울증, 장옹, 유옹, 목적, 인통, 폐옹

효능 | 강장, 건위, 정종, 자상, 부종, 완하, 청열해독

민간활용 | 서양민들레의 부드러운 잎을 많이 생식하면 위장기능강화와 강장에 좋다.

2011 ⓒ 석결명

학명 | Cassia occidentalis
분류 | 쌍떡잎식물 장미목 콩과
원산지 | 멕시코
생육상 | 한해살이풀

석결명

서식 약용식물로 재배한다.

잎
- 잎은 어긋나고 잎자루가 길며 3~6쌍의 작은잎으로 구성된 깃꼴겹잎이다.
- 작은잎은 바소꼴 또는 바소꼴의 타원 모양이며 끝이 뾰족하고 밑부분이 둥글며 가장자리가 밋밋하다.
- 잎자루에 선체가 있으며 턱잎은 줄 모양이다.

꽃
- 꽃은 6~8월에 황색으로 피고 잎겨드랑이에서 나온 꽃대에 2~6개씩 달린다.
- 꽃받침조각은 5개이고 달걀 모양의 원형이다.
- 꽃잎은 5개인데, 위에 달린 3개의 꽃잎은 크고 밑에 달린 2개의 꽃잎은 작다.
- 수술은 10개인데, 서로 길이가 같지 않다.
- 암술은 1개이며 씨방에 털이 있다.

열매 열매는 협과이고 편평하며 양쪽이 튀어나와 있다.

약 용 활 용

생약명 | 석결명(石決明)

이용부위 | 열매

채취시기 | 여름

약성미 | 성질은 서늘하고 맛은 짜다.

주치활용 | 변비, 두통, 목적종통, 소화불량, 복통, 수종, 교상, 태독, 만성위염

효능 | 청간, 명목, 건위, 통변, 해독

민간활용 | 민간에서는 잎을 뱀이나 독충에 물린 데 사용한다.

2011 ⓒ 석위

학명 | Pyrrosia lingua
분류 | 양치식물 고사리목 고란초과
분포 | 한국, 일본, 타이완, 인도차이나
생육상 | 상록 여러해살이풀

석위

서식 나무줄기와 바위면에 붙어서 자란다.

줄기 뿌리줄기가 옆으로 뻗고 적색 또는 다갈색 비늘조각으로 덮인다.

잎
- 잎자루는 딱딱하고 홈이 있으며 성모로 덮인다.
- 잎몸은 넓은 바소꼴 또는 달걀 모양의 바소꼴로 양 끝이 좁고 두껍다.
- 잎 앞면은 짙은 녹색으로 털이 없으나 뒷면에는 갈색 성모가 밀생하며 가장자리가 밋밋하다.

포자 포자낭군은 포막(苞膜)이 없고 뒷면 전체에 밀생한다.

── 약 용 활 용 ──

생약명 | 석위(石韋)

이용부위 | 지상부

채취시기 | 가을

약성미 | 성질은 찬기운이 있고 맛은 달고 쓰며 독이 없다.

주치활용 | 임질, 토혈, 창상출혈, 동통, 혈뇨, 요로결석, 자궁출혈, 세균성설사, 만성기관지염

효능 | 이수통림, 양혈지혈, 치열림, 혈림, 석림, 소변불통, 임력삽통, 토혈, 코피, 뇨혈, 붕루, 폐열천해

민간활용 | 항상 푸른 잎을 달고 있으므로 잎을 채취하여 말린 후 이것을 달여서 복용하면 이뇨제가 되고 임질을 치유하며 정기를 샘솟게 한다.

2011 ⓒ 석잠풀

학명	Stachys riederi var. japonica
분류	쌍떡잎식물 통화식물목 꿀풀과
분포	한국, 중국 동북부, 일본, 시베리아 동부, 캄차카반도 등지
생육상	여러해살이풀

석잠풀

서식 산과 들의 습지에서 자란다.

줄기 줄기는 곧게 서고 횡단면이 사각형이고 모서리를 따라 밑을 향한 센 털이 있다.

잎
- 잎은 마주나고 바소 모양이며 끝이 뾰족하고 밑 부분이 둥글거나 수평이며 가장자리에 톱니가 있다.
- 잎 양 면에 털이 있고, 잎자루는 줄기 윗부분의 잎은 잎자루가 없다.

꽃
- 꽃은 6~9월에 연한 붉은색으로 피고 가지와 줄기 윗부분의 마디마다 층층이 돌려 난다.
- 꽃받침은 끝이 5개로 갈라지며, 갈라진 조각은 가시처럼 뾰족하다.
- 화관은 입술 모양이며, 아랫입술은 다시 3개로 갈라진다.
- 수술은 4개 중 2개가 길고, 암술은 1개이다.

열매 열매는 분과이다.

이용 어린 순은 식용, 양봉의 밀원으로도 좋으며, 습기가 있는 정원에 심어 관상한다.

약 용 활 용

생약명 | 초석잠(草石蠶)

이용부위 | 천초

채취시기 | 봄~가을(6~9월 꽃 피기 전)

약성미 | 성질은 서늘하고 맛은 달고 쓰다.

주치활용 | 복통, 맹장염, 두통, 인후염, 기관지염, 폐렴, 고혈압, 종양, 불면증, 자궁염, 감기, 하혈, 풍열해수, 백일해, 이질, 대상포진

효능 | 혈액순환촉진, 진통작용, 해열, 정혈, 태독제거, 발한, 지혈, 소종, 신경쇠약, 화담, 항균

2011 ⓒ 석창포

학명 | Acorus gramineus

분류 | 외떡잎식물 천남성목 천남성과

분포 | 한국(중부지방 이남), 일본, 중국, 인도 등지

생육상 | 여러해살이풀

석창포

서식 산지나 들판의 냇가에서 자란다.

뿌리줄기
· 뿌리줄기는 옆으로 뻗고 마디에서 수염뿌리가 나온다.
· 땅 속에서는 마디 사이가 길지만 땅 위에 나온 것은 마디 사이가 짧고 녹색이다.

잎
· 잎은 뿌리줄기에서 뭉쳐나고 줄 모양이고 잎맥이 없으며 끝이 뾰족하다.
· 바깥쪽 잎의 밑부분이 안쪽 잎의 밑부분을 싸고 있고 엇갈려서 2줄로 배열한다.

꽃
· 꽃은 양성화이고 6~7월에 노란색으로 핀다.
· 꽃줄기에 수상꽃차례를 이루며 많은 수가 빽빽이 달린다.
· 꽃잎과 수술은 각각 6개이고, 암술은 1개이다.
· 암술머리는 공 모양이고, 씨방은 상위이고 육각형이다.

열매
· 열매는 삭과이고 달걀 모양이며 녹색이고 밑부분에 화피조각이 남아 있다.
· 종자는 긴 타원 모양이고 밑부분에 털이 많다.

이용 정원 내의 연못 주변에 심거나 초물분재 또는 실내 조경용 소재로 널리 이용된다.

─ 약 용 활 용 ─

생약명 | 석창포(石菖蒲)

이용부위 | 뿌리줄기

채취시기 | 가을

약성미 | 성질은 미지근하고 맛은 맵고 독이 없다.

주치활용 | 건망증, 오래된 설사, 이롱, 이명, 이농, 간질발작

효능 | 진통, 진정, 건위. 개규안신, 화담습, 화중벽탁, 흥복장민, 습조비위

민간활용 | 민간에서는 목욕물에 넣기도 한다.

주의 | 발한과다, 조루, 허중에는 복용을 금한다.

2011 ⓒ 선팽이밥

학명 | Oxalis stricta

분류 | 쌍떡잎식물 쥐손이풀목 쥐손이풀과

분포 | 한국, 일본, 중국, 시베리아 등지

생육상 | 여러해살이풀

선괭이밥

서식 산지의 자갈밭에서 자란다.

줄기
· 포기 전체에 털이 나고 줄기는 곧게 선다.
· 뿌리줄기가 땅 속으로 길게 뻗으며 비늘잎에 싸인다.

잎
· 잎은 어긋나고 긴 잎자루 끝에서 3개의 작은잎이 옆으로 퍼져 난다.
· 작은잎은 거꾸로 된 심장 모양이고 밑부분은 넓은 쐐기 모양이다.
· 가장자리는 밋밋하고 부드러운 털이 나며 잎 가운데 위쪽이 오목하게 들어간다.
· 턱잎은 뚜렷하게 구별되지 않는다.

꽃
· 꽃은 작으며 7~8월에 노란 빛을 띤 흰색으로 핀다.
· 잎겨드랑이에서 나온 긴 꽃자루 끝에 1~3개씩 산형꽃차례로 달린다.
· 포는 꽃자루의 윗부분에 있다.
· 꽃받침조각은 5개로서 타원 모양이고 꽃잎도 5개이다.
· 수술은 10개이고 암술대는 5개이다.

열매 열매는 원기둥 모양의 삭과이다.

이용 어린 순은 식용한다.

약용활용

생약명 | 금전고엽초(金錢苦葉草)

이용부위 | 전초

채취시기 | 봄

약성미 | 성질은 차고 맛은 달고 쓰다.

주치활용 | 정창

효능 | 배농, 해독

학명 | Geranium krameri

분류 | 쌍떡잎식물 쥐손이풀과

분포 | 한국, 일본, 중국, 아무르

생육상 | 여러해살이풀

선이질풀

서식 산야에서 자란다.

줄기 밑부분이 옆으로 자라다가 곧게 서며 잎자루와 더불어 밑을 향한 누운 털이 있다.

잎
· 잎은 뿌리에서 돋고 줄기에서는 마주나며 5개로 깊게 갈라진다.
· 밑에서는 잎자루가 길지만 위로 올라갈수록 짧아지며 잎은 손바닥 모양이다.
· 갈래조각은 마름모꼴 비슷하고 끝이 3개로 갈라진다.
· 턱잎은 잎 모양이며 서로 떨어진다.

꽃
· 꽃은 7~8월에 피고 연한 홍색이며 취산꽃차례로 꽃줄기 끝에 2개씩 달린다.
· 꽃받침조각은 5개이며 끝이 바늘같이 뾰족하다.
· 꽃잎도 5개이고 짙은 색깔의 줄이 있으며 밑부분에 털이 밀생한다.
· 수술은 10개이고 긴 털이 있다.

열매 열매는 5개로 갈라지는 삭과이다.

약용활용

생약명 | 노관초(老鸛草)

이용부위 | 전초

채취시기 | 여름~가을(열매가 익기 전)

약성미 | 성질은 따뜻하고 맛은 쓰고 맵다.

주치활용 | 전립선암, 자궁경암, 직장암, 폐암, 후두암, 백혈병, 심장병, 위장병, 대하증

효능 | 거풍, 활혈, 청열, 해독

2011 ⓒ 설앵초

학명 | Primula modesta var. fauriae

분류 | 쌍떡잎식물 앵초목 앵초과

분포 | 한국, 일본, 사할린

생육상 | 여러해살이풀

설앵초

서식	고산지대의 바위 틈에서 자란다.
줄기	줄기는 곧게 서고 15cm 정도이다.

잎
- 잎은 뿌리에서 돋아서 비스듬히 퍼지고 넓은 달걀 모양이며 갑자기 좁아져서 잎자루의 날개가 된다.
- 가장자리는 뒤로 말리는 것도 있고 둔한 톱니가 있으며 뒷면이 황색 가루로 덮인다.

꽃
- 꽃은 엷은 자주색으로 5~6월에 피고 뿌리에서 자란 긴 꽃줄기 끝에 우산 모양으로 달린다.
- 작은 꽃줄기는 꽃이 필 때는 털이 없고 꽃이 진 다음 다시 자란다.
- 포는 선형이고 꽃받침통은 중앙까지 5개로 갈라진다.
- 수술은 5개, 암술 1개이다.
- 화관은 홍자색이고 5개로 갈라져서 수평으로 퍼지며 끝이 파진다.

열매 열매는 8월에 결실하며 삭과로 원주형이며 끝이 5개로 갈라진다.

약 용 활 용

생약명	앵초근(櫻草根)
이용부위	뿌리, 줄기
채취시기	가을
약성미	성질은 평하고 맛은 달다.
주치활용	해수, 가래, 천식
효능	지해화담(止咳化痰)

학명 | Adenophora taquetii

분류 | 쌍떡잎식물 초롱꽃목 초롱꽃과

분포 | 한국

생육상 | 여러해살이풀

섬잔대

서식 한국 특산종으로 한라산 정상부에서 자란다.

줄기 뿌리는 굵으며 줄기는 곧게 서며 잎이 달린 자리에서 능선이 발달한다.

잎
· 잎은 어긋나고 타원형, 달걀을 거꾸로 세운 모양의 타원형 또는 달걀 모양이다.
· 톱니가 드문드문 있고 잎자루가 없다.
· 꽃은 7~8월에 피고 하늘색이며 줄기 끝에 1개 또는 약간의 꽃이 총상으로 달린다.
· 포는 바소꼴로 잎같이 생기고 소포와 더불어 톱니가 있는 것도 있다.

꽃
· 꽃받침조각은 줄 모양이고 톱니가 없다.
· 화관은 종처럼 생기며 끝이 얕게 5개로 갈라진다.
· 씨방은 하위이며 열매는 삭과이다.

이용
· 관상용으로 이용된다.
· 뿌리는 식용으로 쓰인다.

약용활용

생약명 | 사삼(沙蔘)

이용부위 | 뿌리

채취시기 | 가을

약성미 | 성질은 조금 차고 맛은 조금 달다.

주치활용 | 자궁염, 생리불순, 자궁출혈, 농약중독, 가래, 천식, 기침

효능 | 해독, 거담, 익담, 진해, 강장

2011 ⓒ 섬초롱꽃

학명 | Campanula takesimana

분류 | 쌍떡잎식물 초롱꽃목 초롱꽃과

원산지 | 한국

분포 | 울릉도

생육상 | 여러해살이풀

섬초롱꽃

서식 바닷가 풀밭에서 자란다.

줄기 줄기는 곧게 서며, 흔히 자줏빛이 돌고 능선이 있으며 비교적 털이 적다.

잎
- 뿌리잎은 잎자루가 길고 달걀 모양의 심장형이며 가장자리에 톱니가 있다.
- 줄기잎은 어긋나며 긴 타원형이며 잎자루가 점점 짧아지다가 없어진다.

꽃
- 꽃은 8월에 피고 연한 자줏빛 바탕에 짙은 점이 있다.
- 길이 3~5 cm로서 가지와 원줄기 끝에서 밑을 향하여 총상으로 달린다.
- 꽃받침은 5개로 갈라지고 갈래조각 사이에 뒤로 젖혀지는 부속체가 있다.

열매 열매는 삭과이다.

약용활용

생약명 | 자반풍령초(紫斑風鈴草)

이용부위 | 전초

채취시기 | 여름(6월~8월)

약성미 | 성질은 따뜻하고 맛은 달고 쓰다.

주치활용 | 인후염, 두통, 천식, 보익, 경풍, 한열, 편도선염

효능 | 청열, 해독, 지통

민간활용 | 중국 민간에서는 전초를 최산약으로 썼다.

2011 ⓒ 세뿔석위

학명 | Pyrrosia tricuspis
분류 | 양치식물 고사리목 고란초과
분포 | 한국, 일본, 중국 동북부
생육상 | 상록 여러해살이풀

세뿔석위

서식 바위 틈과 겉에 붙어서 자란다.

줄기 · 뿌리줄기는 옆으로 뻗고 흑갈색 비늘조각으로 덮인다.
· 비닐조각은 바소꼴 또는 달걀 모양의 바소꼴이다.

잎 · 잎은 서로 접근하여 달린다.
· 잎몸은 가장자리가 3~5개로 갈라져서 퍼지고 두꺼우며 중앙 갈래조각이 가장 크다.
· 표면은 녹색이고 털이 없으며 뒷면에는 갈색 성모가 밀생한다.

포자 포자낭군은 측맥 사이에 3~6줄로 배열한다.

이용 잎의 모양이 독특하여 관상용으로 가꾸기도 한다.

┌─ 약 용 활 용 ─────────

생약명 | 석위(石韋)

이용부위 | 전초

채취시기 | 봄~가을

약성미 | 성질은 약간 차고 맛은 달고 쓰다.

주치활용 | 임질, 혈뇨, 요로결석, 신염, 폐열로 인한 해수, 만성기관지염, 창상, 옹저

효능 | 이뇨, 청폐, 소종, 설열, 이수, 통림배석, 청폐, 지혈

학명 | Rumex crispus

분류 | 쌍떡잎식물 마디풀목 마디풀과

분포 | 한국, 일본, 타이완, 중국, 유럽 및 북아프리카

생육상 | 여러해살이풀

소리쟁이

서식 습지 근처에서 자란다.

줄기 줄기가 곧게 서고 세로에 줄이 많으며 녹색 바탕에 흔히 자줏빛이 돌며, 뿌리가 비대해진다.

잎
· 뿌리잎은 대가 길고 바소꼴 또는 긴 타원형에 가까우며 가장자리가 우굴쭈굴하다.
· 줄기잎은 어긋나고 양 끝이 좁으며 주름이 있고 긴 타원형이다.

꽃
· 꽃은 6~7월에 피고 연한 녹색이며 층층으로 달리지만 전체가 원뿔형으로 된다.
· 화피갈래조각과 수술은 6개씩이고 암술대는 3개이며 암술머리는 털처럼 잘게 갈라진다.

열매
· 열매는 수과이며 갈색이다.
· 3개의 내화피로 둘러싸이고, 내화피는 심장 모양이며 톱니가 없고 겉에 사마귀 같은 돌기가 있다.

이용 잎은 식용으로 한다.

약 용 활 용

생약명 | 우이대황(牛耳大黃)

이용부위 | 뿌리

채취시기 | 여름(8월), 가을(9월)

약성미 | 성질은 차며 맛은 쓰고 약간의 독성이 있다.

주치활용 | 뉵혈, 각혈, 변혈, 붕루, 개창, 완선

효능 | 양혈, 지혈, 살충, 뇨선

민간활용 | 음창은 뿌리의 생즙을 환부에 자주 바른다.

주의 | 비허설사자는 복용을 금한다.

2011 ⓒ 속단

학명 | Phlomis umbrosa

분류 | 쌍떡잎식물 통화식물목 꿀풀과

분포 | 한국, 중국 등지

생육상 | 여러해살이풀

속단

서식 산지에서 자란다.

줄기 줄기는 곧게 서며 전체에 잔털이 있으며 뿌리에 방추상으로 굵은 덩이뿌리가 5개 내외 달린다.

잎
· 잎은 마주 달리고 잎자루가 길며 심장 모양의 달걀 모양이다.
· 잎가장자리에는 규칙적이고 둔한 톱니가 있으며 뒷면에 잔털이 있다.

꽃
· 꽃은 7월에 피고 붉은빛이 돌며 잎겨드랑이에서 자란 가지에 층층으로 달려 전체가 커다란 원추꽃차례로 된다.
· 꽃받침은 통처럼 생기고 갈래조각은 털 같은 돌기로 된다.
· 화관은 입술 모양으로서, 상순(上脣)은 모자처럼 생기고 겉에 우단 같은 털이 밀생하며 하순은 3개로 갈라진다.
· 수술은 4개, 암술대는 두 개로 갈라진다.

열매 열매는 수과로 넓은 달걀모양이며 꽃받침으로 싸여 있다.

이용 어린 순을 나물로 먹는다.

약용활용

생약명 | 속단(續斷)

이용부위 | 뿌리

채취시기 | 여름~가을(8~10월)

약성미 | 성질이 약간 따뜻하고 맛은 맵고 쓰며 독이 없다.

주치활용 | 허리 아픈 데, 관절염, 타박상, 갈비뼈 부러진 데, 갖가지 염증, 골절, 자궁출혈, 마비, 태동불안, 해산 후각종 부인병, 금창

효능 | 혈맥을 소통과 보존

2011 ⓒ 속새

학명 | Equisetum hyemale

분류 | 관다발식물 속새목 속새과

분포 | 제주 및 강원 이북

생육상 | 상록 양치식물

속새

| 서식 | 습한 그늘에서 자란다. |

줄기 | 땅속줄기가 옆으로 뻗으면서 모여 난다.

잎
· 뚜렷한 마디와 능선이 있고 잎은 퇴화하여 잎집 같다.
· 잎집에 톱니처럼 생긴 것이 잎이며 10~18개씩이다.
· 잎집의 밑부분과 톱니는 갈색 또는 검은 빛을 띤다.

포자 | 포자낭 이삭은 원줄기 끝에 달리고 원뿔 모양이며 녹갈색에서 황색으로 변한다.

이용 | 능선에 규산염이 축적되어 딱딱하므로 나무의 면을 갈아내는 데 쓴다.

약 용 활 용

생약명	목적(木賊)
이용부위	전초
채취시기	여름(7~8월)
약성미	성질은 평하고 맛은 달고 쓰다.
주치활용	장출혈, 혈리, 탈공, 학질, 후통, 옹종, 풍습, 산통, 옹저라력 , 정독, 절종, 간반, 분사
효능	지혈, 소풍, 산열, 해기, 퇴예
민간활용	장출혈, 치출혈, 감기, 해열에 목적을 전제로 하여 복용한다.

2011 ⓒ 속속이풀

학명 | Rorippa islandica (OEDER) BORB.
분류 | 쌍떡잎식물 양귀비목 겨자과
분포 | 전국 각지
생육상 | 두해살이풀

속속이풀

서식 낮은 지대의 습기가 있는 곳에서 자란다.

줄기 줄기는 곧추서거나 비스듬히 자라며 윗부분에서 가지를 많이 친다.

잎
· 잎은 어긋나고 바소꼴이다.
· 가장자리가 깃처럼 갈라지기도 하고 잎자루가 없다.

꽃
· 꽃은 5~6월에 피고 황색이며 총상꽃차례에 달린다.
· 꽃잎과 꽃받침조각은 4개씩이다.
· 6개의 수술 중 4개는 길며 암술은 1개이다.

열매
· 열매는 각과로 긴 타원형이다.
· 소과경은 열매의 길이와 거의 비슷하며 끝에 암술대가 남아 있다.

이용 어린 순을 나물로 먹는다.

─ 약 용 활 용 ─

생약명	풍화채(風花菜)
이용부위	전초
채취시기	여름(7~8월)
주치활용	폐결핵, 선모충증. 괴혈병, 소변불리, 기관지염, 황달, 수종, 후통, 화상
효능	이뇨, 청혈, 제독, 소종

2011 ⓒ 솔나리

학명 | Lilium cernum

분류 | 외떡잎식물 백합목 백합과

분포 | 한국(강원 이북), 중국 동북부

생육상 | 여러해살이풀

솔나리

서식 산지에서 자란다.

줄기
· 줄기는 가늘고 단단하다.
· 비늘줄기는 달걀 모양 타원형이다.

잎
· 잎은 어긋나고 다닥다닥 달리며 가장자리가 밋밋하다.
· 위로 갈수록 작아지며 털이 없고 잎자루는 없다.

꽃
· 꽃은 7~8월에 1~4개가 밑을 향해 피고 짙은 홍색빛을 띤 자주색이지만 안쪽에 자줏
  빛 반점이 있으며 화피가 뒤로 말린다.
· 6개의 수술과 1개의 암술은 길게 밖으로 나온다.

열매 열매는 삭과로서 넓은 달걀을 거꾸로 세운 듯한 모양이고 3개로 갈라지며 갈색 종자가 나
온다.

─ 약 용 활 용 ─

생약명 | 수화백합(垂花百合)

이용부위 | 줄기

채취시기 | 가을

주치활용 | 폐결핵의 구해, 해수담혈, 열병의 여열미청, 허번경계, 정신황홀, 각기부종

효능 | 자음, 강화, 거번, 해독

2011 ⓒ 솔나물

솔나물

서식 들에서 흔히 자란다.

줄기 줄기는 곧게 서고 윗부분에서 가지가 갈라진다.

잎 잎은 8~10개씩 돌려나고 줄 모양이며 뒷면에는 마디, 꽃이삭과 더불어 털이 있다.

꽃 · 꽃은 6~8월에 노란색으로 피고 잎겨드랑이와 원줄기 끝에서 원추꽃차례에 달린다.
· 꽃잎과 수술은 4개씩이다.

열매 열매는 2개씩 달리고 털이 없으며 분과로 타원형이다.

이용 어린 순은 나물로 먹는다.

─ 약 용 활 용 ─

생약명 | 봉자채(蓬子菜)

이용부위 | 전초

채취시기 | 여름

약성미 | 성질은 차고 약간 쓰다.

주치활용 | 간염, 편도선염, 피부염, 혈기통

효능 | 청열, 해독, 행혈, 지양, 소종

2011 ⓒ 솔체꽃

학명 | Scabiosa mansenensis

분류 | 쌍떡잎식물 꼭두서니목 산토끼꽃과

분포 | 한국, 중국

생육상 | 두해살이풀

솔체꽃

서식 심산 지역에서 자란다.

줄기 줄기는 곧추 서며 가지는 마주나기로 갈라지며 퍼진 털과 꼬부라진 털이 있다.

잎
- 뿌리에서 나온 잎은 바소꼴로 깊게 패어진 톱니가 있고 잎자루가 길며 꽃이 필 때 사라진다.
- 줄기에서 나온 잎은 마주 달리고 긴 타원형 또는 달걀 모양 타원형이다.
- 깊게 패어진 큰 톱니가 있으나 위로 올라갈수록 깃처럼 깊게 갈라진다.

꽃
- 꽃은 8월에 피고 하늘색이며 가지와 줄기 끝에 두상꽃차례로 달린다.
- 바깥 총포조각은 줄 모양 바소꼴로 양 면에 털이 있으며 끝이 뾰족하다.
- 가장자리의 꽃은 5개로 갈라지는데, 바깥갈래조각이 가장 크고, 중앙에 달린 꽃은 통상화이며 4개로 갈라진다.

열매 열매는 수과로서 줄 모양이고 10월에 익는다.

이용 화단에 심어 관상한다.

─ 약용활용 ─

생약명 | 산라복(山蘿蔔)

이용부위 | 꽃

채취시기 | 여름~가을(7~9월)

주치활용 | 간화로 인한 두통, 발열, 폐열에 의한 기침, 황달

효능 | 청열, 사화

학명 | Leibnitzia anandria

분류 | 쌍떡잎식물 초롱꽃목 국화과

분포 | 한국, 일본, 사할린섬, 쿠릴열도, 타이완, 중국, 시베리아

생육상 | 여러해살이풀

솜나물

서식 건조한 숲 속에서 자란다.

잎
- 봄에 꽃이 피는 것은 뿌리줄기가 짧으며 잎이 갈라지지 않는다.
- 가을에 꽃이 피는 것은 잎이 깃처럼 갈라진다.
- 뿌리에서 나온 잎은 사방으로 퍼지고 잎자루가 길며 가장자리에 톱니가 있고 뒷면에 흰 털이 있다.
- 잎 끝이 둔하고 밑부분이 잎자루로 흘러서 좁아져 가장자리가 무잎처럼 갈라지며 각 갈래조각은 서로 떨어져 있다.

꽃
- 꽃은 꽃자루 끝에 1개씩 달리고 5~9월에 핀다.
- 봄에 피는 꽃은 1줄의 흰 설상화가 있으나 가을에 피는 꽃은 폐쇄화이고 퍼지지 않는다.
- 총포는 통 모양이고 포비늘은 3줄로 배열하며 넓은 줄 모양으로 끝이 둔하다.

열매 열매는 수과로서 털이 약간 있고 양 끝이 좁으며 관모는 갈색이다.

이용 지상부는 어린 싹을 나물로 먹는다.

약 용 활 용

생약명 | 대정초(大丁草)

이용부위 | 전초

채취시기 | 여름, 가을

약성미 | 맛은 쓰고 성질은 따뜻하고 독이 없다.

주치활용 | 류머티즘에 의한 마비, 해천, 정창, 사지마비, 해수, 천식

효능 | 거풍습, 해독.

학명 | Leontopodium coreanum

분류 | 쌍떡잎식물 초롱꽃목 국화과

원산지 | 한국

분포 | 한라산과 중부 이북

생육상 | 여러해살이풀

솜다리

서식 깊은 산 바위 틈에서 자란다.

줄기
- 밑부분은 묵은 잎으로 덮여 있다.
- 줄기는 곧추 서며 전체가 흰 솜털로 덮여 있으나 때로 회색빛을 띤 흰색이다.
- 줄기는 모여나고 꽃이 달리는 자루와 꽃이 안 달리는 자루가 있다.

잎
- 꽃이 안 달리는 자루의 잎은 거꾸로 선 바소꼴이다.
- 밑이 좁아져 잎자루처럼 된다.
- 잎 표면에 솜털이 약간 있고 뒷면은 회색 빛을 띤 흰색이다.
- 꽃이 달리는 자루의 잎은 긴 타원형이다.

꽃
- 꽃은 7~8월에 노란색으로 피고 두상꽃차례에 잡성으로 8~16개가 모여 달린다.
- 총포조각은 3줄로 배열하고 가장자리에 검은 빛이 돌며 뒷면에는 흰 털이 빽빽이 난다.

열매 열매는 수과로서 10월에 익는데, 긴 타원형이며 짧은 털이 빽빽이 난다.

이용 조경용이나 원예용으로 사용하고 어린 잎은 식용한다.

약용활용

생약명 | 아약(峨藥)

이용부위 | 전초

주치활용 | 위장병, 빈혈, 경계 질환

효능 | 해독, 소염, 지통

2011 ⓒ 솜대

학명 | Phyllostachys nigra var. henonis

분류 | 외떡잎식물 벼목 화본과

원산지 | 중국

생육상 | 대나무

솜대

마디 마디의 고리는 2개가 모두 높다.

잎
- 잎은 1~5개(흔히 2~3개)씩 달리고 바소꼴로 잔 톱니가 있으며 뒷면에 털이 있기도 하다.
- 비단털은 5개 내외이며 일찍 떨어진다.

꽃
- 작은이삭은 2~5개의 양성화와 단성화로 되고 포 안에 들어 있다.
- 죽순은 4~5월에 나오고 붉은 빛을 띤 갈색이다.

열매 열매는 공 모양의 장과로 익으면 붉은색을 띤다.

이용 줄기는 단단하므로 세공품을 만들 때 사용하고 죽순은 식용한다.

약용활용

생약명	죽력(竹瀝)
이용부위	줄기
채취시기	여름~가을(8~9월)
약성미	성질은 차며 맛은 달고 독이 없다.
주치활용	치풍, 당뇨, 파상풍, 산후발열, 소아경기
효능	이뇨, 해열
민간활용	한담, 습담과 음식으로 인해 생겨난 담(痰)에는 사용을 금한다.

학명 | Senecio integrifolius var. spathulatus

분류 | 쌍떡잎식물 초롱꽃목 국화과

분포 | 한국, 일본, 중국, 타이완

생육상 | 여러해살이풀

솜방망이

서식 건조한 양지에서 자란다.

줄기 원줄기에 흰색 털이 빽빽이 나고 자줏빛이 돈다.

잎
- 뿌리에서 나온 잎은 로제트형으로 퍼지고 긴 타원형 또는 달걀을 거꾸로 세운 듯한 모양으로 밑부분이 좁아져 잎자루처럼 된다.
- 잎가장자리가 밋밋하거나 잔 톱니가 있으며 양면에 많은 솜털이 있다.
- 줄기에서 나온 잎은 밑에서는 뿌리에서 나온 잎과 비슷하다.
- 바소꼴로 끝이 둔하고 가장자리에 둔한 톱니가 있으나 위로 올라가면서 점차 작아진다.

꽃
- 꽃은 5~6월에 피고 노란색이다.
- 두화(頭花)는 3~9개가 산방상 또는 산형 비슷하게 원줄기 끝에 달린다.
- 설상화는 1줄로 배열하고 꽃자루에 흰 털이 있다.

열매 열매는 수과로서 털이 있고 6월에 익는다.

이용
- 어린 순은 식용한다.
- 꽃은 화단에 심어 관상한다.

약 용 활 용

생약명 | 구설초(狗舌草)

이용부위 | 전초

채취시기 | 봄(5~6월. 꽃 필 때)

약성미 | 쓰고 차며 소량의 독이 있다

주치활용 | 폐농양, 신염부종, 절종, 개창

효능 | 청열, 이수, 살충

주의 | 독성을 가진 약재이므로 복용시 주의를 요한다.

2011 ⓒ 송이풀

학명 | Pedicularis resupinata

분류 | 쌍떡잎식물 통화식물목현삼과

분포 | 한국, 일본, 사할린섬, 중국, 캄차카반도, 시베리아

생육상 | 여러해살이풀

송이풀

서식 깊은 산 숲 속에서 자란다.

줄기 줄기는 밑에서 여러 대가 나와 함께 밑에서 가지가 갈라진다.

잎 · 잎은 어긋나거나 마주 달리고 달걀 모양이며 가장자리에 규칙적인 겹톱니가 있다.
· 잎 끝은 뾰족하나 밑부분이 갑자기 좁아지고 잎자루는 짧다.

꽃 · 꽃은 8~9월에 피고 홍색 빛을 띤 자주색이며 원대 끝에 이삭 모양으로 달린다.
· 꽃받침은 앞쪽이 깊게 갈라지고 뒷면에는 2~3개의 톱니와 함께 짧은 털이 있다.
· 화관의 윗입술은 새부리처럼 꼬부라지고 아랫입술은 얕게 3개로 갈라진다.

열매 열매는 삭과로서 끝이 뾰족한 긴 달걀 모양이다.

이용 어린 순은 나물로 먹는다.

약 용 활 용

생약명 | 마선호(馬先蒿)

이용부위 | 잎

채취시기 | 여름~가을(8~9월)

약성미 | 성질은 평하고 맛은 쓰다.

주치활용 | 류머티스성 관절동통, 소변불리, 요도결석, 부녀백대, 개창

효능 | 거풍, 승습, 이수

2011 ⓒ 송장풀

학명 | Leonurus macranthus

분류 | 쌍떡잎식물 통화식물목 꿀풀과

분포 | 한국, 일본, 중국

생육상 | 여러해살이풀

송장풀

서식 산지의 풀밭에서 자란다.

줄기 줄기는 곧추 서고 둔하게 네모지며 전체에 갈색 누운 털이 빽빽이 난다.

잎
- 잎은 달걀 모양으로 마주나고 털이 있으며, 가장자리에 커다란 톱니가 있고 밑부분의 잎은 깊게 패어져 있다.
- 윗부분의 잎은 흔히 갈라지고 아랫부분의 잎은 점차 작아지며 가장자리가 밋밋하다.

꽃
- 꽃은 연한 홍색으로 8월에 피고 윗부분의 잎겨드랑이에 층층으로 달린다.
- 꽃받침은 5개로 갈라지고 갈래조각은 뾰족하다.
- 화관은 입술 모양인데, 윗입술 겉에 털이 많으며 아랫입술은 짧게 3개로 갈라진다.

열매 열매는 골돌과로 10월에 익는다.

약 용 활 용

생약명 | 대화익모초(大花益母草)

이용부위 | 전초

채취시기 | 여름(꽃 필 무렵)

주치활용 | 중풍, 소변불리

효능 | 이뇨, 강정

민간활용 | 오줌이 잘 나오지 않을 때, 신체가 허약할 때 썰어 놓은 약재 한 줌을 큰 대접 하나 정도가 되는 물로써 서서히 달여 복용한다.

학명 | Cyrtomium fortunei

분류 | 양치식물 고사리목 면마과

분포 | 한국(전남, 경남), 일본의 홋카이도, 중국 중부

생육상 | 상록 여러해살이풀

쇠고비

서식 바닷가의 숲 속에서 자란다.

줄기 뿌리줄기가 덩어리처럼 짧고 많은 잎이 한군데에서 나와 젖혀진다.

잎
- 잎자루의 길이는 15~30cm이고 밑부분이 많은 비늘조각으로 덮인다.
- 잎은 1회 깃꼴겹잎이고 잎조각은 낫처럼 굽은 바소꼴이며, 밑부분의 앞쪽에 작은 돌기가 있다.
- 가장자리는 물결 모양이지만 윗부분에는 뚜렷한 톱니가 있다.

포자 포자낭군은 뒷면 전체에 퍼지고 포막은 둥글다.

─ 약 용 활 용 ─

생약명 | 혼계두(昏鷄頭)

이용부위 | 뿌리줄기

채취시기 | 년중

약성미 | 성질은 약간 차고 맛은 쓰다.

주치활용 | 감기, 열병반진, 이질, 간염에 의한 두통 및 토혈, 유옹, 나력, 타박상

효능 | 청열, 해독, 양혈, 산어, 지혈

주의 | 임산부는 복용에 주의해야 한다.

학명 | Equisetum arvense

분류 | 관다발식물 속새목 속새과

분포 | 북반구의 난대 이북에서 한대

생육상 | 여러해살이풀

쇠뜨기

서식 풀밭에서 자란다.

줄기
· 땅속줄기가 길게 뻗으면서 번식한다.
· 이른 봄에 자라는 것은 생식줄기인데, 그 끝에 포자낭수가 달린다.

잎
· 가지가 없고 마디에 비늘 같은 연한 갈색 잎이 돌려난다.
· 영양줄기는 생식줄기가 스러질 무렵에 자라난다.
· 곧게 서며 녹색이고 마디와 능선이 있으며, 마디에 비늘 같은 잎이 돌려나고 가지가 갈라진다.

포자 포자낭수는 타원 모양인데 육각형의 포자엽이 밀착하여 거북의 등처럼 되며, 안쪽에는 각각 7개 내외의 포자낭이 달린다.

약 용 활 용

생약명 | 문형(問荊)

이용부위 | 전초

채취시기 | 봄~여름(5~7월)

약성미 | 성질은 서늘하고 맛은 쓰다.

주치활용 | 토혈, 비출혈, 장출혈, 객혈, 치출혈, 혈변, 도경(대상성월경), 해수기천, 임병, 결기유통(기류로 인한 통증), 상기기급, 월경과다, 요로감염, 소변삽통, 골절

효능 | 청열, 양혈, 지해, 이수, 진해, 이뇨

민간활용 | 쇠뜨기로 빚은 술은 피로회복, 강장강정, 기력증진 등에 좋다.

학명 | Achyranthes japonica

분류 | 쌍떡잎식물 중심자목 비름과

분포 | 한국, 일본

생육상 | 여러해살이풀

쇠무릎

서식 다소 습기가 있는 곳에서 자란다.

줄기 줄기는 네모지고 마디가 무릎처럼 두드러지며 가지가 갈라진다.

잎 · 잎은 마주나고 타원형 또는 달걀을 거꾸로 세운 듯한 모양이며 가장자리가 밋밋하다.
· 양끝이 좁고 털이 약간 있으며 잎자루가 있다.

꽃 · 꽃은 8~9월에 연한 녹색으로 피고 잎겨드랑이와 원줄기 끝에서 수상꽃차례로 달린다.
· 꽃은 양성이고 밑에서 피어 올라가며, 꽃이 진 다음 굽어서 밑을 향한다.
· 화피갈래조각과 수술은 각각 5개씩이고 암술은 1개이며, 곁에 3개의 포가 있다.
· 수술은 5개가 밑이 합쳐지고 그 가운데에 1개의 꽃밥이 없는 수술이 있다.

열매 열매는 긴 타원형의 포과로서 꽃받침으로 싸여 있고 암술대가 남아 있으며 1개의 종자가 달린다.

이용 어린 풀을 나물로 식용한다.

약 용 활 용

생약명 | 우슬(牛膝)

이용부위 | 뿌리

채취시기 | 봄(3~4월), 가을(9~10월)

약성미 | 성질은 평하고 맛은 쓰고 시며 독이 없다.

주치활용 | 임병요혈, 경폐, 징하, 난산, 포의불하, 산후혈어복통, 후비, 옹종, 질타손상, 요슬골통, 사지구련, 위비

효능 | 이뇨, 강정, 통경, 활혈, 거어, 인혈하행

민간활용 | 민간요법에서는 임질과 두통약으로 쓴다.

주의 | 임산부에게는 쓰지 않는다.

2011 ⓒ 쇠별꽃

학명 | Stellaria aquatica

분류 | 쌍떡잎식물 중심자목 석죽과

분포 | 북반구의 난대에서 온대, 북아프리카

생육상 | 두해살이풀 또는 여러해살이풀

쇠별꽃

서식 다소 습기가 있는 곳에서 잘 자란다.

줄기
- 밑부분은 옆으로 기면서 자라고 윗부분은 어느 정도 곧게 자란다.
- 줄기에 1개의 실 같은 관속이 있고 윗부분에 선모가 약간 있다.

잎
- 잎은 마주 달리고 달걀 모양으로 표면의 잎맥이 쑥 들어가며 가장자리가 밋밋하다.
- 윗부분의 잎은 잎자루가 없고 아랫부분의 잎은 잎자루가 있다.

꽃
- 꽃은 5~6월에 흰색으로 피고 취산꽃차례로 달린다.
- 꽃받침조각, 꽃잎은 각각 5개씩이고 꽃잎은 깊게 2개씩으로 갈라지며 수술은 10개, 암술은 1개이다.

열매
- 열매는 삭과로서 달걀 모양이고 꽃받침보다 길며 5개로 갈라진 끝이 다시 2개씩 갈라진다.
- 종자는 타원형으로 약간 평편하며 겉에 젖꼭지 모양의 돌기가 있다.

이용 어린 순을 나물로 먹는다.

┌─ 약 용 활 용 ─

생약명 | 아장초(鵝腸草)

이용부위 | 전초

채취시기 | 여름

약성미 | 성질은 평하고 맛은 시다.

주치활용 | 폐렴, 이질, 월경불순, 치창, 고혈압, 옹저

효능 | 활혈, 청열, 해독, 소종

학명 | Portulaca oleracea

분류 | 쌍떡잎식물 중심자목 쇠비름과

분포 | 전세계의 온대에서 열대

생육상 | 한해살이풀

쇠비름

서식 밭 근처에서 자라는 잡초이다.

줄기 전체에 털은 없으나 육질이고 뿌리는 흰색이며 줄기는 붉은 빛이 도는 갈색으로서 많은 가지가 비스듬히 옆으로 퍼진다.

잎
· 잎은 어긋나거나 마주나는데 가지 끝에서는 돌려난 것같이 보인다.
· 모양은 달걀을 거꾸로 세운 듯한 모양이고 가장자리는 밋밋하다.

꽃
· 꽃은 양성화이고 6월부터 가을까지 계속 피며 노란색이다.
· 꽃받침조각은 2개, 꽃잎은 5개, 수술은 7~12개, 암술은 1개이다.

열매 열매는 타원형으로 8월에 익으며 가운데가 옆으로 갈라져서 종자가 나오는데, 서양에서는 그 연한 부분을 샐러드로 이용한다.

이용 연한 부분을 나물로 먹는다.

약용활용

생약명 | 마치현(馬齒莧)

이용부위 | 전초

채취시기 | 여름(6~8월)

약성미 | 성질은 차고 맛은 시다.

주치활용 | 충독, 독사독, 식독 및 각종 종양, 열리, 농혈, 열림, 혈림, 대하, 옹종, 악창, 단독, 나력

효능 | 명목, 청열, 해독, 산혈, 양혈, 지혈

민간활용 | 악창에는 쇠비름을 태워 남은 재를 고약처럼 다려서 바른다.

주의 | 풍한과 노상으로 인한 해수실음자는 복용을 금한다.

학명 | Nymphaea

분류 | 쌍떡잎식물 미나리아재비목 수련과 수련속 식물의 총칭

분포 | 한국(중부 이남), 일본, 중국, 인도, 시베리아 동부

생육상 | 여러해살이 수중식물

수련

잎
· 굵고 짧은 땅속줄기에서 많은 잎자루가 자라서 물 위에서 잎을 편다.
· 잎몸은 질이 뚜꺼운 달걀 모양이고 밑부분은 화살밑처럼 깊게 갈라진다.
· 앞면은 녹색이고 윤기가 있으며, 뒷면은 자줏빛이고 질이 두껍다.

꽃
· 꽃은 5~9월에 피고 긴 꽃자루 끝에 1개씩 달리며 흰색이다.
· 꽃받침조각은 4개, 꽃잎은 8~15개이며 정오경에 피었다가 저녁 때 오므라들며 3~4일 간 되풀이한다.
· 수술과 암술은 많고 암술은 꽃턱에 반 정도 묻혀 있다.

열매 열매는 달걀 모양의 해면질이며 꽃받침으로 싸여 있다.

이용 땅속줄기에 녹말을 함유하고 있어 일부 지방에서는 식용으로 한다.

약 용 활 용

생약명	수련(睡蓮)
이용부위	전초
채취시기	여름(개화기)
주치활용	어린 아이의 급성, 만성, 경풍, 서체, 야제증, 불면증
효능	청서, 해성, 지경
민간활용	꽃을 지혈제, 강장제로 쓴다.

2011 ⓒ 수리취

학명 | Synurus deltoides

분류 | 쌍떡잎식물 초롱꽃목 국화과

분포 | 한국, 일본, 중국, 시베리아

생육상 | 여러해살이풀

수리취

서식	산지의 양지에서 자란다.
줄기	· 윗부분에서 2~3개의 가지가 갈라진다. · 줄기는 자줏빛이 돌고 능선이 지며 흰 털이 빽빽이 난다.
잎	· 줄기에서 나온 잎은 어긋나게 달린다. · 밑부분의 잎은 달걀 모양 또는 달걀 모양 긴 타원형으로 끝이 뾰족하고 밑부분이 둥글다. · 표면에는 꼬불꼬불한 털이 있으나 뒷면에서는 흰색의 솜털이 빽빽이 나고 가장자리에는 일그러진 모양의 톱니가 있다. · 잎자루는 좁은 날개가 있거나 없다. · 윗부분의 잎은 점차 작아지나 잎자루는 점차 짧아져서 없어진다.
꽃	· 꽃은 9~10월에 피고 두화가 원줄기 끝이나 가지 끝에서 옆을 향하여 달린다. · 두화는 자줏빛 통상화로 된다. · 총포는 종 모양이고 갈색 빛을 띤 자주색 또는 검은 녹색이며 거미줄 같은 흰 털로 덮여 있다.
열매	열매는 수과로서 11월에 익으며 갈색의 관모가 있다.
이용	· 어린 잎을 떡에 넣어 먹는데, 단오의 절식인 수리취절편이 유명하다. · 성숙한 잎은 말려서 부싯깃으로 사용한다.

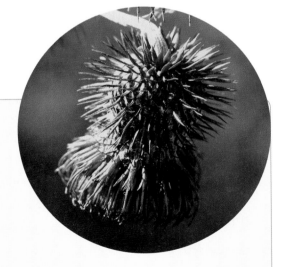

약용활용

생약명	산우방(山牛蒡)
이용부위	전초
채취시기	봄~여름
약성미	성질은 평하고 맛은 맵다.
주치활용	안태, 종창, 부종, 토혈
효능	지혈, 청열, 해독
민간활용	모든 피부병에는 수리취 잎 줄기를 말린 것을 가루로 만들어 약용한다.

2011 ⓒ 수박

학명 | Citrullus vulgaris

분류 | 쌍떡잎식물 박목 박과

원산지 | 아프리카

생육상 | 덩굴성 한해살이풀

수박

줄기 줄기는 길게 자라서 땅 위를 기며 가지가 갈라진다.

잎
- 잎은 잎자루가 있고 달걀 모양 또는 달걀 모양 긴 타원형이다.
- 깃꼴로 깊게 갈라진다.
- 갈래조각은 3~4쌍이고, 녹색 빛을 띤 흰색이며 불규칙한 톱니가 있다.
- 암수 한 그루이다.

꽃 꽃은 5~6월에 연한 노란색으로 피고 잎겨드랑이에 1개씩 달리며 화관은 5개로 갈래진다.

열매
- 열매는 5~6kg까지 비대하는 것이 보통이다.
- 종자는 달걀 모양이고 검은 갈색이다.

약용활용

생약명 | 서과(西瓜)

이용부위 | 열매

채취시기 | 여름(7~8월)

약성미 | 성질은 차고 맛은 달며 독이 없다.

주치활용 | 중서, 서습, 오열병의 열성상진에 의한 구갈심번, 소변불리, 상주

효능 | 건위, 이뇨, 해서, 제번, 지갈이소변

주의 | 위장이 약하거나 냉한 사람은 많이 먹는 것을 피한다.

2011 ⓒ 수박풀

학명 | Hibiscus trionum

분류 | 쌍떡잎식물 아욱목 아욱과

원산지 | 중부 아프리카

분포 | 한국(중부와 남부지방)

생육상 | 한해살이풀

수박풀

서식 들이나 길가에서 자란다.

줄기 흰 털이 있다.

잎
· 잎은 어긋나고 잎자루가 있으며 3~5개로 깊게 갈라진다.
· 윗부분의 잎은 3개로 갈라지고, 중앙부의 잎은 5개로 갈라진다.
· 밑부분의 잎은 갈라지지 않고 가장자리에 톱니가 있다.

꽃
· 꽃은 7~8월에 연한 노란색으로 핀다.
· 잎겨드랑이에서 나오는 작은 꽃자루 끝에 1개씩 달린다.
· 꽃 밑에 달린 작은포는 11개이며 줄 모양으로 선모가 있고 가장자리에 녹색 털이 있다.
· 꽃받침조각과 꽃잎은 5개씩이고 꽃잎의 밑부분은 합쳐진다.
· 암술머리는 5개이다.

열매 열매는 삭과로서 9월에 익으며 꽃받침으로 싸여 있다.

이용 관상용으로 심는다.

약용활용

생약명 | 야서과묘(野西瓜苗)

이용부위 | 전초

채취시기 | 여름~가을

약성미 | 성질은 차고 맛은 달다.

주치활용 | 풍열해수, 관절염, 화상

효능 | 청열, 거습, 지해

2011 ⓒ 수선화

학명 | Narcissus tazetta var. chinensis

분류 | 외떡잎식물 백합목 수선화과

원산지 | 지중해 연안

생육상 | 여러해살이풀

수선화

줄기　비늘줄기는 넓은 달걀 모양이며 껍질은 검은색이다.

잎
- 잎은 늦가을에 자라기 시작하고 줄 모양이다.
- 끝이 둔하고 녹색빛을 띤 흰색이다.

꽃
- 꽃은 12~3월에 핀다.
- 포는 막질이며 꽃봉오리를 감싸고 꽃자루 끝에 5~6개의 꽃이 옆을 향하여 핀다.
- 화피갈래조각은 6개이고 흰색이며, 부화관은 노란색이다.
- 6개의 수술은 부화관 밑에 달리고, 암술은 열매를 맺지 못하며 비늘줄기로 번식한다.

이용　수선화의 생즙을 갈아 부스럼을 치료하고, 꽃은 향유를 만들어 풍을 제거한다.

약용활용

생약명 | 수선근(水仙根)

이용부위 | 전체뿌리

채취시기 | 봄, 가을

약성미 | 성질은 차고 맛은 쓰고 약간 맵다.

주치활용 | 옹종, 창독, 고사교상, 류마티즘, 유선염, 백일해, 폐렴, 천식, 토혈

효능 | 소종, 배농, 거담

주의 | 뿌리에는 독이 있으므로 경구 투여는 금한다.

학명 | Luffa cylindrica

분류 | 쌍떡잎식물 박목 박과

원산지 | 열대 아시아

분포 | 한국, 일본, 중국

생육상 | 한해살이 덩굴식물

수세미외

줄기 줄기는 덩굴성으로 녹색을 띠고 가지를 치며 덩굴손이 나와서 다른 물체를 감아 올라간다.

잎
· 잎은 손바닥 모양으로 5~7개로 갈라지고 긴 잎자루가 있다.
· 줄기 밑부분의 잎은 깊게 패어진 모양이 얕으나 위쪽에 붙는 잎은 깊게 갈라진다.
· 암수한그루이다.

꽃
· 꽃은 5개로 갈라지는 합판화관으로 노란색이며 잎겨드랑이에 달려서 늦여름에 핀다.
· 수꽃에는 5개의 수술이 있고 암꽃에는 1개의 암술이 있으며 암술대는 3개로 갈라진다.

열매
· 열매는 10월에 익는다.
· 긴 자루가 있어서 밑으로 늘어져 매달리고 짙은 녹색을 띤다.
· 과육의 내부에는 그물 모양으로 된 섬유가 발달되어 있고 그 내부에는 검게 익은 종자가 들어 있다.

이용 어린 열매는 식용으로도 한다.

─ 약 용 활 용 ─

생약명 | 사과(絲瓜)

이용부위 | 줄기

채취시기 | 여름~가을(8~10월)

약성미 | 성질은 평하고 맛은 달며 독이 없다.

주치활용 | 사지마비, 수종, 월경불순, 열병신열, 장염, 정창, 유즙불통

효능 | 서근, 활혈

주의 | 속이 찬 사람은 삼가는 것이 좋다.

2011 ⓒ 수송나물

학명 | Salsola komarovi ILJIN

분류 | 쌍떡잎식물 중심자목 명아주과

분포 | 한국, 일본

생육상 | 한해살이풀

수송나물

서식 바닷가 모래땅에서 무리지어 자란다.

줄기 밑에서 가지가 갈라져서 비스듬히 자란다.

잎
· 잎은 어긋나고 줄 모양 원주형이며 줄기와 함께 다육질이다.
· 자라면 굳어져서 잎 끝이 가시처럼 되어 따끔할 정도로 살을 찌른다.

꽃
· 꽃은 7~8월에 녹색으로 피고 잎겨드랑이에 1개씩 달리며 밑에 2개의 작은포가 있다.
· 꽃받침조각과 수술은 5개씩이고 꽃잎은 없다.
· 꽃밥은 검은색이고 암술은 1개이다.

열매 열매는 포과로서 9월에 익으며 딱딱해진 꽃받침으로 싸여 있고 종자가 1개씩 들어 있다.

이용 어린 순을 나물로 먹는다.

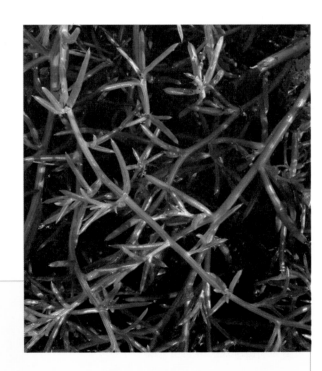

약용활용

생약명 | 수송채(水松菜)

이용부위 | 전초

채취시기 | 여름(7~8월)

약성미 | 성질은 서늘하고 맛은 쓰다.

주치활용 | 고혈압, 위염, 위궤양, 장염, 만성장염, 온갖 염증, 비만증, 고혈압, 황달

효능 | 혈압강하, 해열, 해독

학명	Sorghum bicolor
분류	외떡잎식물 벼목 화본과
원산지	동아시아에서 중앙아시아에 걸친 대륙성 기후의 온대지방
분포	아시아, 유럽
생육상	한해살이풀

수수

| 서식 | 밭에 심는다. |

| 줄기 | · 표면은 굳고 흰색의 납질물이 있으며 속이 차 있다.
· 줄기에는 10~13개의 마디가 있고 줄기 끝에 이삭이 달린다. |

| 잎 | · 잎은 마주나고 1줄기에 10개 정도 달린다.
· 처음에는 잎과 줄기가 녹색이나 차츰 붉은 갈색으로 변한다. |

| 이삭 | 이삭의 모양은 품종에 따라 다르다. |

| 이용 | 종자는 가루를 내어 식용한다. |

약 용 활 용

생약명	고량근(高粱根)
이용부위	뿌리
채취시기	가을
약성미	성질은 평하고 맛은 달다.
주치활용	해수천만, 위통, 자궁출혈, 산후출혈
효능	해수, 천식, 지혈, 평천, 이뇨
민간활용	식체에는 오래 묵은 수숫대 3마디를 잘게 썰어 물에 달여 한번에 먹는다.

학명 | Lobelia chinensis

분류 | 쌍떡잎식물 초롱꽃목 숫잔대과

분포 | 한국, 일본, 타이완, 중국, 인도, 말레이시아

생육상 | 여러해살이풀

수염가래꽃

서식 논둑과 습지에서 자란다.

줄기 옆으로 뻗어가면서 마디에서 뿌리가 내리며 마디에서 갈라진 가지가 곧게 자란다.

잎 잎은 어긋나고 2줄로 배열하며 바소꼴로 가장자리에 둔한 톱니가 있고 줄기와 더불어 털이 없다.

꽃 ·꽃은 5~8월에 피고 자줏빛으로 잎겨드랑이에 1개씩 달리며 작은 꽃자루가 길다.
·꽃받침조각은 5개이고, 화관은 5개로 중앙까지 갈라져서 한쪽으로 치우쳐 좌우대칭이 된다.

열매 열매는 삭과로서 9월에 익는다.

이용 관상용으로 심는다.

약용활용

생약명	반변련(半邊蓮)
이용부위	전초
채취시기	여름(개화기)
약성미	성질은 차고 맛은 맵고 독이 없다.
주치활용	호흡 곤란, 천식, 백일해, 대복수종, 면족부종, 옹종정창, 사충교상
효능	청열, 해독, 이뇨, 소종
민간활용	피부 헌 데, 습진, 악성종기, 외상출혈에는 잎줄기를 짓찧어 붙인다.

2011 ⓒ 수영

학명 | Rumex acetosa

분류 | 쌍떡잎식물 마디풀목 마디풀과

분포 | 북반구의 온대지방

생육상 | 여러해살이풀

수영

서식 풀밭에서 자란다.

줄기 줄기는 능선이 있으며 홍색 빛이 도는 자주색이 돈다.

잎
- 이른 봄 굵은 뿌리에서 긴 잎자루를 지닌 잎이 돋아나와 둥글게 땅을 덮는다.
- 줄기는 잎 가운데서 길게 자라 나오며 줄기에서 자라는 잎에는 잎자루가 없다.
- 잎은 어긋나고 넓은 바소꼴이며 가장자리가 밋밋하고 위로 올라가면서 잎자루가 없어진다.

꽃
- 꽃은 5~6월에 피고 2가화이며 원추꽃차례로 둘려난다.
- 꽃받침조각과 수술은 6개씩이고 꽃잎은 없으며 암술대는 3개로서 암술머리가 잘게 갈라진다.
- 꽃이 진 다음 안쪽 꽃받침조각 3개는 자라서 열매를 둘러싼다.

열매 열매의 모양이 특이한데, 줄기 끝에 가장자리는 붉은 빛이고 안쪽은 녹색인 둥글둥글하면서도 납작한 열매가 수없이 매달린다.

이용 식물체는 신맛이 강하여 식용한다.

약용활용

생약명 | 산모(酸模)

이용부위 | 전초

채취시기 | 여름(7~8월)

약성미 | 성질은 차고 맛은 시다.

주치활용 | 방광결석, 토혈, 혈변, 오줌이 잘 나오지 않는 증세, 옴이나 종기

효능 | 해열, 지갈, 이뇨, 소종

민간활용 | 해열에 꽃을 따서 말린 후 달여서 마신다.

2011 ⓒ 수크령

학명 | Pennisetum alopecuroides
분류 | 외떡잎식물 벼목 화본과
분포 | 아시아의 온대, 열대
생육상 | 여러해살이풀

수크령

서식 양지쪽 길가에서 흔히 자란다.

줄기 뿌리줄기에서 억센 뿌리가 사방으로 퍼진다.

잎 잎은 털이 다소 있다.

꽃
- 꽃은 8~9월에 피는데 꽃이삭은 원기둥 모양이고 검은 자주색이다.
- 작은 가지에 1개의 양성화와 수꽃이 달린다.
- 작은 이삭은 바소꼴이다.
- 밑부분에 자주색 털이 빽빽이 난다.
- 첫째 포영에는 맥이 없고 둘째 포영에는 3~5맥이 있다.
- 수술은 3개이다.

약용활용

생약명 | 낭미초(狼尾草)

이용부위 | 전초

채취시기 | 봄~여름(6~8월)

약성미 | 성질은 미지근하고 맛은 시고 쓰다.

주치활용 | 눈을 밝게 한다.

효능 | 산혈(散血), 명목

학명	Pachysandra terminalis
분류	쌍떡잎식물 무환자나무목 회양목과
원산지	일본
분포	한국, 일본, 사할린섬, 중국
생육상	상록 여러해살이풀

수호초

서식 나무 그늘에서 자란다.

줄기 원줄기가 옆으로 뻗으면서 끝이 곧추 서고 녹색이며 처음에는 잔 털이 있으나 점차 없어진다.

잎
- 잎은 어긋나지만 윗부분에 모여 달리고 달걀을 거꾸로 세운 듯한 모양이며 윗부분에 톱니가 있다.
- 잎 표면 맥 위에 잔 털이 있고 밑부분이 좁아져 잎자루가 된다.

꽃
- 꽃은 4~5월에 피고 흰색이며 수상꽃차례에 달린다.
- 암꽃은 꽃이삭 밑부분에 약간 달리고 수꽃은 윗부분에 많이 달린다.
- 꽃받침은 4개로 갈라지고 꽃잎은 없다.
- 수술은 3~5개이고 암술대는 2개로 갈라져서 젖혀진다.

열매 열매는 핵과로서 달걀 모양이고 겉에 털이 없다.

─ 약 용 활 용 ─

생약명 | 설산림(雪山林)

이용부위 | 전초

주치활용 | 풍습근골통, 월경부조, 번조불안

효능 | 풍제습, 활혈

학명 | Brassica campetris L. var. rapifera

분류 | 쌍떡잎식물 양귀비목 겨자과

원산지 | 유럽

분포 | 강화도에서 재배

생육상 | 한해살이풀 또는 두해살이풀

순무

뿌리
· 뿌리의 크기나 모양은 품종에 따라 다르며, 모양은 대개 팽이 모양의 둥근형이다.
· 빛깔도 대부분 흰색이지만 겉에만 자줏빛을 띤 붉은색인 것, 속까지 자줏빛을 띤 붉은색인 것이 있다.

잎
잎은 보통 긴 타원형인데, 달걀을 거꾸로 세운 듯한 모양, 바소꼴, 때로는 무잎 모양으로 깃꼴로 갈라진 것도 있다

꽃
봄에 노란색의 십자화(十字花)가 달린다.

약용활용

생약명 | 무청(蕪菁)

이용부위 | 잎, 뿌리

채취시기 | 잎－여름, 뿌리－가을~겨울

약성미 | 성질은 평하고 맛은 쓰고 맵고 독이 없다.

주치활용 | 식체, 황달, 당뇨병, 열독풍종, 정창, 급성유선염

효능 | 개위, 하기, 이습, 해독

민간활용 | 토사곽란에는 순무를 강판에 갈아 그 즙을 1일 식전에 1~2회 밥공기 하나씩 마신다. 황달 · 당뇨병 · 식체에는 순무를 생즙을 내어 먹거나 삶아서 복용한다.

2011 ⓒ 술패랭이꽃

학명 | Dianthus superbus var. longicalycinus

분류 | 쌍떡잎식물 중심자목 석죽과

분포 | 한국, 중국, 타이완, 일본

생육상 | 여러해살이풀

술패랭이꽃

서식 산이나 들에서 자란다.

줄기 줄기는 곧추 서고 여러 줄기가 한 포기에서 모여나는데, 자라면서 가지를 치고 털이 없으며 전체에 분백색이 돈다.

잎
· 잎은 마주나고 줄 모양 바소꼴로 양 끝이 좁다.
· 가장자리가 밋밋하고 밑부분이 합쳐져서 마디를 둘러싼다.

꽃
· 꽃은 7~8월에 줄기와 가지 끝에 피고 연한 홍자색이다.
· 포는 달걀 모양으로 3~4쌍이고 윗부분의 것은 크며, 밑부분의 것일수록 길고 뾰족하다.
· 꽃받침통은 긴 원형이며 윗부분의 포보다 3~4배 길다.
· 꽃받침의 끝이 5개로 갈라진 갈래조각은 바소꼴이며 끝은 날카롭다.
· 꽃잎은 5개로 끝이 깊고 잘게 갈라지며 그 밑부분에 자줏빛을 띤 갈색 털이 있다.
· 수술은 10개로 길게 나오며 암술대는 2개이고 씨방은 1개이다.

열매 열매는 삭과로서 9월에 익는데, 꽃받침통 속에 있고 원기둥 모양이며 끝이 4개로 갈라진다.

이용 관상용으로도 심는다.

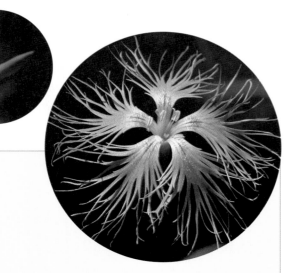

약용활용

생약명 | 구맥(瞿麥)

이용부위 | 전초

채취시기 | 여름~가을

약성미 | 맛은 쓰고 독이 없다.

주치활용 | 열림, 혈림, 석림, 소변불통, 임력삽통, 월경폐지

효능 | 이수, 통림, 파혈, 통경

주의 | 비, 신기허자와 임산부는 복용을 피한다.

학명 | Lobelia sessilifolia

분류 | 쌍떡잎식물 초롱꽃목 숫잔대과

분포 | 한국, 일본, 중국 동북부, 사할린섬

생육상 | 여러해살이풀

숫잔대

서식 습지에서 자란다.

줄기 줄기는 잎과 더불어 털이 없고 가지가 갈라지지 않으며 뿌리줄기가 짧고 굵다.

잎
· 잎은 어긋나고 바소꼴이며 가장자리에 작은 톱니가 있다.
· 잎자루가 없고 위로 갈수록 점점 작아져서 포가 된다.

꽃
· 꽃은 8~9월에 피고 밝은 자주빛이며 총상으로 달린다.
· 화관은 중앙까지 2개로 갈라진 입술 모양이며 아랫입술은 다시 중앙까지 3개로 갈라지고 가장자리에 털이 있다.
· 꽃받침은 씨방에 붙어 있고 끝이 5개로 갈라진다.

열매
· 열매는 삭과로서 단지처럼 생겼으며, 등이 터져서 종자가 나온다.
· 종자는 달걀 모양으로 윤기가 난다.

이용 개화기가 길기 때문에 관상 가치가 높다. 초장이 길기 때문에 절화용 소재로 좋다. 습지 녹화용 지피식물로 이용해도 좋다.

약 용 활 용

생약명 | 산경채(山梗菜)

이용부위 | 전초

채취시기 | 여름, 가을

약성미 | 성질은 평하고 맛은 달다.

주치활용 | 기관지염, 옹종정독, 독사독충, 교상

효능 | 거담, 지해, 청열, 해독

주의 | 장기간 복용하면 심장마비와 호흡을 억제하며 경련성의 중독증상이 일어난다.

2011 ⓒ 쉽싸리

학명 | Lycopus ramosissimus var, japonicus

분류 | 쌍떡잎식물 통화식물목 꿀풀과

분포 | 아시아 동부, 북아메리카

생육상 | 여러해살이풀

쉽싸리

서식 습지에서 자란다.

줄기
· 줄기는 사각형이다.
· 땅속줄기가 흰색으로 굵고 옆으로 뻗으면서 그 끝에 새순이 나온다.

잎
· 잎은 마주나고 옆으로 퍼지며' 가장자리에 톱니가 있다.
· 모양은 바소꼴로서 양 끝이 좁고 둔하며 밑으로 좁아져서 날개가 있는 잎자루처럼 되고 양 면에는 털이 없다.

꽃
· 꽃은 7~8월에 피고 흰색이며 잎겨드랑이에 모여 달린다.
· 꽃받침은 5개로 갈라지고 끝이 뾰족하다.
· 화관은 입술 모양인데, 윗입술은 2개로 갈라지고 아랫입술은 3개로 갈라진다.
· 수술은 2개이며 포기에 따라 긴 것과 짧은 것이 있다.

이용 연한 부분을 나물로 먹는다.

약 용 활 용

생약명 | 택란(澤蘭)

이용부위 | 전초

채취시기 | 여름~가을(8~9월)

약성미 | 성질은 따뜻하며 맛은 쓰고 매우며 독이 없다.

주치활용 | 월경부조, 경폐, 경통, 산후어혈복통, 수종, 질박손상

효능 | 활혈, 거어, 행수, 소종

민간활용 | 상처, 타박상, 부스럼, 종기 등의 피부질환에 잎의 생즙을 내어 붙이고 잎줄기를 달인 물로 씻어준다.

주의 | 어혈이 없는 자는 복용시 주의를 요한다.

학명 | Spinacia oleracea

분류 | 쌍떡잎식물 중심자목 명아주과

분포 | 아시아 서남부

생육상 | 한해살이 또는 두해살이풀

시금치

서식 한국에는 조선 초기에 중국에서 전해진 것으로 보이며 흔히 채소로 가꾼다.

줄기 원줄기는 곧게 서고 속이 비어 있다.

잎
· 잎은 어긋나고 잎자루가 있으며 밑부분이 깊게 갈라지고 윗부분은 밋밋하다.
· 밑동의 잎은 긴 삼각 모양이거나 달걀 모양이고 잎자루는 위로 갈수록 점차 짧아진다.

꽃
· 꽃은 암수딴그루이며 5월에 연한 노란색으로 핀다.
· 수꽃은 수상꽃차례나 원추꽃차례에 달리고 4개씩의 화피갈래조각과 수술로 되어 있다.
· 암꽃은 잎겨드랑이에 3~5개씩 모여 달리고 꽃밑에 화피 같은 작은포가 있으며 암술대는 4개이다.

열매 열매는 포과로서 작은포에 싸인 2개의 뿔이 있다.

이용 뿌리에 달린 잎과 어린 부분을 나물로 먹는다.

약 용 활 용

생약명 | 파채자

이용부위 | 잎

채취시기 | 년중

약성미 | 성질은 서늘하고 맛은 달다.

주치활용 | 빈혈, 신장질환, 소화불량, 치질, 정력감퇴, 청년기 체력쇠약, 괴혈병, 장출혈, 당뇨병, 갈증이 심한 증상

효능 | 건위조혈작용, 지혈작용, 활혈, 지혈작용

주의 | 시금치를 너무 많이 먹으면 치아와 뼈를 상하게 되므로 주의하여야 한다. 장기간 먹으면 신장이나 방광에 결석이 생기기 쉽다.

2011 ⓒ 시호

학명 | Bupleurum falcatum
분류 | 쌍떡잎식물 산형화목 미나리과
분포 | 한국, 일본, 중국, 몽골, 시베리아, 캅카스, 유럽
생육상 | 여러해살이풀

시호

서식 풀밭에서 자란다.

줄기
· 포기 전체에 털이 없으며 가늘고 긴 줄기 위에서 가지가 갈라진다.
· 뿌리줄기는 굵고 짧다.

잎
· 잎은 어긋나고 줄 모양이거나 바소꼴이며 가장자리가 밋밋하고 맥은 평행하다.
· 뿌리에 달린 잎은 밑부분이 좁아져서 잎자루처럼 된다.
· 줄기에 달린 잎은 끝이 뾰족하다.

꽃
· 꽃은 8~9월에 노란색으로 피는데, 줄기와 가지 끝에 겹산형꽃차례로 달린다.
· 작은 꽃자루는 2~7개이고 각각 5~10개의 꽃이 달린다.
· 총포조각은 좁은 바소꼴이며 5갈래로 갈라진다.
· 작은 총포는 긴 타원형이거나 넓은 줄 모양이다.
· 꽃잎과 수술은 5개씩이고 씨방은 하위이다.

열매 열매는 분열과로서 타원형이며 9~10월에 익는다.

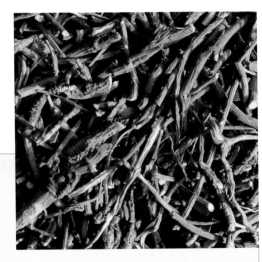

약용활용

생약명 | 시호(柴胡)

이용부위 | 뿌리

채취시기 | 봄(3월), 가을(9월)

약성미 | 성질은 미지근하고 맛은 쓰다.

주치활용 | 호흡기, 소화기, 순환기 질환, 두통, 어지럼증, 학질, 치루, 치농, 월경불순, 자궁하수

효능 | 해열, 진통, 강장, 퇴열, 양기

주의 | 구토와 폐결핵에는 복용을 금한다.

2011 ⓒ 실새삼

학명 | Cuscuta australis

분류 | 쌍떡잎식물 통화식물목 메꽃과

분포 | 한국, 일본, 동남아시아, 오스트레일리아 등지

생육상 | 덩굴성 한해살이 기생식물

실새삼

서식
· 밭둑이나 풀밭에서 자란다.
· 콩과식물에 주로 기생하고 실 같은 덩굴이 자란다.

잎
· 잎은 어긋나고 비늘같이 작으며 노란 빛이다.
· 전체에 털이 없고 왼쪽으로 뻗는다.

꽃
· 꽃은 7~8월에 흰색으로 피는데, 가지의 각 부분에 총상꽃차례로 달린다.
· 꽃자루는 짧고, 꽃받침조각은 5개이며 넓은 타원형이고 다육질이며 화관보다 짧다.
· 화관은 종 모양이고 5갈래로 갈라진다.
· 수술은 5개로서 화관통에 달리며 통부분 밖으로 나온다.
· 씨방은 납작하고 둥글며 4개의 밑씨가 있다.
· 암술대는 2개이다.

열매
· 열매는 삭과로서 둥글고 꽃받침보다 길다.
· 9월에 익는데, 가운뎃부분에 2실이 있고 각 실마다 넓은 달걀 모양의 종자가 2개씩 들어 있다.

약용활용

생약명	토사자(兎絲子)
이용부위	종자
채취시기	가을(10~11월)
약성미	성질은 따뜻하고 맛은 맵고 달며 독이 없다.
주치활용	요슬산통, 유정, 소갈, 뇨유여력, 비허설사, 목암
효능	보간신, 익정수, 명목, 지사
민간활용	강장, 강정에 토사자주를 만들어 복용한다.

학명 | Urtica thunbergiana

분류 | 쌍떡잎식물 쐐기풀목 쐐기풀과

분포 | 한국, 일본

생육상 | 여러해살이풀

쐐기풀

서식 숲 가장자리에서 자란다.

줄기 포기 전체에 가시털이 나고 줄기에 세로능선이 있다.

잎
- 잎은 마주 달리고 달걀 모양 원형이다.
- 끝이 뾰족하고 가장자리에 깊이 패어 들어간 흔적과 톱니가 있다.
- 잎자루는 길고 턱잎은 반 이상 합쳐지며 넓은 달걀 모양이다.

꽃
- 꽃은 암수 한 그루이고 7~8월에 녹색을 띤 흰색으로 피는데, 잎겨드랑이에 이삭꽃차례로 달린다.
- 수꽃과 암꽃은 각각 다른 꽃이삭에 달리지만, 수꽃이삭 밑부분에 암꽃이 달리는 경우도 있다.
- 수꽃에는 4개씩의 화피갈래조각과 수술이 있고, 암꽃에는 1개의 암술이 있다.
- 4개의 화피갈래조각 중 2개가 성숙한 열매를 둘러싼다.

열매 열매는 수과로서 납작하고 달걀 모양이며 녹색이고 9~10월에 익는다.

이용
- 어린 순을 나물로 먹기도 한다.
- 껍질은 섬유자원으로 쓴다.

약용활용

생약명 | 담마(蕁麻)

이용부위 | 전초

채취시기 | 여름

약성미 | 성질은 차고 맛은 맵고 쓰며 독이 있다.

주치활용 | 풍습성 관절염, 당뇨병, 사독의 해독, 산후경련

효능 | 감충, 이뇨, 지혈, 진통

민간활용 | 민간에서는 감기, 빈혈증, 만성위염, 뱀에 물린 데 쓰인다.

2011 ⓒ 쑥

학명 | Artemisia princeps var. orientalis
분류 | 쌍떡잎식물 초롱꽃목 국화과
분포 | 한국, 일본, 중국 등지
생육상 | 여러해살이풀

쑥

서식 양지바른 풀밭에서 자란다.

뿌리줄기 뿌리줄기가 옆으로 벋으며 싹이 나와 무리지어 난다.

줄기 줄기에 능선이 있으며 전체에 거미줄 같은 털이 빽빽이 난다.

잎
· 줄기에 달린 잎은 어긋나고 헛턱잎이 있으며 타원형이다.
· 깃처럼 갈라지며 갈래조각은 2~4쌍이지만 위로 올라가면서 잎이 작아지고 갈래조각의 수도 줄어 단순한 잎으로 된다.
· 꽃이삭에 달린 잎은 줄 모양이다.

꽃
· 꽃은 7~9월에 연한 붉은 자줏빛으로 핀다.
· 두화가 한쪽으로 치우쳐서 달리며 전체가 원추꽃차례로 된다.
· 총포는 긴 타원형의 종 모양이며 거미줄 같은 털이 난다.
· 포조각은 4줄로 늘어서며 바깥조각은 달걀 모양, 안조각은 긴 타원형이다.

열매
· 열매는 수과로서 10월에 익는다.
· 번식은 종자나 꺾꽂이, 포기나누기 등으로 한다.

이용
· 어린 순은 떡에 넣어서 먹거나 된장국을 끓여 먹는다.
· 여름에 모깃불을 피워 모기를 쫓는 재료로 사용하였다.

약용활용

생약명 | 애엽(艾葉)

이용부위 | 잎

채취시기 | 여름(6~8월)

약성미 | 성질은 따뜻하고 맛은 맵고 쓰며 독이 있다.

주치활용 | 소복냉통, 경한부조, 궁냉불잉, 토혈, 뉵혈, 붕루경다, 임신하혈, 피부소양

효능 | 산한, 지통, 온경, 지혈

민간활용 | 쑥은 잉태하게 하고 태를 편안하게 하며, 배가 아픈 것을 치료한다.

주의 | 실혈병이 오래된 증에는 복용을 금한다

2011 ⓒ 쑥갓

학명 | Chrysanthemum coronarium var. spatiosum

분류 | 쌍떡잎식물 초롱꽃목 국화과

원산지 | 유럽

생육상 | 한해살이 또는 두해살이풀

쑥갓

서식 서양에서는 관상용으로 심으며 동양에서는 채소로 재배한다.

향기 전체적으로 털이 없고 독특한 향기가 있다.

잎 잎은 어긋나고 2회 깃꼴로 깊게 갈라지며 약간 육질이고 잎자루가 없다.

꽃
- 꽃은 6~8월에 노란색 또는 흰색으로 피는데, 가지와 원줄기 끝에 두화가 1개씩 달린다.
- 가장자리에 암꽃의 설상화가 달리고 중앙에 양성화인 관상화가 달린다.
- 총포조각은 넓고 가장자리가 막질이다.

열매 열매는 수과로서 삼각기둥이거나 사각기둥 모양이다.

이용 상추쌈에 곁들여 쌈 재료로 이용하거나 데쳐서 나물로 먹는다.

약 용 활 용

생약명 | 동호(茼蒿)

이용부위 | 줄기잎

채취시기 | 봄~가을

약성미 | 성질은 평하고 맛은 맵고 달다.

주치활용 | 위장병, 신경증, 냉증.

효능 | 소화촉진, 거담

주의 | 설사증상에는 복용을 피한다.

2011 ⓒ 쑥부쟁이

학명 | Aster yomena
분류 | 쌍떡잎식물 초롱꽃목 국화과
분포 | 한국, 일본, 중국, 시베리아
생육상 | 여러해살이풀

쑥부쟁이

서식 습기가 약간 있는 산과 들에서 자란다.

줄기
· 뿌리줄기가 옆으로 벋는다.
· 원줄기가 처음 나올 때는 붉은 빛이 돌지만 점차 녹색 바탕에 자줏빛을 띤다.

잎
· 뿌리에 달린 잎은 꽃이 필 때 진다.
· 줄기에 달린 잎은 어긋나고 바소꼴이며 가장자리에 굵은 톱니가 있다.
· 겉면은 녹색이고 윤이 나며 위쪽으로 갈수록 크기가 작아진다.

꽃
· 꽃은 7~10월에 피는데, 설상화는 자줏빛이지만 통상화는 노란색이다.
· 두화는 가지 끝에 1개씩 달린다.
· 총포는 녹색이고 공을 반으로 자른 모양이다.
· 포조각이 3줄로 늘어선다.

열매
· 열매는 수과로서 달걀 모양이고 털이 나며 10~11월에 익는다.
· 관모는 붉은색이다.
· 번식은 종자나 포기 나누기로 한다.

이용 어린 순을 나물로 먹는다.

약 용 활 용

생약명 | 산백국(山白菊)

이용부위 | 전초

채취시기 | 여름~가을(7~10월)

약성미 | 성질은 서늘하고 맛은 쓰고 맵다.

주치활용 | 기침, 천식, 기관지염, 종기

효능 | 해열, 이뇨

민간활용 | 독충 벌에 물린 데 이파리를 짓찧어 붙이면 효험이 있다.

2011 ⓒ 씀바귀

학명 | Ixeris dentata
분류 | 쌍떡잎식물 초롱꽃목 국화과
분포 | 한국, 일본, 중국
생육상 | 여러해살이풀

씀바귀

서식 산과 들에서 흔히 자란다.

줄기 줄기는 가늘고 위에서 가지가 갈라지며 자르면 쓴맛이 나는 흰 즙이 나온다.

잎
· 뿌리에 달린 잎은 뭉쳐나며 거꾸로 선 바소 모양이고 꽃이 필 때까지 남아 있다.
· 잎자루가 있으며 끝이 뾰족하고 가장자리에 이 모양의 톱니가 있거나 깊이 패어 들어
  간 흔적이 있다.
· 줄기에 달린 잎은 2~3개로서 바소꼴이거나 긴 타원 모양 바소꼴이다.
· 밑부분이 원줄기를 감싸며 가장자리에 이 모양의 톱니가 있다.

꽃
· 꽃은 5~7월에 노란색으로 피며 줄기 끝에 산방꽃차례로 달린다.
· 설상화는 보통 5개씩이지만 많은 것도 있다.
· 총포는 통 모양이며 털이 없다.
· 안조각은 줄 모양이며 5~8개이다.

열매 열매는 수과로서 10개의 능선이 있으며 관모는 연한 노란색이다.

이용 쓴맛이 있으나 이른 봄에 뿌리와 어린 순을 나물로 먹는다.

약 용 활 용

생약명 | 황과채(黃瓜菜)

이용부위 | 전초

채취시기 | 봄

약성미 | 성질은 차고 맛은 쓰다.

주치활용 | 폐염, 간염, 소화불량, 음낭습진, 골절, 질타손상(跌打損傷)

효능 | 해열, 청폐열(淸肺熱), 양활혈(涼活血), 소종(消腫)

민간활용 | 사마귀는 씀바귀의 잎이나 줄기에서 나오는 흰즙액을 손등의 사마귀에 바르면
사마귀가 스스로 떨어진다.

주의 | 씀바귀를 먹고 냉수나 아이스크림을 먹으면 장기가 한랭하여 기능이 침체된다.

2011 ⓒ 아욱

학명	Malva verticillata
분류	쌍떡잎식물 아욱목 아욱과
원산지	유럽 북부
분포	북부 온대에서 아열대
생육상	한해살이풀

아욱

서식　습기 있는 밭에서 자란다.

줄기　줄기는 곧게 서며 긴 성모가 난다.

잎　잎은 어긋나고 둥글며 5~7갈래로 얕게 갈라지고 가장자리에 뭉툭한 톱니가 있다.

꽃
· 꽃은 6~7월에 연분홍색으로 피는데, 잎겨드랑이에 모여 달린다.
· 작은포는 3장이며 잎 모양이거나 넓은 줄 모양이다.
· 꽃잎은 5장으로서 끝이 오목 들어간다.
· 수술은 10개이며 심피는 꽃받침에 싸여 바퀴 모양으로 늘어선다.

열매　열매는 삭과이다.

이용　재래채소로서 연한 식물체를 국거리로 이용한다. 한방에서 종자를 동규자 또는 규자라 하여 분비나 배설을 원활하게 하는 약재로 사용한다.

약 용 활 용

생약명 | 동규자(冬葵子)

이용부위 | 뿌리

채취시기 | 가을

약성미 | 성질은 차고 맛은 달고 맵다.

주치활용 | 소갈, 대소변불리, 허해, 도한, 독사교상

효능 | 청열, 해통, 이규, 임통

민간활용 | 어린아이의 입술 터진 데 아욱의 뿌리를 태워 재를 만들어 젖에 개어 바르면 효과가 있다.

주의 | 비음이 부진한 자는 금한다.

학명	Ricinus communis
분류	쌍떡잎식물 쥐손이풀목 대극과
원산지	열대 아프리카
분포	전세계의 온대지방
생육상	한해살이풀(원산지에서는 여러해살이풀)

아주까리

서식 전세계의 온대지방에서 널리 재배한다.

줄기 가지가 나무와 같이 갈라지며 줄기는 원기둥 모양이다.

잎
· 잎은 어긋나고 잎자루가 길다.
· 방패 모양이거나 손바닥 모양이며 5~11개로 갈라진다.
· 갈래조각은 달걀 모양 또는 좁은 달걀 모양이고 끝이 뾰족하다.
· 앞면은 녹색이지만 갈색을 띠고 털이 없으며 가장자리에 날카로운 톱니가 있다.

꽃
· 꽃은 암수 한 그루로서 8~9월에 연한 노란색이나 붉은색으로 피며, 원줄기 끝에 총상 꽃차례로 달린다.
· 수꽃은 밑부분에 달리고 수술대가 잘게 갈라지며 꽃밥이 있다.
· 화피갈래조각은 5개이며 암꽃은 윗부분에 모여 달린다.
· 씨방은 1개로서 털이 나고 3실이다. 3개의 암술대가 끝에서 다시 2갈래로 갈라진다.

열매
· 열매는 삭과로서 3실이고 종자가 1개씩 들어 있으며 겉에 가시가 있거나 없다.
· 종자는 타원형이고 밋밋하며 짙은 갈색 점이 있어 마치 새알 모양이고 리시닌이 들어 있다.
· 종자에 34~58%의 기름이 들어 있는데, 불건성유이고 점도가 매우 높으며 열에 대한 변화가 적고 응고점이 낮다.

이용 피마자유는 설사약 · 포마드 · 도장밥 · 공업용 윤활유로 쓰고, 페인트 · 니스를 만들거나 인조가죽과 프린트 잉크 제조, 약용으로도 쓴다.

약 용 활 용

생약명 | 피마자(蓖麻子)

이용부위 | 열매

채취시기 | 가을

약성미 | 성질은 평하고 맛은 달고 매우며 독이 있다.

주치활용 | 옹저종독, 나력, 후비, 진선라창, 수종복만, 대변조결

효능 | 소종, 발독, 사하, 통체

주의 | 임부 및 하리자는 복용을 금한다.

학명 | Symplocarpus renifolius

분류 | 외떡잎식물 천남성목 천남성과

분포 | 한국(전남, 강원, 경기, 함남), 일본, 아무르, 우수리, 사할린 등지

생육상 | 여러해살이풀

앉은부채

서식 산지의 응달에서 자란다.

줄기 뿌리줄기는 짧고 끈 모양의 뿌리가 나와 사방으로 퍼지며, 줄기는 없다.

잎
- 잎은 뿌리에서 뭉쳐 나오고 둥근 심장 모양이다.
- 끝이 뾰족하고 가장자리가 밋밋하며 불쾌한 냄새가 나고 잎자루가 길다.

꽃
- 꽃은 양성화이고 3~5월에 잎보다 먼저 피고 불염포에 싸인 육수꽃차례를 이루며 빽빽이 달린다.
- 불염포는 둥근 달걀 모양이고 항아리 같으며 육질이고 한쪽으로 열리며 갈색을 띤 자주색이고 같은 색의 반점이 있다.
- 화피조각은 연한 자주색이고 4개이며 달걀을 거꾸로 세운 모양이고, 수술은 4개이며, 암술은 1개이다.

열매 열매는 둥글며 모여 달리고 여름에 붉은 색으로 익는다.

이용 잎은 나물로 먹지만, 뿌리에는 독성이 있다.

약 용 활 용

생약명 | 취숭(臭菘)

이용부위 | 지상부

채취시기 | 봄~여름

주치활용 | 관절염, 발작증세

효능 | 구토, 진정, 이뇨

민간활용 | 잎을 짓찧어 벌이나 벌레 물린 데 붙이면 효과가 있다.

주의 | 잎에는 칼슘, 철, 마그네슘, 규산염이 많이 들어 있지만, 알칼로이드 독성 때문에 함부로 먹어서는 위험하다.

2011 ⓒ 알록제비꽃

학명 | Viola variegata Fisch

분류 | 쌍떡잎식물 측막태좌목 제비꽃과

분포 | 한국(전역), 일본, 만주, 다후리아, 아무르, 우수리

생육상 | 여러해살이풀

알록제비꽃

서식 산지 그늘 습지에서 자란다.

줄기 원줄기가 없고 뿌리에서 잎이 나온다.

잎
· 잎은 총생하고 잎자루가 길고 난형, 넓은 타원형 또는 심장형이다.
· 끝이 둔하고 가장자리에 둔한 톱니가 있고 잎 뒷면은 자주색이다.
· 잎 표면은 짙은 녹색이지만 잎맥을 따라 백색무늬가 있는데, 이 때문에 알록제비꽃이란 이름이 붙었다.

꽃
· 꽃은 홍자색이고 포는 선형이다.
· 꽃받침잎은 피침형이고 끝이 뾰족하다.
· 부속체는 반원형 또는 사각형 비슷하며 끝이 둥글거나 오목하다.
· 수술은 5개이고, 암술은 1개이다.

열매
· 열매는 삭과로 난상 타원형이며 잔털이 있다.
· 열매는 3개로 갈라진다.

약 용 활 용

생약명 | 반엽근채(班葉菫菜)

이용부위 | 전초

채취시기 | 봄(4~5월)

약성미 | 성질은 차고 맛은 쓰고 맵다.

주치활용 | 부인병, 후비, 이질, 황달

효능 | 해독, 태독, 하리, 발육촉진, 통경, 보익, 보간, 해소

학명 | Chrysosplenium flagelliferum

분류 | 쌍떡잎식물 장미목 범의귀과

분포 | 한국, 일본, 사할린, 중국 동북부, 몽골 등지

생육상 | 여러해살이풀

애기괭이눈

서식 산지의 습한 바위 틈에서 자란다.

줄기
· 줄기는 긴 털이 있으며 밑부분에서 가는 기는줄기가 나와 옆으로 뻗는다.
· 기는줄기가 땅에 닿는 곳에서 뿌리가 내리고 새싹이 돋는다.

잎
· 뿌리에서 나온 잎은 뭉쳐나고 둥글며 가장자리에 둔한 톱니가 있고 잎자루가 길다.
· 줄기에 달린 잎은 어긋나고 부채꼴이며 가장자리에 5~7개의 둔한 톱니가 있다.

꽃
· 꽃은 4~5월에 노란 빛이 도는 연한 녹색으로 피고 줄기 끝에 모여 달린다.
· 꽃받침은 4개로 갈라지고 수평으로 벌어진다.
· 갈라진 조각은 타원 모양이다.
· 꽃잎은 없고, 수술은 8개이며 꽃받침보다 짧고, 꽃밥은 노란색이며, 암술은 1개이다.

열매
· 열매는 삭과이고 2개로 얕게 갈라지며 노란색이다.
· 종자는 달걀 모양이고 1개의 모가 난 줄이 있으며 전체에 작은 돌기가 있다.

이용 봄에 잎과 줄기를 나물로 먹는다.

약용활용

생약명	금전고엽초(金錢苦葉草)
이용부위	전초
채취시기	봄
약성미	성질은 차고 맛은 달고 쓰다.
주치활용	정창, 염증(炎症), 농독(膿毒)
효능	배농, 해독

2011 ⓒ 애기기린초

학명	Sedum middendorffianum Maxim.
분류	쌍떡잎식물 장미목 돌나물과
원산지	한국
분포	한국 전역 및 중국, 일본 등지
생육상	여러해살이풀

애기기린초

서식　강원도 이북의 고산지대에서 자란다.

줄기　높이가 20cm 정도에 달하고 겨울 동안에 지상 10cm 내외 윗부분이 말라 죽으면 그 밑에서 다시 싹이 나와 새둥지처럼 된다.

잎
- 잎은 호생하고 엽병이 없으며 길이 1.5~2cm이다.
- 피침형이고 예두 또는 둔두이며 예저이다.
- 한쪽에 2~3개의 톱니가 있으며 밑부분이 점점 좁아져서 직접 원줄기에 달린다.

꽃
- 꽃은 6~7월에 피며 양성으로서 원줄기 끝에 황색 꽃이 취산화서로 붙는다.
- 꽃받침잎과 꽃잎은 각각 5개이며 수술은 10개로서 꽃잎보다 짧고 자방은 5개의 심피로 되며 떨어져 있다.

열매　골돌은 5개이고 밑에서 옆으로 퍼진다.

약용활용

생약명	비채(費菜), 백삼칠(白三七)
이용부위	전초
채취시기	여름(6~7월)
약성미	성질은 평하고 맛은 시다.
주치활용	타박상, 폐결핵, 심장병
효능	활혈, 지혈, 이수, 진정, 소종

2011 ⓒ 애기나리

학명 | Disporum smilacinum

분류 | 외떡잎식물 백합목 백합과

분포 | 한국(경기, 강원 이남), 일본, 중국

생육상 | 여러해살이풀

애기나리

서식 산지의 숲 속에서 자란다.

뿌리 줄기 뿌리줄기가 옆으로 뻗으면서 퍼진다.

줄기 줄기는 곧게 서며 가지가 없거나 1~2개 갈라지고 밑부분이 3~4개의 잎집 모양 잎에 둘러싸인다.

잎
· 잎은 어긋나고 달걀 모양 또는 긴 타원 모양이다.
· 끝이 뾰족하고 밑부분이 둥글며, 잎 가장자리는 밋밋하고 미세한 돌기가 있다.
· 양면에 털이 없고, 잎자루가 없다.

꽃
· 꽃은 4~5월에 흰색으로 피고 줄기 끝에 1~2개가 밑을 향해 달린다.
· 꽃잎은 6개이며 비스듬히 퍼지고 바소꼴이며 끝이 뾰족하다.
· 수술은 6개이고, 수술대는 꽃밥 길이의 2배이며, 꽃밥은 긴 타원 모양이다.
· 암술대는 끝이 3개로 갈라지고, 씨방은 달걀 모양이며 3실이고 암술대보다 길다.

열매 열매는 장과이고 둥글며 검은색으로 익는다.

이용 어린 순은 나물로 먹는다.

약 용 활 용

생약명 | 석죽근(石竹根)

이용부위 | 뿌리줄기

채취시기 | 가을~겨울

약성미 | 성질은 평하고 맛은 달다.

주치활용 | 폐결핵, 폐기종, 장염, 대장출혈, 치질, 건위, 해수, 천식

효능 | 건위, 소화 윤폐(潤肺), 지해(止咳), 건비(健脾), 소적(消積)

학명 | Chelidonium majus var. asiaticum

분류 | 쌍떡잎식물 양귀비목 양귀비과

분포 | 한국, 일본, 중국 동북부, 사할린, 몽골, 시베리아, 캄차카반도

생육상 | 두해살이풀

애기똥풀

서식 마을 근처의 길가나 풀밭에서 자란다.

뿌리 뿌리는 곧고 땅 속 깊이 들어가며 귤색이다.

줄기 줄기는 가지가 많이 갈라지고 속이 비어 있으며 분처럼 흰색을 띠며 상처를 내면 귤색의 젖 같은 액즙이 나온다.

잎
· 잎은 마주나고 1~2회 깃꼴로 갈라진다.
· 끝이 둔하며 가장자리에 둔한 톱니와 함께 깊이 패어 들어간 모양이 있다.
· 잎 뒷면은 흰색이고 표면은 녹색이다.

꽃
· 꽃은 5~8월에 황색으로 피고 줄기 윗부분의 잎겨드랑이에서 나온 가지 끝에 산형꽃차례를 이루며 몇 개가 달린다.
· 꽃받침조각은 2개이며 타원 모양이고 일찍 떨어진다.
· 꽃잎은 4개이고 긴 달걀 모양이다.
· 수술은 많고, 암술은 1개이며 암술머리는 약간 굵고 끝이 2개로 얕게 갈라진다.

열매 열매는 삭과이고 좁은 원기둥 모양이다.

이용 염료용으로 이용할 수 있다.

--- 약 용 활 용 ---

생약명 | 백굴채(白屈菜)

이용부위 | 전초

채취시기 | 여름(6~7월)

약성미 | 성질은 미지근하고 맛은 쓰고 독이 있다.

주치활용 | 기침, 백일해, 기관지염, 위장통증, 간염, 황달, 위궤양, 옴이나 종기, 뱀, 벌레에 물린 상처, 위암, 혈압강하

효능 | 진경, 진해, 진정, 항균

주의 | 과량 복용하면 어지럼증, 두통, 메스꺼움, 사지마비, 혈압하강 등의 증상이 나타난다.

2011 ⓒ 애기메꽃

학명 | Calystegia hederacea
분류 | 쌍떡잎식물 통화식물목 메꽃과
분포 | 한국, 일본, 중국, 인도, 아프가니스탄 등지
생육상 | 덩굴성 여러해살이풀

애기메꽃

서식 들에서 흔히 자란다.

줄기 땅속줄기는 길게 뻗고 흰색이며 순이 나오고, 줄기는 다른 물체를 감아 올라간다.

잎
· 잎은 어긋나고 바소꼴의 삼각형이다.
· 끝이 뾰족하며 가장자리가 밋밋하다.
· 밑부분은 좌우로 퍼지고 퍼진 끝이 뾰족하며 각각 2개로 갈라진다.

꽃
· 꽃은 6~8월에 연한 붉은색으로 피고 잎겨드랑이에서 나온 꽃자루 끝에 1개씩 달린다.
· 포는 세모진 달걀 모양이며 밑부분이 둥글다.
· 꽃받침은 5개로 갈라지고, 화관은 깔때기 모양이다.
· 5개의 수술과 1개의 암술이 있으나 보통 열매를 맺지 못한다.
· 꽃이 작고 꽃자루 윗부분에 주름진 좁은 날개가 있다.

이용 어린 순을 나물로 먹고, 땅속줄기는 삶아서 먹는다.

약용활용

생약명 | 선화(旋花)

이용부위 | 열매

채취시기 | 가을(10월)

약성미 | 성질은 따뜻하고 맛은 달며 독이 없다.

주치활용 | 류머티스성 관절염, 인후염, 기관지염

효능 | 이뇨제 청열해독(淸熱解毒), 이수(利水), 활혈(活血)

학명 | Typha angustata

분류 | 외떡잎식물 부들목 부들과

분포 | 전세계 온대와 열대 지역

생육상 | 여러해살이풀

애기부들

서식	연못가나 강가의 얕은 물 속에서 자란다.
뿌리줄기	뿌리줄기는 옆으로 뻗는다.
줄기	줄기는 곧게 선다.
잎	잎은 줄 모양이고 털이 없으며 두텁고 가장자리가 밋밋하며 밑부분이 잎집이 되어 줄기를 감싼다.
꽃	· 꽃은 6~7월에 피고 줄기 윗부분에 원기둥 모양의 육수꽃차례를 이루며 달린다. · 한 줄기에 2개의 꽃차례가 층을 이루며 달린다. · 수꽃은 위쪽의 꽃차례에 달리고, 암꽃은 아래쪽의 꽃차례에 달리며, 양 꽃차례 중간에 꽃이 달리지 않는 부분이 있다. · 꽃차례 밑에 포가 2~3개 있으나 곧 떨어진다. · 꽃에는 화피가 없고 밑부분에 흰색 털이 있다. · 수꽃은 3개의 꽃밥이 있고 화분이 황색이다. · 암꽃은 포가 있고 자루가 없으며 암술머리가 줄 모양이다.
열매	열매이삭은 원기둥 모양이고 붉은 빛이 도는 갈색이다.
이용	잎은 부드럽기 때문에 방석을 만드는 재료로 쓰인다.

약용활용

생약명 | 포황(蒲黃)

이용부위 | 화분

채취시기 | 전초는 수시로, 꽃가루는 꽃이 필 때 채취한다.

약성미 | 성질은 평하고 맛은 달다.

주치활용 | 각혈, 코피, 소변 출혈, 자궁 출혈, 동통, 생리통

효능 | 수렴, 지혈

학명	Rumex acetosella
분류	쌍떡잎식물 마디풀목 마디풀과
원산지	유럽
분포	한국(중부 이남)
생육상	여러해살이풀

애기수염

서식	길가나 빈터에서 자란다.

뿌리줄기	뿌리줄기가 옆으로 벋으면서 번식한다.

줄기	줄기는 곧게 서며 털 모양의 돌기가 있으며 모가 난 세로줄이 있고 자줏빛이 돈다.

잎
- 뿌리에서 나온 잎은 뭉쳐나고 잎자루가 길며 창 모양이다.
- 끝이 뾰족하며 밑부분에 귀 같은 돌기가 좌우로 퍼진다.
- 줄기에 달린 잎은 어긋나고 뿌리에서 나온 잎과 모양이 같으나 크기가 작다.

꽃
- 꽃은 암수 딴 그루이고 5~6월에 붉은 빛이 도는 녹색으로 피며 줄기 끝에 원추꽃차례를 이루며 달린다.
- 꽃받침조각과 수술이 각각 6개이다.
- 암꽃은 수꽃보다 작고 꽃받침조각이 6개이며 암술이 1개이고 3개로 갈라진 암술대와 잘게 갈라진 암술머리가 있다.

열매	열매는 수과이고 타원 모양이며 갈색이고 3개의 모가 난 줄이 있다.

이용	연한 줄기와 잎은 식용한다.

약용활용

생약명	소산모(小酸模)
이용부위	잎과 줄기
채취시기	여름~가을
약성미	성질은 서늘하고 맛은 시고 떫다.
주치활용	폐결핵으로인한 각혈, 항암, 지갈 소종 토혈
효능	청열양혈(淸熱凉血), 소변불리

2011 ⓒ 애기원추리

학명	Hemerocallis minor Mill.
분류	외떡잎식물 백합목 백합과
원산지	한국
분포	한국, 중국 동북부, 시베리아
생육상	여러해살이풀

애기원추리

서식 산지에서 자란다.

뿌리 뿌리는 타원 모양의 덩이뿌리이고 점점 굵어진다.

줄기 꽃줄기는 곧게 선다.

잎
- 잎은 밑부분이 2줄로 서로 겹치면서 마주나고 줄 모양이며 윗부분은 뒤로 젖혀진다.
- 잎의 표면은 노란 빛을 띤 녹색이고 잎맥을 따라 얕은 골이 있다.

꽃
- 꽃은 6~7월에 노란색으로 핀다.
- 잎 사이에서 나온 꽃줄기 끝에 3~6개가 총상꽃차례를 이루며 달리며 저녁 무렵에 피었다가 다음날 아침에 시든다.
- 화피의 통부분은 가늘고 길고, 화피 조각은 뒤로 젖혀지지 않는다.
- 수술은 6개이고 화피 길이보다 짧고, 암술대는 길어서 꽃 밖으로 나온다.

열매 열매는 삭과이고 넓은 타원 모양이며 끝이 파지고 익으면 뒤쪽이 터져 종자가 나온다.

이용 어린 잎을 보통 식용으로 하지만 꽃도 데쳐 말렸다가 식용으로 한다.

약용활용

생약명 | 훤초근(萱草根), 금침채(金浸茱)

이용부위 | 뿌리, 꽃

채취시기 | 뿌리—가을, 꽃—여름

약성미 | 성질은 서늘하고 맛은 달며 독이 없다.

주치활용 | 산모의 젖 부족시, 어린이의 해수, 수종, 배뇨, 곤란, 황달, 비출혈, 혈변, 유옹

효능 | 이뇨, 지혈, 양혈

2011 ⓒ 애기풀

학명 | Polygala japonica

분류 | 쌍떡잎식물 쥐손이풀목 원지과

분포 | 한국, 일본, 중국, 필리핀, 인도차이나 등지

생육상 | 초본성 반관목

애기풀

서식 산과 들의 볕이 잘 드는 풀밭에서 자란다.

줄기 줄기는 가늘고 단단하며 밑부분에서 가지가 많이 갈라진다.

잎
· 잎은 어긋나고 털이 있으며 달걀 모양 또는 타원 모양이다.
· 끝이 뾰족하며 밑부분이 둥글거나 둔하고 가장자리가 밋밋하다.
· 잎자루는 매우 짧고 털이 있다.

꽃
· 꽃은 4~5월에 연한 붉은색으로 피고 줄기 윗부분의 잎겨드랑이에 짧은 총상꽃차례를 이루며 달린다.
· 화관은 나비 모양이고, 꽃받침조각은 5개인데, 그 중 2개가 크고 꽃잎 모양이며 날개처럼 된다.
· 꽃잎은 3개이고 밑부분이 합쳐져서 한쪽만 터진다.
· 수술은 8개이고 밑부분이 합쳐지며, 꽃밥은 노란색이다.

열매 열매는 삭과이고 편평하며 2개로 갈라지며 양 가장자리에 날개가 있고 9월에 익는다.

약 용 활 용

생약명 | 영신초(靈神草)

이용부위 | 전체뿌리

채취시기 | 여름, 가을

약성미 | 성질은 따뜻하고 맛은 쓰고 독이 없다.

주치활용 | 부인 탈음증, 토혈, 혈변, 불면증, 만성인후염, 타박상, 종기, 부스럼, 정창절종

효능 | 거담, 지해, 활혈, 소종, 해독, 지통, 강장

2011 ⓒ 애기현호색

학명 | Corydalis fumariaefolia
분류 | 쌍떡잎식물 양귀비목 양귀비과
분포 | 한국(중부 이북), 만주, 우수리강
생육상 | 여러해살이풀

애기현호색

서식 산지에서 자란다.

줄기 덩이줄기가 달리고 줄기는 1개이다.

잎
- 아랫부분의 잎은 비늘조각 모양이다.
- 잎은 어긋나고 잎자루가 길며 1~2회 3장의 작은잎이 나온 겹잎이다.
- 작은잎은 깃꼴로 잘게 갈라지며 갈래조각은 줄 모양이다.

꽃
- 꽃은 4월에 자줏빛으로 피는데, 줄기 끝에 총상꽃차례로 달리고 포는 달걀을 거꾸로 세워 놓은 모양으로서 끝이 갈라진다.
- 작은 꽃자루는 가늘고 길며 꽃의 통부분 한쪽에 꿀주머니가 있다.
- 수술은 6개로서 2체로 갈라진다.

열매
- 열매는 긴 타원 모양 삭과이다.
- 종자는 공 모양에 검은 빛이 나고 윤이 난다.

이용 덩이줄기에 진통작용과 항궤양 효과가 있어서 위경련 등에 약재로 쓴다.

── 약 용 활 용 ──

생약명 | 현호색(玄胡索)

이용부위 | 줄기

채취시기 | 가을~겨울

약성미 | 성질은 **따뜻하고** 맛은 맵고 쓰다.

주치활용 | 심(心)·복(腹)·요(腰)·슬(膝)의 제통, 월경불순, 징하, 붕중, 산후혈훈, 악로 지속, 타박상

효능 | 활혈, 산어, 이기, 진통, 진경

주의 | 임부는 금하고, 또 월경 전기 및 모든 혈열병, 산후혈허, 경수감소, 불리, 기허 동통에도 금한다.

2011 ⓒ 앵초

학명 | Primula sieboldii

분류 | 쌍떡잎식물 앵초목 앵초과

분포 | 한국, 일본, 중국 동북부, 시베리아 동부

생육상 | 여러해살이풀

앵초

서식 산과 들의 물가나 풀밭의 습지에서 자란다.

줄기 뿌리줄기는 짧고 수염뿌리가 달리며 옆으로 비스듬히 서고, 전체에 꼬부라진 털이 많다.

잎
- 잎은 뿌리에서 뭉쳐나고 달걀 모양 또는 타원 모양이다.
- 끝이 둥글고 밑 부분이 심장 모양이며 가장자리에 둔한 겹톱니가 있다.
- 잎 표면에 주름이 있고, 잎자루는 잎몸보다 2~3배 길다.

꽃
- 꽃은 6~7월에 붉은 빛이 강한 자주색으로 핀다.
- 잎 사이에서 나온 꽃줄기 끝에 산형꽃차례를 이루며 5~20개가 달린다.
- 총포조각은 바소꼴이고, 작은 꽃자루는 돌기 같은 털이 있다.
- 꽃받침은 통 모양이고 털이 없으며 5개로 갈라지고, 갈라진 조각은 바소꼴이다.
- 화관은 끝이 5개로 갈라져서 수평으로 퍼지고, 갈라진 조각은 끝이 파진다.
- 수술은 5개이고, 암술은 1개인데, 그루에 따라서 수술이 짧고 암술이 길거나, 수술이 길고 암술이 짧다.

열매 열매는 삭과이고 둥근 모양이다.

이용 관상용으로 주로 쓰인다.

약용활용

생약명 | 앵초근(櫻草根)

이용부위 | 뿌리줄기

채취시기 | 가을(9~10월)

약성미 | 성질은 평하고 맛은 달다.

주치활용 | 해수, 감기, 기관지염, 백일해, 천식, 가래

효능 | 지해, 화담, 거담

민간활용 | 풀 전체를 다른 약재와 같이 처방하여 거담제로 사용한다.

2011 ⓒ 약난초

학명 | Cremastra appendiculata
분류 | 외떡잎식물 난초목 난초과
분포 | 한국(전북 이남), 일본, 타이완, 중국, 히말라야 등지
생육상 | 여러해살이풀

약난초

서식 산지의 숲 속에서 자란다.

줄기
· 비늘줄기는 달걀 모양의 원형이며 옆으로 염주같이 연결되고 땅 속으로 얕게 들어간다.
· 꽃줄기는 비늘줄기 옆에서 나오고 곧게 선다.

잎
· 잎은 1~2개가 비늘줄기 끝에서 나오고 긴 타원 모양이다.
· 3개의 맥이 있으며 끝이 뾰족하다.

꽃
· 꽃은 5~6월에 연한 자줏빛이 도는 갈색으로 핀다.
· 꽃줄기에 15~20개가 한쪽으로 치우쳐서 총상꽃차례를 이루며 밑을 향하여 달린다.
· 꽃줄기에 잎집 모양의 잎이 달리고, 포는 줄 모양의 바소꼴이며 끝이 뾰족하다.
· 화피조각은 줄 모양의 바소꼴을 거꾸로 세운 모양이다.
· 입술꽃잎은 끝이 3개로 갈라지고 밑부분에 육질의 부속체가 있으며, 꿀주머니는 없다.

열매 열매는 삭과이고 긴 타원 모양이다.

이용 원예용으로 사용한다.

약 용 활 용

생약명 | 산자고(山慈姑)

이용부위 | 뿌리, 잎, 꽃

채취시기 | 봄~여름(6~7월)

약성미 | 성질은 차고 맛은 맵고 독이 있다.

주치활용 | 종기, 종양, 악성 부스럼, 결핵성림프선염

효능 | 청열, 해독, 소옹, 산결

주의 | 정허체약환자는 신중히 사용해야 한다.

2011 ⓒ 약모밀

학명 | Houttuynia cordata

분류 | 쌍떡잎식물 후추목 삼백초과

분포 | 한국(울릉도, 안면도, 거제도), 일본, 중국, 히말라야, 자바

생육상 | 여러해살이풀

약모밀

서식	응달진 숲 속에서 자란다.
뿌리줄기	땅속줄기가 옆으로 길게 뻗고 가늘며 흰색이다.
줄기	줄기는 곧게 서며 몇 개의 세로줄이 있고 털이 없으며 냄새가 난다.
잎	· 잎은 어긋나고 넓은 달걀 모양의 심장형이다. · 끝이 뾰족하며 가장자리가 밋밋하고 턱잎이 잎자루 밑부분에 붙어 있다.
꽃	· 꽃은 5~6월에 피고 줄기 끝에서 나온 짧은 꽃줄기 끝에 수상꽃차례를 이루며 많은 수가 달린다. · 총포는 4개로 갈라지고 꽃차례 밑에 십자 모양으로 달려 꽃잎처럼 보인다. · 갈라진 조각은 타원 모양 또는 긴 타원 모양이며 흰색이다. · 꽃은 꽃잎과 꽃받침이 없다. · 3개의 수술과 1개의 암술이 있으며, 암술대는 3개이고, 씨방은 상위(上位)이고 3실이다.
열매	열매는 삭과이고, 종자는 연한 갈색이다.

┌─ 약 용 활 용 ─

생약명	어성초(魚腥草)
이용부위	잎
채취시기	여름, 가을
약성미	성질의 차고 맛은 맵다.
주치활용	임질, 장염, 요로감염증, 폐렴, 기관지염
효능	이뇨제, 구충제 배농과 해열 작용
민간활용	민간에서는 부스럼, 화농, 치질에 사용한다.

초본류

2011 ⓒ 양귀비

학명 | Papaver somniferum
분류 | 쌍떡잎식물 양귀비목 양귀비과
분포 | 지중해 연안 또는 소아시아
생육상 | 두해살이풀

양귀비

서식 지중해 연안 또는 소아시아가 원산지이다.

줄기 줄기는 털이 없고 윗부분에서 가지가 갈라진다.

잎
- 잎은 어긋나고 긴 달걀 모양이다.
- 끝이 뾰족하고 밑 부분이 줄기를 반정도 감싸며 가장자리에 깊이 패어 들어간 모양의 톱니가 있다.

꽃
- 꽃은 5~6월에 흰색 · 붉은 색 · 자주색 등 여러 가지 빛깔로 핀다.
- 줄기 끝에 1개씩 위를 향해 달리며, 꽃봉오리 때는 밑으로 처진다.
- 꽃받침조각은 2개이고 타원형의 배 모양이며 일찍 떨어진다.
- 꽃잎은 4개이고 둥글며 2개씩 마주 달린다.
- 수술은 많고, 암술은 1개이다.
- 암술머리는 방사상으로 갈라진다.

열매 열매는 삭과이고 둥근 달걀 모양이며 다 익으면 윗부분의 구멍에서 종자가 나온다.

이용 성분으로는 모르핀 · 파파베린 · 코데인 등의 알칼로이드 성분과, 납 · 수지 · 타닌 · 단백질 · 색소 등이 들어 있다.

약 용 활 용

생약명 | 아편(阿片)

이용부위 | 열매

채취시기 | 봄(4~6월)

약성미 | 성질은 조급하고, 맛은 쓰고 독이 있다.

주치활용 | 복통, 기관지염, 불면, 만성 장염

효능 | 진통, 진정, 이질, 지사

민간활용 | 민간에서는 과실과 전초를 분리해 두었다가 응급 질환에 활용했다.

주의 | 간장기능장애, 폐인성 심장병 환자, 기관지천식 및 습열적체질환자. 영아 수유기의 부인은 복용을 금한다.

2011 ⓒ 양지꽃

학명 | Potentilla fragarioides var. major

분류 | 쌍떡잎식물 장미목 장미과

분포 | 한국(함남, 함북), 중국 북동부, 시베리아, 일본

생육상 | 여러해살이풀

양지꽃

서식 산기슭이나 풀밭의 볕이 잘 드는 곳에서 자란다.

줄기 줄기는 옆으로 비스듬히 자라고 잎과 함께 전체에 털이 있다.

잎
· 뿌리에서 나온 잎은 뭉쳐나고 비스듬히 퍼지며 잎자루가 길고 3~9개의 작은잎으로 구성된 깃꼴겹잎이다.
· 끝에 달린 3개의 작은잎은 서로 크기가 비슷하다.
· 밑부분에 달린 작은잎은 밑으로 내려갈수록 점점 작아진다.
· 작은잎은 넓은 달걀을 거꾸로 세운 모양 또는 타원 모양이다.
· 맥 위에 털이 많으며 가장자리에 톱니가 있다. 턱잎은 타원 모양이고 가장자리가 밋밋하다.

꽃
· 꽃은 4~6월에 노란색으로 피고 줄기 끝에 취산꽃차례를 이루며 10개 정도가 달린다.
· 꽃받침조각은 5개이며 달걀 모양의 바소꼴이다.
· 꽃받침조각 사이에 있는 덧꽃받침은 5개이며 넓은 바소꼴이다.
· 꽃잎은 5개이고 둥근 달걀을 거꾸로 세운 모양이며 끝이 오목하다.
· 수술과 암술은 많으며, 꽃턱에 털이 있다.

열매 열매는 수과이고 달걀 모양이며 세로로 잔주름이 있다.

이용 어린 순을 나물로 먹는다.

┌─ **약 용 활 용** ─────────

    생약명 | 치자연(雉子筵)

    이용부위 | 전체

    채취시기 | 전초—여름, 뿌리—수시

    약성미 | 성질은 따뜻하고 맛은 달다.

    주치활용 | 산기건혈로, 토혈 신체허약

    효능 | 익중기, 보음 익기(益氣), 지혈

학명 | Allium cepa
분류 | 외떡잎식물 백합목 백합과
원산지 | 서아시아 또는 지중해 연안
생육상 | 두해살이풀

양파

줄기 비늘줄기는 품종에 따라 다소 차이가 있으나 납작한 둥근 모양 또는 둥근 모양이다.

껍질
- 겉에 얇은 막질의 자줏빛이 도는 갈색 껍질이 있고 안쪽의 비늘은 두꺼우며 층층이 겹쳐지고 매운 맛이 난다.
- 잎은 속이 빈 원기둥 모양이고 짙은 녹색이며 꽃이 필 때 마르고 밑부분이 두꺼운 비늘 조각으로 되어 있다.

꽃
- 꽃은 9월에 흰색으로 피고 잎 사이에서 나온 꽃줄기 끝에 산형꽃차례를 이루며 많은 수가 달려 공처럼 둥근 모양이다.
- 꽃줄기는 원기둥 모양이고 아랫부분이 부풀어 있으며 그 밑에 2~3개의 잎이 달린다.
- 화피는 6개로 갈라지고, 갈라진 조각은 달걀을 거꾸로 세운 모양의 바소꼴이며 수평으로 퍼진다.
- 수술은 6개이고 그 중 3개의 수술대 밑 양쪽에 잔 돌기가 있으며, 암술은 1개이다.

이용
- 수확은 주로 6~7월에 잎이 쓰러지고 약간 녹색을 지닐 때 하는데, 비늘줄기가 크기 전에 뽑아서 잎을 식용하는 것도 있다.
- 양파는 주로 비늘줄기를 식용으로 하는데, 비늘줄기에서 나는 독특한 냄새는 이황화프로필, 황화알릴 등의 화합물 때문이다.
- 비늘줄기에는 각종 비타민과 함께 칼슘·인산 등의 무기질이 들어 있어 혈액 중의 유해 물질을 제거하는 작용이 있다.
- 비늘줄기는 샐러드나 수프, 그리고 고기 요리에 많이 사용되며 각종 요리에 향신료 등으로 이용된다.

약용활용

생약명 | 양총(洋蔥)

이용부위 | 줄기

채취시기 | 봄(6월)

약성미 | 성질은 따뜻하고 맛은 맵다.

주치활용 | 창상, 궤양, 부녀의 trichomonad 질염

효능 | 홍분, 발한, 이뇨

2011 ⓒ 어리연꽃

학명 | Nymphoides indica

분류 | 쌍떡잎식물 용담목 용담과

분포 | 한국(중부 지방 이남), 일본, 중국

생육상 | 여러해살이풀

어리연꽃

서식 못이나 호수에서 자라는 수생식물이다.

뿌리줄기 뿌리줄기가 진흙 속에서 옆으로 길게 뻗고 잔뿌리가 사방으로 퍼진다.

줄기 줄기는 물 속에서 비스듬히 자라고 가늘며 끝부분에 1~3개의 잎이 드문드문 달린다.

잎
· 잎은 물위에 뜨고 둥근 심장 모양이다.
· 표면에 광택이 있고 밑부분이 깊게 2개로 갈라지며 가장자리가 밋밋하다.
· 잎자루는 줄기의 연장이다.

꽃
· 꽃은 7~8월에 피고 잎자루의 밑부분에 싸여서 10개가 달린다.
· 화관은 흰색 바탕에 가운데 부분이 황색이다.
· 5개로 깊게 갈라지고 안쪽과 가장자리에 흰색 털이 있다.
· 꽃받침조각은 넓은 바소꼴이고 끝이 약간 둔하다.
· 수술은 5개, 암술은 1개이다.

열매 열매는 삭과이고 긴 타원 모양이며 끝에 암술대가 남아 있다.

약용활용

생약명 | 금은연화(金銀蓮花), 백화행채(白花荇菜)

이용부위 | 잎

채취시기 | 수시

주치활용 | 고미건위, 사열 전초를 열병, 머리 아플 때, 갈증 해소

효능 | 건위작용

2011 ⓒ 어수리

학명 | Heracleum moellendorffii
분류 | 쌍떡잎식물 산형화목 미나리과
분포 | 한국, 일본, 중국
생육상 | 여러해살이풀

어수리

서식 산과 들에서 자란다.

줄기 줄기는 곧게 서며 속이 빈 원기둥 모양이고 세로로 줄이 있으며 거친 털이 있고 굵은 가지가 갈라진다.

잎
· 잎은 어긋나고 3~5개의 작은잎으로 구성된 깃꼴겹잎이다.
· 털이 있고 줄기 위로 올라갈수록 잎자루가 짧아지며 밑부분이 넓어 줄기를 감싼다.
· 끝에 달린 작은잎은 심장 모양이고 3개로 갈라진다.
· 옆에 달린 작은잎은 넓은 달걀 모양 또는 삼각형이다.
· 2~3개로 갈라지고 가장자리에 깊이 패어 들어간 톱니가 있다.

꽃
· 꽃은 7~8월에 흰색으로 피고 가지와 줄기 끝에 복산형꽃차례를 이루며 달린다.
· 꽃차례는 20~30개의 꽃자루가 다시 작은 꽃자루로 갈라져서 각각 25~30개의 꽃이 달린 모양이다.
· 가장자리에 달린 꽃이 가운데에 달린 꽃보다 크다.
· 꽃잎은 6개이고 크기가 서로 다른데, 바깥쪽의 꽃잎이 안쪽 꽃잎보다 크다.

열매 열매는 분과이고 편평한 달걀을 거꾸로 세운 모양이며 윗부분에 독특한 무늬가 있다.

이용 어린 순을 나물로 먹는다.

약용활용

생약명 | 독활(獨活)

이용부위 | 뿌리

채취시기 | 가을~봄

약성미 | 성질은 따뜻하고 맛은 약간 쓰고 맵다.

주치활용 | 중풍, 신경통, 요통, 어지럼증, 미용, 피부가려움증, 종기, 두통, 오한, 발열, 근육통, 관절염

효능 | 진정, 진통, 통경, 배농, 루출, 생기

민간활용 | 겉뿌리는 향기가 강하여 한방에서는 흥분제로 썼다고 한다.

2011 ⓒ 어저귀

학명 | Abutilon avicennae

분류 | 쌍떡잎식물 아욱목 아욱과

원산지 | 인도

생육상 | 한해살이풀

어저귀

서식 섬유식물로 한때 많이 재배하였으며 들로 퍼져 나간 것도 있다.

줄기 전체가 털로 덮인다.

잎 잎은 어긋나고 잎자루가 길며 심원형으로서 가장자리에 둔한 톱니가 있다.

꽃
· 꽃은 8~9월에 피고 황색이며 잎겨드랑이에 모여 달린다.
· 꽃받침조각과 꽃잎은 5개씩이고 밑부분이 합쳐지며 수술은 합쳐져서 통처럼 되고 암술은 10여 개의 방으로 갈라진 씨방이 있다.

이용 줄기에서 윤기가 나는 섬유를 채취하여 로프와 마대를 만들고 찌꺼기는 종이 원료로 한다.

약 용 활 용

생약명	경마자
이용부위	종자
채취시기	여름~가을(8~9월)
약성미	성질은 평하고 맛은 쓰다.
주치활용	소변불리, 임신중 부종, 종기, 유선염, 이질, 변비, 관절염
효능	이뇨, 소염해독, 거풍, 명목, 지리, 통유, 윤장

2011 ⓒ 억새

학명 | Miscanthus sinensis var. purpurascens

분류 | 외떡잎식물 벼목 화본과

분포 | 한국(전지역), 일본, 중국 등지

생육상 | 여러해살이풀

억새

서식	산과 들에서 자란다.
뿌리줄기	뿌리줄기는 모여 나고 굵으며 원기둥 모양이다.

잎
- 잎은 줄 모양이다.
- 끝이 갈수록 뾰족해지고 가장자리는 까칠까칠하다.
- 맥은 여러 개인데, 가운데 맥은 희고 굵다.
- 밑동은 긴 잎집으로 되어 있으며 털이 없거나 긴 털이 난다.
- 뒷면은 연한 녹색 또는 흰빛을 띠고 잎혀는 흰색 막질이다.

꽃
- 꽃은 9월에 줄기 끝에 부채꼴이나 산방꽃차례로 달리며 작은 이삭이 촘촘히 달린다.
- 꽃차례 가운데 축은 꽃차례 길이의 절반 정도이다.
- 작은 이삭은 노란 빛을 띠며 바소 모양에 길고 짧은 자루로 된 것이 쌍으로 달린다.
- 밑동의 털은 연한 자줏빛을 띤다.
- 제1 포영은 윗부분에 잔털이 나고 5~7개의 맥이 있으며 제2 포영은 3개의 맥이 있다.
- 끝이 2갈래로 갈라진 호영에서 까끄라기가 나온다.
- 내영은 작으며 수술은 3개이다.

이용	줄기와 잎는 지붕을 이는 데, 원예용으로 즐겨 사용한다.

약 용 활 용

생약명	망경초(芒莖草)
이용부위	줄기
채취시기	가을
약성미	성질은 평하고 맛은 달고 독이 없다.
주치활용	호(虎) · 랑(狼) 등에 의한 교상
효능	산혈, 이뇨, 해열, 해독, 풍사

2011 ⓒ 얼레지

학명 | Erythronium japonicum

분류 | 쌍떡잎식물 초롱꽃목 백합과

분포 | 한국, 일본

생육상 | 여러해살이풀

얼레지

서식 높은 지대의 비옥한 땅에서 자라지만 산골짜기에서 자라는 것도 있다.

줄기 비늘줄기는 바소꼴로 땅속 깊이 들어 있고 위에서 2개의 잎이 나와서 수평으로 퍼진다.

잎
· 잎은 달걀 모양 또는 타원형으로 녹색 바탕에 자주색 무늬가 있고 가장자리가 밋밋하다.
· 잎몸은 긴 타원형이다.

꽃
· 꽃줄기는 잎 사이에서 나와 끝에 1개의 꽃이 밑을 향하여 달린다.
· 꽃잎은 바소꼴이고 6개이며 뒤로 말리고 자주색이지만 밑부분에 W형의 무늬가 있다.
· 6개의 수술과 1개의 암술이 있다.
· 꽃밥은 진한 자색이고 선형이다.
· 씨방은 삼각형의 달걀 모양이다.

열매 열매는 7~8월에 결실하며 삭과(殼果)로 넓은 타원형 또는 구형이며 3개의 능선이 있다.

이용
· 꽃이 아름답기 때문에 초물분재는 물론 봄철에 화려하게 장식할 수 있는 화단용 소재로 좋다.
· 잎은 국을 끓이거나 나물로 식용할 수 있다.

약용활용

생약명 | 차전엽(車前葉), 산자고(山慈姑)

이용부위 | 줄기

채취시기 | 봄(5~6월)

약성미 | 성질은 차고 맛은 쓰며 독이 약간 있다.

주치활용 | 위장염, 구토, 하리, 화상

효능 | 건위, 진토, 지사, 강장, 창종, 건뇌, 이질, 연골

민간활용 | 인경을 생즙 내서 상처에 붙이면 잘 듣는다.

주의 | 얼레지를 생것으로 많이 먹으면, 오히려 해가 되고 설사를 한다.

속명 | 가시나물

학명 | Cirsium japonicum var. ussuriense

분류 | 쌍떡잎식물 초롱꽃목 국화과

분포 | 한국, 일본, 중국 북동부 및 우수리

생육상 | 여러해살이풀

엉겅퀴

서식 산이나 들에서 자란다.

줄기 줄기는 곧게 서고 전체에 흰 털과 더불어 거미줄 같은 털이 있다.

잎
· 뿌리잎은 꽃필 때까지 남아 있고 줄기잎보다 크다.
· 줄기잎은 바소꼴의 타원형으로 깃처럼 갈라진다.
· 밑은 원대를 감싸며 갈라진 가장자리가 다시 갈라지고 깊이 패어 들어간 모양의 톱니와 더불어 가시가 있다.

꽃
· 꽃은 6~8월에 피고 자주색에서 적색이다.
· 가지와 줄기 끝에 두화가 달린다.
· 총포의 포조각은 7~8열로 배열하고 안쪽일수록 길어진다.

열매 열매는 수과이다.

이용 어린 순을 식용으로 한다. 염료용으로도 이용한다.

약 용 활 용

생약명 | 대계(大薊)

이용부위 | 잎, 뿌리

채취시기 | 잎-봄(6월), 뿌리-가을(10월)

약성미 | 성질은 서늘하고 맛은 달고 쓰며 독이 없다.

주치활용 | 치뉵혈, 토혈, 뇨혈, 변혈, 붕루하혈, 외상출혈, 옹종창독

효능 | 양혈, 지혈, 거어, 소종

민간활용 | 신경통, 감기, 몸살, 월경불순, 유방암, 지혈, 임질, 복통, 치통의 치료에 사용한다.

주위 | 비위가 허한하면서 어체가 없는 자는 복용을 금한다.

속명 | 수료, 택료, 천료

학명 | Persicaria hydropiper

분류 | 쌍떡잎식물 마디풀목 마디풀과

생육상 | 한해살이풀

여뀌

서식 습지 또는 냇가에서 자란다.

줄기 줄기에는 털이 없으며 가지가 많이 갈라진다.

잎
- 잎은 어긋나고 바소꼴로 자루가 없고 가장자리가 밋밋하며 뒷면에 잔 선점이 많다.
- 턱잎은 잎집같이 생기고 막질이며 가장자리에 털이 있다.

꽃
- 꽃은 6~9월에 피고, 밑으로 처지는 수상꽃차례에 달린다.
- 꽃잎은 없고 꽃받침은 4~5조각이며 연한 녹색이지만, 끝부분에 붉은 빛이 돌고 선점이 있다.
- 수술은 6개이고, 암술대는 2개이다.
- 씨방은 타원형이다.

열매 열매는 수과로 검고 달걀을 거꾸로 세운 모양이며 꽃받침으로 싸여 있다.

이용 잎은 매운 맛이 있으며, 일본에서는 싹이 튼 여뀌를 생선요리에 쓴다.

약용활용

생약명 | 수료(水蓼)

이용부위 | 전초

채취시기 | 가을(8~9월)

약성미 | 성질은 평하고 맛은 맵다.

주치활용 | 이질, 류머티즘, 옹종, 각기, 개선, 타박상, 자궁출혈, 치질출혈

효능 | 화습, 행체, 거풍, 소종, 지혈

민간활용 | 피로 회복에 여뀌를 달여 마시면 매우 좋다.

주의 | 부인의 월경시에는 혈림, 대하가 되기 쉬우므로 수료와 마늘을 금한다.

2011 ⓒ 여로

학명 | Veratrum maackii var. japonicum

분류 | 외떡잎식물 백합목 백합과

분포 | 한국, 일본

생육상 | 여러해살이풀

여로

서식 풀밭에서 흔히 자란다.

잎
· 집이 서로 감싸서 원줄기처럼 되어, 밑부분의 겉은 흑갈색 섬유로 싸여서 마치 종려나무의 밑동같이 보인다.
· 잎은 줄기 하반부에서 어긋나기 하며 잎 모양은 좁은 바소꼴 또는 바소꼴이고, 뒤로 젖혀진다.

꽃
· 꽃은 7~8월에 피고 자줏빛이 도는 갈색이며, 원추꽃차례에 달리고 수꽃과 양성화가 있다.
· 화피갈래조각과 수술은 6개씩이고 암술머리는 3개이다.

열매 열매는 삭과이며 타원형으로 3줄이 있고 끝에 암술머리가 남아 있다.

이용
· 유독식물이다.
· 뿌리줄기를 살충제로 사용하며 민간약으로도 사용하고 있다.
· 늑막염에 걸렸을 때 달여 먹으면 최토작용을 일으켜 모든 농즙을 토해내고 치유되므로 늑막풀이라고도 부른다.

약 용 활 용

생약명 | 여로(黎盧)

이용부위 | 뿌리

채취시기 | 가을

약성미 | 성질은 차고 맛은 쓰고 매우며 독이 있다.

주치활용 | 중풍담통, 풍전간질, 황달, 구학, 설리, 두통, 후비, 비식, 개선, 악창

효능 | 용토풍담, 살충

민간활용 | 뿌리를 달여, 그 물로 소, 말, 개를 목욕시켜 몸에 기생하는 나쁜 벌레들을 다 죽인다.

주위 | 독성이 강하므로 함부로 먹어서는 안 된다. 허약자나 실혈 및 임산부는 복용을 금한다.

2011 ⓒ 여주

학명 | Momordica charantia

분류 | 쌍떡잎식물 박목 박과

원산지 | 아시아 열대지방

생육상 | 덩굴성 한해살이풀

0918

여주

줄기 | 줄기는 가늘며 덩굴손으로 다른 물건을 감아서 올라간다.

잎 | 잎은 어긋나고 자루가 길며, 가장자리가 5~7개로 갈라지고 갈래조각은 다시 갈라지며 톱니가 있다.

꽃
· 꽃은 1가화이고 잎겨드랑이에 1개씩 달리며 황색이다.
· 꽃받침은 종모양이다.
· 화관은 깊게 5개로 갈라지고 수술은 3개이며, 암술대도 3개로 갈라진다.

열매
· 열매는 박과이며 긴 타원형이고 양끝이 좁으며 혹 같은 돌기가 있다.
· 황적색으로 익으면 불규칙하게 갈라져서 홍색 육질로 싸인 종자가 나온다.
· 열매가 여지와 비슷하므로 여주라고 부른다.

이용
· 어린 열매와 홍색 종피는 식용으로 하고 종자는 약용으로 한다.
· 관상용으로 심는다.

약 용 활 용

생약명 | 고과

이용부위 | 열매

채취시기 | 가을(9월)

약성미 | 성질은 차고 맛은 쓰다.

주치활용 | 열병으로 번갈하여 물을 켜는 증상, 중(中), 서(暑), 이질, 적안동통, 옹종, 단독, 악창

효능 | 청서퀄열, 명일, 해독

민간활용 | 여주는 맛이 달고 독이 없으며 정신을 맑게 하고 번갈을 그치게 한다. 또한 안 색을 좋게 하지만 많이 먹으면 열을 발산하므로 이때 꿀을 먹으면 열이 풀린다.

주의 | 비위허한자가 고과를 먹으면 구토, 하리, 복통을 일으킨다.

2011 ⓒ 연꽃

학명 | Nelumbo nucifera
분류 | 쌍떡잎식물 미나리아재비목 수련과
원산지 | 아시아 남부, 오스트레일리아 북부
생육상 | 여러해살이 수초

연꽃

서식 연못에서 자라고 논밭에서 재배하기도 한다.

줄기 뿌리줄기는 굵고 옆으로 뻗어가며 마디가 많고 가을에는 특히 끝부분이 굵어진다.

잎
- 잎은 뿌리줄기에서 나와서 자란 잎자루 끝에 달리고 둥글다.
- 물에 젖지 않으며 잎맥이 방사상으로 퍼지고 가장자리가 밋밋하다.
- 잎자루는 겉에 가시가 있고 안에 있는 구멍은 땅속줄기의 구멍과 통한다.

꽃
- 꽃은 7~8월에 피고 홍색 또는 백색이며 꽃줄기 끝에 1개씩 달리고 꽃줄기에 가시가 있다.
- 꽃잎은 달걀을 거꾸로 세운 모양이며 수술은 여러 개이다.
- 꽃턱은 크고 편평하며 지름 10cm 정도이다.

열매 열매는 견과이다. 종자가 꽃턱의 구멍에 들어 있다.

약용활용

생약명	연자육(蓮子肉), 연실(蓮實)
이용부위	뿌리줄기, 꽃, 열매
채취시기	열매-늦가을, 뿌리줄기-수시, 잎-여름
약성미	성질은 평하고 맛은 달고 쓰다.
주치활용	몽정, 누정, 토혈, 비출혈, 혈붕, 대하, 자궁출혈, 하이
효능	청심, 익위, 지혈, 삽정
민간활용	민간에서 오줌싸개 치료에 이용한다.

학명 | Trillium kamtschaticum

분류 | 백외떡잎식물 백합목 합과

분포 | 한국(북부), 중국 북동부, 시베리아 동부, 일본, 캄차카

생육상 | 여러해살이풀

연령초

서식 숲 속에서 자란다.

줄기
- 굵고 짧은 뿌리줄기에서 원주상의 대가 자라서 끝에 잎자루가 없는 3개의 잎이 돌려 난다.
- 줄기는 1~3개이다.

잎 잎은 넓은 달걀 모양으로 사각형 비슷하고 가장자리가 밋밋하고 3~5맥이 발달한다.

꽃
- 꽃은 5~6월에 피고, 백색이며, 돌려난 잎 중앙에서 꽃대가 자라서 끝에 꽃이 1개씩 달 린다.
- 꽃잎과 꽃받침조각은 3개씩이고 수술은 6개이다.
- 꽃밥은 수술대보다 길고 선형이다.

열매 열매는 장과로 둥글다.

약 용 활 용

생약명 | 우아칠(芋兒七)

이용부위 | 뿌리

채취시기 | 여름~가을

약성미 | 성질은 따뜻하고 맛은 맵고 달며 독이 있다.

주치활용 | 고혈압, 현기증, 두통, 타박상, 요통, 외상출혈, 위장약, 최토약, 신경통

효능 | 수렴제, 자극, 통경, 거담제, 거풍, 서간, 활혈, 지혈

주위 | 맹독 성분이 있어 함부로 사용해서는 안 된다.

학명 | Corydalis heterocarpa

분류 | 쌍떡잎식물 양귀비목 양귀비과

분포 | 한국, 일본

생육상 | 두해살이풀

염주괴불주머니

서식 바닷가 모래밭에서 자란다.

줄기 포기 전체가 흰빛을 띠며 줄기는 약간 굵고 자르면 좋지 않은 냄새가 난다.

잎
· 잎은 어긋나고 삼각 모양이며 2회 3장의 작은잎이 나는 겹잎이다.
· 작은잎은 깊이 패인 흔적이 있거나 깊게 갈라지는데, 갈래조각은 달걀처럼 생긴 쐐기 모양에 가장자리가 밋밋하다.

꽃
· 꽃은 4~5월에 노란 빛으로 피며 가지와 줄기 끝에 총상꽃차례로 달린다.
· 포는 바소꼴이고 한쪽에 꿀주머니가 있다.
· 수술은 6개로서 2체로 갈라진다.

열매
· 열매는 삭과로서 7월에 익으며 염주처럼 잘록잘록한 모양이다.
· 종자는 검은 빛이며 원기둥 모양의 돌기가 빽빽이 나고 1줄로 늘어선다.

이용 유독식물로서 관상용으로 심는다.

── 약 용 활 용 ──

생약명 | 단장초(短章抄)

이용부위 | 줄기

채취시기 | 봄~여름(5~7월)

약성미 | 성질은 따뜻하며 독이 있다.

주치활용 | 옴이나 벌레독에 의한 피부염, 뱀에 물린 상처, 탈항, 요슬마비

효능 | 진경, 진통

민간활용 | 민간에서는 뿌리줄기를 진통제로 쓴다.

2011 © 엽란

학명 | Aspidistra elatior

분류 | 외떡잎식물 백합목 백합과

분포 | 한국(제주도, 거제도), 중국

생육상 | 상록 여러해살이풀

엽란

잎
- 땅 속 뿌리줄기가 옆으로 뻗으면서 각 마디에서 잎이 1개씩 나와서 자란다.
- 잎은 대형으로 잎자루가 있고 짙은 녹색이며 타원형으로 어릴 때는 밑부분이 비늘 같은 잎으로 싸인다.

꽃
- 꽃은 4~5월에 꽃줄기 끝에 1개의 꽃이 위를 향하여 핀다.
- 꽃은 갈자색이고 8개의 수술 및 1개의 암술이 있으며 암술머리는 우산같이 생긴다.
- 화피는 짧은 종 모양이며 8개로 갈라지고 그 조각은 삼각형이며, 안쪽은 갈자색이고 바깥쪽에 같은 색의 반점이 있다.

열매 열매는 장과로 공 모양이며 녹색에서 노란색으로 익는다.

┌─ 약 용 활 용 ─────────

생약명 | 지주포단(蜘蛛抱蛋)

이용부위 | 줄기

약성미 | 성질은 따뜻하고 맛은 조금 맵고 독이 없다.

주치활용 | 타박상, 근골통, 요통, 월경폐지로 오는 복통, 두통, 치통, 열해상서, 설사, 석림, 결핵, 늑막염, 해열

효능 | 활혈, 통경, 설열, 이뇨, 강심, 강장, 거담

2011 ⓒ 오랑캐장구채

학명 | Silene repens

분류 | 쌍떡잎식물 이판화군 중심자목 석죽과

분포 | 한국(중부 이북), 일본(홋카이도), 사할린, 바이칼호

생육상 | 여러해살이풀

오랑캐장구채

서식 산지 초원에서 자란다.

줄기 줄기는 밑에서부터 가지가 분기하며 아래를 향해 털이 빽빽이 난다.

잎
· 잎은 마주나고 잎자루가 없으며 바소꼴 또는 긴 타원형의 바소꼴로 줄 모양이다.
· 잎의 양면에 털이 있으며 가장자리에는 짧은 털이 밀생한다.

꽃
· 담홍색의 꽃이 6~7월에 취산꽃차례에 옆으로 핀다.
· 작은 꽃자루는 극히 짧고 털이 있다.
· 꽃받침은 통 모양으로 연모가 있다.
· 꽃잎은 5개로 끝이 2갈래이다.
· 10개의 수술은 꽃받침통에서 약간 밖으로 나오며 암술대는 3개이다.

열매 열매는 삭과로 달걀 모양이고 끝이 6갈래이다.

약 용 활 용

생약명 | 호로초(胡蘆草)

이용부위 | 전초

채취시기 | 봄(5~6월), 가을(9~11월)

약성미 | 성질은 차고 맛은 달고 쓰다.

주치활용 | 음허혈열, 소아감기, 도한

효능 | 청열, 양혈, 최유

민간활용 | 민간에서 부종, 최유 등에 약재로 사용한다.

2011 ⓒ 오리방풀

학명 | Isodon excisus (Maxim.) Kudo

분류 | 쌍떡잎식물 합판화군 통화식물목 꿀풀과

분포 | 한국, 일본, 중국, 우수리, 아무르

생약명 | 여러해살이풀

오리방풀

서식 깊은 산에서 자란다.

줄기 여러 대가 모여나서 네모진 줄기에는 능선을 따라 밑으로 향한 털이 돋는다.

잎
· 잎은 마주 달리고 달걀 모양의 원형이다.
· 끝이 3개로 갈라지고 중앙갈래조각은 꼬리처럼 길고 가장자리에 톱니가 있다.

꽃
· 꽃은 6~8월에 피고 자줏빛이며 잎겨드랑이와 끝에서 마주 자라는 취산꽃차례를 이룬다.
· 꽃받침은 5개로 갈라지고 화관은 양 입술 모양이며 4개의 수술 중 2개가 길다.

열매 열매는 분과(分果)로 꽃받침 속에 들어 있다.

이용 어린 순을 나물로 먹는다.

약 용 활 용

생약명 | 연명초(延命草)

이용부위 | 전초

채취시기 | 가을(10월)

약성미 | 성질은 서늘하고 맛은 쓰다.

주치활용 | 감기, 인후종통, 편도선염, 위염, 간염, 유선염, 월경불순, 관절염, 타박상

효능 | 건위, 강장, 구충

2011 ⓒ 오이

학명 | Cucumis sativus
분류 | 쌍떡잎식물 합판화군 박목 박과
원산지 | 인도의 북서부 히말라야산계
분포 | 전세계
생육상 | 한해살이 덩굴식물

오이

줄기	줄기는 능선과 더불어 굵은 털이 있고 덩굴손으로 감으면서 다른 물체에 붙어서 길게 자란다.

줄기 줄기는 능선과 더불어 굵은 털이 있고 덩굴손으로 감으면서 다른 물체에 붙어서 길게 자란다.

잎 잎은 어긋나고 잎자루가 길며 손바닥 모양으로 얕게 갈라지고 가장자리에 톱니가 있으며 거칠다.

꽃 · 꽃은 양성화이며 5~6월에 노란색으로 피고 주름이 진다.
· 화관은 5개로 갈라지고 수꽃에는 3개의 수술이 있으며 암꽃에는 가시 같은 돌기가 있는 긴 씨방이 아래쪽에 있다.

열매 열매는 장과로 원주형이며 어릴 때는 가시 같은 돌기가 있고 녹색에서 짙은 황갈색으로 익으며 종자는 황백색이다.

이용 오이는 중요한 식용 작물의 하나이며 즙액은 뜨거운 물에 데었을 때 바르는 등 열을 식혀 주는 기능도 한다.

┌ 약 용 활 용 ┐

생약명 | 황과(黃瓜), 황과등

이용부위 | 과실, 열매, 뿌리, 줄기

채취시기 | 과실―여름(7~8월), 뿌리―여름·가을, 줄기―봄(6월), 열매―가을(9~10월)

약성미 | 성질은 서늘하고 맛은 달다.

주치활용 | 번갈, 인후종통, 목적동통, 화상

효능 | 제열, 이수, 해독

민간활용 | 일사병으로 갑자기 졸도했을 때 오이 생즙을 마신다.

주위 | 한담을 토하고 위가 냉한 증상에 먹으면 복통, 구토, 하리 등을 일으킨다.

2011 ⓒ 오이풀

학명 | Sanguisorba officinalis
분류 | 쌍떡잎식물 이판화군 장미목 장미과
분포 | 한국, 중국, 동부 시베리아, 일본 및 캄차카
생육상 | 여러해살이풀

오이풀

서식 산이나 들에서 자란다.

줄기 굵은 뿌리줄기에서 갈라진 뿌리는 양끝이 뾰족한 원기둥 모양으로 굵어지고 원대는 곧게 자라며 위에서 가지가 갈라진다.

잎
- 잎은 어긋나고 깃꼴겹잎이며 뿌리잎은 작은잎이 7~11개이고 잎자루와 작은 잎자루가 있다.
- 작은잎은 긴 타원형이며 가장자리에 톱니가 있고 줄기잎은 작아지며 대가 없어진다.

꽃
- 꽃은 7~9월에 피고 검붉은색이며 수상꽃차례에 달린다.
- 꽃이삭은 타원형 또는 거꾸로 선 달걀 모양의 타원형이며 위에서부터 꽃이 피기 시작한다.
- 꽃받침조각과 수술은 4개씩이고 꽃잎이 없으며 꽃밥은 흑갈색이다.

열매 열매는 수과로 10월에 익고 사각형이며 꽃받침으로 싸여 있다.

약 용 활 용

생약명 | 지유(地楡)

이용부위 | 뿌리

채취시기 | 가을(10~11월)

약성미 | 성질은 서늘하고 맛은 쓰고 시며 독이 없다.

주치활용 | 변수렴. 해열. 설사. 이질. 지혈. 월경과다. 객혈. 피부병. 상처 및 화상과 열상

효능 | 양혈, 지혈, 해독, 염창

주위 | 허한냉리와 이질 초기에는 복용을 금한다. 맥문동은 상극이다.

2011 © 옥수수

학명 | Zea mays

분류 | 외떡잎식물 벼목 화본과

분포 | 세계

생육상 | 한해살이풀

옥수수

줄기 줄기는 곧게 서며 일반적으로 가지를 치지 않는다.

잎 잎은 줄기에 어긋나게 달린다.

꽃
· 수꽃이삭은 줄기 끝에 달리고 암꽃이삭은 줄기 중앙부의 잎겨드랑이에 달린다.
· 몇 장의 포엽에 싸여 있는 이삭축의 표면에 10~20열의 암꽃 작은이삭이 세로로 늘어선다.
· 각각의 작은이삭은 2개의 작은 꽃으로 되어 있으며 1개의 작은 꽃은 불임화(不稔花)이다.
· 씨방에는 긴 비단실 모양의 암술대가 있으며, 이것이 개화할 때 다발 모양으로 포 끝에 나와서 수분한다.
· 같은 그루에서는 수꽃이 암꽃보다 2일 정도 빨리 피며 풍매화로서 타가수정을 한다.

열매 옥수수알은 수분 후 젖익음 때(유숙기), 풀익음 때(호숙기), 굳음 때(경화기), 누루익음 때(황숙기)를 거쳐서 익음 때(성숙기)에 이르며 품종과 지역에 따라 차이는 있으나 성숙까지 45~60일이 걸린다.

이용 한국에서는 완숙되기 전에 수확하여 간식용으로 이용하나, 중부 산간지나 북부지방에서는 완숙 후에 수확하여 식량으로 이용하고 있다.

약용활용

생약명	옥촉서(玉蜀黍), 옥미수(玉米鬚), 수축(穗軸)
이용부위	전초
채취시기	가을(8~10월)
약성미	성질은 평하고 맛은 달고 독이 없다.
주치활용	소변불리, 수종
효능	수(水)를 이롭게 하며, 습(濕)과 종(腫)을 제거
민간활용	성인병 예방의 장수식품으로 손꼽힌다.

2011 ⓒ 옥잠화

속명 | 옥비녀꽃, 백학석

학명 | Hosta plantaginea

분류 | 외떡잎식물 백합목 백합과

원산지 | 중국

생육상 | 여러해살이풀

옥잠화

서식	관상용으로 심는다.
뿌리	굵은 뿌리줄기에서 잎이 많이 총생한다.
잎	잎은 자루가 길고 달걀 모양의 원형이며 심장저로서 가장자리가 물결 모양이고 8~9쌍의 맥이 있다.
꽃	· 꽃은 8~9월에 피고 흰색이며 향기가 있고 총상으로 달린다. · 6개의 꽃잎 밑부분은 서로 붙어 통 모양이 된다. · 꽃줄기는 1~2개의 포가 달린다. · 화관은 깔때기처럼 끝이 퍼지고 수술은 화피의 길이와 비슷하다.
열매	열매는 삭과로 세모진 원뿔 모양이고 종자에 날개가 있다.

약 용 활 용

생약명	잠화근(玉簪花根)
이용부위	꽃, 뿌리, 종자
채취시기	가을(10월)
약성미	성질은 시원하고 맛은 달다.
주치활용	인통, 목안에 가시가 걸린것. 꽃잎, 뿌리는 소염, 해독, 종기
효능	소종, 해독, 지혈
민간활용	민간에서는 발모, 종기치료 등에 쓰인다.

2011 ⓒ 완두

학명 | Pisum sativum L.

분류 | 쌍떡잎식물 이판화군 장미목 콩과

원산지 | 지중해 연안

생육상 | 한 · 두해살이풀

완두

서식	각지에서 재배한다. 멘델이 실험에 이용한 식물로 유명하다.
줄기	줄기는 가는 편이며 단면이 다각형, 표면에 털이 있고 녹색이다.
잎	· 잎은 겹잎이며 잎 끝은 덩굴손으로 되어 지주를 감아 올라가면서 자란다. · 잎겨드랑이에서 꽃대가 나와 1~2개씩의 접형화가 핀다. · 잎은 어긋나기 한다.
꽃	꽃은 흰색·붉은색·자주색 등이며 늦은 봄에 핀다.
열매	· 꼬투리에는 5~6개의 종자가 들어 있다. · 열매는 선형이다.
이용	· 팥이나 강낭콩처럼 밥에 넣어 먹거나 떡·과자의 고물로도 이용된다. · 성숙하기 전의 푸른 씨알은 통조림으로, 어린 꼬투리는 채소로, 잎·줄기는 가축의 사료로 이용한다.

약용활용

생약명	두두(頭豆)
이용부위	종자
채취시기	봄~가을(6~7월)
약성미	성질은 평하고 맛은 달다.
주치활용	곽란전근, 각기, 옹종
효능	화중, 하기, 소변, 창독

2011 ⓒ 왕고들빼기

학명 | Lactuca indica var. laciniata

분류 | 쌍떡잎식물 합판화군 국화과

분포 | 한국, 일본, 타이완

생육상 | 한·두해살이풀

왕고들빼기

서식 들에서 자란다.

줄기 윗부분에서 가지가 갈라진다.

잎
- 뿌리잎은 꽃이 필 때 스러진다.
- 줄기잎은 어긋나고 타원형의 바소꼴로 길이 10~30cm로서 밑부분이 직접 원줄기에 달린다.
- 앞면은 녹색이며 뒷면은 분백색이고 깃처럼 갈라진다.
- 갈래조각에 톱니가 있다.
- 상처에서 흰 유액이 나온다.

꽃
- 꽃은 7~10월에 피고 많은 두화가 원추꽃차례에 달리며 노란색이다.
- 두화는 지름 2cm 정도이고 총포는 밑부분이 굵어지며 안쪽 포편은 8개 내외이다.

열매 열매는 수과로 뿌리가 있고 갓털은 흰색이다.

이용 어린 잎은 쌈용으로 사용한다.

약용활용

생약명 | 산와거(山萵苣)

이용부위 | 전초

채취시기 | 늦은 봄~여름

약성미 | 성질은 차고 맛은 약간 쓰다.

주치활용 | 감기, 옹종, 편도선염, 인후염, 유선염, 자궁염, 산후출혈, 종기, 위장병, 산후 유즙분비 촉진, 불면증, 위궤양, 만성위병, 설사, 담중성열, 혈붕

효능 | 건위, 최면, 진정, 발한, 이뇨, 창종, 마취, 해열, 양혈, 소종

주위 | 너무 많이 먹으면 잠이 많이 올 수 있다.

2011 ⓒ 왕대

학명 | Phyllostachys bambusoides
분류 | 외떡잎식물 벼목 화본과
분포 | 중국
생육상 | 대나무

왕대

서식 줄기가 매끈하고 곧게 자라는데 녹색에서 황록색으로 되며 마디에는 2개의 가지가 있다.

잎
- 잎집은 어두운 빛깔의 반점이 있고 털이 없다.
- 잎은 바소꼴로 밑부분은 둔하고 약간 털이 있으며 끝이 길고 뾰족하며 가는 톱니가 있다.
- 잎이 두꺼운 편이며 뒷면은 흰색을 띤다.

꽃
- 꽃은 6~7월에 피고 원추꽃차례로서 많은 작은꽃이삭에는 1~5개의 양성화와 단성화가 달린다.
- 포는 거꾸로 선 달걀 모양으로 선단에 달걀 모양 또는 바소꼴의 잎조각이 있고 끝이 뾰족하다.
- 수술은 3개로 가늘고 긴 흰색 수술대가 밖으로 돌출되며 암술대는 3개이고 씨방은 달걀 모양이다.

열매 열매는 영과이고 내영과 외영은 가을에 익으며 죽실, 죽미 등으로 부른다.

이용 5~6월 경에 나오는 죽순은 식용하거나 약용하며, 줄기는 탄력성이 좋고 세공이 쉬워 건축 및 죽세공재로 사용한다.

약용활용

생약명 | 천축황(天竺黃)

이용부위 | 전초

채취시기 | 여름, 겨울

약성미 | 성질은 차고 맛은 쓰다.

주치활용 | 해열, 이뇨, 혈당증가, 구토, 소염, 주독, 유산, 익기, 종양, 해열작용

효능 | 청풍열(淸風熱), 치담(治痰)

학명 | *Polygonatum robustum*

분류 | 외떡잎식물 백합목 백합과

분포 | 한국(전남, 전북, 경북 봉화, 울릉도, 충북, 경기, 강원)

생육상 | 여러해살이풀

왕둥굴레

서식	산지의 풀밭에서 야생한다.

뿌리줄기 뿌리줄기는 굵고 길게 가로 뻗으며 약간의 마디가 있고 수염뿌리가 많다.

줄기 줄기는 곧게 서고 모난다.

잎
· 잎은 어긋나고 잎자루가 짧으며 타원형 또는 달걀 모양이고 양 끝이 뭉뚝하다.
· 뒷면이 분처럼 희고 가는 센털이 분포한다.

꽃
· 꽃은 액출하고 꽃자루는 2~5개로 갈라진다.
· 화개는 통처럼 생긴 종 모양이며 끝이 6개로 갈라지고 갈래조각은 달걀 모양으로 녹색이며, 6개의 수술이 숨어 있다.
· 씨방은 3실이며 암술대는 단일이고 줄 모양이다.
· 6월에 1개 꽃자루에 보통 2~5송이의 꽃이 녹백색으로 핀다.

열매 열매는 장과로 공 모양이며 검게 익는다.

이용 뿌리줄기는 약용, 어린 잎은 식용한다.

약용활용

생약명	황정(黃精)
이용부위	전초
채취시기	봄, 가을
약성미	성질은 미지근하고 맛은 달고 독이 없다.
주치활용	열병음상, 해수번갈, 허노발열, 소곡이기, 소변빈삭
효능	양음, 윤조, 생진, 지갈

학명 | Hemerocallis fulva var. kwanso
분류 | 외떡잎식물 백합목 백합과
원산지 | 중국
분포 | 한국, 중국 동북부, 일본 등지
생육상 | 여러해살이풀

왕원추리

서식 산지나 초원에서 자란다.

줄기 뿌리는 노란색이고 양 끝이 뾰족한 원기둥 모양으로 굵어진다.

잎 잎은 뿌리에서 나와 2줄로 배열되어 마주나고 넓은 줄 모양이며 털이 없다.

꽃
· 꽃줄기는 잎 사이에서 나와 자라고 윗부분이 갈라져서 꽃과 포가 달린다.
· 꽃은 노란 빛이 도는 주황색이다.
· 7~8월 경에 꽃자루 끝이 2개로 갈라져 많은 겹꽃이 핀다.

열매 열매를 맺지 못한다.

이용
· 어린 잎을 식용하고, 꽃은 피기 전에 따서 황화채의 재료로 쓴다.
· 관상용으로 심는다.

┌─ 약 용 활 용 ─

생약명 | 훤초근(萱草根), 길초근(吉草根)

이용부위 | 뿌리

채취시기 | 가을

약성미 | 성질은 서늘하고 맛은 달고 독이 없다.

주치활용 | 황달, 흉격번열, 야소안침, 치창혈변

효능 | 이뇨, 지혈, 소염제

2011 ⓒ 왕질경이

학명 | Plantago major var, japonica

분류 | 쌍떡잎식물 합판화군 질경이목 질경이과

분포 | 한국, 일본

생육상 | 여러해살이풀

왕질경이

서식 바닷가의 양지에서 자란다.

잎
- 원줄기가 없고 긴 잎자루가 있는 잎이 뿌리에서 나와 비스듬히 퍼지며 털이 없다.
- 잎은 달걀 모양의 타원형으로 굵은 평행맥이 있고 두껍다.
- 잎의 밑부분에 얕은 톱니가 있다.

꽃
- 꽃은 5~7월에 흰색으로 피고 꽃줄기 윗부분에 수상차례로 달린다.
- 꽃받침은 포로 싸이고 4개로 갈라지며 화관 끝이 4개로 갈라지고 4개의 수술과 1개의 암술이 있다.

열매 열매는 삭과로 타원형이며 꽃받침 길이의 2배 정도이고 검은 갈색이며 옆으로 갈라져서 10개 내외의 종자가 나온다.

이용 연한 잎은 식용, 종자는 약용한다.

약 용 활 용

생약명 | 차전차

이용부위 | 전초

채취시기 | 여름

약성미 | 성질은 차갑고 맛은 달다.

주치활용 | 만성간염, 고혈압, 기침, 설사, 변비, 구토, 늑막염, 급만성신장염, 부종, 두통, 관절염

효능 | 해독, 이뇨

2011 © 왕호장근

학명 | Reynoutria sachalinensis

분류 | 쌍떡잎식물 이판화군 마디풀목 마디풀과

분포 | 한국(울릉도), 일본, 사할린

생육상 | 여러해살이풀

왕호장근

서식	산지의 계곡에서 자란다.

뿌리줄기 뿌리줄기는 굵고 갈색이나 속은 노란색이다.

줄기 굵은 대가 모여나며 속이 비어 있으며 광선이 닿은 곳은 붉어진다.

잎
· 잎의 밑부분이 심장의 밑처럼 생겼으며 뒷면에 흰빛이 도는 것이 다르다.
· 잎은 어긋나고 달걀 모양이며 가장자리가 밋밋하고 털이 없다.

꽃
· 꽃은 단성화이며 8~9월에 피고 총상꽃차례를 이룬다.
· 꽃잎은 없고 꽃받침은 5개, 수술은 8개이다.
· 바깥쪽 화피갈래조각 뒷면에 날개가 있으며 자라서 열매를 둘러싼다.
· 암술머리는 3개이다.

열매 열매는 수과로 세모진 달걀 모양이다.

약 용 활 용

생약명	호장근(虎杖根)
이용부위	뿌리
채취시기	봄, 가을
약성미	성질은 약간 따뜻하고 맛은 쓰다.
주치활용	황달간염, 산후어혈복통, 고혈압, 타박상, 화상
효능	완화, 이뇨, 통경제, 청열, 이습, 활혈, 통경, 지통, 해독

2011 ⓒ 왜당귀

학명 | Ligusticum acutilobum
분류 | 쌍떡잎식물 이판화군 산형화목 미나리과
분포 | 한국, 일본
생육상 | 여러해살이풀

왜당귀

서식 약용으로 재배한다.

줄기 굵은 뿌리에서 원줄기가 나오고 잎자루와 더불어 검은 자줏빛이 돌고 털이 없다.

잎
· 뿌리잎은 잎자루가 길고 잎집이 있으며 1~2회 세 개의 작은 잎으로 이루어진 겹잎이다.
· 갈래조각은 바소 모양으로 다시 3개로 갈라지고 가장자리에 뾰족한 톱니가 있으며 짙은 녹색이다.

꽃
· 꽃은 8~9월에 피고 흰색이며 복산형꽃차례를 이룬다.
· 소산경은 30~40개이며 작은 총포는 실처럼 가늘다.
· 유관은 능선 사이에 3~4개, 합생면에 4개가 있다.

열매 열매는 9~10월에 익으며 편평하고 긴 타원형으로 뒷면에 가는 능선이 있으며 가장자리에 좁은 날개가 있다.

약 용 활 용

생약명 | 일당귀(日當歸)

이용부위 | 뿌리

채취시기 | 가을(10~11월)

약성미 | 성질이 따뜻하며 맛은 답고 매우며 독이 없다.

주치활용 | 관절통, 신체허약, 두통, 월경불순, 복통, 변비, 종기, 타박상, 부인병

효능 | 진통, 배농, 지혈, 강장

민간활용 | 빈혈, 어혈, 부인병에 당귀를 전제로 하여 복용하며, 두통, 현기증, 월경불순에 당귀작약산을 탕으로 또는 산제로 하여 복용한다.

2011 ⓒ 왜현호색

학명 | Corydalis ambigua

분류 | 쌍떡잎식물 이판화군 양귀비목 현호색과

분포 | 한국(중부 이북), 일본

생육상 | 여러해살이풀

왜현호색

서식 산록 습기 있는 그늘에서 자란다.

덩이 줄기
· 땅 속에 있는 덩이줄기는 둥글고 살은 노란색이 돈다.
· 덩이줄기 끝에서 1개의 줄기가 나와서 2개의 잎이 달린다.

잎
· 첫째잎의 밑에 포 같은 잎이 있으며 겨드랑이에서 가지가 갈라지기도 한다.
· 잎은 어긋나고 잎자루가 있으며 3개씩 1~3회 갈라진다.
· 작은잎은 달걀을 거구로 세운 모양 또는 긴 타원형이고 가장자리가 밋밋하거나 3개씩 얕게 갈라지며 끝이 둔하다.

꽃
· 꽃은 4월에 피고 입술 모양이며 자줏빛이 도는 하늘색이다.
· 뒤쪽에 긴 꿀주머니가 있으며 총상꽃차례에 달린다. 수술은 6개이다.

열매 열매는 삭과로 긴 타원형의 줄 모양이며 검은 종자가 들어 있다.

약 용 활 용

생약명	현호색(玄胡索)
이용부위	뿌리
채취시기	봄(5~6월)
약성미	성질은 따뜻하고 맛은 맵고 쓰다.
주치활용	심(心)·복(腹)·요(腰)·슬(膝)의 제통, 산후혈훈, 타박상, 복통, 두통, 월경통
효능	활혈, 산어, 이기, 진통
주위	임산부에는 금한다.

학명 | Clematis brachyura

분류 | 쌍떡잎식물 이판화군 미나리아재비목 미나리아재비과

분포 | 한국(중부 이북), 중국 동북부

생육상 | 덩굴식물

외대으아리

서식 산지에서 자란다.

잎
- 덩굴손으로 감아올라가며 잎은 마주 달린다.
- 작은잎은 3~5개이고, 달걀 모양 ·타원형 또는 긴 타원형이며 가장자리가 밋밋하고 잎자루가 있다.

꽃
- 꽃은 양성화로 6~9월에 피고 백색이며 1~3개씩 가지 끝에 달린다.
- 꽃받침조각은 4~5개로 흰색이고 옆으로 퍼지며 꽃잎이 없다.
- 수술은 많고 암술은 비교적 적다.

열매 열매는 수과로 10월에 익고 달걀 모양 또는 둥근 달걀 모양이며 날개와 더불어 돌기 같은 암술대가 끝에 남아 있다.

이용 어린 순은 나물로 먹는다.

약 용 활 용

생약명 | 위령선

이용부위 | 뿌리

채취시기 | 봄, 가을

약성미 | 성질은 따뜻하고 맛은 맵고 짜며 독이 있다.

주치활용 | 통풍, 완비, 요슬냉통, 각기병, 말라리아, 징하, 적취, 파상풍, 편두통, 류머티스성의 동통, 전염성간염, 부종, 소변불리, 편두통, 인후종통, 타박에 의한 내상

효능 | 거풍, 거습, 경로소통, 소담연, 산벽정

주위 | 풍허혈약으로 풍한습사가 없는 자는 복용을 금한다.

학명 | Gentiana scabra var. buergeri

분류 | 쌍떡잎식물 합판화군 용담목 용담과

분포 | 한국, 일본, 중국 동북부, 시베리아 동부

생육상 | 여러해살이풀

용담

서식 산지의 풀밭에서 자란다.

줄기 4개의 가는 줄이 있으며 굵은 수염뿌리가 사방으로 퍼진다.

잎
· 잎은 마주나고 자루가 없으며 바소 모양으로서 가장자리가 밋밋하고 3개의 큰 맥이 있다.
· 잎의 표면은 녹색이고 뒷면은 연한 녹색이며 톱니가 없다.

꽃
· 꽃은 8~10월에 피고 자주색이며 잎겨드랑이와 끝에 달리고 포는 좁으며 바소꼴이다.
· 꽃받침은 통 모양이고 끝이 뾰족하게 갈라진다.
· 화관은 종처럼 생기고 가장자리가 5개로 갈라지며 갈래조각 사이에 부편이 있다.
· 5개의 수술은 통부에 붙어 있고 암술은 1개이다.

열매 열매는 삭과로 11월에 익고 시든 화관 안에 들어 있으며 종자는 넓은 바소꼴로 양 끝에 날개가 있다.

이용 어린 싹과 잎은 식용하며, 뿌리를 용담이라고 하며 고미건위제로 사용한다.

약 용 활 용

생약명 | 용담(龍膽)

이용부위 | 전초

채취시기 | 봄, 가을(11월)

약성미 | 성질은 차고 맛은 쓰다.

주치활용 | 습열황달, 음종음양, 대하증, 강중, 습진, 이롱, 협통, 구고, 창종, 옴, 간질, 도한, 소아경기, 심장병

효능 | 건위, 청열, 조습, 사간, 담화, 경풍, 추축

주위 | 비위허약으로 인한 설사와 무습열로 인한 실화가 없는 자는 복용을 금한다.

학명 | Polygonatum involucratum

분류 | 외떡잎식물 백합목 백합과

분포 | 한국, 일본, 중국 북부 및 우수리

생육상 | 여러해살이풀

용둥굴레

초본류

서식 산지에서 자란다.

뿌리줄기 굵은 육질의 뿌리줄기가 옆으로 뻗는다.

줄기 원줄기에는 능선이 있고 윗부분이 밑으로 처진다.

잎 잎은 어긋나고 2줄로 배열되며 달걀 모양의 타원형이고 뒷면이 분백색이며 가장자리가 밋밋하다.

꽃
· 꽃은 5월에 피고 백록색이며 잎겨드랑이에서 밑을 향하여 달린다.
· 포는 2개이고 안에 1쌍의 꽃이 들어 있다.
· 화관은 통같이 생기고 끝이 6개로 갈라지며 6개의 수술과 1개의 암술이 들어 있다.

열매 열매는 장과로 둥글고 검게 익는다.

이용
· 지상부는 어린 순을 삶아 나물로 먹거나 말려 기름에 볶는다.
· 지하경은 말린 후 볶아 차로 사용한다.
· 지하경을 캐 날것으로 먹거나 솥에 쪄먹는다.

약 용 활 용

생약명 | 황정, 옥죽(玉竹)

이용부위 | 뿌리

채취시기 | 봄, 가을

약성미 | 성질은 평하고 맛은 달며 독이 없다.

주치활용 | 신체허약, 마른기침, 고혈압, 해수번갈

효능 | 지갈, 제번, 윤조, 양음

학명 | Dracocephalum argunense

분류 | 쌍떡잎식물 합판화군 통화식물목 꿀풀과

분포 | 한국, 일본, 중국 동북부, 시베리아 동부

생육상 | 여러해살이풀

용머리

서식 깊은 산 숲 속에서 자란다.

줄기 줄기는 뿌리줄기에서 무더기로 나오며 밑을 향한 털이 있다.

잎
- 잎은 마주나고 줄 모양이며 광택이 있다.
- 잎 가장자리가 뒤로 말리며 겨드랑이에 잎이 총생한다.

꽃
- 꽃은 6~8월에 피고 원줄기 끝에 달리며 자줏빛이다.
- 꽃받침은 불규칙하게 5개로 갈라지고, 갈래조각의 끝이 바늘처럼 뾰족하다.
- 화관은 통처럼 생기고 끝이 입술 모양이며 자주색 점이 있다.

열매 열매는 수과로 달걀 모양이며 9월에 익는다.

약용활용

생약명 | 광악청란(光萼靑蘭)

이용부위 | 전초

채취시기 | 가을(9월)

주치활용 | 위궤양, 위염, 두통, 폐결핵 및 장결핵 치료

효능 | 소염

민간활용 | 민간에서 잎을 폐결핵 및 장결핵에 쓰는 곳이 있으나 한국에서는 아직 쓰지 않는다.

2011 ⓒ 우산나물

속명 | 삿갓나물

학명 | Syneilesis palmata

분류 | 쌍떡잎식물 초롱꽃목 국화과

분포 | 한국, 일본

생육상 | 여러해살이풀

우산나물

서식 산지의 나무 밑 그늘에서 자란다.

줄기 가지가 없으며 줄기에 2~3개의 잎이 달린다.

잎
· 밑의 잎은 둥근 모양이고 잎자루가 길며, 밑부분이 원줄기를 둘러싸고 7~9개로 깊게 갈라진다.
· 갈래조각은 다시 2개씩 갈라지며 가장자리에 톱니가 있다.

꽃
· 꽃은 6~9월에 연한 붉은색으로 피고 두화가 원추꽃차례에 달린다.
· 꽃자루는 털이 난다.
· 총포는 원통 모양이고 포조각은 5개로서 긴 타원 모양 바소꼴이며, 7~13개의 작은꽃이 들어 있다.
· 작은꽃은 통 모양이며 끝이 5개로 갈라진다.
· 화관은 끝이 5갈래로 갈라진다.

열매
· 열매는 수과로서 양끝이 좁고 10월에 익는다.
· 관모는 잿빛을 띤 흰색이다.

이용
· 어린 순을 나물로 먹으며 관상초로 심는다.
· 잎이 새로 나올 때 우산처럼 퍼지면서 나오므로 우산나물이라고 한다.

약 용 활 용

생약명 | 토아산(兎兒傘)

이용부위 | 전초

채취시기 | 가을(9~10월)

약성미 | 성질은 따뜻하고 맛은 쓰고 맵고 독이 있다.

주치활용 | 풍습마비, 관절동통, 옹종, 타박상

효능 | 거풍, 제습, 해독, 활혈, 소종, 지통

민간활용 | 동상에 사용한다.

주위 | 임부는 복용을 금한다.

학명 | Arctium lappa

분류 | 쌍떡잎식물 초롱꽃목 국화과

원산지 | 유럽

분포 | 유럽, 시베리아, 중국 동북부

생육상 | 두해살이풀

우엉

줄기 끝에서 줄기가 나온다.

잎
· 뿌리에 달린 잎은 무더기로 나오고 잎자루가 길다.
· 줄기에서는 어긋나며 심장 모양이다.
· 겉면은 짙은 녹색이지만 뒷면에 흰 솜털이 빽빽이 나며, 가장자리에 이 모양의 톱니가 있다.

꽃
· 꽃은 7~8월에 피는데 검은 자줏빛이 돌며, 두화는 가지 끝에 산방꽃차례로 달린다.
· 총포는 둥글고 포는 바늘 모양이며 끝이 갈고리처럼 생긴다.
· 꽃은 관상화이고 종자는 검은색이며 관모는 갈색이다.

열매 열매는 수과로서 9월에 익는다. 강건하여 병이 거의 없고 추위에도 매우 강하며 토질을 별로 가리지 않는다.

이용 조리법은 장아찌를 만들거나 조림을 하여 반찬으로 먹는다.

약용활용

생약명	우방자(牛蒡子)
이용부위	열매, 뿌리
채취시기	열매-여름(8월)~가을(9월), 뿌리-가을(9~10월)
약성미	성질은 차고 맛은 쓰고 맵다.
주치활용	마진, 풍진, 인후종통, 단독, 악성종기, 피부병, 인후염
효능	청열, 해독, 소염, 거담, 지해, 소산, 풍열, 이인, 해열

2011 ⓒ 원추리

학명 | Hemerocallis fulva

분류 | 외떡잎식물 백합목 백합과

원산지 | 동아시아

분포 | 한국, 중국 등지

생육상 | 여러해살이풀

원추리

서식 산지에서 자란다.

줄기 뿌리는 사방으로 퍼지고 원뿔 모양으로 굵어지는 것이 있다.

잎
· 잎은 2줄로 늘어서고 끝이 처진다.
· 조금 두껍고 흰빛을 띤 녹색이다.

꽃
· 꽃은 7~8월에 핀다.
· 꽃줄기는 잎 사이에서 나와서 자라고, 끝에서 가지가 갈라져서 6~8개의 꽃이 총상꽃차례로 달린다.
· 빛깔은 주황색이다.
· 포는 줄 모양 바소꼴이다.
· 안쪽 화피조각은 긴 타원형이고 막질이다.
· 수술은 6개로서 통부분 끝에 달리고 꽃잎보다 짧으며, 꽃밥은 줄 모양이고 노란색이다.

열매 열매는 삭과로서 10월에 익는다.

이용 봄철 어린 순을 나물로 먹는다.

약 용 활 용

생약명 | 훤초근(萱草根), 금침채(金針菜),

이용부위 | 뿌리, 유묘, 화뇌

채취시기 | 뿌리—가을, 꽃—여름

약성미 | 성질은 서늘하고 맛은 달며 독이 없다.

주치활용 | 수종, 배뇨곤란, 임탁, 대하, 황달, 비출혈, 혈변, 붕루

효능 | 이수, 양혈

민간활용 | 관절염, 상처, 종기, 요통에 뿌리나 잎을 짓찧어 붙인다.

주의 | 뿌리를 과량 사용하면 시력이 상할 염려가 있으므로, 말린 것으로 40g을 초과해서 사용해서는 안 된다.

2011 ⓒ 유채

학명 | Brassica campestris subsp. napus var. nippo—oleifera

분류 | 쌍떡잎식물 양귀비목 겨자과

분포 | 한국(제주와 남부지방), 일본, 중국 등지

생육상 | 두해살이풀

유채

줄기
- 표면은 매끄러우며 녹색이다.
- 원줄기에서는 15개 안팎의 1차 곁가지가 나오고, 이 가지에서 다시 2~4개의 2차 곁가지가 나온다.

잎
- 잎은 바소꼴이고 끝이 둔하다.
- 아래쪽 줄기에 달린 잎은 긴 잎자루가 있으며 잎가장자리는 깊게 갈라진다.
- 위쪽 줄기에 달린 잎은 잎자루가 없으며 줄기를 둘러싸고 그 끝은 가늘다.

꽃
- 꽃은 3~4월에 총상꽃차례로 피며 가지 끝에 달린다.
- 꽃자루를 가진 홑꽃이 핀다.
- 꽃잎·꽃받침은 각각 4개로 갈라지며 수술 6개, 암술 1개, 4개의 꿀샘이 있다.

열매
- 열매는 각과로서 원통 모양이다.
- 중앙에는 봉합선이 있으며 완숙하면 봉합선이 갈라져서 종자가 떨어진다.
- 속은 2실로 되고 투명한 격막으로 갈라지며, 보통 20개 가량의 짙은 갈색 종자가 들어 있다. 번식은 종자로 한다.

이용 종자는 기름을 짜고, 연한 잎과 줄기는 김치, 나물, 국거리로 이용한다.

┌ 약 용 활 용

생약명 | 유채(油採), 운대자

이용부위 | 전초

채취시기 | 봄(6월)

약성미 | 성질은 서늘하고 맛은 맵다.

주치활용 | 산후혈통, 어혈, 토혈, 혈리, 단독, 열독창, 종기, 치루

효능 | 산혈, 소종, 지혈

주위 | 홍역 후 또는 창개, 안통이 있는 자는 금한다.

학명 | Disporum sessile

분류 | 외떡잎식물 백합목 백합과

분포 | 한국, 중국, 일본, 사할린섬

생육상 | 여러해살이풀

윤판나물

서식 숲 속에서 자란다.

줄기 뿌리줄기는 짧고 뿌리가 옆으로 벋으며 위에서 큰 가지가 갈라진다.

잎
· 잎은 어긋나고 긴 타원형이다.
· 끝이 뾰족하고 밑부분은 둥글며 잎자루가 없고 3~5맥이 있다.

꽃
· 꽃은 4~6월에 황금색과 흰색으로 피고 가지 끝에 1~3개씩 아래를 향하여 달린다.
· 화피는 통 모양이다.
· 화피갈래조각과 수술은 6개씩이고 암술은 1개이며 끝이 3개로 갈라진다.

열매 열매는 장과로서 둥글고 지름 1cm 정도이며 검은색으로 익는다.

이용
· 꽃이 아름답고 번식 및 재배가 용이한 식물이므로 공원 등의 낙엽성 교목 하부 식재용 지피식물로 이용하면 매우 좋다.
· 어린 순은 먹는다.

약용활용

생약명	석죽근
이용부위	뿌리줄기
채취시기	봄~가을
약성미	성질은 따뜻하고 맛은 달고 맵다.
주치활용	허손해천, 담중대혈, 장풍하혈, 식적장만, 폐결핵, 폐기종, 장염, 대장출혈, 치질
효능	윤폐, 지해, 건비, 소적

학명 | Coix lachrymajobi var, mayuen

분류 | 외떡잎식물 벼목 화본과

원산지 | 중국

생육상 | 한해살이풀

율무

서식 약료작물로 재배한다.

줄기 속이 딱딱하며 곧게 자라고 가지가 갈라진다.

잎 잎은 어긋나고 바소꼴이며 밑부분은 잎집으로 된다.

꽃
· 꽃은 7~9월에 피고 잎겨드랑이에서 나온 꽃이삭 끝에 수꽃이삭이 달린다.
· 밑부분에 타원형의 잎집에 싸여 있는 암꽃이삭이 있다.
· 포는 딱딱하고 타원 모양이며 검은 빛을 띤 갈색으로 익는다.
· 씨방이 성숙하면 잎집은 딱딱해지고 검은 갈색으로 된다.

열매 열매는 견과로서 10월에 익는다. 번식은 종자로 한다.

이용 생잎은 차 대용으로 쓰고 줄기에 달린 잎은 사료로도 쓴다.

┌─ **약 용 활 용** ────────

생약명 | 의이인(薏苡仁)

이용부위 | 종자

채취시기 | 10월

약성미 | 성질은 약간 차고 맛은 달고 담백하다.

주치활용 | 부종, 신경통, 류머티즘, 방광결석, 황달, 신경통, 비경, 위장

효능 | 이뇨, 진통, 진경, 강장

학명 | Clematis mandshurica

분류 | 쌍떡잎식물 미나리아재비목 미나리아재비과

분포 | 한국, 중국, 우수리강, 헤이룽강

생육상 | 덩굴성 여러해살이풀

으아리

서식 산기슭에서 자란다.

덩굴 덩굴이 잎자루로 감아 올라간다.

잎
· 잎은 마주 달리고 5~7개의 작은잎이 있는 깃꼴겹잎이다.
· 작은잎은 잎자루가 있고 달걀 모양이며 가장자리가 밋밋하고 양 면에 털이 없다.
· 잎자루는 덩굴손처럼 구부러진다.

꽃
· 꽃은 6~8월에 흰색으로 피고 줄기 끝이나 잎겨드랑이에 취산꽃차례로 달린다.
· 꽃받침조각은 4~5개이고 꽃잎처럼 생기며, 달걀을 거꾸로 세워놓은 모양의 긴 타원형이다.
· 수술과 암술은 여러 개이다.

열매 열매는 수과로서 달걀 모양이고, 9월에 익으며 털이 난 암술대가 꼬리처럼 달린다.

이용 어린 잎은 식용한다.

약 용 활 용

생약명 | 위령선(威靈仙)

이용부위 | 뿌리

채취시기 | 이른 봄, 가을

약성미 | 성질은 따뜻하고 맛은 맵고 짜다.

주치활용 | 풍한습비, 각기종통, 통풍

효능 | 해열, 진통, 이뇨

주의 | 병이 풍습으로 인하지 않은 자, 기혈이 허한 자

2011 ⓒ 은평의다리

학명 | Thalictrum actaefolium

분류 | 쌍떡잎식물 미나리아재비목 미나리아재비과

분포 | 한국(중부 이남)

생육상 | 여러해살이풀

은꿩의다리

서식 산지에서 자란다.

줄기 줄기는 곧게 서며 단단하다.

잎
- 잎은 어긋나며 2~3회 3장의 작은잎이 나온 겹잎이다.
- 작은잎은 막질이고 넓은 달걀 모양이거나 네모난 타원 모양이다.
- 가장자리는 깊이 패인 모양의 톱니가 있고 뒷면은 흰빛이다.
- 턱잎이 있다.

꽃
- 꽃은 7~8월에 양성화로서 붉은 빛을 띤 흰색으로 핀다.
- 원추꽃차례로 달리며 꽃받침은 4갈래로 갈라지고 갈래조각은 타원 모양이다.
- 수술은 자줏빛이고 여러 개가 가락지 모양으로 늘어서며 암술은 3~5개이다.

열매 열매는 수과로서 좁은 달걀 모양이고 능선이 있다.

이용 어린 잎과 줄기는 먹는다.

약용활용

생약명 | 시과당송초(翅果唐松草)

이용부위 | 뿌리, 뿌리줄기

채취시기 | 가을(10월)

약성미 | 성질은 따뜻하고 맛은 맵고 쓰다.

주치활용 | 폐열해수, 인후염, 열병, 감기, 두드러기, 장염, 이질, 결막염, 종기

효능 | 청열, 해독

민간활용 | 뿌리를 달여 눈에 생긴 염증을 씻어낸다.
뿌리를 달여 우려내 코피 나는 데 마시면 좋다.

2011 ⓒ 은방울꽃

학명 | Convallaria keiskei

분류 | 외떡잎식물 백합목 백합과

분포 | 한국, 중국, 동시베리아, 일본

생육상 | 여러해살이풀

은방울꽃

서식 산지에서 자란다.

줄기 땅속줄기가 옆으로 길게 벋으면서 군데군데에서 새순이 나오고 수염뿌리가 사방으로 퍼진다.

잎
· 밑에는 칼집 모양의 잎이 있고 그 가운데 2개의 잎이 마주 감싼다.
· 잎몸은 긴 타원형이거나 달걀 모양 타원형이다.
· 끝이 뾰족하고 가장자리가 밋밋하며 잎자루가 길다.

꽃
· 꽃은 5~6월에 흰색으로 피는데, 종 모양이다.
· 꽃줄기는 잎이 나온 바로 밑에서 나오며, 총상꽃차례에 10송이 정도가 아래를 향하여 핀다.
· 포는 막질 넓은 줄 모양, 작은 꽃자루의 길이와 비슷하거나 짧다.
· 화피는 6장이고 수술은 6개로서 화관 밑에 달린다.
· 씨방은 달걀 모양이며 3실이고 암술대는 짧다.

열매 열매는 장과로서 둥글며 7월에 붉게 익는다.

이용
· 관상초로 심으며 어린 잎은 식용한다.
· 향기가 은은하여 고급향수를 만드는 재료로 쓰기도 한다.

약 용 활 용

생약명 | 영란(鈴蘭)

이용부위 | 전체

채취시기 | 가을(9~10월)

약성미 | 성질은 따뜻하고 맛은 달고 쓰며 독이 있다.

주치활용 | 심장쇠약, 부종, 노상, 붕루, 백대, 타박상, 소변불리, 단독, 강심이뇨약, 심장쇠약

효능 | 온양, 이뇨, 활혈, 거풍, 강심

민간활용 | 꽃과 잎·줄기·지하경을 잘 달여 1일 3회에 나누어 복용하면 효과가 있다고 한다.

주위 | 독성이 함유되어 있어서 과식한 경우엔 중독현상이 일어나며, 심하면 심장이 마비되는 수가 있다.

학명	Youngia denticulata
분류	쌍떡잎식물 초롱꽃목 국화과
분포	한국, 일본, 중국, 인도차이나
생육상	한해살이 또는 두해살이풀

이고들빼기

서식 산과 들의 건조한 곳에서 자란다.

줄기
· 줄기는 가늘고 자줏빛이다.
· 가지가 퍼지며 자르면 즙이 나온다.

잎
· 뿌리에 달린 잎은 주걱 모양이며 꽃이 필 때 스러지고 줄기에 달린 잎은 어긋나며, 끝은 둔하다.
· 밑부분은 귀처럼 되어 줄기를 반쯤 감싸고, 가장자리에 이 모양의 톱니가 드문드문 있다.

꽃
· 꽃은 8~9월에 노란색으로 피고 산방꽃차례로 달린다.
· 꽃이 필 때는 곧게 서고 진 다음 밑으로 처진다.
· 총포는 좁은 통처럼 생기고 총포조각은 긴 타원 모양 바소꼴로서 2줄로 늘어선다.
· 안조각은 줄 모양이며 8개이다.

열매
· 열매는 수과로서 갈색이나 검은색이며 12개의 능선이 있다.
· 관모는 흰색이다.

이용 어린 순을 나물로 먹는다.

약용활용

생약명	고매채(苦苣菜)
이용부위	전초
채취시기	여름
약성미	성질은 서늘하고 맛이 쓰다.
주치활용	충수염, 장염, 이질, 화농, 성염증, 두통, 흉통, 치창
효능	청열, 해독, 배농, 지통(지통)

학명 | Geranium nepalense subsp. thunbergii
분류 | 쌍떡잎식물 쥐손이풀목 쥐손이풀과
분포 | 한국, 일본, 타이완
생육상 | 여러해살이풀

이질풀

서식 산과 들에서 자란다.

줄기 줄기가 나와서 비스듬히 자라고 털이 퍼져 난다.

잎
- 잎은 마주달리고 3~5개로 갈라지며 흔히 검은 무늬가 있다.
- 갈래조각은 달걀을 거꾸로 세워놓은 모양으로서, 끝이 둔하고 얕게 3개로 갈라지며 윗부분에 불규칙한 톱니가 있다.
- 잎자루는 마주나며 길다.

꽃
- 꽃은 6~8월에 연한 붉은색, 붉은 자주색 또는 흰색으로 핀다.
- 잎겨드랑이에서 꽃줄기가 나오고 꽃줄기에서 2개의 작은꽃줄기가 갈라져서 각각 1개씩 달린다.
- 작은꽃줄기와 꽃받침에 짧은 털과 선모가 나고, 씨방에 털이 난다.

열매 열매는 삭과로서 5개로 갈라져서 뒤로 말린다.

약용활용

생약명	현초(玄草)
이용부위	전초
채취시기	봄(5~6월)
약성미	성질은 약간 따뜻하고 맛은 쓰고 맵다.
주치활용	이질, 설사, 장염, 종기, 무좀, 항균, 항바이러스, 해독, 타박상, 거풍
효능	지혈, 수렴, 살균, 지사제
민간활용	민간에서는 대장 카타르, 이질, 위궤양, 십이지장궤양 등에 약재로 사용한다.

2011 ⓒ 익모초

학명 | Leonurus sibiricus

분류 | 쌍떡잎식물 통화식물목 꿀풀과

분포 | 한국, 일본, 중국

생육상 | 두해살이풀

익모초

서식 | 들에서 자란다.

줄기 | 가지가 갈라지고 줄기 단면은 둔한 사각형이며 흰 털이 나서 흰빛을 띤 녹색으로 보인다.

잎
- 잎은 마주나는데, 뿌리에 달린 잎은 달걀 모양 원형이며 둔하게 패어 들어간 흔적이 있고, 줄기에 달린 잎은 3개로 갈라진다.
- 갈래조각은 깃꼴로서 다시 2~3개로 갈라지고 톱니가 있다.

꽃
- 꽃은 7~8월에 연한 붉은 자주색으로 피는데, 마디에 층층으로 달린다.
- 꽃받침은 5개로 갈라지며 화관은 입술 모양이고 2갈래로 갈라지며 아랫입술은 다시 3개로 갈라진다.
- 4개의 수술 중 2개가 길다.

열매
- 열매는 작은 견과로서 넓은 달걀 모양이고 9~10월에 익으며 꽃받침 속에 들어 있다.
- 종자는 3개의 능선이 있다.

약용활용

생약명 | 익모초(益母草)

이용부위 | 전초

채취시기 | 여름(7~8월), 씨―가을(10~11월)

약성미 | 성질은 약간 차고 맛은 맵고 쓰다.

주치활용 | 사독, 결핵, 부종, 만성맹장염, 유방염, 대하증, 창종, 자궁출혈, 신염, 단독, 출산출혈, 월경불순, 붕중대하, 발산풍열, 산후 어혈창민, 수종

효능 | 지혈, 이뇨, 명안, 활혈, 조경, 소풍, 청열

민간활용 | 자궁수축에 익모초의 전초를 달여 먹는다.

주위 | 음허혈소 및 임산부는 복용을 금한다.

2011 ⓒ 인삼

학명 | Panax ginseng

분류 | 쌍떡잎식물 산형화목 두릅나무과

생육상 | 여러해살이풀

인삼

서식 깊은 산의 숲 속에서 자라며 약용식물로 재배한다.

줄기 줄기는 해마다 1개가 곧게 자라며 그 끝에 3~4개의 잎이 돌려난다.

잎
- 잎은 잎자루가 길고 잎몸은 5개로 갈라져서 손바닥 모양 겹잎을 이룬다.
- 작은잎은 바깥쪽의 것이 작고 가운데 3개는 끝이 뾰족하며 가장자리에는 가는 톱니가 있다.
- 잎 앞면의 맥 위에는 털이 있다.

꽃
- 여름에 1개의 가는 꽃자루가 나와서 그 끝에 4~40개의 연한 노란빛을 띤 녹색의 작은 꽃이 산형꽃차례에 달린다.
- 꽃잎과 수술은 5개이며 암술은 1개로 씨방하위이다.

열매 열매는 핵과로 편구형이고, 성숙하면 선홍색으로 되고 가운데에 반원형의 핵이 2개 있다.

이용 뿌리는 차용으로 사용한다.

┌─ 약 용 활 용 ─────────────────

　　생약명 | 인삼(人蔘)

　이용부위 | 뿌리

　채취시기 | 여름

　　약성미 | 성질은 약간 따뜻하고 맛은 달고 약간 쓰며 독이 없다.

　주치활용 | 노상허손, 식소, 권태, 반위토식, 대편활설, 허해천촉, 자한폭탈, 경계, 건망증, 현훈두통, 양위, 빈뇨, 소갈, 자궁출혈, 소아만경, 구허불복, 일절기혈진액부족

　　　효능 | 대보원기, 개탈생진, 안신

　　　주위 | 음허양항으로 인한 조열골증과 폐열해혈, 염옹기급 및 간양상승으로 인한 두훈목적과 모든 화울내실증에는 복용을 금한다.

2011 ⓒ 일엽초

학명 | Lepisorus thunbergianus
분류 | 양치식물 고사리목 고란초과
분포 | 한국, 일본, 중국, 필리핀, 인도차이나 등 동아시아 지역의 온대
생육상 | 상록 여러해살이풀

일엽초

서식 바위 겉과 늙은나무의 나무껍질에 붙어서 자란다.

줄기
· 뿌리줄기가 옆으로 뻗으며 잎이 무더기로 나온다.
· 뿌리줄기는 비늘조각으로 덮여 있다.

잎
· 잎은 단엽으로 선형이고 가장자리가 밋밋하며 양 끝이 좁다.
· 표면은 짙은 녹색이며 잔구멍으로 된 점이 있고, 뒷면은 연한 녹색이며 잎맥이 도드라져 있다.

포자 포자낭군은 둥글고 포막이 없으며, 중륵 양쪽에 1줄씩 달리고 황색이 돈다.

약용활용

생약명	와위(瓦韋)
이용부위	전초
채취시기	봄~여름(5~8월)
약성미	성질은 차고 맛은 담백하다.
주치활용	임병, 이질, 해수토혈, 아감, 타박상
효능	열을 내리게 하며, 종독을 제거하며, 혈을 식히는 효능
민간활용	한여름에 채취하여 그늘에 말린 잎을 달여서 복용하면 임질에 도움이 된다.

2011 ⓒ 잇꽃

학명 | Carthamus tinctorius

분류 | 쌍떡잎식물 초롱꽃목 국화과

분포 | 한국, 인도, 중국, 이집트, 남유럽, 북아메리카, 오스트레일리아

생육상 | 두해살이풀

잇꽃

줄기 줄기는 곧게 서며 위에서 가지가 갈라진다.

잎 잎은 어긋나고 넓은 바소꼴이며, 톱니 끝이 가시처럼 생긴다.

꽃 · 꽃은 7~8월에 피고 엉겅퀴같이 생겼으나 붉은 빛이 도는 노란색이고 가지 끝에 1개씩 달린다.
· 총포는 잎 같은 포로 싸이고 가장자리에 가시가 있다.

열매 열매는 수과로 윤기가 있고 짧은 관모가 있다. 종자는 흰색이다.

이용 열매로 기름을 짜서 등유와 식용으로 하였고 등잔불에서 얻은 검댕으로 만든 것이 홍화 묵이다.

약용활용

생약명 | 홍화(紅花)

이용부위 | 꽃

채취시기 | 봄(5~6월)

약성미 | 성질은 따뜻하고 맛은 시고 독이 없다.

주치활용 | 어혈, 신경통, 홍역, 동맥경화, 여성 불임증, 암, 생리통, 산후 중풍, 산후기침, 자통, 부인병, 냉증, 갱년기 장해

효능 | 활혈, 통경, 소종, 지통, 자궁수축, 혈압강하, 혈관확장

주위 | 홍화씨를 살짝 볶은 다음 그때그때 자주 갈아서 먹는 것이 약효 손실이 적게 하는 방법이다.

2011 ⓒ 자귀풀

학명 | Aeschynomene indica
분류 | 쌍떡잎식물 장미목 콩과
분포 | 아시아의 온대와 열대, 아프리카, 오스트레일리아
생육상 | 한해살이풀

자귀풀

서식 습지에서 자란다.

줄기
· 줄기는 곧게 서서 자란다.
· 가지가 갈라지며 윗부분에서는 속이 비어 있다.

잎
· 잎은 어긋나고 1회깃꼴겹잎이다.
· 작은잎은 20~30쌍으로 줄 모양 타원형이고 가장자리가 밋밋하며 뒷면은 흰빛이 돈다.

꽃
· 꽃은 7월에 피고 노란색이다.
· 잎겨드랑이에서 총상꽃차례로 달린다.
· 꽃받침은 밑부분에서 2개로 갈라지고 막질이다.

열매 열매는 6~8개의 마디가 있으며 9~10월에 익는다.

이용 식용이나 사료용으로 쓰이며 종자와 풀 전체를 차 대용으로 마신다.

약용활용

생약명	합맹
이용부위	전체
채취시기	여름~가을(7~9월)
약성미	성질은 평하고 맛은 쓰다.
주치활용	풍열감모, 황달, 이질, 위염, 임병, 피부염, 습진
효능	청열, 거풍, 이습, 소종, 해독

2011 ⓒ 자란

학명 | Bletilla striata
분류 | 외떡잎식물 난초목 난초과
분포 | 한국(전남), 일본, 타이완, 티벳 동부지역, 중국
생육상 | 여러해살이풀

자란

서식 양지 쪽에서 자란다.

줄기 줄기는 단축되어 둥근 알뿌리로 되고 여기에서 5~6개의 잎이 서로 감싸면서 줄기처럼 된다.

잎
· 잎은 긴 타원형으로 끝이 뾰족하다.
· 밑부분이 좁아져서 잎집처럼 되며 세로 주름이 많이 있다.

꽃
· 꽃은 5~6월에 피고 꽃줄기 끝에 6~7개가 총상으로 달리며 홍자색으로 지름 3cm 정도이다.
· 포는 꽃이 피기 전에 1개씩 떨어진다.
· 화피 갈래조각은 끝이 뾰족하고 반쯤 벌어지며 맥이 있다.

이용 관상용으로 심는다.

약 용 활 용

생약명 | 백급(白及)

이용부위 | 뿌리

채취시기 | 가을(9~10월)

약성미 | 성질은 시원하고 맛은 쓰고 달다.

주치활용 | 해혈토혈, 외상출혈, 창양종독

효능 | 수염지혈, 소종생기

민간활용 | 해열, 감기, 기침

주의 | 조두의 약재와 같이 사용하여서는 안되며, 외혹해혈, 폐옹초기를 치료한다.

2011 ⓒ 자리공

학명 | Phytolacca esculenta

분류 | 쌍떡잎식물 중심자목 자리공과

원산지 | 중국

생육상 | 여러해살이풀

자리공

서식 집 근처에서 자란다.

뿌리 뿌리는 무같이 굵고 아래 방향으로 가늘게 자란다.

줄기 위에서 원줄기가 나와서 자라며 육질로서 녹색이고 털이 없다.

잎 잎은 어긋나고 바소꼴 또는 넓은 바소꼴이며 양 끝이 좁고 가장자리가 밋밋하며 잎자루가 있다.

꽃
- 꽃은 5~6월에 피고 흰색이며 총상꽃차례에 달린다.
- 꽃이삭은 잎과 마주나고 곧게 또는 비스듬히 선다.
- 꽃받침조각은 5개로 달걀 모양이고 끝이 둥글다.
- 꽃잎은 없으며 8개의 수술과 8개의 심피로 된 씨방이 있다.

열매 열매는 8개의 분과가 돌려 달리고 자주색이며 즙액이 있는데, 검은색 종자가 1개씩 들어 있다.

이용 독성이 있지만 잎을 데쳐 먹고 뿌리는 신장염 치료와 이뇨제로 한다.

약 용 활 용

생약명 | 상륙(商陸)

이용부위 | 뿌리

채취시기 | 가을(10~11월)

약성미 | 성질 차고 맛은 쓰고 독이 있다.

주치활용 | 수종, 이뇨, 신장염, 배에 물이 고인 경우, 목구멍이 아픈 데, 곪는 데, 악창

효능 | 통변, 행수, 소종독

민간활용 | 열독종에는 상륙근에 소금을 조금 넣어 찧어 하루 한 번씩 붙인다

주의 | 상륙은 흰 것과 붉은 것 2종이 있는데 적색상륙은 독이 심하여 내복하면 부작용이 심하므로 외용으로 쓴다.

2011 ⓒ 자운영

속명 | 연화초, 쇄미제, 야화생

학명 | Astragalus sinicus

분류 | 쌍떡잎식물 장미목 콩과

원산지 | 중국

생육상 | 두해살이풀

자운영

서식 논, 밭, 풀밭 등에서 자란다.

줄기
- 밑에서 가지가 많이 갈라져 옆으로 자라다가 곧게 선다.
- 줄기는 사각형이다.

잎
- 잎은 1회 깃꼴겹잎이고 작은잎은 9~11개이며 달걀을 거꾸로 세운 듯한 모양 또는 타원형이고 끝이 둥글거나 파진다.
- 잎자루는 길며 턱잎은 달걀 모양이고 끝이 뾰족하다.

꽃
- 꽃은 4~5월에 피고 길이 10~20cm의 꽃줄기 끝에 7~10개가 산형(傘形)으로 달리며 홍색 빛을 띤 자주색이다.
- 꽃받침은 흰색 털이 드문드문 있으며 5개의 톱니가 있고 수술은 10개 중 9개가 서로 달라붙으며 씨방은 가늘며 길다.

열매
- 열매는 협과로 꼭지가 짧고 긴 타원형이며 6월에 익는다.
- 꼬투리는 검게 익고 길이 2~2.5cm로서 2실이다.
- 꼬투리 속에 종자가 2~5개 들어 있고 납작하며 노란색이다.

이용
- 어린 순을 나물로 하며, 풀 전체를 해열·해독·종기·이뇨에 약용한다.
- 뿌리에 뿌리혹박테리아가 붙어서 공중질소를 고정시키며 꽃은 중요한 밀원식물이다.

약용활용

생약명 | 홍화채(紅花菜)
이용부위 | 전체
채취시기 | 봄(3~4월)
약성미 | 맛은 달고 매우며 성질은 평이하다.
주치활용 | 풍담해수, 인후통, 화안, 정(癤), 대장포진, 외상출혈
효능 | 청열, 해독
민간활용 | 지혈을 할 때 쓴다.

학명 | Medicago sativa

분류 | 쌍떡잎식물 장미목 콩과

분포 | 서남아시아

생육상 | 여러해살이풀

자주개자리

서식 사료작물로 재배하였다.

줄기 원줄기는 곧게 자라서 가지가 갈라진다.

잎
- 잎은 어긋나고 작은잎이 3장씩 나온 잎이다.
- 작은잎은 긴 타원형 또는 바소꼴이고 끝이 뭉툭하거나 움푹하게 들어가 있으며 가장자리에 톱니가 있다.

꽃
- 꽃은 7~8월에 자주색으로 피고 총상꽃차례에 달린다.
- 타화수정을 하고, 꼬투리는 2~3회 나선 모양으로 말리며 털이 있고, 종자는 신장 모양이다.
- 잎이 풀 전체의 반 정도이므로 벤 다음에 잎이 떨어지지 않도록 한다.

이용
- 모든 가축이 다 잘 먹지만 생육지에서 방목하면 가축의 발굽에 상처가 날 수 있기 때문에 주의해야 한다.
- 콜레스테롤을 낮추는 작용이 있어 특히 육류와 함께 먹으면 좋으며, 식이섬유가 많아 변비에 효과가 있다.
- 비위를 다스리고 장을 튼튼하게 하는 요산성 방광결석을 치료한다.

약 용 활 용

생약명 | 목숙(苜蓿)

이용부위 | 전초

채취시기 | 여름, 가을

약성미 | 성질은 평하고 맛은 쓰다.

주치활용 | 수종, 소변불리, 열림

효능 | 이기

학명 | Corydalis incisa

분류 | 쌍떡잎식물 양귀비목 현호색과

분포 | 한국(제주, 전남, 전북, 경기, 함북)

생육상 | 두해살이풀

자주괴불주머니

서식 산기슭의 그늘진 곳에서 자란다.

줄기 긴 뿌리 끝에서 여러 대가 나와서 자라고 능선이 있으며 가지가 갈라진다.

잎
· 뿌리에서 나온 잎은 잎자루가 길고 작은잎이 3장씩 2번 나오며 작은잎은 3장씩 나온 잎과 비슷하다.
· 줄기에서 나온 잎도 뿌리에서 나온 잎과 비슷하며 어긋난다.

꽃
· 꽃은 4~5월에 자주색으로 피고 총상으로 달리며 밑에 꿀주머니가 있고 한쪽은 입술 모양으로 퍼진다.
· 수술은 6개가 3개씩 2개로 갈라진다.

열매 열매는 삭과로서 6월에 익는데, 편평한 긴 타원형이며 검은 종자가 들어 있다.

약용활용

생약명 | 자화어등초(紫花魚燈草)

이용부위 | 전초

채취시기 | 봄(5~6월)

약성미 | 성질은 차고 맛은 맛은 쓰고 떫으며 독이 있다.

주치활용 | 개라, 선창, 악독충창, 도상, 유치

효능 | 살충, 해독

민간활용 | 내복은 신중을 기해야 하며, 오랜 시간 동안 달여야 한다. 적색의 꽃이 피는 것을 사용하며, 황색이나 백색 꽃은 약용으로 사용하지 않는다.

학명 | Swertia pseudo—chinensis

분류 | 쌍떡잎식물 용담목 용담과

분포 | 한국, 일본, 중국, 헤이룽강

생육상 | 두해살이풀

자주쓴풀

서식 산지의 양지쪽에서 자란다.

뿌리 뿌리는 노란색이고 매우 쓰며 전체에 털이 없다.

줄기 곧추 서고 다소 네모지며 검은 자주색이 돈다.

잎
- 잎은 바소꼴로 마주나고 양 끝이 날카로우며 좁다.
- 잎 가장자리가 약간 뒤로 말리며 잎자루가 없다.

꽃
- 꽃은 9~10월에 피고 자주색이며 원추꽃차례에 달리고 위에서부터 꽃이 핀다.
- 꽃받침조각은 5개이며, 꽃잎은 짙은 자주색 줄이 있고 5개이며 밑부분에 털로 덮인 2개의 선체가 있다.
- 수술은 5개로 꽃밥은 검은 자주색이며 암술대는 짧고 2개로 갈라진다.

열매 열매는 삭과로서 넓은 바소꼴이며 화관 길이와 비슷하다.

이용 잎이 달린 줄기를 건위제와 지사제로 사용한다.

약 용 활 용

생약명	당약(當藥)
이용부위	전초
채취시기	여름, 가을
약성미	성질은 차고 맛은 쓰다.
주치활용	골수염, 후염, 편도선염, 결막염, 개선
효능	청열, 해독
민간활용	원형탈모증에 당약의 알콜 침액을 환부에 바르고 마사지한다.
주의	쇠약한 사람, 또는 냉증이 있는 사람은 복용을 금한다.

학명 | Clematis heracleifolia var. davidiana
분류 | 쌍떡잎식물 미나리아재비목 미나리아재비과
형태 | 낙엽소관목

자주조희풀

서식 산지 숲 가장자리에서 자란다.

잎 · 잎은 넓은 달걀 모양으로 작은잎이 3장씩 나오는 겹잎이다.
· 작은잎의 가장자리에는 불규칙한 톱니가 있으며 마주 붙어 있다.

꽃 · 꽃은 2가화로서 8~9월에 피고 남청색이다.
· 가지 윗부분의 잎겨드랑이에 모여 달리기 때문에 거의 두상으로 보인다.
· 꽃받침잎은 4개로서 밑부분만 합쳐져서 통 모양으로 된다.
· 윗부분은 넓게 수평으로 퍼지며 뒤로 말리지 않고 하늘색이다.
· 꽃잎도 수평으로 퍼지고 뒤로 말리지 않는다.

열매 열매는 9월에 익으며 많은 수과가 모여 달리고 암술대가 남아 있다.

이용 꽃이 독특하여 관상용으로 쓰인다.

약 용 활 용

생약명 | 초목단(草牧丹)

이용부위 | 전초

채취시기 | 가을~이듬해 봄

약성미 | 성질은 따뜻하고 맛은 맵고 독이 있다.

주치활용 | 신경계, 운동계 질환, 호흡기 질환

효능 | 각기, 거담, 건위

학명 | Canavalia gladiata

분류 | 쌍떡잎식물 장미목 콩과

원산지 | 열대 아시아

생육상 | 덩굴성 한해살이풀

작두콩

서식	식용으로 재배한다.
잎	· 잎은 잎자루가 길고 3개의 작은잎으로 된다. · 작은잎은 달걀 모양의 긴 타원형으로 끝이 뾰족하고 가장자리는 물결 모양이다.
꽃	· 꽃은 연한 홍자색 또는 흰색이다. · 여름에 잎겨드랑이에서 긴 꽃줄기가 자라서 총상으로 달린다. · 꼬투리 끝이 굽어 있거나 갈고리 모양을 하고 있고 10개 내외의 콩이 들어 있다.
열매	콩은 한쪽에 긴 좌(座)가 있으며 붉은색 또는 흰색이다.
이용	적색종은 꼬투리를 이용하고, 백색종은 콩을 주로 이용한다.

약용활용

생약명	도두(刀豆)
이용부위	종자
채취시기	가을
약성미	성질은 따뜻하고 맛은 달다.
주치활용	치질, 축농증, 중이염, 위염, 대장염
효능	온중, 하기, 익신보원
주의	위열이 성한 사람은 신중하게 복용한다.

2011 ⓒ 작약

학명 | Paeonia lactiflora

분류 | 쌍떡잎식물 미나리아재비목 미나리아재비과

분포 | 한국, 몽골, 동시베리아

생육상 | 여러해살이풀

작약

서식 산지에서 자란다.

서식 뿌리는 여러 개가 나오지만 가늘고 양끝이 긴 뾰족한 원기둥 모양으로 굵다.

줄기 줄기는 여러 개가 한 포기에서 나와 곧게 서고 잎과 줄기에 털이 없다.

잎
- 잎은 어긋나고 밑부분의 것은 작은잎이 3장씩 두 번 나오는 겹잎이다.
- 작은잎은 바소꼴 또는 타원형이나 때로는 2~3개로 갈라지며 잎맥 부분과 잎자루는 붉은색을 띤다.
- 윗부분의 잎은 모양이 간단하고 작은잎이 3장씩 나오는 잎 또는 홑잎이다.
- 잎 표면은 광택이 있고 뒷면은 연한 녹색이며 가장자리는 밋밋하다.

꽃
- 꽃은 5~6월에 줄기 끝에 1개가 피는데 크다.
- 꽃색은 붉은색·흰색 등 다양하며 많은 원예 품종이 있다.
- 꽃받침은 5개로 녹색이고 가장자리가 밋밋하며 끝까지 붙어 있는데 가장 바깥쪽의 것은 잎 모양이다.
- 꽃잎은 10개 정도이나 기본종은 8~13개이고 달걀을 거꾸로 세운 듯한 모양이다.
- 수술은 매우 많고 노란색이며 암술은 3~5개로 암술머리가 뒤로 젖혀지고 달걀 모양의 씨방에는 털이 없거나 약간 있다.

열매 열매는 달걀 모양으로 끝이 갈고리 모양으로 굽으며 내봉선을 따라 갈라지고 종자는 구형이다.

이용
- 꽃이 아름다워 원예용으로 쓴다.
- 뿌리는 진통, 복통, 월경통, 무월경, 토혈, 빈혈, 타박상 등의 약재로 쓰인다.

약 용 활 용

생약명 | 작약(芍藥), 자약(芍藥)

이용부위 | 뿌리

채취시기 | 가을(9월 상순~10월 상순)

약성미 | 성질은 서늘하고 맛은 쓰고 시며 독이 없다.

주치활용 | 흉부협륵동통, 사리복통, 자한도한, 음허발열, 월경불조, 붕루, 대하

효능 | 양혈유간, 완중지통, 험음수한

주의 | 허한복통 설사자는 복용을 금한다.

2011 ⓒ 잔대

학명 | Adenophora triphylla var. japonica Hara
분류 | 쌍떡잎식물 초롱꽃목 초롱꽃과
분포 | 한국, 일본, 중국, 타이완
생육상 | 여러해살이풀

잔대

서식 산과 들에서 자란다.

줄기 뿌리가 도라지 뿌리처럼 희고 굵으며 원줄기는 전체적으로 잔 털이 있다.

잎
- 뿌리에서 나온 잎은 잎자루가 길고 거의 원형이나 꽃이 필 때는 말라 죽는다.
- 줄기에서 나온 잎은 3~5개가 돌려나고 꽃줄기에 따라 잎의 모양과 크기가 다르며 가장자리에 톱니가 있다.

꽃
- 꽃은 7~9월에 피고 하늘색이며 원줄기 끝에서 돌려나는 가지 끝에 엉성한 원추꽃차례로 달린다.
- 꽃받침은 5개로 갈라지고 화관은 종처럼 생기며 끝이 5개로 갈라져서 다소 뒤로 젖혀진다.
- 수술은 5개이고 암술은 꽃 밖으로 다소 나오며 끝이 3개로 갈라진다.

열매 열매는 삭과로서 위에 꽃받침이 달려 있고 능선 사이에서 터진다.

이용 연한 부분과 뿌리를 식용한다.

약 용 활 용

생약명 | 사삼(沙蔘)

이용부위 | 뿌리

채취시기 | 가을

약성미 | 성질은 서늘하고 맛은 달며 독이 없다.

주치활용 | 치폐열조해, 허로구해, 건해조담, 상음인건후통

효능 | 양음, 청폐, 거담, 지해

민간활용 | 폐기능을 돕고, 호흡기의 기관기를 보호하며 몸이 비대한 사람이 먹거나 가루를 만들어 항시 먹으면 좋다. 천식, 변비, 두드러기의 예방약도 된다.

주의 | 풍한의 사기에 외감 되어 기침하는 때에는 쓰지 않는다.

학명 | Melandryum firmum

분류 | 쌍떡잎식물 중심자목 석죽과

분포 | 한국, 일본, 시베리아 동부, 중국

생육상 | 두해살이풀

장구채

서식 산과 들에서 자란다.

줄기 마디는 검은 자주색이 돈다.

잎 잎은 마주나고 긴 타원형 또는 넓은 바소꼴로서 다소 털이 있으며 가장자리가 밋밋하다.

꽃
- 꽃은 7월에 피고 흰색이며 취산꽃차례에 달린다.
- 꽃받침은 통같이 생기고 끝이 5개로 갈라지며 10개의 자줏빛 맥이 있다.
- 꽃잎은 5개이고 끝이 2개씩 갈라지며 꽃받침보다 다소 길고 10개의 수술과 3개로 갈라진 1개의 암술대가 있다.

열매 열매는 긴 달걀 모양이며 끝이 6개로 갈라지고 종자는 신장 모양이다.

약 용 활 용

생약명 | 왕불류행(王不留行), 여루채

이용부위 | 열매, 전초

채취시기 | 가을

약성미 | 성질은 평하고 맛은 쓰며 독이 없다.

주치활용 | 무월경, 유즙불통, 난산, 혈림, 옹종, 금창출혈, 부녀경폐, 유옹종통

효능 | 활혈, 통경, 하유, 소종

민간활용 | 어혈, 난산, 지혈을 목적으로 사용했다.

주의 | 임산부의 경우는 신중을 기하여 복용해야 한다.

2011 ⓒ 적작약

학명 | Paeonia obovata

분류 | 쌍떡잎식물 미나리아재비목 미나리아재비과

분포 | 한국, 일본, 중국, 시베리아 동부

생육상 | 여러해살이풀

적작약

서식 산지에서 자란다.

줄기 뿌리가 양끝이 뾰족한 원기둥 모양으로 굵다.

잎
- 뿌리에서 나온 잎은 1~2회 깃꼴로 갈라진다.
- 윗부분의 것은 3개로 깊게 갈라지기도 하며 밑부분이 잎자루로 흐른다.
- 작은잎은 바소꼴, 타원형, 달걀 모양으로서 양면에 털이 없고 표면은 짙은 녹색이며 가장자리가 밋밋하다.
- 잎자루는 잎맥과 더불어 붉은빛이 돈다.

꽃
- 꽃은 5~6월에 피고 흰색·붉은색 등 여러 품종이 있으며, 원줄기 끝에 큰 꽃이 1개씩 달린다.
- 꽃받침조각은 5개로 가장자리가 밋밋하고 녹색이며 끝까지 남아 있다.
- 꽃잎은 10개 정도로 달걀을 거꾸로 세운 듯한 모양이고 수술은 많고 노란색이다.
- 씨방은 3~5개로 털이 없고 짧은 암술머리가 뒤로 젖혀지며 골돌과는 내봉선으로 터진다.

약 용 활 용

생약명 | 적작약(赤芍藥), 산작약(山芍藥)

이용부위 | 뿌리

채취시기 | 4월

약성미 | 성질은 약간 차고 맛은 시고 쓰다.

주치활용 | 월경불순, 간기능에 좋은 여성의 선약 진통, 해열, 진경, 이뇨, 조혈, 지한, 복통, 위통, 두통, 설사, 류머티즘성관절염, 월경불순

효능 | 혈분(血分), 열사(熱邪)제거

1021

학명 | Siphonostegia chinensis

분류 | 쌍떡잎식물 통화식물목 현삼과

분포 | 한국, 일본, 중국

생육상 | 반기생 한해살이풀

절국대

| 서식 | 양지바른 풀밭에서 자란다. |

| 줄기 | 줄기는 윗부분에서 가지가 갈라지고 보통 흰색의 부드러운 털로 덮여 있다. |

| 잎 | · 잎은 마주나고 긴 달걀 모양이며 깃처럼 갈라진다.
· 갈래조각은 줄 모양이며 1~3개의 톱니가 있다. |

| 꽃 | · 꽃은 7~8월에 피고 노란색이며 잎겨드랑이에 1개씩 달려서 전체가 이삭 모양이 된다.
· 꽃받침통은 튀어나온 맥이 있다.
· 화관은 입술 모양으로 위쪽은 겉에 긴 털이 있으며, 밑의 갈래조각은 안쪽에 2개의 주름살이 튀어나온다. |

| 열매 | 열매는 삭과로서 바소꼴이며 꽃받침 안에 들어 있다. |

약 용 활 용

생약명	영인진(寧仁鎭)
이용부위	전초
채취시기	여름, 가을
약성미	맛은 쓰고 짜며 약성은 차고 무독하다.
주치활용	황달, 소변곤란, 타박상에 의한 병증, 혈리, 냉 대하과다, 월경불순, 적취, 산후의 어혈정지에 의한 복통
효능	이뇨, 수종
민간활용	피멎이약, 곪은 상처와 종처에 사용하였다.

2011 ⓒ 절굿대

학명 | Echinops setifer
분류 | 쌍떡잎식물 초롱꽃목 국화과
분포 | 한국, 일본
생육상 | 여러해살이풀

절굿대

서식 양지쪽 풀밭에서 자란다.

줄기 가지가 약간 갈라지며 솜 같은 털로 덮여서 전체가 흰색이 돈다.

잎
· 뿌리에서 나온 잎은 잎자루가 길고 표면은 녹색이며 뒷면은 흰색이다.
· 가장자리가 엉겅퀴같이 갈라지며 가시가 있다.
· 줄기에서 나온 잎은 잎자루가 없고 긴 타원형이며 5~6쌍으로 갈라진다.

꽃
· 꽃은 7~8월에 피고 남자색이며 지름 5cm 정도로서 관상화이다.
· 화관은 끝이 5개로 갈라져서 뒤로 말리고 총포는 끝이 가시처럼 된다.

열매 열매는 수과로서 털이 빽빽이 나고 관모는 비늘조각처럼 생긴다.

이용 어린 잎은 식용한다.

약 용 활 용

생약명 | 누로(漏蘆)

이용부위 | 뿌리

채취시기 | 가을

약성미 | 성질은 차고 맛은 쓰고 독이 없다.

주치활용 | 유옹종통, 옹저발배, 젖이 잘 안 나오는 데, 마비동통

효능 | 청열, 해독, 소옹종

주의 | 기가 허약한 자나 임산부는 복용을 피한다.

2011 ⓒ 점나도나물

학명 | Cerastium holosteoides var. hallaisanense

분류 | 쌍떡잎식물 중심자목 석죽과

분포 | 한국, 일본, 중국

생육상 | 두해살이풀

점나도나물

서식 밭이나 들에서 흔히 자란다.

줄기 가지가 갈라져서 비스듬히 자라고 검은 자줏빛이 돌며 윗부분에 선모가 있다.

잎 잎은 마주나고 달걀 모양 또는 달걀 모양 바소꼴이며 가장자리가 밋밋하고 양끝이 좁으며 잔 털이 있다.

꽃
· 꽃은 5~7월에 피고 흰색이며 취산꽃차례에 달리고 꽃이 진 다음 작은꽃줄기 끝이 밑으로 굽는다.
· 꽃받침조각은 5개이다.
· 꽃잎도 5개로서 꽃받침 길이와 비슷하며 끝이 깊게 2개로 갈라진다.
· 수술은 10개, 암술은 1개, 암술대는 5개이다.

열매
· 열매는 연한 노란 빛을 띤 갈색의 삭과로서 원통형이며 수평으로 달린다.
· 종자는 갈색이고 사마귀 같은 작은 돌기가 있다.

이용 어린 순을 나물로 먹고 가축의 먹이로도 쓰인다.

약용활용

생약명 | 파파(婆婆), 지갑채(指甲菜)

이용부위 | 전초

채취시기 | 봄

주치활용 | 비한신열, 부녀유종, 소아풍한해수, 토혈, 비출혈,

효능 | 활혈작용 부기내림

학명 | Arisaema angustatum var. peninsulae

분류 | 외떡잎식물 천남성목 천남성과

분포 | 한국(제주), 중국 북동부, 일본

생육상 | 여러해살이풀

점박이천남성

서식 산지의 숲 속에서 자란다.

줄기 알줄기는 편평한 구형이며 위쪽에서 수염뿌리가 나온다.

잎 · 잎은 2개씩 달리고, 작은잎은 5~14개이며 긴 타원형 또는 달걀을 거꾸로 세운 듯한 모양이다.
· 가운데 작은잎은 끝이 뾰족하다.

꽃 · 포는 녹색이고 윗가장자리에 자줏빛이 돈다.
· 꽃이삭 연장부는 밑부분이 굵고 윗부분이 약간 굽는다.

열매 열매는 장과이며 붉은색이다.

약 용 활 용

생약명 | 천남성

이용부위 | 뿌리

약성미 | 성질은 따뜻하고 맛은 쓰고 독이 있다.

주치활용 | 중풍, 반신불수, 류머티스, 신경통, 파상풍

효능 | 진경, 거담, 전간,

민간활용 | 생강즙에 수차 후 중풍에 외용 또는 우담에 침하여 쓴다.

주의 | 생식하면 강렬한 자극작용이 있고 구강점막이 헐고 심할 때는 부분적 괴사탈락 된다.

속명 | 덕두화, 접중화, 촉규, 촉계화, 단오금

학명 | Althaea rosea

분류 | 쌍떡잎식물 아욱목 아욱과

원산지 | 중국

생육상 | 두해살이풀

접시꽃

서식 길가, 빈터 등지에 자생한다.

줄기 원줄기는 털이 있으며 원기둥 모양으로 곧게 선다.

잎 잎은 어긋나고 심장형이며 가장자리가 5~7개로 갈라지고 톱니가 있다.

꽃
- 꽃은 6월경 잎겨드랑이에서 짧은 자루가 있는 꽃이 피기 시작하여 전체가 긴 총상꽃차례로 된다.
- 작은포는 7~8개이며 밑부분이 서로 붙는다.
- 꽃받침은 5개로 갈라지며 꽃잎은 5개가 나선상으로 붙는다.
- 꽃색은 붉은색, 연한 홍색, 노란색, 흰색 등 다양하고 꽃잎도 겹으로 된 것이 있다.
- 수술은 서로 합쳐져서 암술을 둘러싸고 암술머리는 여러 개로 갈라진다.

열매 열매는 편평한 원형으로 심피가 수레바퀴처럼 돌려붙으며 9월에 익는다.

이용
- 뿌리를 촉규근이라 하고, 꽃을 촉규화라고 하며, 점액이 있어 한방에서 점활제로 사용한다.
- 관상용이며 잎, 줄기, 뿌리 등을 약용한다.

약용활용

생약명 | 촉규화(蜀葵花)

이용부위 | 전초

채취시기 | 여름, 가을

약성미 | 성질은 차고 맛은 달다.

주치활용 | 대하증

효능 | 화혈윤조(和血潤燥), 통리소변(通利小便), 청열량혈(清熱凉血), 이뇨배농(利尿排膿)

민간활용 | 민간에서는 신경통, 위장병, 부인의 대하 치료 등에 사용하고 있다.

주의 | 임신 중에는 복용하지 않는다.

학명 | Viola mandshurica

분류 | 쌍떡잎식물 측막태좌목 제비꽃과

분포 | 한국, 중국, 일본, 시베리아 동부

생육상 | 여러해살이풀

제비꽃

서식 들에서 흔히 자란다.

줄기 원줄기가 없고 뿌리에서 긴 자루가 있는 잎이 자라서 옆으로 비스듬히 퍼진다.

잎 잎은 긴 타원형 바소꼴이며 끝이 둔하고 가장자리에 둔한 톱니가 있다.

꽃
· 꽃이 진 다음 잎은 넓은 삼각형 바소꼴로 되고 잎자루의 윗부분에 날개가 자란다.
· 꽃은 4~5월에 잎 사이에서 꽃줄기가 자라서 끝에 1개씩 옆을 향하여 달린다.
· 꽃빛깔은 짙은 붉은빛을 띤 자주색이다.
· 꽃받침잎은 바소꼴이나 끝이 뾰족하며 부속체는 반원형으로 가장자리가 밋밋하다.
· 꽃잎은 옆갈래조각에 털이 있으며 커다란 꿀주머니가 있다.

열매 열매는 삭과로서 6월에 익는다.

이용 어린 순은 나물로 먹는다.

약 용 활 용

생약명 | 자화지정(紫花地丁)

이용부위 | 전초

채취시기 | 봄(4~5월)

약성미 | 성질은 차고 맛은 쓰고 맵다.

주치활용 | 설사, 오줌이 잘 나오지 않는 증세, 임파선염, 황달, 간염, 수종

효능 | 해독, 소종, 청열, 양혈, 소염, 지사, 최토, 이뇨

민간활용 | 잎과 줄기를 짓찧어 삔 부분에 붙이기도 한다.

학명 | Thesium chinense

분류 | 쌍떡잎식물 단향목 단향과

생육상 | 반기생 여러해살이풀

제비꿀

서식 양지의 풀밭에서 자란다.

줄기 1개 또는 여러 대가 나오고 털이 없으며 분백색이 돈다.

잎 잎은 어긋나고 선형이며 가장자리가 밋밋하지만 3개로 갈라지기도 한다.

꽃
- 꽃은 양성화이고 5~8월에 피며 잎겨드랑이에 1개씩 달린다.
- 포는 1개, 작은포는 2개이다.
- 꽃잎은 없고 꽃받침은 밑쪽이 통처럼 생기며 윗부분이 4~5개로 갈라진다.
- 갈래조각은 밑부분에 수술이 1개씩 붙는다.
- 씨방은 하위이며 암술대는 1개이다.

열매 열매는 8월에 결실하며 타원상 구형이며 겉에 그물맥이 있다.

이용 전초를 약용하며 꿀풀의 대용으로 사용한다.

약 용 활 용

생약명 | 백예초

이용부위 | 전초

채취시기 | 봄~여름

약성미 | 성질은 차고 맛은 달고 약간 맵다.

주치활용 | 급성유선염, 폐렴, 폐농양, 편도선염, 상호흡도감염, 신허요통, 두혼, 유정, 골정

효능 | 청열, 해독, 보신, 삽정, 소염

민간활용 | 연주창, 어혈, 대하증, 콩팥염, 방광염, 오줌내기 약으로 썼다.

2011 ⓒ 조

학명 | Setaria italica

분류 | 외떡잎식물 벼목 화본과

생육상 | 한해살이풀

조

서식 밭에서 재배한다.

줄기 가지를 치지 않는다.

잎
· 잎은 바소꼴이고 가장자리에 잔 톱니가 있으며 밑부분이 잎집으로 된다.
· 잎혀는 가늘털이 밀생한다.

꽃
· 꽃이삭은 한쪽으로 굽고 짧은 가지가 많이 갈라져서 꽃이 밀착한다.
· 1개의 작은가지에는 1개의 양성화와 단성화가 달리고 밑부분에 가시 같은 털이 있다.
· 작은이삭은 1개의 꽃이 된다.
· 첫째 포영은 3맥이 있고 둘째 포영은 5맥이 있으며 까락[芒]은 없다.
· 퇴화된 꽃의 호영은 5맥이 있고 까락이 없으며 둘째 포영과 비슷하다.

열매 영과는 황색이고 둥글며 떨어진 다음 포영이 남는다.

이용 조는 쌀이나 보리와 함께 주식의 혼반용으로 이용되며 엿·떡·소주 및 견사용의 풀, 새의 사료 등으로 이용된다.

┌─ 약 용 활 용 ─

    생약명 | 속미(粟米)

    이용부위 | 종자

    채취시기 | 가을

    약성미 | 성질은 서늘하고 맛은 달고 짜다.

    주치활용 | 비위허약, 구토, 설사, 이질

    효능 | 억균, 화중, 익신, 제열, 해독

    주의 | 행인과 같이 복용하면 토사한다.

학명 | Ajuga multiflora

분류 | 쌍떡잎식물 통화식물목 꿀풀과

분포 | 한국(제주도 제외), 중국, 우수리, 아무르 등지

생육상 | 여러해살이풀

조개나물

서식 양지바른 야트막한 산이나 들에서 자란다.

줄기 줄기는 곧게 서고 백색의 긴 털이 빽빽히 나 있다.

잎
· 잎은 마주나며 줄기잎은 달걀 모양이다.
· 잎자루가 없고, 가장자리에 물결 모양의 톱니가 있다.
· 뿌리잎은 잎자루가 길고 바소꼴이다.

꽃
· 꽃은 5~6월에 자주색으로 피고, 잎겨드랑이에 총상꽃차례로 달린다.
· 꽃부리는 긴 통처럼 생긴 입술 모양이다.
· 위쪽에 1개, 양 옆에 2개, 아래쪽에 1개로 갈라지는데 아래쪽의 것이 가장 넓고 크다.
· 수술은 4개이나 그 중 2개가 길어 꽃통 위에 달린다.

열매
· 열매는 둥글납작한 모양의 분과로 4개로 나뉜다.
· 8월에 익으며 그물맥이 있고 꽃받침에 싸여 있다.

--- 약 용 활 용 ---

생약명 | 다화근골초(多花筋骨草), 백하초(白夏草)

이용부위 | 전초

채취시기 | 봄(5~6월 꽃 필 때)

약성미 | 성질은 차고 맛은 달고 쓰다.

주치활용 | 감기, 고혈압, 두창, 개선, 연주창

효능 | 소염, 양혈, 접골 이뇨제

민간활용 | 부스럼이 났을 때는 생즙을 바르거나 끓여서 그 물을 마셨고, 종기나 상처가
곪았을 때 고름을 빼내는 약재로 쓰였다.

학명 | Arthraxon hispidus (THUNB.) MAKINO

분류 | 외떡잎식물 벼목 화본과

분포 | 한국, 일본

생육상 | 한해살이풀

조개풀

서식 도랑이나 길가에서 흔히 자라는 잡초이다.

줄기
- 줄기는 밑에서 옆으로 자라고 마디에서 뿌리가 내리며 윗부분이 곧게 선다.
- 줄기는 곧게 서며 마디에 털이 있다.

잎
- 잎은 밑부분이 심장 모양으로서 줄기를 둘러싸고 끝이 뾰족하다.
- 잎집은 표면이나 가장자리에 긴 털이 있다.

꽃
- 꽃은 9월에 피고 꽃이삭은 3~20개의 가지가 손바닥 모양으로 갈라진다.
- 작은이삭은 녹색이거나 적자색이 돈다.
- 첫째 포영에 7맥, 둘째 포영에 3맥이 있고, 내영의 뒷면 밑동에서 까락이 자란다.

약 용 활 용

이용부위 | 전체

채취시기 | 가을(9월 개화기)

약성미 | 성질은 평하고 맛은 쓰며 독이 없다.

주치활용 | 해수, 천식, 악창, 개선

효능 | 지해, 정천, 소종, 살충

학명 | Menyanthes trifoliata

분류 | 쌍떡잎식물 용담목 용담과

분포 | 한국(대관령, 삼척 이북), 북구의 한대지역

생육상 | 여러해살이풀

조름나물

서식 연못이나 늪에서 자란다.

줄기 굵은 뿌리줄기가 옆으로 뻗으면서 끝에서 잎자루가 긴 석 장의 작은잎이 나온 잎 5~6개씩 나온다.

잎 작은잎은 긴 타원형 · 달걀 모양의 타원형 또는 사각상 타원형으로 잎자루가 없고 가장자리에 둔한 톱니가 있거나 밋밋하다.

꽃
· 꽃은 7~8월에 피고 백색이며 총상꽃차례로 달린다.
· 꽃받침은 짧고 5개로 갈라지며 화관은 깔때기같이 생기고 중앙까지 5개로 갈라진다.
· 갈래조각 안쪽에 긴 털이 밀생하고 5개의 수술이 화관통에 붙었으나 수술과 암술의 길이는 포기에 따라 다르다.

열매 열매는 삭과로 긴 암술대가 있는 포기에 달린다.

약 용 활 용

생약명 | 수채엽(睡菜葉)

이용부위 | 잎

채취시기 | 초여름(6~7월)

약성미 | 성질은 차갑고 맛은 달고 조금 쓰며 독이 없다.

주치활용 | 심격사열, 위염, 위통, 소화불량, 심계, 불면증, 정신불안정

효능 | 건비, 소식, 양심, 안신, 구충제

학명 | Sasa borealis

분류 | 외떡잎식물 벼목 화본과

분포 | 한국, 일본

생육상 | 대나무

조릿대

줄기 줄기는 곧게 서며 포는 2~3년간 줄기를 싸고 있다.

잎
- 털과 더불어 끝에 바소꼴의 잎조각이 있다.
- 마디 사이는 역모와 흰 가루로 덮이지만 4년째 잎집 모양의 잎이 벗겨지면서 없어진다.
- 잎은 긴 타원상 바소꼴로 끝으로 갈수록 뾰족하거나 꼬리처럼 길다.
- 잎 양면에 털이 없거나 뒷면 밑동에 털이 있고 가장자리에 가시 같은 잔 톱니가 있으며 잎집에 털이 있다.

꽃
- 꽃은 4월에 피고 원추꽃차례로 달린다.
- 꽃이삭은 털과 흰 가루로 덮여 있고 자주색 포로 싸여 있다.
- 작은이삭은 2~3개의 꽃으로 되며 밑부분에 2개의 포가 있다.
- 수술은 6개이고 꽃밥은 길이 4mm 정도이다.

열매 열매는 5~6월에 익는다.

이용 잎을 치열 등에 사용한다.

약용활용

생약명 | 죽엽(竹葉)

이용부위 | 전체

채취시기 | 여름~가을(8~9월)

약성미 | 성질은 약간 차거나 담담하며 맛은 달다.

주치활용 | 당뇨병, 고혈압, 위염, 위궤양, 만성간염, 암

효능 | 청열제번(淸熱除煩), 생진(生津), 이뇨(利尿)불면증, 이뇨, 당뇨병

민간활용 | 조릿대 달인 물로 밥을 하거나 죽을 끓여 먹어도 같은 효력을 볼 수 있다.

2011 ⓒ 조밥나물

학명 | Hieracium umbellatum L.
분류 | 쌍떡잎식물 초롱꽃목 국화과
분포 | 한국, 중국 동북부, 시베리아, 유럽, 일본
생육상 | 여러해살이풀

조밥나물

서식 산지의 습기가 있는 곳에서 자란다.

줄기
· 줄기는 곧게 선다.
· 자르면 흰 즙액이 나오고 위에서 가지가 약간 갈라진다.

잎
· 줄기잎은 어긋나고 꽃이 필 때 밑부분의 잎이 마른다.
· 중앙에 달린 잎은 바소꼴이고 가장자리에 뾰족한 톱니가 다소 있다.

꽃
· 꽃은 7~10월에 피고 황색이며 두화는 가지 끝에 산방상으로 달린다.
· 포조각은 3~4줄로 배열하며 겉으로 점점 짧아진다.
· 화관은 노란색이며 통부에 털이 있다.

열매
· 열매가 수과이며 10~11월에 결실한다.
· 열매는 흑색으로 10개의 능선이 있다.
· 관모는 갈색이다.

이용 어린 순을 나물로 먹는다.

약 용 활 용

생약명 | 유포공영(柳蒲公英)

이용부위 | 전초

약성미 | 성질은 서늘하고 맛은 쓰다.

주치활용 | 기침, 폐결핵, 진통, 피부병

효능 | 이뇨, 건위, 거담, 청렬, 해독

학명 | Cephalonoplos segetum

분류 | 쌍떡잎식물 초롱꽃목 국화과

분포 | 한국, 중국, 일본

생육상 | 두해살이풀

조뱅이

서식	밭 가장자리와 빈터에서 자란다.
뿌리줄기	뿌리줄기가 옆으로 뻗으면서 군데군데에서 순이 나와 자란다.
줄기	줄기는 어긋나고 타원상 바소꼴이며 끝이 둔하고 가장자리에 잔 톱니와 더불어 가시 같은 털이 있다.
꽃	· 꽃은 5~8월에 자주색으로 피고 줄기나 가지 끝에 달리며 지름 3cm이다. · 총포는 종처럼 생기고 포조각이 8줄로 배열하며 바깥 것이 가장 작다. · 암꽃과 수꽃이 있다.
열매	열매는 9~10월에 결실하며 수과이다.
이용	어린 순을 나물로 먹는다.

약용활용

생약명 | 소계(小薊)

이용부위 | 전초

채취시기 | 가을

약성미 | 성질은 서늘하고 맛은 달며 독이 없다.

주치활용 | 치토혈, 뉵혈, 뇨혈, 혈림, 변혈, 혈붕, 급성전염성간염, 창상출혈, 정창, 옹독

효능 | 비경, 심경, 간경에 작용하여 량혈, 구어혈, 청간 지혈

주의 | 비위가 허한하면서 어대가 없는 자는 복용을 금한다.

학명 | Asarum sieboldii

분류 | 쌍떡잎식물 쥐방울덩굴목 쥐방울덩굴과

분포 | 한국, 중국, 일본

생육상 | 여러해살이풀

족도리풀

서식 산지의 나무그늘에서 자란다.

줄기 뿌리줄기는 마디가 많고 옆으로 비스듬히 기며 마디에서 뿌리가 내린다.

잎
· 잎은 보통 2개씩 나오고 긴 자루가 있으며 심장 모양으로 가장자리가 밋밋하다.
· 뒷면 맥 위에 잔털이 있다.

꽃
· 꽃은 4월에 홍자색으로 피고 잎 사이에서 꽃대가 나와서 끝에 1개의 꽃이 옆을 향하여 달린다.
· 꽃잎 · 꽃받침은 통처럼 생기고 끝이 3개로 갈라져서 다소 뒤로 젖혀진다.
· 수술은 12개이고 암술대는 6개로 갈라진다.

열매 열매는 8~9월에 결실하며 장과이고 끝에 꽃받침조각이 달려 있다.

약 용 활 용

생약명 | 세신(細辛)

이용부위 | 전체

채취시기 | 가을~이듬 봄

약성미 | 성질은 따뜻하고 맛은 맵고 독이 없다.

주치활용 | 감모풍한, 두통, 아통, 소화불량, 코막힘, 축농증, 풍습비통, 담음천해

효능 | 발한, 거담, 진통, 진해

주의 | 기허한다, 혈허두통, 음허해수에는 복용을 금한다.

학명 | Viola acuminata

분류 | 쌍떡잎식물 측막태좌목 제비꽃과

분포 | 한국, 일본, 중국

생육상 | 여러해살이풀

졸방제비꽃

서식 산록 양지에서 자란다.

줄기 무더기로 자라며 줄기는 곧게 서며 전체에 털이 다소 있다.

잎 잎은 어긋나고 삼각상 심장 모양이며 가장자리에 둔한 톱니가 있고 턱잎에 빗살 같은 톱니가 있다.

꽃
· 꽃은 5~6월에 피고 연한 자줏빛이 돈다.
· 포는 꽃줄기 윗부분에 달리고 선형이다.
· 부속체는 반원형이며 가장자리가 밋밋하거나 끝이 오목하다.
· 꽃잎은 측편 안쪽에 털이 있다.
· 꿀주머니는 둥근 주머니 모양이다.

열매 열매는 7~8월에 결실하며 삭과로 달걀 모양이다.

이용 어린 순을 나물로 한다.

약용활용

생약명 | 산지정(山地丁)

이용부위 | 잎

채취시기 | 여름~가을(7~10월)

약성미 | 성질은 차고 맛은 짜다.

주치활용 | 부인병, 감기, 통경, 해열해수, 타박종통, 창절의 종독, 감모해수, 소변불리, 창종, 청열, 간장기능촉진, 소아발육촉진

효능 | 해독, 거풍, 정혈, 진해, 지통, 소종

2011 ⓒ 좀가지풀

학명 | Lysimachia japonica

분류 | 쌍떡잎식물 앵초목 앵초과

분포 | 한국, 일본, 대만, 중국, 말레이시아

생육상 | 여러해살이풀

좀가지풀

서식 풀밭에서 자란다.

줄기 옆으로 비스듬히 뻗어서 자라며 전체에 잔털이 있다.

잎 잎은 마주 달리고 달걀 모양으로 가장자리가 밋밋하며 선점이 있고 줄기와 더불어 잔털이 있다.

꽃
· 꽃은 5~6월에 피고 황색이며 잎겨드랑이에 1개씩 달린다.
· 꽃받침조각 · 꽃잎 및 수술은 5개씩이고, 암술은 1개이다.
· 꽃은 위를 향하여 핀다.

열매 열매는 삭과로 밑을 향하고 꽃받침이 남아 있으며 둥글다.

─ 약 용 활 용 ─

생약명 | 만도배(蠻刀背)

이용부위 | 전초

약성미 | 성질은 따뜻하고 맛은 쓰고 떫다.

주치활용 | 타박상, 염좌, 혈열, 관절, 힘줄, 신경

효능 | 거어, 소종

학명 | Lemna paucicostata

분류 | 외떡잎식물 천남성목 개구리밥과

분포 | 전세계 열대에서 온대

생육상 | 여러해살이풀

좀개구리밥

서식 물 위에 떠서 자란다.

잎
- 엽상체는 달걀을 거꾸로 세운 모양의 넓은 타원형이다.
- 톱니가 없으며 양 끝이 둥글고 표면 한쪽 중앙에 돌기가 있으며 3개의 맥이 있다.
- 뒷면 중앙에는 관속(管束)이 없는 1개의 뿌리가 있고 끝에 뿌리골무가 있다.
- 뒷면 좌우에 1개씩의 낭체가 자란다.
- 이 낭체 안에서 새싹이 자라서 모체와 연결된 채로 물에 뜬다.

꽃
- 꽃은 8월에 피고 백색이며 1개의 포 안에 2개의 수꽃과 1개의 암꽃이 들어 있다.
- 화피가 없고 수꽃은 1개의 수술, 암꽃은 1개의 암술로 되어 있다.

약용활용

생약명 | 부평(浮萍)

이용부위 | 전초

채취시기 | 여름~가을(6~9월)

약성미 | 성질은 차고 맛은 맵다.

주치활용 | 두드러기, 가려움증, 이뇨작용, 전신부종

효능 | 강장, 발한, 이뇨, 해독제, 강심

학명 | Thalictrum minus var. hypoleucum

분류 | 쌍떡잎식물 미나리아재비목 미나리아재비과

분포 | 한국, 일본, 중국

생육상 | 여러해살이풀

좀꿩의다리

서식 산야에서 자란다.

줄기 윗부분에서 가지가 갈라진다.

잎
· 잎은 2~4회 세 장의 작은잎이 나오는 겹잎이고 작은잎은 달걀 모양이다.
· 끝이 얕게 3개로 갈라지고 뒷면에 흰빛이 돈다.

꽃
· 꽃은 7~8월에 피고 황록색이며 원추꽃차례로 달린다.
· 꽃받침조각은 3~4개이고 3맥이 있으며 빨리 떨어진다.
· 수술은 많고 꽃잎은 없으며 암술은 2~6개이다.

열매 열매는 수과로 달걀을 거꾸로 세운 모양이며 8개의 능선이 있다.

이용 어린 순을 나물로 먹는다.

약 용 활 용

생약명 | 연과초(煙鍋草)

이용부위 | 뿌리 줄기

채취시기 | 여름~가을(7~9월)

주치활용 | 홍역. 복통, 이질, 종기

효능 | 해열, 소염

민간활용 | 눈의 염증에는 뿌리를 달인 물로 씻었으며, 코피가 날 때는 마셨다. 이 외에도 오줌내기 작용이 있어 붓기, 신석증, 심장, 피줄계통 질병에 썼으며 변비에도 사용한다.

2011 ⓒ 좀부들

학명 | Typha laxmanit

분류 | 부들목 부들과

분포 | 한국의 중부 이북 지방의 물이 얕은 곳이나 습지

생육상 | 한해살이풀

좀부들

서식 물이 얕은 곳이나 습지에서 자라는 정수성 수생식물이다.

줄기 줄기는 가늘고 털이 없으며 땅속줄기가 옆으로 뻗는다.

잎 잎은 줄 모양으로 좁다.

꽃
· 꽃은 단성화로서 7월에 핀다.
· 수꽃이삭은 윗부분에, 암꽃이삭은 아랫부분에 달려 있다.
· 암꽃이삭은 타원형을 이룬다.

이용 식용, 관상용, 공업용, 약용 등 쓰임새가 다양하다.

약용활용

생약명 | 포황(蒲黃)

이용부위 | 꽃, 전초

채취시기 | 꽃—여름(7월), 전초—수시

약성미 | 성질은 평하고 맛은 달고 독이 없다.

주치활용 | 토혈, 육혈, 각혈, 붕루, 외상출혈, 경폐경통, 완복자통, 질박종통, 혈임삽통

효능 | 수삽, 지혈, 행혈, 거어

민간활용 | 외상출혈에 지혈제로 사용한다.

주의 | 임산부는 복용을 금한다.

학명 | Ixeris stolonifera

분류 | 쌍떡잎식물 초롱꽃목 국화과

분포 | 한국, 일본, 중국

생육상 | 여러해살이풀

좀씀바귀

서식 산과 들의 풀밭에서 자란다.

줄기 속줄기가 옆으로 뻗으면서 번식하고 잎이 무더기로 나온다.

잎
· 잎은 어긋나고 달걀 모양의 원형, 넓은 달걀 모양 또는 넓은 타원형이다.
· 양 끝이 둥글고 가장자리는 대부분 밋밋하다.

꽃
· 꽃은 5~6월에 피고 황색이다.
· 1~3개의 두화가 긴 꽃줄기에 달리며 내포편은 9~10개이다.

열매
· 열매는 8월에 결실한다.
· 수과로 방추형이고 같은 길이의 부리가 있으며 좁은 날개가 있고 관모는 백색이다.

약 용 활 용

생약명 | 고채(苦菜)

이용부위 | 전초

채취시기 | 봄

약성미 | 성질은 차고 맛은 쓰다.

주치활용 | 만성기관지염, 유방염, 구내염

효능 | 청열, 양혈, 해독

학명 | Corydalis decumbens

분류 | 쌍떡잎식물 양귀비목 현호색과

분포 | 한국(한라산), 일본, 대만, 중국

생육상 | 여러해살이풀

좀현호색

서식 좀현호색은 산지에서 자란다.

줄기 덩이줄기는 묵은 덩이줄기 위에 생기며 여기에서 5~6개의 원줄기와 잎이 나와서 비스듬히 자란다.

잎
- 뿌리잎은 3개씩 2~3회 갈라지고 작은잎은 다시 2~3개로 갈라지며 녹백색이다.
- 줄기잎은 2개이며 3개씩 2회 갈라진다.

꽃
- 꽃은 4~5월에 피고 홍자색이며 총상꽃차례에 달린다.
- 꽃은 한쪽이 입술모양이며 다른쪽에는 꿀주머니가 있다.
- 포(苞)는 달걀 모양이고 갈라지지 않으며, 수술은 6개가 양체로 갈라진다.

열매 열매는 삭과로 염주 모양으로 잘록잘록하며 검은색의 종자가 들어 있다.

약 용 활 용

생약명 | 하천무(夏天無)

이용부위 | 줄기, 잎

채취시기 | 봄(꽃 필 때)

약성미 | 성질은 따뜻하고 맛은 맵고 쓴맛이 난다.

주치활용 | 두통, 복통, 월경통

효능 | 강압, 진경, 행기, 지통, 활혈, 거어

학명 | Lysimachia vulgaris var. davurica

분류 | 쌍떡잎식물 앵초목 앵초과

분포 | 한국, 일본, 동아시아

생육상 | 여러해살이풀

좁쌀풀

서식 햇볕이 잘 드는 습지에서 자란다.

줄기 뿌리줄기가 옆으로 뻗으면서 자라고 원줄기는 윗부분에서 가지가 다소 갈라진다.

잎 잎은 마주 달리거나 3~4개씩 돌려나고 바소꼴 또는 달걀 모양이며 가장자리가 밋밋하고 검은 점이 있다.

꽃 · 꽃은 6~8월에 피고 황색이며 원추꽃차례에 달린다.
· 꽃이삭에 잔 선모가 있다.
· 꽃받침조각 · 꽃잎 및 수술은 5개씩이고 수술대는 밑부분이 서로 붙는다.

열매 열매는 8~9월에 결실하며 삭과로 둥글고 꽃받침이 남아 있다.

이용 어린 순은 식용한다.

약 용 활 용

생약명 | 황련화(黃蓮花)

이용부위 | 전초

채취시기 | 여름, 가을철

약성미 | 성질은 서늘하고 맛은 시고 약간 맵다.

주치활용 | 고혈압

효능 | 두통, 불면

민간활용 | 구충제

2011 ⓒ 주름잎

학명 | Mazus japonicus

분류 | 쌍떡잎식물 통화식물목 현삼과

분포 | 한국, 일본, 중국, 시베리아, 인도 북부, 아프가니스탄, 자바

생육상 | 한해살이풀

주름잎

서식 주름잎은 밭이나 습한 곳에서 자란다.

줄기 전체에 털이 있고, 밑에서 여러 대로 갈라진다.

잎
- 잎은 마주 달리고 위로 가면서 어긋나며 달걀을 거꾸로 세운 모양 또는 긴 타원상 주걱 형이다.
- 가장자리에 둔한 톱니가 있고 옆면에 주름이 진다.

꽃
- 꽃은 5~8월에 피고 총상꽃차례로 달리며 연한 자주색이다.
- 화관은 통 모양이다.
- 2개로 갈라진 다음 하순 꽃잎은 다시 3개로 갈라지고 중앙갈래조각에 있는 2개의 줄은 황색이다.
- 4개의 수술 중 2개는 길다.

열매 열매는 삭과로 둥글며 꽃받침으로 싸여 있다.

이용 어린 순을 나물로 먹는다.

약 용 활 용

생약명 | 통천초(通泉草)

이용부위 | 꽃

약성미 | 성질은 시원하고 맛은 달고 독이 없다.

주치활용 | 옹저정종, 화상, 홍종궤양, 무명종독

효능 | 청열, 소종, 해독

학명 | Centipeda minima (L.) A. Br. et Aschers.

분류 | 쌍떡잎식물 초롱꽃목 국화과

분포 | 한국, 일본, 중국, 인도, 오스트레일리아, 시베리아

생육상 | 한해살이풀

중대가리풀

서식	길가나 밭 또는 논둑 근처에서 자란다.

줄기	· 줄기는 땅 위를 기면서 옆으로 뻗고 마디에서 뿌리가 내리고 가지가 갈라진다. · 줄기 끝과 가지가 비스듬히 선다.

잎	· 잎은 어긋나고 주걱 모양이며 끝이 둔하고 밑부분이 쐐기 모양이다. · 윗부분 가장자리에 톱니가 약간 있고 뒷면에 선점이 있다.

꽃	· 꽃은 7~8월에 피고 잎겨드랑이에 두상화가 1개씩 달린다. · 두상화는 녹색이지만 가끔 갈색이 도는 자주색도 있다. · 가운데 부분에 양성화가 10여 개 있고 그 둘레에 암꽃이 있다. · 총포조각은 긴 타원 모양이고 길이가 같다. · 양성화는 화관이 4개로 갈라지고 암꽃보다 수가 적다. · 암꽃은 크기가 매우 작고 통 모양이다.

열매	열매는 수과이고 가는 털이 있고 5개의 모가 난 줄이 있다.

┌─ 약 용 활 용 ───

생약명 | 석호채(石胡荽)

이용부위 | 전초

채취시기 | 봄~여름(5~8월 개화시)

약성미 | 성질은 따뜻하고 맛은 맵다.

주치활용 | 만성비염, 눈충혈, 두통

효능 | 거풍, 산한, 폐습, 거예, 통비새

민간활용 | 생체를 비벼서 콧구멍 속에 넣은 후 하룻밤이 지나면 만성 말라리아에 효과가 있다.

학명 | Gagea lutea

분류 | 외떡잎식물 백합목 백합과

분포 | 한국, 일본, 중국, 사할린, 시베리아, 유럽 등지

생육상 | 여러해살이풀

중의무릇

서식 산과 들에서 자란다.

줄기 비늘줄기는 달걀 모양이고 황색을 띠고 줄기와 잎이 각각 1개씩 나온다.

잎 잎은 줄 모양이며 약간 안쪽으로 말리며 밑부분이 줄기를 감싼다.

꽃
· 꽃은 4~5월에 황색으로 피고 줄기 끝에 산형꽃차례를 이루며 4~10개가 달린다.
· 포는 2개이며 바소꼴이다.
· 화피조각은 6개이고 줄 모양의 바소꼴이며 끝이 둔하며 뒷면에 녹색이 돈다.
· 수술은 6개이고 화피보다 짧으며, 암술은 1개이다.

열매 열매는 삭과이고 거의 둥글며 3개의 모가 난 줄이 있다.

약용활용

생약명	정빙화(頂氷花)
이용부위	비늘줄기
채취시기	봄(4~5월)
약성미	성질은 평하고 맛은 쓰다.
주치활용	심방 질환(심장병)
효능	해독, 소종, 진정, 진통

2011 ⓒ 쥐꼬리망초

학명 | Justicia procumbens
분류 | 쌍떡잎식물 통화식물목 쥐꼬리망초과
분포 | 한국, 일본, 타이완, 중국, 인도차이나, 인도, 말레이시아 등지
생육상 | 한해살이풀

쥐꼬리망초

서식	산기슭이나 길가에서 자란다.

줄기 줄기는 밑 부분이 옆으로 자라고 윗부분이 곧게 서며 가지가 많이 갈라지며 마디가 굵고 단면은 사각형이며 잔털이 있다.

잎 잎은 마주나고 타원 모양의 바소꼴이며 양끝이 뾰족하며 가장자리가 밋밋하다.

꽃
· 꽃은 7~9월에 피고 줄기와 가지 끝에 수상꽃차례를 이루며 빽빽이 달린다.
· 포와 작은포, 그리고 꽃받침조각은 좁은 바소꼴이고 가장자리가 막질이며 가장자리에 털이 있다.
· 화관은 입술 모양이고 꽃받침보다 길며 흰색이다.
· 아랫입술은 3개로 갈라지며 안쪽에 흰색 또는 연한 붉은색 바탕에 붉은 반점이 있다.
· 수술은 2개이다.

열매 열매는 삭과이고 2개로 갈라지며, 종자는 4개이고 잔주름이 있다.

약 용 활 용

생약명 | 작상(爵床)

이용부위 | 전초

채취시기 | 가을(10월)

약성미 | 성질은 따뜻하고 맛은 짜고 맵다.

주치활용 | 신우신염, 간염, 간경화, 타박상, 종기, 이질, 근육과 뼈의 동통허리, 류머티즘, 통풍

효능 | 진통, 소염, 발열, 해수, 인후통

주의 | 생잎의 즙 또는 말린 것을 달여 마시면 풍혈에 좋다.

학명 | Aristolochia contorta

분류 | 쌍떡잎식물 쥐방울덩굴목 쥐방울덩굴과

분포 | 한국, 일본, 중국, 우수리 등지

생육상 | 덩굴성 여러해살이풀

쥐방울덩굴

서식 산과 들에서 자란다.

줄기 줄기는 전체에 털이 없고 어릴 때는 검은 빛이 도는 자주색이지만 자라면서 녹색으로 되고 약간 분처럼 흰색이 돈다.

잎
· 잎은 어긋나고 심장 모양 또는 넓은 달걀 모양의 심장형이다.
· 가장자리가 밋밋하며 잎자루가 길다.

꽃
· 꽃은 7~8월에 피고 잎겨드랑이에서 여러 개가 함께 나온다.
· 꽃잎은 없고, 꽃받침은 통 모양이며 녹색을 띤 자주색이다.
· 안쪽에 털이 있으며 밑부분이 둥근 모양으로 커지고 윗부분은 좁아졌다가 나팔처럼 넓어진다.
· 수술은 6개이고, 암술대는 6개인데 합쳐져서 1개처럼 된다.
· 씨방은 하위(下位)이고 가늘며 길다.

열매 열매는 삭과이고 둥글며, 밑부분은 6개로 갈라져서 각각 가는 실처럼 갈라진 꽃자루에 매달려 낙하산 모양을 이룬다.

약용활용

생약명 | 마두령(馬兜鈴)

이용부위 | 열매, 뿌리

채취시기 | 가을(10~11월경)

약성미 | 성질은 차고 맛은 쓰다.

주치활용 | 열매-해수, 가래, 천식, 치질, 혈압을 내리는 효과
뿌리-장염, 이질, 종기, 복부팽만, 혈압을 내리는 효과

효능 | 청폐, 강기, 지해, 평천, 청장, 소치

민간활용 | 뱀독과 벌레에 쏘였을 때 잎과 미숙과를 찧어 붙인다.

주의 허한에 의한 해천, 비위가 허한하여 하리하는 사람은 복용을 금한다.

학명 | Geranium sibiricum

분류 | 쌍떡잎식물 쥐손이풀목 쥐손이풀과

분포 | 한국, 중국, 일본, 시베리아, 북아메리카, 유럽 등지

생육상 | 여러해살이풀

쥐손이풀

서식 산과 들에서 자란다.

뿌리 1개의 굵은 뿌리가 있다.

줄기 줄기는 비스듬히 또는 옆으로 뻗고 가지가 갈라지며 잎자루와 함께 밑을 향한 털이 있다.

잎
- 잎은 마주나고 잎자루가 길며 손바닥 모양으로 깊게 갈라진다.
- 갈라진 조각은 3~5개이고 바소꼴의 달걀 모양이다.
- 끝이 뾰족하고 양 면에 털이 있으며 가장자리가 깃꼴로 깊이 패어 들어갔다.
- 턱잎은 서로 떨어지고 긴 타원 모양의 바소꼴이다.

꽃
- 꽃은 6~8월에 피고 잎겨드랑이에서 나온 긴 꽃자루에 달린다.
- 위쪽에서는 1개씩 달리고, 아래쪽에서는 2개씩 달린다.
- 꽃잎은 5개이며 연한 붉은 색 또는 붉은 빛이 강한 자주색이다.
- 꽃받침조각은 5개이고 3개의 맥이 있고 작은꽃자루와 함께 털이 있다.

열매 열매는 삭과이며 곧게 서고 5개로 갈라지며 긴 털과 잔털이 빽빽이 섞여 있다.

약 용 활 용

생약명 | 현초(玄草)

이용부위 | 전초

채취시기 | 봄(5~6월 꽃이 피기 전)

약성미 | 성질은 약간 따뜻하며 맛은 쓰고 맵다.

주치활용 | 관절불리, 타박상, 이질, 만성설사, 장염, 피부가려움증, 악창

효능 | 수렴, 지사, 거풍, 해독

민간활용 | 잎, 줄기를 민간에서는 주로 이질, 설사의 지사제로 쓰인다. 종기, 피부병 등에
외용하며, 항진균 작용이 있다.

학명 | Valeriana fauriei

분류 | 쌍떡잎식물 꼭두서니목 마타리과

분포 | 한국, 일본, 사할린, 대만, 중국 동북부

생육상 | 여러해살이풀

쥐오줌풀

서식 산지의 다소 습한 곳에서 자란다.

뿌리
- 땅 속에서 가는 뿌리줄기가 옆으로 뻗으면서 번식한다.
- 뿌리는 수염뿌리이며 쥐 오줌 냄새와 비슷한 독특한 향기가 난다.

줄기
- 줄기는 곧게 서고 모가 난 줄이 있고 속이 비었으며 마디가 있다.
- 마디 부근에는 흰색의 털이 있다.

잎
- 뿌리에서 나온 잎은 꽃이 필 때 말라 없어진다.
- 줄기에 달린 잎은 마주나며 깃꼴로 갈라진다.
- 밑부분에 달린 잎은 잎자루가 길고 갈라진 조각이 달걀 모양의 긴 타원형이다.
- 윗부분에 달린 잎은 잎자루가 짧고 갈라진 조각이 넓은 바소꼴이다.
- 모든 갈라진 조각의 가장자리에는 톱니가 있다.

꽃
- 꽃은 5~8월에 연한 붉은 빛으로 피고 가지와 줄기 끝에 산방꽃차례를 이루며 달린다.
- 포는 줄 화관은 통 모양, 안쪽이 약간 부풀고 끝이 5개로 갈라진다.
- 수술은 3개이고 길게 화관 밖으로 나오며, 암술은 1개이다.

열매 열매는 건과이고 바소꼴이며 윗부분에 꽃받침이 관모처럼 달려 있다.

이용 어린 순은 나물로 먹는다.

약 용 활 용

생약명 | 힐초

이용부위 | 뿌리

채취시기 | 가을(9~10월)

약성미 | 성질은 따뜻하고 맛은 맵고 쓰며 약간의 독이 있다.

주치활용 | 정신불안증, 신경쇠약, 심근염, 산후심장병, 심박쇠약, 생리불순, 위경련, 관절염, 타박상

효능 | 진경, 진정

학명 | Carduus crispus

분류 | 쌍떡잎식물 초롱꽃목 국화과

분포 | 동북아시아, 유럽

생육상 | 두해살이풀

지느러미엉겅퀴

서식 산과 들에서 자란다.

줄기 줄기는 가지가 갈라지고 지느러미 모양의 좁은 날개가 있고 날개의 가장자리에 가시로 끝나는 톱니가 있다.

잎
· 뿌리에서 나온 잎은 꽃이 필 때 말라 없어진다.
· 줄기에 달린 잎은 어긋나며 긴 타원 모양의 바소꼴이다.
· 깃꼴로 깊게 또는 얕게 갈라지고 밑부분이 잎자루가 없이 줄기의 날개로 이어진다.
· 잎 가장자리에 가시로 끝나는 톱니가 있고, 잎 뒷면에 거미줄 같은 흰색 털이 있다.

꽃
· 꽃은 6~8월에 자주색 또는 흰색으로 피고 가지 끝에 두상화가 1개씩 달린다.
· 총포는 종 모양이다.
· 총포의 조각은 7~8줄로 배열하고 줄 모양의 바소꼴이며 끝이 가시 모양이고 바깥에 있는 조각일수록 짧다.

열매 열매는 수과이고 관모는 흰색이다.

이용 연한 줄기는 껍질을 벗겨서 생으로 먹을 수 있고, 어린 잎을 먹는다.

약 용 활 용

생약명 | 비렴(飛簾)

이용부위 | 전체뿌리

채취시기 | 봄~여름(6~8월)

약성미 | 성질은 평하고 맛은 쓰다.

주치활용 | 감기, 비통, 뇨혈, 대하증, 타박상, 관절염, 감기, 간염

효능 | 거풍, 청열, 이습, 양혈, 산어

민간활용 | 치질과 종기에 짓찧어 환부에 붙인다.

2011 ⓒ 지치

학명 | Lithospermum erythrorhizon
분류 | 쌍떡잎식물 통화식물목 지치과
분포 | 한국, 일본, 중국, 아무르
생육상 | 여러해살이풀

지치

서식 산과 들의 풀밭에서 자란다.

뿌리 뿌리는 굵고 자주색이며 땅 속으로 깊이 들어간다.

줄기 줄기는 곧게 서고 가지가 갈라지며 전체에 위로 향한 잔털이 많다.

잎
· 잎은 어긋나고 바소꼴 또는 긴 타원 모양의 바소꼴이다.
· 끝이 뾰족하고 밑부분이 좁아 잎자루 같으며 거친 털이 있다.
· 잎 앞면은 잎맥을 따라 깊게 주름이 있고, 가장자리는 밋밋하며, 잎자루는 없다.

꽃
· 꽃은 5~6월에 흰색으로 피고 줄기와 가지 끝에 수상꽃차례를 이루며 달린다.
· 포는 잎 모양이고, 꽃받침은 녹색이며 5개로 깊게 갈라진다.
· 갈라진 조각은 넓은 줄 모양이며 끝이 둔하고 화관의 통부분보다 길다.
· 화관은 끝이 5개로 갈라지며, 갈라진 조각은 둥글고 수평으로 퍼진다.
· 수술은 5개이고, 암술은 1개이다.

열매 열매는 분과이고 회색을 띤 흰색이며 매끄럽고 윤기가 있다.

이용 과거에는 자주색 염료로 사용하였다.

약 용 활 용

생약명 | 자근(紫根)

이용부위 | 뿌리

채취시기 | 가을

약성미 | 성질은 차고 맛은 쓰다.

주치활용 | 화상, 동상, 수포, 배뇨장애, 습진, 여성의 냉증, 대하, 생리불순

효능 | 해열, 이뇨

학명 | Hemistepta lyrata

분류 | 쌍떡잎식물 초롱꽃목 국화과

분포 | 한국, 일본, 중국, 인도, 오스트레일리아 등지

생육상 | 두해살이풀

지칭개

서식 밭이나 들에서 자란다.

줄기 줄기는 곧게 서고 윗부분에서 많은 가지가 갈라진다.

잎
- 뿌리에서 나온 잎은 꽃이 필 때 말라 없어진다.
- 줄기 밑부분에 달린 잎은 거꾸로 세운 바소꼴 또는 거꾸로 세운 바소꼴의 긴 타원 모양 이다.
- 밑부분이 좁으며 뒷면에 흰색 털이 빽빽이 있고 가장자리에 톱니가 있으며 깃꼴로 갈 라진다.
- 갈라진 조각 중에 끝에 달린 것은 삼각형이고 3개로 갈라진다.
- 옆에 달린 조각은 7~8쌍이고 밑으로 내려갈수록 크기가 작다.
- 줄기 중간에 달린 잎은 긴 타원 모양이다.
- 깃꼴로 깊게 갈라지고 위로 올라갈수록 크기가 작아지며 줄 모양의 바소꼴 또는 줄 모양이 된다.

꽃
- 꽃은 5~7월에 자주색으로 피고 가지와 줄기 끝에 두상화가 1개씩 달린다.
- 총포 조각은 많고 둥글며 윗부분에 닭의 볏 같은 돌기가 있고 8줄로 배열하며 거미줄 같은 흰색 털이 있다.
- 두상화는 관상화만으로 구성된다.

열매
- 열매는 수과이고 긴 타원 모양이며 검은 빛이 도는 갈색이고 15개의 모가 난 줄이 있다.
- 관모는 흰색이고 깃 모양이며 2줄이다.

이용 어린 순을 나물로 먹는다.

약용활용

생약명	니호채(泥胡菜)
이용부위	전초
채취시기	여름~가을
약성미	성질은 서늘하고 맛은 쓰다.
주치활용	치루, 옹종정창, 외상출혈, 골절, 종기, 악창, 유방염
효능	청열, 해독, 소종, 거어
민간활용	외상출혈이나 골절상에 짓찧어 붙이며, 치루에 달인 물로 환부를 닦는다.

학명 | Rehmannia glutinosa

분류 | 쌍떡잎식물 통화식물목 현삼과

원산지 | 중국

생육상 | 여러해살이풀

지황

서식 약용식물로 재배한다.

뿌리 뿌리는 굵고 육질이며 옆으로 뻗고 붉은 빛이 도는 갈색이다.

줄기 줄기는 곧게 서고 선모가 있다.

잎
- 뿌리에서 나온 잎은 뭉쳐나고 긴 타원 모양이며 끝이 둔하고 밑 부분이 뾰족하다.
- 가장자리에 물결 모양의 톱니가 있고, 잎 표면은 주름이 있다.
- 뒷면은 맥이 튀어나와 그물처럼 된다. 줄기에 달린 잎은 어긋난다.

꽃
- 꽃은 6~7월에 붉은 빛이 강한 연한 자주색으로 핀다.
- 줄기 끝에 총상꽃차례를 이루며 달리며, 잎 모양의 포가 있다.
- 꽃받침은 종 모양이고 5개로 갈라지며, 갈라진 조각은 삼각형이고 선모가 있다.
- 화관은 통 모양이고 선모가 있으며 끝부분이 5개로 갈라져 퍼지면서 입술 모양을 이룬다.
- 수술은 4개인데, 그 중에 2개가 길다.

열매 열매는 삭과이고 10월에 익는다.

약 용 활 용

생약명 | 지황(地黃), 건지황, 생지항, 숙지황

이용부위 | 뿌리

채취시기 | 가을

약성미 | 성질은 차고 맛은 달며 독이 없다.

주치활용 | 숙지황—보혈제로 쓰이고 생리불순, 허약 체질, 어린이의 발육 부진, 치매, 조루증, 발기부전. 생지황—허약 체질, 토혈, 코피, 자궁 출혈, 생리불순, 변비, 건지황—열병 후에 생기는 갈증, 장기 내부의 열로 인한 소갈증, 토혈, 코피

효능 | 청열, 양혈, 양음, 생진

주의 | 비허습체자는 복용을 금한다.

2011 ⓒ 진득찰

학명 | Siegesbeckia glabrescens

분류 | 쌍떡잎식물 초롱꽃목 국화과

분포 | 한국, 일본, 타이완, 중국 등지

생육상 | 한해살이풀

진득찰

서식 들이나 밭 근처에서 자란다.

줄기 줄기는 곧게 서고 원기둥 모양이고 갈색을 띤 자주색이며 잔털이 있으나 털이 없는 것처럼 보이고 가지가 마주난다.

잎
· 잎은 마주나고 달걀 모양의 삼각형이다.
· 잎 가장자리에 불규칙한 톱니가 있고, 잎 양 면에 누운 털이 있으며, 잎 뒷면에 선점이 있다.
· 줄기 위로 올라갈수록 잎이 작아져 긴 타원 모양 또는 줄 모양이 되며 잎자루가 없어진다.

꽃
· 꽃은 8~9월에 황색으로 피고 가지와 줄기 끝에 두상화가 산방꽃차례를 이루며 달린다.
· 총포의 조각은 5개이고 주걱 모양으로 퍼지며, 안쪽의 조각은 꽃을 둘러싸고 선모가 빽빽이 있다.
· 두상화는 설상화와 관상화로 구성된다.
· 설상화의 화관은 끝이 얕게 3개로 갈라지고, 관상화의 화관은 끝이 5개로 갈라진다.

열매 열매는 수과이고 달걀을 거꾸로 세운 모양이며 4개의 모가 난 줄이 있고 다른 물체에 잘 붙는다.

약 용 활 용

생약명 | 희첨(希簽)

이용부위 | 전초체

채취시기 | 여름

약성미 | 성질은 차고 맛은 쓰고 매우며 독이 없다.

주치활용 | 관절염, 중풍, 고혈압, 두통, 어지럼증, 급성간염, 황달, 종기

효능 | 제풍습, 이근골, 혈압강하

민간활용 | 뱀에게 물렸거나 벌에게 쏘였을 때 진득찰의 생잎을 짓이겨서 환부에 붙인다

주의 | 장기간 다량 사용하는 것은 주의를 요한다.

학명 | Aconitum pseudo—laeve var, erectum

분류 | 쌍떡잎식물 미나리아재비목 미나리아재비과

분포 | 한국, 일본, 중국

생육상 | 여러해살이풀

진범

서식 산지 숲속에서 자란다.

뿌리 뿌리는 검은 빛을 띤 갈색이고 땅 속으로 깊게 들어간다.

줄기
· 줄기는 곧게 서거나 비스듬히 자란다.
· 흔히 자줏빛이 돌고 밑부분에 모가 난 줄이 있으며 윗부분에 짧은 털이 빽빽이 있다.

잎
· 뿌리에서 나온 잎은 잎자루가 길고 5~7개로 갈라진다.
· 갈라진 조각의 가장자리는 깊이 패어 들어간 모양이고 뾰족한 톱니가 있다.
· 줄기에 달린 잎은 잎자루가 짧고 뿌리에서 나온 잎과 비슷하지만 줄기 위로 올라갈수록 점차 작아진다.

꽃
· 꽃은 8월에 연한 자주색으로 피고 줄기 윗부분 잎겨드랑이 또는 줄기 끝에 총상꽃차례를 이루며 달린다.
· 꽃받침조각은 5개이고 꽃잎 모양이다.,
· 뒤쪽의 것은 투구처럼 생겼고 윗부분이 원통 모양으로 길어지며, 양쪽의 2개는 넓은 달걀을 거꾸로 세운 모양이다.
· 아래쪽 2개는 긴 타원 모양이며 끝이 밑으로 약간 처진다.
· 꽃잎은 2개이고 길어져서 끝부분이 꿀샘처럼 되며 뒤쪽의 원통 모양의 꽃받침 속에 들어 있다.
· 수술은 많고 수술대는 넓으며, 암술은 3개이다.

열매 열매는 3개의 골돌과이고 거센 털이 있다.

약 용 활 용

생약명 | 진범(秦艽)

이용부위 | 뿌리

채취시기 | 봄~여름(6월~8월)

약성미 | 성질은 평하고 맛은 쓰고 맵다.

주치활용 | 관절염. 근골경련. 황달. 소변불리

효능 | 거풍, 진통, 서근, 이수, 이뇨

민간활용 | 독성이 있으므로 사용할 때 주의가 필요하다.

2011 © 진황정

학명 | Polygonatum falcatum

분류 | 외떡잎식물 백합목 백합과

분포 | 한국, 일본, 중국

생육상 | 여러해살이풀

진황정

서식	산지의 숲속에서 자란다.

뿌리줄기	뿌리줄기는 옆으로 뻗고 굵으며 마디 간격이 짧고 군데군데에서 줄기가 나온다.

줄기	줄기는 단면이 둥글고 윗부분이 옆으로 비스듬히 자란다.

잎	· 잎은 어긋나고 2줄로 배열하며 바소꼴 또는 좁은 바소꼴이다. · 끝이 뾰족하며 밑부분이 좁아져 줄기에 연결되고 가장자리가 밋밋하다. · 잎 표면은 녹색이고, 뒷면은 분처럼 흰색이며 맥 위에 돌기가 약간 있다.

꽃	· 꽃은 5월에 녹색이 도는 흰색으로 피고 잎겨드랑이에 3~5개, 또는 1개가 밑을 향하여 달린다. · 화관은 통 모양이다. · 수술은 9개이고, 수술대에 털이 없다.

열매	열매는 장과이고 둥글며 검은 빛이 도는 자주색으로 익는다.

이용	연한 순을 나물로 먹는다.

약 용 활 용

생약명	황정(黃精)
이용부위	뿌리줄기
채취시기	봄, 가을
약성미	성질은 평하고 맛은 달며 독이 없다.
주치활용	피로, 갈증, 마른기침, 권태감, 무력감, 식욕 감퇴, 맥박 미약
효능	보중익기, 윤심폐, 강근
주의	비허유습, 해수담다, 중한편당 자는 복용을 금한다.

학명 | Plantago asiatica

분류 | 쌍떡잎식물 질경이목 질경이과

분포 | 한국, 일본, 사할린, 타이완, 중국, 시베리아 동부, 히말라야

생육상 | 여러해살이풀

질경이

서식 풀밭이나 길가, 또는 빈 터에서 자란다.

잎
- 줄기는 없고, 잎은 뿌리에서 뭉쳐나오며 타원 모양 또는 달걀 모양이다.
- 5개의 나란히맥이 뚜렷하고 가장자리에 물결 모양의 톱니가 있다.
- 잎자루는 잎몸과 길이가 비슷하고 밑부분이 넓어져서 서로 얼싸안는다.

꽃
- 꽃은 6~8월에 흰색으로 핀다.
- 잎 사이에서 나온 꽃줄기 윗부분에 수상꽃차례를 이룬다.
- 포는 좁은 달걀 모양이고 꽃받침보다 짧으며 대가 없다.
- 꽃받침은 4개로 갈라지고, 달걀을 거꾸로 세운 모양의 타원형이다.
- 끝이 둥글고 흰색의 막질이다.
- 화관은 깔때기 모양이고 끝이 4개로 갈라진다.
- 수술은 4개이고 화관 밖으로 길게 나오며, 암술은 1개이고, 씨방은 상위이다.

열매 열매는 삭과이고 꽃받침 길이의 2배이며 익으면 가운데 부분이 옆으로 갈라져 뚜껑처럼 열리고 6~8개의 검은색 종자가 나온다.

이용 어린 잎은 식용한다.

약용활용

생약명 | 차전자(車前草)

이용부위 | 열매

채취시기 | 가을

약성미 | 성질은 하고 맛은 달다.

주치활용 | 소변 불리, 임탁, 대하, 노혈, 서습, 사리, 해수, 다담, 습비, 목적

효능 | 이수, 청열, 명목, 거담. 이뇨

민간활용 | 소변 과다, 대변 비결자, 습열이 없으면 쓰지 않는다.

2011 ⓒ 질경이택사

학명 | Alisma plantago—aquatica var. orientale
분류 | 외떡잎식물 소생식물목 택사과
분포 | 한국(전남 이북), 일본, 중국, 몽골, 시베리아 동부
생육상 | 여러해살이풀

질경이택사

서식 연못가나 습지에서 자란다.

줄기 뿌리줄기는 짧고 수염뿌리가 나온다.

잎
· 잎은 뿌리에서 뭉쳐 나오고 잎자루가 길며 달걀 모양의 타원형이다.
· 5~7개의 나란히맥이 있고 끝이 뾰족하며 밑 부분이 둥글다.
· 잎 가장자리는 밋밋하고, 잎 양 면에 털이 있다.

꽃
· 꽃은 7~8월에 흰색으로 피고 잎 사이에서 나온 꽃줄기의 가지 끝에 산형꽃차례를 이루며 달린다.
· 가지가 돌려나며 가지에 작은가지가 다시 돌려나고 가지 밑에는 3개의 포가 있다.
· 포는 바소꼴이고 끝이 길게 뾰족하다.
· 꽃받침조각과 꽃잎은 각각 3개이고, 수술은 6개이다.
· 꽃밥은 황색이고, 암술은 많다.

열매
· 열매는 수과이고 달걀을 거꾸로 세운 모양이다.
· 편평하고 고리 모양으로 배열하며 뒷면에 2개의 얕은 골이 있다.

약용활용

생약명 | 택사(澤瀉)

이용부위 | 뿌리, 줄기, 열매

채취시기 | 가을

약성미 | 성질은 차고 맛은 달며 독이 없다.

주치활용 | 방광염, 요도염, 신장염, 고혈압

효능 | 이뇨, 지갈

민간활용 | 오줌소태, 부종에 사용되었다.

주의 | 신허정활자는 금한다.

2011 ⓒ 짚신나물

학명 | *Agrimonia pilosa*

분류 | 쌍떡잎식물 장미목 장미과

분포 | 한국, 일본, 중국, 인도, 히말라야, 몽골 등지

생육상 | 여러해살이풀

짚신나물

서식 풀밭이나 길가에서 자란다.

줄기 줄기는 전체에 털이 있다.

잎
- 잎은 어긋나고 5~7개의 작은잎으로 구성된 깃꼴겹잎이다.
- 작은잎은 크기가 고르지 않지만 끝에 달린 3개는 크기가 비슷하고 아래쪽으로 갈수록 작아진다.
- 긴 타원 모양 또는 달걀을 거꾸로 세운 모양이고 양 끝이 좁으며 가장자리에 톱니가 있다.
- 잎자루 밑 부분에 1쌍의 턱잎이 있다.
- 턱잎은 반달 모양이고 끝이 뾰족하며 아랫부분 가장자리에 몇 개의 큰 톱니가 있다.

꽃
- 꽃은 6~8월에 황색으로 피고 줄기와 가지 끝에 총상꽃차례를 이루며 달린다.
- 꽃받침은 세로줄이 있으며 윗부분이 5개로 갈라지고 겉에 갈고리 같은 털이 있다.
- 꽃잎은 5개이고 달걀을 거꾸로 세운 모양 또는 둥근 모양이며, 수술은 5~10개이다.

열매 열매는 수과이고 꽃받침에 싸여 있는데, 꽃받침에 있는 갈고리 같은 털 때문에 물체에 잘 붙는다.

이용 어린 순을 나물로 먹는다.

약용활용

생약명	용아초(龍牙草)
이용부위	전초
채취시기	여름~가을(꽃 피기 전)
약성미	성질은 평하고 맛은 쓰고 떫으며 독이 없다.
주치활용	소변출혈, 자궁출혈, 각혈, 변혈, 만성인두염, 설사, 간장통, 신장결석, 담석증
효능	수렴지혈, 절학, 지리, 해독
민간활용	풀 전체를 채취하여 햇볕에 말려 달여 나누어 마시면 설사, 지혈, 위장병에 효과가 있고, 분만 후의 자궁경련에 좋다.
주의	외감한열자(外感寒熱者)는 복용을 금한다.

2011 ⓒ 쪽

학명 | Persicaria tinctorium

분류 | 쌍떡잎식물 마디풀목 마디풀과

원산지 | 중국

생육상 | 한해살이풀

쪽

서식 과거에는 염료 자원으로 재배하였다.

줄기 줄기는 곧게 서고 붉은 빛이 강한 자주색이다.

잎
- 잎은 어긋나고 긴 타원 모양 또는 달걀 모양이며 양끝이 좁고 가장자리가 밋밋하다.
- 잎자루는 짧고, 턱잎은 잎집 모양이며 막질이고 가장자리에 털이 있다.

꽃
- 꽃은 8~9월에 붉은색으로 피고 줄기 윗부분 잎겨드랑이와 줄기 끝에 수상꽃차례를 이루며 빽빽이 달린다.
- 꽃잎은 없고, 꽃받침은 5개로 깊게 갈라지고, 갈라진 조각은 달걀을 거꾸로 세운 모양이다.
- 수술은 6~8개이고 꽃받침보다 짧으며, 수술대 밑에 작은 선이 있고, 꽃밥은 연한 붉은색이다.
- 씨방은 달걀 모양의 타원형이고 끝에 3개의 암술대가 있다.

열매 열매는 수과이고 꽃받침에 싸여 있으며 세모난 달걀 모양이고 검은 빛이 도는 갈색이다.

이용 지상부는 7월 개화 직전에 베어 잿물과 석회를 이용하여 쪽물 염료를 만들어 사용한다.

약용활용

생약명 | 대청엽(大靑葉)

이용부위 | 전초

채취시기 | 10월 경

약성미 | 성질은 차갑고 맛은 짜며 독이 없다.

주치활용 | 혈열토뉵, 흉통해혈, 구창, 자시, 후비, 소아경간, 백혈병

효능 | 청열, 해독, 량혈, 산종

민간활용 | 벌 등 독충에 쏘인 데에는 쪽잎을 따서 짓찧어 즙을 내어 바르면 효과가 있다.

주의 | 위한자는 복용을 금한다.

속명 | 소엽

학명 | Perilla frutescens var. acuta

분류 | 쌍떡잎식물 통화식물목 꿀풀과

원산지 | 중국

생육상 | 한해살이풀

차즈기

줄기 줄기는 곧게 서고 단면이 사각형이고 자줏빛이 돌며 향기가 있다.

잎
- 잎은 마주나고 넓은 달걀 모양이며 끝이 뾰족하고 밑부분이 둥글며 가장자리에 톱니가 있다.
- 잎 양 면에 털이 있고, 뒷면 맥 위에는 긴 털이 있으며, 잎자루가 길다.

꽃
- 꽃은 8~9월에 연한 자줏빛으로 피고 줄기와 가지 끝에 총상꽃차례를 이루며 달린다.
- 꽃받침은 털이 있고 2개로 갈라진다.
- 갈라진 조각 중 위쪽 것은 다시 3개로 갈라지고 아래쪽 조각은 다시 2개로 갈라진다.
- 화관은 짧은 통 모양이고 끝이 입술 모양을 이루며, 아랫입술이 윗입술보다 약간 길다.
- 수술은 4개인데, 그 중에 2개가 길다.

열매 열매는 분과이고 둥글며 꽃받침 안에 들어 있다.

이용
- 생선, 게 및 수육에 중독되었을 때 잎의 생즙 또는 삶아서 마신다.
- 매실의 염색용으로 사용하기도 한다.

─ 약 용 활 용 ─

생약명 | 자소엽(紫蘇葉)

이용부위 | 줄기

채취시기 | 여름(8~9월)

약성미 | 성질은 미지근하고 맛은 맵고 달다.

주치활용 | 식체, 기울, 흉격비만, 동통, 태기불화

효능 | 발한, 진해, 건위, 이뇨, 진정, 진통제

학명 | Cassia mimosoides var. nomame

분류 | 쌍떡잎식물 장미목 콩과

분포 | 한국, 일본, 중국 등지

생육상 | 한해살이풀

차풀

서식 냇가 근처의 양지에서 자란다.

줄기 줄기는 자줏빛이 도는 갈색이며 꼬부라진 털이 있다.

잎
- 잎은 어긋나고 30~70개의 작은잎으로 구성된 깃꼴겹잎이다.
- 작은잎은 줄 모양의 타원형이고 가장자리가 밋밋하다.
- 턱잎은 바늘 모양 또는 줄 모양의 바소꼴이며 끝이 뾰족하다.

꽃
- 꽃은 7~8월에 황색으로 피고 잎겨드랑이에 1~2개씩 달린다.
- 꽃받침조각은 5개이고 바소꼴이며 털이 있다.
- 꽃잎은 5개이고 달걀을 거꾸로 세운 모양이다.
- 수술은 4개이고, 암술은 1개이며, 씨방에 짧은 털이 있다.

열매
- 열매는 협과이고 편평한 타원 모양이며 겉에 털이 있다.
- 종자는 윤기가 있고 검은색이다.

이용 잎이 달린 줄기를 말린 것과 볶은 종자를 차로 이용한다.

약 용 활 용

생약명 | 산편두

이용부위 | 전초

채취시기 | 가을(10월)

약성미 | 성질은 평하고 맛은 달고 쓰며 독이 없다.

주치활용 | 황달, 서열토사, 수종, 임종, 견창, 정창, 부스럼, 폐옹

효능 | 청간이습, 산어화적, 청열해독, 이뇨소종

주의 | 산편두를 대량으로 복용하면 설사를 일으키고, 임산부가 많이 복용하면 유산할 가능성이 있으므로 주의해야 한다.

학명 | Scutellaria strigillosa

분류 | 쌍떡잎식물 통화식물목 꿀풀과

분포 | 한국, 중국, 일본, 아무르 등지

생육상 | 여러해살이풀

참골무꽃

서식 바닷가 모래땅에서 자란다.

줄기
· 뿌리줄기는 옆으로 길게 뻗고, 줄기는 곧게 선다.
· 단면이 네모나며 밑부분에서 많은 가지가 갈라지고 모가 난 줄에 위를 향한 털이 있다.

잎
· 잎은 마주나고 타원 모양 또는 긴 타원 모양이다.
· 끝이 둔하고 밑부분이 둥글며 가장자리에 둔한 톱니가 있다.

꽃
· 꽃은 7~8월에 자줏빛으로 핀다.
· 줄기 윗부분의 잎겨드랑이에 한쪽 방향을 향해 1개씩 달린다.
· 꽃받침은 끝이 5개로 갈라지며 윗부분 표면에 부속체가 있다.
· 화관은 통 모양이다.
· 수술은 4개이고 그 중에 2개가 길다.

열매 열매는 분과이고 표면에 둥근 돌기가 빽빽이 있다.

약용활용

생약명 | 한신초(韓信草)

이용부위 | 전초

채취시기 | 봄

약성미 | 성질은 평하고 맛은 맵고 쓰다.

주치활용 | 위장염, 해열, 폐렴, 타박상, 토혈, 해혈, 급성 인후질환, 치통

효능 | 거풍, 활혈, 해독, 지통

속명 | 호마, 지마, 향마

학명 | Sesamum indicum

분류 | 쌍떡잎식물 통화식물목 참깨과

원산지 | 인도, 아프리카 열대 지방

생육상 | 한해살이풀

참깨

뿌리 뿌리는 곧고 깊게 뻗는다.

줄기 줄기는 단면이 네모지고 여러 개의 마디가 있으며 흰색 털이 빽빽이 있다.

잎
- 잎은 마주나고 줄기 윗부분에서는 때때로 어긋나며 잎자루가 길고 긴 타원 모양 또는 바소꼴이다.
- 잎 끝부분은 뾰족하고, 밑 부분은 거의 둥글거나 뾰족하며, 가장자리는 밋밋하다.
- 줄기 밑부분에 달린 잎은 폭이 넓고 가장자리의 톱니가 발달해 3개로 갈라지기도 한다.
- 잎자루 밑 부분에 노란 색의 작은 돌기가 있다.

꽃
- 꽃은 7~8월에 연분홍색으로 피고 줄기 윗부분에 있는 잎겨드랑이에 1개씩 밑을 향해 달린다.
- 꽃받침은 5개로 깊게 갈라지고, 화관은 통 모양이며 끝이 5개로 갈라진다.
- 수술은 4개인데 그 중에 2개가 길고 1개의 헛수술이 있으며, 암술은 1개이고 암술머리는 2개로 갈라진다.
- 씨방은 4실이고 주변에 털이 빽빽이 있다.

열매
- 열매는 삭과이고 원기둥 모양이며 약 80개의 종자가 들어 있다.
- 종자는 흰색·노란색·검은색이다.

이용 종자에서 품질 좋은 기름을 짜내 사용하고, 기름을 짜고 남은 깻묵은 사료 및 비료로 쓴다.

약용활용

생약명 | 흑지마(黑芝麻), 호마(胡麻)

이용부위 | 종자

채취시기 | 여름~가을(8~9월)

약성미 | 성질은 평하고 맛은 달다.

주치활용 | 노화방지, 치매예방, 냉증, 위궤양, 감기, 혈액순환

효능 | 영양, 약한 설사, 지혈, 소염

2011 ⓒ 참꽃마리

학명 | Trigonotis nakaii

분류 | 쌍떡잎식물 통화식물목 지치과

분포 | 한국, 일본, 중국 동북부, 아무르 등지

생육상 | 여러해살이풀

참꽃마리

서식 산과 들의 습기가 있는 곳에서 자란다.

줄기 줄기는 뭉쳐나고 곧게 서며 지면을 따라 뻗고 전체에 잔털이 있다.

잎
· 뿌리에서 나온 잎은 뭉쳐나고, 줄기에 달린 잎은 어긋난다.
· 달걀 모양이고 끝이 뾰족하고 밑부분이 둥글거나 심장 모양이다.
· 줄기 밑부분에 달린 잎은 뿌리에서 나온 잎과 함께 잎자루가 길지만 위로 올라갈수록 짧아진다.

꽃
· 꽃은 5~7월에 연한 남색으로 피고 줄기 윗부분의 잎겨드랑이에 달린다.
· 꽃받침은 5개로 갈라진다.
· 갈라진 조각은 바소꼴이고 꽃이 진 다음에도 자란다.
· 화관은 5개로 갈라지며 갈라진 조각은 둥글다.
· 화관 통의 부분 안쪽 밑에 짧은 털이 있다.
· 수술은 화관의 통부분에 달린다.

열매 열매는 분과이고 잔털이 있으며 갈색이고 자루가 있으며 9월에 익는다.

약 용 활 용

생약명 | 전초─부지채(附地菜)
이용부위 | 전초
채취시기 | 초여름
약성미 | 성질은 서늘하고 맛은 맵고 쓰다.
주치활용 | 요실금, 늑막염, 설사, 종독, 수족의 근육 마비, 야뇨증, 대장염, 이질, 종기
효능 | 소종, 청열, 하리

2011 ⓒ 참나리

속명 | 나리

학명 | Lilium tigrinum

분류 | 외떡잎식물 백합목 백합과

분포 | 한국, 일본, 중국, 사할린 등지

생육상 | 여러해살이풀

참나리

서식	산과 들에서 자라고 관상용으로 재배하기도 한다.
비늘줄기	비늘줄기는 흰색이고 둥근 모양이며 밑에서 뿌리가 나온다.
줄기	줄기는 검은 빛이 도는 자주색 점이 빽빽이 있으며 어릴 때는 흰색의 거미줄 같은 털이 있다.
잎	잎은 어긋나고 바소꼴이며 녹색이고 두터우며 밑부분에 짙은 갈색의 주아(珠芽)가 달린다.

꽃
- 꽃은 7~8월에 피고 노란 빛이 도는 붉은색 바탕에 검은 빛이 도는 자주색 점이 많다.
- 4~20개가 밑을 향하여 달린다.
- 화피조각은 6개이고 바소꼴이며 뒤로 심하게 말린다.
- 밀구에 털이 있고, 6개의 수술과 1개의 암술이 길게 꽃 밖으로 나오며, 꽃밥은 짙은 붉은 빛을 띤 갈색이다.

열매	열매를 맺지 못하고, 잎 밑부분에 있는 주아가 땅에 떨어져 발아한다.

약용활용

생약명	백합(百合), 권단(卷丹)
이용부위	비늘줄기
채취시기	가을
약성미	성질은 평하고 맛은 달며 약간 쓰다.
주치활용	신체허약, 폐결핵, 기관지염, 해수천식
효능	진해, 강장, 진정, 항알레르기, 백혈구 감소

2011 ⓒ 참나물

학명 | Pimpinella brachycarpa
분류 | 쌍떡잎식물 이판화군 산형화목 미나리과
분포 | 한국, 중국 동북부
생육상 | 여러해살이풀

참나물

서식 숲 속에서 자란다.

줄기 줄기는 털이 없으며 향기가 있다.

잎
- 잎은 어긋나고 잎자루는 밑부분이 넓어져서 줄기를 감싼다.
- 잎자루는 밑에서는 길지만 위로 가면서 점점 짧아진다.
- 잎은 3개의 작은잎으로 되어 있다.
- 작은잎은 달걀 모양으로 끝이 뾰족하고 밑은 예저 또는 원저이며 가장자리에 톱니가 있다.

꽃
- 꽃은 6~8월에 피고 흰색이며 줄기 끝이나 가지 끝에 복산형꽃차례로 달린다.
- 소산경은 10개 정도이며 각각 13개 내외의 꽃이 달린다.
- 총포는 없고 작은 총포조각은 1~2개이다.
- 꽃받침이 뚜렷하고 꽃잎 및 수술과 더불어 5개씩이다.

열매 열매는 9월에 맺으며 편평하고 넓은 타원형이며 털이 없다.

이용 어린 줄기와 잎을 쌈, 나물, 튀김, 김치로 담아 먹는다.

약용활용

생약명 | 야근채(野芹菜)

이용부위 | 전초

채취시기 | 봄(4~5월)

약성미 | 성질은 차고 맛은 쓰고 맵다.

주치활용 | 고혈압, 중풍, 폐염, 정혈, 윤폐, 신경통

효능 | 지혈, 양정, 대하, 해열, 경풍

민간활용 | 간염, 고혈압, 해열에는 5월에 새로 나온 연한 참나물의 잎과 잎자루를 채취하며 즙을 내어 식사 전에 한 그릇씩 복용하거나 콩나물과 같이 즙을 내어 복용하면 효과가 있다.

학명 | Angelica gigas

분류 | 쌍떡잎식물 이판화군 산형화목 미나리과

분포 | 한국, 중국, 일본

생육상 | 숙근초

참당귀

서식 산골짜기 냇가 근처에서 자란다.

뿌리 뿌리는 크며 향기가 강하고 줄기는 곧게 선다.

줄기 전체에 자줏빛이 돈다.

잎
- 뿌리잎과 밑부분의 잎은 1~3회 깃꼴겹잎이다.
- 작은잎은 3개로 완전히 갈라진 다음 다시 2~3개로 갈라지고 가장자리에 뾰족한 톱니가 있으며 뒷면은 흰색이다.
- 끝의 작은잎에 작은 잎자루가 있다.
- 윗부분의 잎은 잎몸이 퇴화하고 잎집이 타원형으로 커진다.

꽃
- 꽃은 8~9월에 피고 자줏빛이며 줄기 끝에 복산형꽃차례로 달린다.
- 꽃잎은 긴 타원형으로 5장이며 끝이 뾰족하고 5개의 수술이 있다.
- 총포는 1~2개이고 잎집처럼 커지며 소총포는 실처럼 가늘고 5~7개이다.

열매 열매는 10월에 맺으며 타원형이고 가장자리에 날개가 있으며 능선 사이에 유관이 1개씩 있다.

이용 주로 약용식물이지만 어린 순은 나물로 먹는다.

약용활용

생약명	당귀(當歸), 승검초
이용부위	뿌리
채취시기	늦가을(3년 생육)
약성미	성질은 따뜻하고 맛은 달고 매우며 독이 없다.
주치활용	관절통, 신체허약, 두통, 현운, 월경불순, 복통, 질타손상, 장조변비, 염좌
효능	거풍, 화혈, 보혈, 구어혈, 조경, 진정
민간활용	하혈을 할 경우 참당귀와 목화 씨앗을 달여 복용한다.
주의	습성중만자와 대변설사자는 복용을 금한다.

2011 ⓒ 참마

학명 | Dioscorea japonica

분류 | 외떡잎식물 백합목 마과

분포 | 한국, 일본

생육상 | 덩굴성 여러해살이풀

참마

서식 주로 산지에서 자란다.

줄기 원주형의 육질 뿌리에서 줄기가 나와서 다른 물체를 감아 올라간다.

잎
- 잎은 마주나거나 어긋나고 잎자루가 길며 긴 타원형 또는 삼각형으로 끝이 뾰족하며 밑은 심장저이고 털이 없다.
- 잎겨드랑이에서 주아(珠芽)가 자란다.

꽃
- 꽃은 단성화로 6~7월에 피고 수상꽃차례에 달린다.
- 수꽃이삭은 곧게 서고, 암꽃이삭은 밑으로 처지며 흰색 꽃이 달린다.
- 수꽃에는 6개씩의 수술과 화피갈래조각 및 1개의 암술이 있고, 암꽃에는 6개의 화피갈래조각과 1개의 암술이 있다.

열매 열매는 삭과로 3개의 날개가 있고 종자에도 막질의 날개가 있다.

이용 뿌리를 식용, 강장제, 지사제로 사용한다.

약용활용

생약명 | 산약(散藥, 山藥)

이용부위 | 뿌리

채취시기 | 가을

약성미 | 성질은 따뜻하고 맛은 달고 독이 없다.

주치활용 | 치비허설사, 구리, 허로개수, 소갈, 유정, 대하, 소변빈수

효능 | 건비, 보폐, 고신, 익정

민간활용 | 덩이뿌리를 날것대로 강판에 갈아 죽처럼 된것에 계란의 노른자위와 간장을 섞어 먹는다.

주의 | 습성중만 자나 적체가 있는 자는 복용을 금한다.

2011 ⓒ 참외

학명 | Cucumis melo var. makuwa

분류 | 쌍떡잎식물 합판화군 박목 박과

원산지 | 인도

분포 | 한국, 중국, 일본, 인도

생육상 | 한해살이 덩굴식물

참외

서식 중국에서는 기원 전부터 재배하였으며 5세기 경에는 현대 품종의 기본형이 생겼다고 한다.

줄기 원줄기는 길게 옆으로 뻗으며 덩굴손으로 다른 물체에 기어올라간다.

잎 잎은 어긋나고 손바닥 모양으로 얕게 갈라지며 밑은 심장저 모양이고 가장자리에 톱니가 있다.

꽃 ・꽃은 6~7월에 노란색으로 피고 양성화이다.
・화관은 5개로 갈라지고 하위씨방에 돌기가 있다.

열매 열매는 장과로 원주상 타원형이며 황록색・황색 및 기타 여러 가지 빛깔로 익는다.

이용 익은 열매를 식용으로 하고, 익지 않은 열매는 최토제로 쓰기도 한다.

약 용 활 용

생약명 | 첨과경(甛瓜莖)

이용부위 | 열매 꼭지, 줄기

채취시기 | 여름

약성미 | 성질은 차고 맛은 쓰고 독이 있다.

주치활용 | 황달(黃疸), 부종, 거담, 최토약, 충독, 월경과다, 양모, 사지부종, 편도선염, 인후통, 비색, 후비, 풍담, 상복부폐색

효능 | 풍담, 숙식

주의 | 참외꼭지의 유효 성분은 에라데린이라는 결정성 고미질로서 유독한 것이므로 약용에는 각별한 주의를 요한다.

학명 | Lysimachia coreana

분류 | 쌍떡잎식물 합판화군 앵초목 앵초과

원산지 | 한국

분포 | 한국(경기, 경북, 강원, 함남, 함북)

생육상 | 여러해살이풀

참좁쌀풀

서식 깊은 산 초원에서 자란다.

줄기
· 줄기는 곧게 서고 전체에 털이 거의 없다.
· 모서리각이 있으며 가지가 많이 갈라지는 것이 있다.

잎
· 잎은 돌려나거나 마주나고 잎자루가 있으며 타원형 또는 달걀 모양이다.
· 잎 끝이 뾰족하고 밑부분이 둥글며 가장자리가 밋밋하다.
· 양면과 가장자리에 잔털이 나 있다.

꽃
· 꽃은 6~7월에 피고 노란색이다.
· 윗부분의 잎겨드랑이에서 곧게 선다.
· 꽃받침조각은 5개이고 끝이 둔하며 털이 없다.
· 꽃잎은 5개이고 긴 타원형이며 끝이 뾰족하다.
· 수술은 5개이고 수술대 밑부분이 붙는다.

열매 열매는 삭과로 10월에 익으며 둥글고 꽃받침으로 싸여 있으며 끝에 곧은 암술대가 달려 있다.

약 용 활 용

생약명 | 황련화(黃蓮花)
이용부위 | 전초
채취시기 | 여름, 가을철
약성미 | 성질은 서늘하고 맛은 시고 약간 맵다.
주치활용 | 고혈압
효능 | 거어(祛瘀), 소종(消腫)
민간활용 | 구충제

2011 ⓒ 참취

학명 | Aster scaber

분류 | 쌍떡잎식물 합판화군 초롱꽃목 국화과

분포 | 한국, 일본, 중국

생육상 | 여러해살이풀

참취

서식 산이나 들의 초원에서 자란다.

줄기 윗부분에서 가지가 산방상으로 갈라진다.

잎
- 뿌리잎은 자루가 길고 심장 모양으로 가장자리에 굵은 톱니가 있으며 꽃필 때쯤 되면 없어진다.
- 줄기잎은 어긋나고 밑부분의 것은 뿌리잎과 비슷하며 잎자루에 날개가 있으며 거칠고 양면에 털이 있으며 톱니가 있다.
- 중앙부의 잎은 위로 올라가면서 점차 작아지고, 꽃이삭 밑의 잎은 타원형 또는 긴 달걀 모양이다.
- 잎에 무성아 비슷한 것이 생기는 것은 벌레집이다.

꽃
- 꽃은 8~10월에 피고 흰색이며 두화는 산방꽃차례로 달린다.
- 포는 3줄로 배열하고 설상화는 6~8개이며 관상화는 노란색이다.

열매 열매는 수과로 11월에 익는다.

이용 지상부는 어린 잎을 데쳐 묵나물로 먹는다.

약 용 활 용

생약명 | 동풍채(東風菜)

이용부위 | 전체

채취시기 | 늦가을

약성미 | 성질은 차고 맛은 달다.

주치활용 | 타박상, 독사교상, 가래, 거담도질병, 두통, 현기증, 방광염, 간장질환, 인후염

효능 | 이담, 건위, 지통

학명	Acorus calamus var. angustatus
분류	외떡잎식물 천남성목 천남성과
분포	한국, 일본, 중국
생육상	여러해살이풀

창포

서식 연못가나 도랑가에서 자란다.

줄기 뿌리줄기는 옆으로 길게 자라며 육질이고 마디가 많으며 흰색이거나 연한 홍색이며 지상에 있는 줄기와 더불어 독특한 향기가 난다.

잎
- 잎은 뿌리줄기 끝에서 무더기로 나오고 대검(大劍)같이 생기며 짙은 녹색이고 밑부분이 붓꽃처럼 얼싸안는다.
- 주맥이 다소 굵다.

꽃
- 꽃줄기는 잎과 같이 생기고 중앙 상부 한쪽에 1개의 육수꽃차례가 달린다.
- 포는 꽃줄기의 연장같이 보이고 꽃이삭은 황록색 꽃이 밀생한다.
- 꽃은 양성화이고 화피갈래조각은 달걀을 거꾸로 세운 모양으로 6개이며 안쪽으로 굽고 수술도 6개이다.
- 꽃밥은 노란색이고 씨방은 둥근 타원형이다.

열매
- 열매는 장과로 긴 타원형이며 붉은색이다.
- 뿌리줄기를 창포라 한다.

약 용 활 용

생약명	백창(白菖)
이용부위	뿌리
채취시기	겨울~봄(11월~이듬해 3월)
약성미	성질은 따뜻하고 맛은 쓰고 맵다.
주치활용	소화불량, 설사, 간질병, 경계, 건망증, 정신불안, 기침, 기관지염, 두통, 옴
효능	진정, 건위, 진통, 이뇨, 항진균, 이기, 활혈, 거풍, 거습
민간활용	민간에서는 단오날 창포를 넣어 끓인 물로 머리를 감고 목욕을 하는 풍습이 있다.
주의	빈혈, 다한, 해수, 토혈이 있는 사람은 복용하지 않는다.

2011 ⓒ 채송화

학명 | Portulaca grandiflora
분류 | 쌍떡잎식물 이판화군 중심자목 쇠비름과
분포 | 남아메리카
생육상 | 한해살이풀

채송화

서식 관상용으로 심는다.

줄기 줄기는 붉은 빛을 띠고 가지가 많이 갈라져서 퍼진다.

잎 잎은 육질로 어긋나고 가늘고 긴 원기둥 모양이고 잎겨드랑이에 흰색 털이 있다.

꽃
- 꽃은 가지 끝에 1~2송이씩 달리고 지름 2.5cm 정도로 2개의 꽃받침조각과 5개의 꽃잎이 있다.
- 꽃잎은 끝이 파지고 붉은색 ·노란색 ·흰색과 더불어 겹꽃도 있다.
- 꽃은 7~10월에 피고 맑은날 낮에 피며 오후 2시경에 시든다.
- 꽃받침은 2개로 넓은 달걀 모양이고 막질이며, 꽃잎은 5개로 달걀을 거꾸로 세운 모양이고 끝이 파진다.
- 수술은 많으며 암술대에 5~9개의 암술머리가 있다.

열매
- 열매는 삭과로 막질이고 9월에 성숙하며 중앙부에서 수평으로 갈라져 많은 종자가 나온다.
- 분이나 뜰에서 가꾸고 1번 심으면 종자가 떨어져서 매년 자란다.

약 용 활 용

생약명 | 반지련(半支蓮)

이용부위 | 전초

채취시기 | 여름(7~9월)

약성미 | 성질은 차고 맛은 맵고 쓰다.

주치활용 | 정창종독, 인후종통, 독사교상, 질박상통, 수종, 황달, 장종양, 간염, 폐농양, 암종, 옹절요독

효능 | 청열, 활혈, 구어혈, 화어, 소종, 항암, 해열, 진통, 지혈, 해독

민간활용 | 외용에는 짓찧어서 즙을 내어 환부에 바르거나 양치질을 한다.

주의 | 혈허자는 복용을 금한다. 임부는 복용에 신중을 기해야 한다.

2011 ⓒ 천궁

학명 | Cnidium officinale
분류 | 쌍떡잎식물 이판화군 산형화목 미나리과
원산지 | 중국
생육상 | 여러해살이풀

천궁

서식 약용 식물로 재배한다.

줄기 속이 비어 있고 가지가 다소 갈라진다.

잎
· 잎은 어긋나고 2회 3출 깃꼴겹잎이며 갈래조각은 달걀 모양의 바소꼴이고 다소 깊은 톱니가 있다.
· 뿌리잎과 밑부분의 잎은 긴 잎자루가 있고 밑부분이 잎집으로 되어 줄기를 감싼다.

꽃
· 꽃은 8월에 피고 흰색이며 복산형꽃차례를 이룬다.
· 꽃잎은 5개이고 안쪽으로 말리며 수술은 5개, 암술은 1개이다.
· 총포와 소총포는 각각 5~6개이며 줄 모양이다.

열매
· 열매는 열리지만 성숙하지 않는다.
· 땅 속에 있는 마디 사이는 덩어리처럼 생기고 강한 향기가 있다.

약 용 활 용

생약명 | 천궁(天宮, 川芎, 天弓)

이용부위 | 뿌리줄기

채취시기 | 가을

약성미 | 성질은 따뜻하고 맛은 맵고 독이 없다.

주치활용 | 월경부조, 경폐통경, 징하복통, 흉협자통, 질복종통, 두통, 풍습비통

효능 | 활혈, 행기, 경폐, 통경, 거풍, 지통

민간활용 | 민간에서는 좀을 예방하기 위해 옷장에 넣어 둔다.

주의 | 임산부의 출혈에는 신중하게 사용하여야 한다.

학명 | Arisaema amurense var. serratum

분류 | 외떡잎식물 천남성목 천남성과

분포 | 한국, 중국 북동부

생육상 | 여러해살이풀

천남성

서식 산지의 습지에서 자란다.

줄기
· 외대로 자라고 굵고 육질이다.
· 알줄기는 편평한 공 모양이며, 주위에 작은 알줄기가 2~3개 달리고 윗부분에서 수염 뿌리가 사방으로 퍼진다.
· 줄기의 겉은 녹색이지만 때로는 자주색 반점이 있다.

잎
· 1개의 잎이 달리는데 5~11개의 작은잎으로 갈라진다.
· 그 작은잎은 달걀 모양의 바소꼴 또는 달걀을 거꾸로 세운 모양의 바소꼴로 가장자리에 톱니가 있다.

꽃
· 꽃은 5~7월에 피고 단성화이며, 포의 통부는 녹색이고 윗부분이 앞으로 구부러진다.
· 꽃대 상부가 곤봉 모양이나 회초리 모양으로 발달하는 것도 있다.

열매 열매는 장과로 옥수수처럼 달리고 10월에 붉은색으로 익는다.

약 용 활 용

생약명 | 천남성(天南星)

이용부위 | 줄기

채취시기 | 가을

약성미 | 성질은 따뜻하고 맛은 쓰고 맵다.

주치활용 | 운동신경을 부활하고 중풍, 반신불수, 운동 신경마비, 안면신경마비, 팔다리 폈다 구부렸다 작용에 도움이 된다.

효능 | 거담, 진경, 소종, 거풍

민간활용 | 민간약으로 곤충에 물린 데 외용했다.

학명 | Asparagus cochinchinensis
분류 | 외떡잎식물 백합목 백합과
분포 | 한국, 일본, 타이완, 중국
생육상 | 여러해살이풀

천문동

서식	바닷가에서 자란다.
뿌리줄기	뿌리줄기는 짧고 양끝이 뾰족한 원기둥 모양의 많은 뿌리가 사방으로 퍼진다.

줄기	·줄기의 밑부분은 달걀 모양의 비늘 조각이 있다. ·줄기는 녹색으로 덩굴성이고 잎같이 생긴 가지는 1~3개씩 모여 달리며 활처럼 굽는다.

꽃	·꽃은 5~6월에 피고 잎겨드랑이에 1~3개씩 달리며 연한 황색이다. ·작은꽃줄기는 중앙에 관절이 있으며 꽃잎의 길이와 비슷하다. ·화피갈래조각은 황백색이고 긴 타원형이다. ·꽃잎과 수술은 6개씩이고 암술대는 3개이다.

열매	열매는 장과로 둥글고 흰빛으로 성숙하고 검은 종자가 1개 들어 있다.
이용	연한 순을 식용한다.

─ 약 용 활 용 ─

생약명	천문동(天門冬)
이용부위	뿌리줄기
채취시기	겨울(11월 초)
약성미	성질은 차고 맛은 달고 쓰며 독이 없다.
주치활용	음허발열, 해수토혈, 폐루폐옹, 인후종통, 소갈, 변비
효능	진해, 이뇨, 강장제, 자음, 윤조, 청폐, 항화
민간활용	민간에서는 더담, 이뇨, 각혈의 치료제로 사용한다. 당뇨병의 치료에 달여서 오래 복용한다.
주의	몸이 차고 장이 나빠 설사하는 사람에게는 쓰지 못한다.

학명 | Smilax sieboldii
분류 | 백외떡잎식물 백합목 백합과
분포 | 한국, 일본, 타이완, 중국
형태 | 낙엽 덩굴식물

청가시덩굴

서식 산이나 들에서 자란다.

줄기 능선과 곧은 가시가 있고 가지는 딱딱하며 녹색이다

잎
· 잎은 어긋나고 넓은 달걀 모양 또는 심장형의 달걀 모양으로 5~7개의 맥이 평행으로 나며 얇고 윤기가 있다.
· 잎 가장자리는 물결 모양이며 잎 끝이 뾰족하다.
· 잎자루는 중앙부에 턱잎이 변한 1쌍의 덩굴손이 달려 있다.

꽃
· 꽃은 6월에 피고 단성화이며 황록색이다.
· 잎겨드랑이에서 자란 산형꽃차례에 달린다.
· 화피와 수술은 6개씩이고 암술은 1개이다.

열매 열매는 장과로 둥글고 검은 빛으로 익는다.

이용
· 어린 순을 나물로 먹는다.
· 철조망, 울타리 같은 곳에 심어 생울타리를 만들면 경관이 아름답다.

─ 약 용 활 용 ─

생약명	점어수(粘魚鬚)
이용부위	뿌리줄기
채취시기	가을, 봄
약성미	성질은 평하고 맛은 달고 독성이 없다.
주치활용	매독, 임질, 하리, 다소변증, 관절염, 요통, 관절의 통증, 종기
효능	소화, 진통, 거풍, 소종, 혈액 순환

2011 ⓒ 초롱꽃

학명 | Campanula punctata

분류 | 쌍떡잎식물 합판화군 초롱꽃목 초롱꽃과

분포 | 한국, 일본, 중국

생육상 | 여러해살이풀

초룡꽃

서식 산지의 풀밭에서 자란다.

줄기 줄기 전체에 퍼진털이 있으며 옆으로 뻗어가는 가지가 있다.

잎
· 뿌리잎은 잎자루가 길고 달걀꼴의 심장 모양이다.
· 줄기잎은 세모꼴의 달걀 모양 또는 넓은 바소꼴이고 가장자리에 불규칙한 톱니가 있다.

꽃
· 꽃은 6~8월에 피고 흰색 또는 연한 홍자색 바탕에 짙은 반점이 있으며 긴 꽃줄기 끝에서 밑을 향하여 달린다.
· 화관은 초롱(호롱)같이 생겨 초룡꽃이라고 한다.
· 꽃받침은 5개로 갈라지고 털이 있으며 갈래조각 사이에 뒤로 젖혀지는 부속체가 있다.
· 5개의 수술과 1개의 암술이 있으며 씨방은 하위이고 암술머리는 3개로 갈라진다.

열매 열매는 삭과로 거꾸로 선 달걀 모양이고 9월에 익는다.

이용 어린 순을 나물로 먹으며, 방향성 식물이다.

약 용 활 용

생약명 | 자반풍령초(紫斑風鈴草)

이용부위 | 전초

채취시기 | 여름(6월~8월)

약성미 | 성질은 따뜻하고 맛은 달고 쓰다.

주치활용 | 인후염, 두통, 천식, 보익, 경풍, 한열, 편도선염

효능 | 청열, 해독, 지통

민간활용 | 중국 민간에서는 전초를 최산약으로 썼다.

학명 | Cimicifuga simplex

분류 | 쌍떡잎식물 이판화군 미나리아재비목 미나리아재비과

분포 | 한국, 일본, 캄차카, 사할린, 아시아 북동부

생육상 | 여러해살이풀

촛대승마

서식 산지의 숲 속 깊은 곳에서 자란다.

줄기 줄기는 꽃이삭과 더불어 흰털이 있다.

잎
· 잎은 잎자루가 길고 어긋나며 2~3회 세 갈래씩 갈라지며 다수의 작은잎으로 이루어진다.
· 작은잎은 달걀 모양에서 좁은 달걀 모양이고 2~3개씩 갈라지며 가장자리에 톱니가 있다.

꽃
· 꽃은 6~7월에 피고 흰색이며 양성화와 수꽃이 줄기 끝에 총상꽃차례로 달린다.
· 꽃자루가 있으며 꽃대에 가는털이 흩어져 난다.
· 꽃받침조각은 5개로 꽃잎처럼 생긴다.
· 꽃잎은 꽃받침조각보다 작으며 끝이 얕게 2개로 갈라지며 꽃받침과 더불어 일찍 떨어진다.
· 수술은 많고, 씨방은 2~7개이고 털이 있는 것도 있다.

이용 어린 순을 나물로 먹는다.

─ 약 용 활 용 ─

생약명 | 승마(升麻)

이용부위 | 뿌리, 줄기

채취시기 | 가을

약성미 | 성질은 약간 차고 맛은 맵고 달다.

주치활용 | 두통, 인후통, 하리, 탈항, 자궁출혈, 감모, 설사, 탈황, 자궁탈추, 치통, 옹종 창독, 홍역

효능 | 해열, 해독, 산풍, 승양, 투진

속명 | 쥐명아주

학명 | Chenopodium glaucum L.

분류 | 쌍떡잎식물 이판화군 중심자목 명아주과

분포 | 한국 전역(귀화식물)

생육상 | 한해살이풀

취명아주

서식   빈터나 바닷가에서 자란다.

줄기   · 줄기는 비스듬하게 자라며 가지가 많이 갈라진다.
· 줄기는 약간 통통하고 다육질이며 전체적으로 털이 없다.

잎   · 잎은 창처럼 생겨 끝이 뾰족한 피침형(바소꼴)인데 가장자리에 물결 모양의 톱니가 깊게 나 있고,
· 줄기에 어긋나 있다.
· 잎의 표면은 녹색이고 뒷면은 흰빛이 돈다.

꽃   7~8월에 줄기 끝의 원추꽃차례에 자그마한 연녹색 꽃들이 이삭 모양의 수상꽃차례로 모여 달린다.

열매   꽃받침은 자라서 열매를 둘러싸고 그 속에 1개의 검은색 씨가 들어 있다.

이용   어린 잎은 먹을 수 있다.

─ 약 용 활 용 ─

생약명 | 여(黎)

이용부위 | 전체

채취시기 | 봄(5~6월)

약성미 | 성질은 평하고 맛은 달고 약간 독이 있다.

주치활용 | 대장염, 이질, 습진

효능 | 해열, 살균, 이수

2011 ⓒ 층층갈고리둥굴레

학명 | Polygonatum stenophyllum

분류 | 외떡잎식물 백합목 백합과

분포 | 한국, 중국 동북부, 우수리

생육상 | 여러해살이풀

층층갈고리둥굴레

서식 산지나 초원에서 자란다.

줄기 굵은 뿌리줄기가 옆으로 자라면서 번식한다.

잎
· 잎은 표면은 녹색이다.
· 뒷면은 분백색이며 다른 종류의 둥글레와 달리 3~5개가 똑바로 선 줄기의 마디마디마다 돌려나고 바소꼴 또는 줄 모양이다.
· 밑부분이 점점 좁아져서 줄기에 달린다.

꽃 꽃은 6월에 피고 연한 황색이며 잎겨드랑이에 달리고 짧은 꽃줄기에 2개씩 밑을 향하여 핀다.

열매 소포는 2개씩이고 열매는 장과로 둥글며 9월에 검게 익는다.

이용 연한 순과 뿌리줄기를 식용한다.

약 용 활 용

생약명 | 황정(黃精)

이용부위 | 뿌리, 줄기

채취시기 | 가을

약성미 | 성질은 평하고 맛은 달고 독이 없다.

주치활용 | 허손한열, 폐로해열, 풍습동통, 심장병, 고혈압, 당뇨병

효능 | 보중익기, 윤심폐, 강근골

학명 | Clinopodium chinense var. parviflorum

분류 | 쌍떡잎식물 합판화군 통화식물목 꿀풀과

분포 | 한국, 일본

생육상 | 여러해살이풀

층층이꽃

서식 산지나 들의 양지쪽에서 자란다.

줄기
· 줄기는 윗부분에서 가지가 갈라진다.
· 줄기 전체에 털이 있으며 원줄기는 네모지고 곧추 선다.

잎 잎은 마주나고 달걀 모양으로 길며 끝이 그리 뾰족하지 않고 밑이 둥글며 가장자리에 톱니가 있다.

꽃
· 꽃은 분홍색으로 7~8월에 피고 잎겨드랑이에 모여서 층층으로 피므로 층층이꽃이라고 한다.
· 꽃받침은 5개로 갈라지고 붉은 빛이 돌며 털이 있다.
· 화관은 홍자색이고 입술 모양이다.
· 하순은 크고 3개로 갈라지며 안쪽에 붉은색 점이 있다.
· 4개의 수술 중 2개는 길고 암술은 1개이다.

열매 열매는 수과로 둥글고 약간 편평하다.

이용
· 어린 순은 나물로 먹는다.
· 방향성 식물이다.

약용활용

생약명 | 풍륜채(豊侖菜)

이용부위 | 전초

채취시기 | 여름~가을

약성미 | 성질은 서늘하고 쓰고 맵다.

주치활용 | 옴, 감기, 서체, 급성담낭염, 간염, 더위 먹은 증상

효능 | 소풍, 청열, 해독, 염증

민간활용 | 뿌리는 옴약으로 쓴다.

학명 | Adenophora radiatifolia

분류 | 쌍떡잎식물 합판화군 초롱꽃목 초롱꽃과

원산지 | 한국

분포 | 한국 전역

생육상 | 여러해살이풀

층층잔대

서식 산과 들에 흔히 자란다.

줄기 줄기는 곧추서며 전주에 털이 있다.

잎
· 줄기에 긴 타원형의 잎이 3~5개 돌려나는데 잎의 가장자리에는 거친 톱니가 있다.
· 뿌리에 붙는 잎에는 긴 잎자루가 달리나 꽃이 필 때가 되면 없어지며 줄기에 나는 잎에는 잎자루가 없다.

꽃
· 7~ 9월까지 종 모양의 연보라색 꽃이 핀다.
· 꽃은 원추꽃차례로 층층이 돌려나며 암술대가 화관 밖으로 뻗어 나온다.

열매
· 열매는 삭과로 11월에 씨가 익는다.
· 잔대 속에 속하는 여러 종들 가운데 특히 농가에서 많이 재배되고 있는 종이다.
· 씨뿌림이나 포기 나누기로 번식한다.

─ 약 용 활 용 ─

생약명 | 사삼(沙蔘)

이용부위 | 뿌리

채취시기 | 가을

약성미 | 성질은 차갑고 맛은 달다.

주치활용 | 폐열, 기관지염, 기침, 감모, 두통, 인후염, 경기, 한열, 익담

효능 | 거담, 진해, 해독

2011 ⓒ 치커리

학명 | Cichorium intybus
분류 | 쌍떡잎식물 초롱꽃목 국화과
원산지 | 북유럽
생육상 | 여러해살이풀

치커리

줄기 줄기는 단단하며 가지가 갈라지고 털이 있다.

잎
- 뿌리에서 나온 잎은 아래쪽을 향하고 깃꼴로 갈라진다.
- 갈라진 조각은 밑부분이 점차 좁아지고 날개와 같은 잎자루가 있으며, 끝에 달린 조각은 크고 옆에 달린 조각은 삼각형이다.
- 줄기에 달린 잎은 바소꼴의 달걀 모양 또는 바소꼴이고 가장자리가 밋밋하며 뒷면에 털이 있다.

꽃
- 꽃은 7~9월에 하늘색으로 피고 줄기 윗부분 잎겨드랑이와 줄기 끝에 설상화가 두상꽃차례를 이루며 달린다.
- 총포는 원기둥 모양이고 총포조각은 2개로 갈라진다.
- 품종에 따라 흰색 또는 엷은 붉은색의 꽃도 있다.

열매
- 열매는 수과이고 긴 도끼 모양이며 윗부분에 3~5개의 모서리가 있다.
- 관모는 짧고 비늘 조각 모양이며 끝이 가늘게 갈라진다.
- 생육이 왕성하고 환경에 잘 적응하기 때문에 많이 재배한다.

이용 뿌리는 약간 익혀서 버터를 발라먹고, 잎은 샐러드로 먹는데, 뿌리에서 자라나는 어린 잎을 봄에 채취해 이용한다.

약 용 활 용

생약명 | 치커리

이용부위 | 뿌리

채취시기 | 10월

주치활용 | 간염성 황달

효능 | 건위, 완하, 이뇨

민간활용 | 뿌리를 이뇨·강장·건위 및 피를 맑게 하는 약으로 이용한다.

2011 ⓒ 컴프리

학명 | Symphytum officinale

분류 | 쌍떡잎식물 통화식물목 지치과

원산지 | 유럽

생육상 | 여러해살이풀

컴프리

서식 유럽이 원산지이고, 약용 또는 사료용으로 재배한다.

줄기 줄기는 가지가 갈라지며 전체에 거친 흰색 털이 빽빽이 있다.

잎
· 잎은 어긋나고 달걀 모양의 바소꼴이며 끝이 뾰족하다.
· 뿌리에서 나온 잎은 잎자루가 있다.
· 줄기 윗부분에 달린 잎은 잎자루가 없으며 잎몸 밑부분이 잎이 달린 곳까지 흘러 날개처럼 된다.

꽃
· 꽃은 6~7월에 자주색·분홍색·흰색으로 피고, 끝이 꼬리처럼 말린 꽃대 위에 달린다.
· 꽃대는 1~2회 2개씩 갈라지고, 꽃받침은 5개로 갈라지며 녹색이다.
· 화관은 통 모양이고 윗부분이 종처럼 약간 벌어지며 끝이 얕게 5개로 갈라진다.
· 수술은 5개이고 화관의 통부분에 붙어 있고, 암술은 길게 화관 밖으로 나온다.

열매 열매는 소견과이고 4개의 분과로 갈라지며, 분과는 달걀 모양이다.

이용 뿌리에 녹말이 있으므로 먹을 수 있고, 식물체는 사료로 사용한다.

약 용 활 용

생약명 | 감부리(甘富利)

이용부위 | 전초

채취시기 | 봄~가을

약성미 | 성질은 평하고 맛은 달다.

주치활용 | 위산과다, 위궤양, 빈혈, 종기, 악창, 피부염, 기관지염, 늑막염

효능 | 건위, 소화

2011 ⓒ 코스모스

학명 | Cosmos bipinnatus

분류 | 쌍떡잎식물 초롱꽃목 국화과

원산지 | 멕시코

생육상 | 한해살이풀

코스모스

서식 관상용으로 흔히 심는다.

줄기 줄기는 윗부분에서 가지가 갈라지며 털이 없다.

잎 잎은 마주나고 2회 깃꼴로 갈라지며, 갈라진 조각은 줄 모양이다.

꽃
- 꽃은 6~10월에 피고 가지와 줄기 끝에 두상화가 1개씩 달린다.
- 두상화는 6~8개의 설상화와 황색의 관상화로 구성된다.
- 설상화는 색깔이 연분홍색·흰색·붉은색 등 매우 다양하고 꽃잎의 끝이 톱니 모양으로 얕게 갈라진다.
- 통상화는 꽃밥이 짙은 갈색이고 열매를 맺는다.
- 총포 조각은 2줄로 배열하고 달걀 모양의 바소꼴이며 끝이 뾰족하다.

열매 열매는 수과이고 털이 없으며 끝이 부리 모양이다.

약 용 활 용

생약명 | 추영(秋英)

이용부위 | 선초(지상부)

채취시기 | 가을

주치활용 | 눈이 충혈되고 붓고 아픈 증상

효능 | 청열

학명	Glycine max
분류	쌍떡잎식물 장미목 콩과
원산지	중국
생육상	한해살이풀

콩

| 서식 | 식용작물로서 널리 재배하고 있다 |

| 뿌리 | 뿌리에는 많은 근류(뿌리혹)가 있다. |

| 줄기 | 줄기는 곧게 서며 덩굴성인 품종도 있다. |

| 잎 | · 잎은 어긋나고 3장의 작은잎이 나온 잎이다.
· 작은잎은 달걀 모양 또는 타원 모양이고 가장자리가 밋밋하다. |

| 꽃 | · 꽃은 7~8월에 자줏빛이 도는 붉은색 또는 흰색으로 핀다.
· 잎겨드랑이에서 나온 짧은 꽃대에 총상꽃차례를 이루며 달린다.
· 꽃받침은 종 모양이고 끝이 5개로 갈라진다.
· 화관은 나비 모양이고, 수술은 10개이다. |

| 열매 | · 열매는 협과이고 줄 모양의 편평한 타원형이며 1~7개의 종자가 들어 있다.
· 완전히 익으면 꼬투리가 터져서 종자가 흩어진다.
· 종자는 품종에 따라 둥근 모양과 편평하고 둥근 모양 등 다양하고 크기도 매우 다양하다.
· 종자의 빛깔은 황색, 검은색, 연한 갈색, 초록색 등 여러 가지가 있다. |

─ 약 용 활 용 ─

생약명	대두(大豆), 흑두(黑豆)
이용부위	종자
채취시기	가을(9월~10월)
약성미	성질은 차고 맛은 시고 매우며 독이 없다.
주치활용	수종창만, 풍독각기, 황달부종, 풍비에 의한 근육경련, 감모, 한열두통, 번조휴민, 허번불면
효능	이뇨, 해독, 거풍, 이수, 활혈, 해표, 제번, 선발울열
민간활용	중풍에 의한 실음에 검은콩으로 즙을 만들어 끓여 먹으면 응급치료가 된다. 검은콩죽은 뻣뻣한 뒷덜미를 풀어준다.
주의	상한 음경에 전입하거나 삼음에 직중한 자는 복용을 금한다.

학명 | Lemmaphyllum microphyllum
분류 | 양치식물 고사리목 고란초과
분포 | 한국, 일본, 타이완, 중국 남쪽
생육상 | 상록 양치식물

콩짜개덩굴

서식 해안지대와 섬의 바위 또는 노목 겉에 붙어서 자란다.

줄기 가는뿌리줄기가 옆으로 벋으면서 잎이 군데군데 돋는다.

잎
· 잎은 포자낭군이 달리는 포자엽과 달리지 않는 영양엽이 있다.
· 영양엽은 둥글거나 넓은 타원형이고 육질이며 겉은 윤기가 있다.
· 포자엽은 선형이고 주맥 양쪽에 포자낭군이 밀생한다.

약 용 활 용

생약명 | 지련전(地連錢)

이용부위 | 전초

채취시기 | 여름~가을

약성미 | 성질은 서늘하고 맛은 맵다.

주치활용 | 해수, 혈뇨, 타박상, 치통

효능 | 청폐, 지해, 해독

2011 ⓒ 큰까치수염

학명 | Lysimachia clethroides
분류 | 쌍떡잎식물 앵초목 앵초과
분포 | 한국, 일본, 중국
생육상 | 여러해살이풀

큰까치수염

서식 산지의 볕이 잘 드는 풀밭에서 자란다.

줄기
- 뿌리줄기는 길게 자라고, 줄기는 곧게 선다.
- 원기둥 모양이며 가지가 갈라지지 않고 밑부분이 붉은 빛을 띤다.

잎
- 잎은 어긋나고 긴 타원 모양의 바소꼴이며 끝이 뾰족하며 밑부분이 좁다.
- 잎 가장자리가 밋밋하고, 잎 표면에 흔히 털이 있으며, 뒷면에는 털이 없고 안쪽에 선점이 있다.

꽃
- 꽃은 6~8월에 흰색으로 피고 줄기 끝에 총상꽃차례를 이루며 빽빽이 달린다.
- 꽃차례는 한쪽으로 굽으며 밑에서부터 꽃이 핀다.
- 작은꽃자루는 밑부분에 줄 모양의 포가 있다.
- 꽃받침조각과 꽃잎은 각각 5개이고 좁고 긴 타원 모양이다.
- 수술은 5개이고, 암술은 1개이다.

열매 열매는 삭과이고 둥글며 꽃받침에 싸여 있다. 어린 순을 나물로 먹는다.

약 용 활 용

생약명 | 진주채
이용부위 | 전초
채취시기 | 여름(7~8월)
약성미 | 성질은 평하고 맛은 쓰다.
주치활용 | 생리불순, 백대하, 이질, 인후염, 유방염, 타박상, 신경통
효능 | 조경, 산어혈, 청열, 소종

학명 | Clematis patens

분류 | 쌍떡잎식물 미나리아재비과

분포 | 한국, 일본, 중국 동북부

생육상 | 낙엽 덩굴식물

큰꽃으아리

서식 숲 가장자리와 산기슭의 볕이 잘 드는 풀밭에서 자란다.

줄기 줄기는 가늘고 갈색이며 잔털이 있다.

잎
- 잎은 마주나고 긴 잎자루가 있으며 3~5개의 작은잎으로 구성된 겹잎이다.
- 작은잎은 달걀 모양 또는 달걀 모양의 바소꼴이다.
- 끝이 뾰족하고 밑부분이 둥글거나 심장 모양이다.
- 잎 가장자리는 밋밋하고, 잎 뒷면에 잔털이 있으며, 긴 잎자루가 물체에 감기기도 한다.

꽃
- 꽃은 5~6월에 흰색 또는 연한 자주색으로 피고 가지 끝에 1개씩 달린다.
- 꽃받침조각은 6~8개이다.
- 넓은 달걀 모양이거나 타원 모양 또는 긴 타원 모양이고 끝이 뾰족하다.
- 꽃잎은 없고, 수술은 수가 많으며, 수술대는 흰색이고 편평하다.
- 암술은 그 수가 많고, 암술대는 황색을 띤 갈색의 털이 있다.

열매 열매는 수과이고 넓은 달걀 형태의 둥근 모양을 이루며 모여 달린다.

이용 한방에서는 뿌리를 위령선이라는 약재로 쓰는데, 사지 마비 · 요통 · 근육 마비 · 타박상 · 다리의 동통 등에 사용한다.

─ **약 용 활 용** ─

생약명 | 위령선(威靈仙)

이용부위 | 뿌리

채취시기 | 이른 봄, 가을

약성미 | 성질은 따뜻하고 맛은 맵고 짜다.

주치활용 | 풍한습비, 각기종통, 통풍, 사지 마비, 요통, 근육 마비, 타박상, 다리의 동통

효능 | 해열, 진통, 이뇨

주의 | 병이 풍습으로 인하지 않은 자, 기혈이 허한 자는 사용을 금한다.

학명 | Majanthemum dilatatum

분류 | 외떡잎식물 백합목 백합과

분포 | 한국, 일본, 중국 동북부, 사할린, 캄차카반도, 시베리아 동부

생육상 | 여러해살이풀

큰두루미꽃

서식 높은 산의 숲 속에서 자란다.

뿌리 뿌리줄기는 옆으로 길게 뻗고 마디에서 뿌리가 나온다.

줄기 줄기는 곧게 서고 밑부분이 막질의 잎집으로 싸인다.

잎
· 잎은 2~3개이고 어긋나며 달걀 모양의 심장형이다.
· 끝이 뾰족하고 밑부분이 깊은 심장 모양이다.
· 가장자리에 반달 같은 세포가 있어 톱니같이 되고 털이 없다.

꽃
· 꽃은 5~6월에 흰색으로 피고 줄기 끝에 총상꽃차례를 이루며 달린다.
· 화피 조각은 4개이며 타원 모양이고 끝이 둔하며 수평으로 퍼져 뒤로 젖혀진다.
· 수술은 4개이고 화피보다 짧으며, 암술대는 끝이 얕게 3개로 갈라진다.

열매 열매는 장과이고 둥글며 붉은색으로 익는다.

약 용 활 용

생약명 | 이엽무학초(二葉舞鶴草)

이용부위 | 전초(지상부)

주치활용 | 지혈, 소변 출혈, 토혈, 월경과다에 지혈 효과

효능 | 양혈

민간활용 | 외상 출혈에 짓찧어서 환부에 붙인다.

학명 | Geum aleppicum

분류 | 쌍떡잎식물 장미목 장미과

분포 | 한국, 일본, 중국, 몽골, 시베리아, 터키, 동유럽, 북아메리카

생육상 | 여러해살이풀

큰뱀무

서식 풀밭이나 물가에서 자란다.

줄기 줄기 전체에 옆으로 퍼진 털이 있다.

잎
· 뿌리에서 나온 잎은 잎자루가 길고 2~5쌍의 작은잎으로 구성된 깃꼴겹잎이다.
· 작은잎은 밑으로 갈수록 점점 작아진다.
· 끝이 달린 작은잎은 네모난 달걀 모양이거나 둥글다.
· 가장자리에 불규칙한 톱니가 있다.
· 줄기에 달린 잎은 어긋나고 잎자루가 짧으며 3~5개의 작은잎으로 구성된다.
· 턱잎은 넓은 달걀 모양이고 가장자리에 깊이 패어 들어간 모양의 톱니가 있다.

꽃
· 꽃은 6~7월에 황색으로 피고 가지 끝에 1개씩 모두 3~10개가 달린다.
· 꽃받침 조각과 꽃잎, 그리고 부악편이 각각 5개이다.
· 과탁에 털이 있다.
· 암술대는 마디가 있으며 꼬부라졌다가 실처럼 가늘어진다.
· 뱀무(G. japonicum)와 비슷하지만 작은꽃자루에 퍼진 털이 있고 과탁의 털이 짧은 것이 다르다.

열매 열매는 수과이고 털이 있으며 암술머리가 남아 있고, 열매가 모인 덩어리는 취과이며 타원 모양이다.

이용 어린 순을 나물로 먹는다.

─ 약용활용 ─

생약명 | **오기조양초**(五氣朝陽草)

이용부위 | **전초**

채취시기 | **여름**(8~9월)

약성미 | 성질은 **따뜻하고** 독이 **없다.**

주치활용 | 허리와 다리의 통증, 이질, 자궁 출혈, 백대하, 림프절결핵, 종기, 인후염

효능 | 거풍, 제습, 활혈, 소종, 강심

학명 | Primula jesoana

분류 | 쌍떡잎식물 앵초목 앵초과

분포 | 한국, 일본

생육상 | 여러해살이풀

큰앵초

서식 깊은 산 속의 나무 그늘이나 습지에서 자란다.

줄기 뿌리줄기는 짧고 옆으로 뻗으며, 줄기는 없고 전체에 잔털이 있다.

잎
- 잎은 뿌리에서 뭉쳐나고, 잎자루는 길며 비스듬히 선다.
- 잎몸은 둥글며 밑부분이 심장 모양이고 가장자리가 손바닥 모양으로 얕게 7~9개로 갈라지며 잔 톱니가 있다.

꽃
- 꽃은 7~8월에 붉은 빛이 도는 자주색으로 핀다.
- 잎 사이에서 나온 꽃줄기 끝에 1~4층을 이루며 각 층에 5~6개가 달린다.
- 꽃줄기는 윗부분에 짧은 털이 있으며 잎이 달리지 않는다.
- 포는 넓은 줄 모양이다.
- 꽃받침은 통 모양이고 5개로 깊게 갈라진다.
- 화관은 통 모양이며 끝이 5개로 갈라진다.
- 수술은 5개이며 통부분보다 짧다.

열매 열매는 삭과이고 달걀 모양의 긴 타원형이다.

이용 어린 순을 나물로 먹는다.

약 용 활 용

생약명	앵초근(櫻草根)
이용부위	뿌리줄기
채취시기	여름(6~7월)
약성미	성질은 평하고 맛은 달다.
주치활용	해수, 기침, 천식
효능	지해, 화담
민간활용	전초를 거담제로 쓴다.

학명 | Cirsium pendulum

분류 | 쌍떡잎식물 초롱꽃목 국화과

분포 | 한국, 일본, 중국 북동부, 사할린, 시베리아 동부 등지

생육상 | 여러해살이풀

큰엉겅퀴

서식 숲 가장자리와 강가의 습지에서 자란다.

줄기 줄기는 곧게 서고 윗부분에서 가지가 많이 갈라지고 세로로 줄이 있으며 거미줄 같은 털이 있다.

잎
· 뿌리에서 나온 잎과 줄기 밑 부분에 달린 잎은 꽃이 필 때 말라 없어지고 타원 모양이다.
· 끝이 꼬리처럼 길고 양면에 털이 있으며 밑 부분이 잎자루의 날개가 되고 깃 모양으로 갈라진다.
· 갈라진 조각은 줄 모양이고 가장자리에 깊이 패어 들어간 모양의 톱니가 있다.
· 줄기 중간에 달린 잎은 어긋나고 바소꼴의 타원 모양이다.
· 끝이 길고 뾰족하며 잎자루가 없고 깃 모양으로 깊게 갈라진다.

꽃
· 꽃은 7~10월에 피고 가지와 줄기 끝에 두상화가 밑을 향하여 달린다.
· 두상화는 자주색이다.
· 총포는 달걀 모양이고 끈끈한 거미줄 같은 털이 있다.
· 총포조각은 8줄로 배열하고, 가운데 있는 조각은 줄 모양이며 뒤로 젖혀진다.
· 관모는 검은 빛을 띤 갈색이다.

열매 열매는 수과이고 긴 타원 모양이며 4개의 모가 난 줄이 있다.

이용 어린 순을 나물로 먹는다.

약 용 활 용

생약명 | 대계

이용부위 | 전초

채취시기 | 여름~가을(7~9월)

약성미 | 성질은 평하고 맛은 쓰며 독이 없다.

주치활용 | 각혈, 코피, 자궁 출혈, 소변 출혈, 종기와 급성간염으로 인한 황달

효능 | 혈압강하제

민간활용 | 민간에서는 뿌리를 신경통에 사용한다. 뿌리를 감기, 금창, 출혈등에 다른 약재와 함께 사용하기도 하며, 정력제로 쓰인다.

2011 ⓒ 큰연령초

학명 | Trillium tschonoskii

분류 | 외떡잎식물 백합목 백합과

분포 | 한국(울릉도, 경기, 강원과 북부지방), 일본, 사할린섬

생육상 | 여러해살이풀

큰연령초

서식 깊은 산 숲 속에서 자란다.

줄기
· 뿌리줄기는 짧고 굵다.
· 줄기는 곧추서고 밑동은 비늘잎으로 싸인다.

잎
· 줄기 끝에 3개의 잎이 돌려나며 둥그스름한 사각 모양 또는 둥근 달걀 모양이다.
· 끝은 뾰족하고 밑은 넓은 쐐기 모양이며 가장자리가 밋밋하고 3~5개의 맥과 이를 연결한 그물맥이 있다.

꽃
· 꽃은 5~6월에 흰색으로 피는데, 잎 사이에서 작은 꽃줄기가 자라서 끝에 1개의 꽃이 옆을 향하여 핀다.
· 꽃받침조각은 3개이고 달걀 모양 바소꼴로서 끝이 뾰족하다.
· 꽃잎은 3개이며 긴 달걀 모양이고 꽃받침보다 약간 길다.
· 수술은 6개, 꽃밥은 수술대보다 약간 길다.
· 암술대 끝은 3갈래로 갈라지고 갈래조각은 뒤로 젖혀진다.

열매 열매는 장과로서 달걀꼴의 공 모양이며 녹색이다.

약용활용

생약명 | 우아칠(芋兒七)

이용부위 | 뿌리줄기

채취시기 | 여름~가을

주치활용 | 고혈압, 두통, 허리와 넓적다리의 통증, 타박상, 외상출혈

효능 | 혈액순환, 지혈, 진통

민간활용 | 민간에서는 적리, 허리 아픔, 신경쇠약, 자궁 출혈등에 쓴다.

주의 | 독성식물이므로 과용하지 않도록 한다.

2011 ⓒ 큰원추리

학명 | Hemerocallis middendorfii

분류 | 외떡잎식물 백합목 백합과

분포 | 한국, 일본, 중국, 시베리아 동부

생육상 | 여러해살이풀

큰원추리

서식 산지에서 자란다.

뿌리 뿌리가 사방으로 퍼지고 붉은 빛을 띤 갈색이며 군데군데가 양 끝이 뾰족한 원기둥 모양으로 굵어진다.

줄기 줄기는 곧게 선다.

잎 잎은 골이 지고 녹색이며 마주나와 얼싸안으며 뒤로 젖혀진다.

꽃 ・꽃은 6월에 주황색으로 피는데, 꽃이삭은 짧고 커다란 포 안에 2~4개의 꽃이 달린다.
・안쪽 화피조각은 긴 타원 모양이다.
・수술은 6개이고 화피보다 짧으며, 암술은 1개로서 수술보다 길다.

열매 열매는 삭과로서 넓고 둥근 타원 모양이고 등쪽이 갈라져서 검은 종자가 나온다.

이용 어린 순은 나물로 먹는다.

약용활용

생약명 | 훤초근(萱草根)

이용부위 | 뿌리

채취시기 | 가을

약성미 | 성질은 서늘하고 맛은 달다.

주치활용 | 수종, 월경불순, 소변불통, 황달, 혈뇨, 우선염

효능 | 이뇨, 소종

민간활용 | 이뇨, 황달을 다스릴 때 쓰인다.

학명 | Cynanchum wilfordii

분류 | 쌍떡잎식물 용담목 박주가리과

분포 | 한국, 일본, 우수리강, 중국 북동부

생육상 | 덩굴성 여러해살이풀

큰조롱

서식 산기슭 양지의 풀밭이나 바닷가의 경사지에서 자란다.

줄기 굵은 뿌리가 땅속 깊이 들어 있고 여기에서 원줄기가 나오며 왼쪽으로 감아 올라가고 자르면 흰 즙이 나온다.

잎
· 잎은 마주나고 달걀 모양의 심장꼴 또는 심장 모양이다.
· 끝은 뾰족하고 가장자리가 밋밋하며 잎자루는 위로 갈수록 짧아진다.

꽃
· 꽃은 7~8월에 연한 노란빛을 띤 녹색으로 피고 산형꽃차례로 달린다.
· 꽃줄기는 잎겨드랑이에서 나온다.
· 꽃받침과 꽃잎은 각각 5갈래로 갈라진다.
· 가장자리는 안으로 오므라들고 안쪽에 잔털이 난다.

열매
· 열매는 골돌과이고 바소꼴이며 9월에 익는다.
· 종자에는 희고 긴 털이 난다.

약 용 활 용

생약명	백하수오(白何首烏)
이용부위	뿌리
채취시기	늦가을, 이른 봄
약성미	성질은 약간 따뜻하고 맛은 쓰고 달며 떫다.
주치활용	빈혈증, 허약증세, 양기부족, 신경통, 선질병, 만성풍비
효능	자양, 강장, 보혈, 정력증진
민간활용	정기를 수렴하고 수염과 머리카락을 검게 한다.

학명 | Arisaema ringens

분류 | 외떡잎식물 천남성목 천남성과

분포 | 한국, 일본, 타이완, 중국

생육상 | 여러해살이풀

큰천남성

서식 산골짜기나 숲 속에서 자란다.

줄기 알줄기는 납작한 공 모양이고 위에서 뿌리가 내리며 작은 알줄기가 달린다.

잎
- 잎은 연한 녹색으로서 잎자루가 있으며, 2개씩 뿌리에서 나와 얼싸안고 줄기 비슷해지며 3장의 작은잎으로 된다.
- 작은잎은 사각 모양의 넓은 달걀 모양으로서 작은잎자루는 없다.
- 밑은 뾰족하고 끝이 실처럼 길어지며 겉에 윤기가 있고 뒷면은 흰빛이 돈다.

꽃
- 꽃은 암수 딴 그루로서 5~7월에 피며 커다란 불염포 안에 육수꽃차례가 자란다.
- 포는 짙은 자주색 또는 연한 녹색이고 윗부분은 주머니같이 되며 끝은 짧은 꼬리처럼 길어진다.

열매 열매는 장과로서 옥수수처럼 꽃이삭축에 달리며 8~9월에 붉게 익는다.

약 용 활 용

생약명	천남성(天南星)
이용부위	줄기
채취시기	늦가을
약성미	성질은 평하고 맛은 쓰고 맵고 독이 있다.
주치활용	중풍, 안면신경마비, 안후마비, 간질병, 반신불수, 파상풍, 임파선종, 악성종기
효능	진경, 거담, 거풍
민간활용	과용하지 말아야 한다.

속명	산피막이풀, 큰산피막이풀
학명	Hydrocotyle ramiflora
분류	떡잎식물 산형목 산형과
분포	경기 이남
생육상	여러해살이풀

큰피막이

서식 산과 들의 길가에서 자란다.

줄기 줄기는 옆으로 기고 끝은 비스듬하게 선다. 가지는 곧게 서거나 비스듬히 선다.

잎
- 잎은 어긋나고 둥근 모양이다.
- 가장자리는 얕게 갈라지고 낮고 뭉툭한 톱니가 있다.
- 아래쪽은 겹쳐지기도 한다.
- 턱잎은 막질이고 갈색 점이 있다.

꽃
- 꽃은 6~8월에 흰색으로 피는데, 가지의 잎겨드랑이에서 나온 꽃자루 끝에 10여 개씩 달린다.
- 작은꽃자루는 짧고 꽃잎과 수술은 5개씩이며 암술대는 2개이다.

열매 열매는 분열과로서 콩팥 모양이고 좌우로 납작하며 뒤쪽에 3개의 줄이 있다.

약 용 활 용

생약명 | 천호유(天胡荽)

이용부위 | 전초

채취시기 | 여름~가을(8~10월 꽃이 필 때)

약성미 | 성질은 서늘하고 맛은 맵다.

주치활용 | 해독, 구토, 지혈, 안질, 곽란, 야맹증, 위장염, 거풍

효능 | 이뇨, 해독, 소종, 지혈, 해열

민간활용 | 민간에서는 논에서 일하던 농부가 거머리에 물려 피가 흐를 때 잎을 비벼 지혈제로 썼다.

2011 ⓒ 타래난초

학명 | Spiranthes sinensis

분류 | 외떡잎식물 난초목 난초과

분포 | 한국, 일본, 중국, 타이완, 사할린섬, 시베리아 등지

생육상 | 여러해살이풀

타래난초

서식 잔디밭이나 논둑에서 자란다.

줄기 뿌리는 짧고 약간 굵으며 줄기는 곧게 선다.

잎
· 뿌리에 달린 잎은 주맥이 들어가며 밑부분이 짧은 잎집으로 된다.
· 줄기에 달린 잎은 바소꼴로서 끝이 뾰족하다.

꽃
· 꽃대는 줄기 하나가 곧게 선다.
· 꽃은 5~8월에 연한 붉은색 또는 흰색으로 피고 나선 모양으로 꼬인 수상꽃차례에 한 쪽 옆으로 달린다.
· 포는 달걀 모양 바소꼴로서 끝이 뾰족하다.
· 꽃받침조각은 바소꼴이고 점점 좁아진다.
· 꽃잎은 꽃받침보다 약간 짧으며 위꽃받침잎과 함께 투구 모양을 이룬다.
· 입술꽃잎은 달걀을 거꾸로 세워 놓은 모양으로서 꽃받침보다 길고 끝이 뒤로 젖혀지며 가장자리에 잔톱니가 난다.
· 씨방은 대가 없다.

열매 열매는 삭과로서 곧게 서고 타원 모양이다.

이용 관상용으로 심는다.

┌─ 약 용 활 용 ─

생약명 | 반룡삼

이용부위 | 뿌리, 전초

채취시기 | 여름(6~7월)

주치활용 | 유정, 기침, 인후염, 해수로 인한 토혈, 대하증, 악성종기, 신경쇠약, 당뇨병

효능 | 청열, 운폐, 유정, 익음, 해열, 진해, 해독, 소종

주의 | 습사에 의한 열병이나 어체에는 복용을 금한다.

학명 | Iris pallasii var. chinensis

분류 | 외떡잎식물 백합목 붓꽃과

분포 | 한국, 일본, 중국(만주)

생육상 | 여러해살이풀

타래붓꽃

서식 산지의 건조한 곳에서 자란다.

줄기 옆으로 자라는 뿌리줄기에서 줄기가 나와서 곧게 서고 잎이 2줄로 달리며 커다란 포기가 된다.

잎 잎은 줄 모양이고 비틀리며 잿빛을 띤 녹색이지만 밑부분에 자줏빛이 돈다.

꽃
- 꽃은 5~6월에 하늘색으로 피는데, 꽃줄기 끝에 달리고 향기가 있다.
- 꽃자루 끝의 잎처럼 생긴 포 사이에 2~4개가 달린다.
- 바깥 화피조각은 3개이고 좁은 달걀 모양으로서 옆으로 퍼지며 끝이 젖혀진다.
- 안쪽 화피조각은 3개이며 거꾸로 선 바소 모양으로서 곧게 선다.
- 암술대는 3개로 갈라지고 각 갈래조각은 다시 얕게 2개로 갈라진다.
- 씨방은 하위(下位)이다.

열매 열매는 삭과로서 7~8월에 익으며 끝이 부리처럼 길다.

─ 약 용 활 용 ─

생약명 | 마린자(馬藺子)

이용부위 | 뿌리, 줄기

채취시기 | 가을(9~10월)

약성미 | 성질은 평하거나 따뜻하고 맛은 달다.

주치활용 | 기관지염, 인후염, 황달, 골수염, 설사, 부인냉병, 금창, 인후염.

효능 | 수면, 해열, 이뇨, 지혈제

민간활용 | 술독을 풀어주는 해독작용과 잠이 오지 않을 때 수면제 대용으로 사용한다.

학명 | Filipendula glaberrima

분류 | 쌍떡잎식물 장미목 장미과

분포 | 한국(경남, 경북, 경기, 강원)

생육상 | 여러해살이풀

터리풀

서식 산지에서 자란다.

줄기 전체에 거의 털이 없고, 줄기는 곧게 서며 가늘고 길다.

잎
· 잎은 어긋나고 잎자루가 길며 손바닥 모양으로서 3~7개로 날카롭게 갈라진다.
· 갈래조각은 바소꼴로서 끝이 날카로우며, 깊이 패어 들어간 모양의 겹톱니가 있다.
· 잎자루에는 크고 작은 깃꼴 작은잎이 서로 어긋나게 늘어선 것이 6쌍인데, 이것이 없거나 흔적만 남은 것도 있다.
· 턱잎은 바소 모양의 긴 타원형이다.

꽃
· 꽃은 6~8월에 흰색으로 핀다.
· 취산상 산방꽃차례로 줄기와 가지 끝에 달리며 여러 개의 작은 꽃이 모여난다.
· 꽃받침조각은 달걀 모양으로서 끝이 뭉뚝하며, 꽃잎은 4~5개이고 둥근 모양이다.
· 수술은 여러 개이며 꽃잎보다 길게 난다.
· 꽃실은 실 모양이고 심피는 대개 5개이며 서로 떨어진다.

열매 열매는 삭과로서 달걀 모양 타원형이고 9~10월에 익으며 가장자리에 털이 난다.

이용 관상용으로 심으며 어린 잎은 식용한다.

약 용 활 용

생약명 | 광합엽자(光合葉子)

이용부위 | 전초

주치활용 | 관절염, 전간, 화상 및 동상

효능 | 거풍습, 지경

1189

2011 ⓒ 털머위

학명 | Farfugium japonicum

분류 | 쌍떡잎식물 초롱꽃목 국화과

분포 | 한국(경남, 전남, 울릉도), 일본, 타이완, 중국

생육상 | 여러해살이풀

털머위

서식 바닷가 근처에서 자란다.

줄기 뿌리줄기는 굵고 끝에서 잎자루가 긴 잎이 무더기로 나와서 비스듬히 선다.

잎
- 잎은 머위같이 생기고 두꺼우며 신장 모양으로서 윤기가 있다.
- 가장자리에 이 모양의 톱니가 있거나 밋밋하며, 뒷면에 잿빛을 띤 흰색 털이 난다.

꽃
- 꽃은 9~10월에 노란색으로 피는데, 산방꽃차례로 달린다.
- 설상화는 암꽃이고 관상화는 양성화이며 모두 열매를 맺는다.
- 총포조각은 1줄로 늘어선다.

열매 열매는 수과로서 털이 빽빽이 나고 갈색의 관모가 있다.

이용
- 관상용으로 뜰에 심기도 하고 어린 잎자루는 식용한다.
- 민간에서는 잎을 상처와 습진에 바르고, 생선 중독에 삶은 물이나 생즙을 마시며, 해독제로 쓰기도 한다.

약 용 활 용

생약명	독각연(獨脚蓮)
이용부위	꽃
채취시기	여름(7~8월)
약성미	성질은 차고 맛은 달고 맵다.
주치활용	피부병, 생선중독, 해수, 후비, 폐옹, 폐위, 토혈
효능	해독, 진해, 거담, 배농
민간활용	꽃은 기침에 사용한다.
주의	독성이 있으므로 복용에 주의하여야 한다.

학명 | Persicaria cochinchinensis

분류 | 쌍떡잎식물 마디풀목 마디풀과

원산지 | 동남아시아

생육상 | 한해살이풀

털여뀌

줄기 줄기 전체에 긴 털이 나고 곧게 서며 가지가 갈라진다.

잎
· 잎은 어긋나고 넓은 달걀 모양이거나 달걀 모양 심장형이다.
· 끝이 뾰족하고 가장자리가 밋밋하며 잎자루가 길다.
· 턱잎은 잎집같이 생기고 막질이며 끝에 녹색의 작은잎이 달리기도 한다.

꽃
· 꽃은 7~8월에 붉은색으로 피는데, 가지 끝에서 밑으로 처지는 수상꽃차례에 빽빽이 달린다.
· 꽃받침은 5개로 갈라지며, 수술은 8개로서 꽃받침보다 길다.

열매 열매는 수과로서 둥근 쟁반처럼 생기고 검은 빛을 띤 갈색이며 꽃받침으로 싸인다.

이용 어린 잎은 식용하며, 관상용으로 심거나 포기 전체와 종자를 약재로 사용하기 위하여 재배한다.

─ 약 용 활 용 ─

생약명	홍초(葒草)
이용부위	열매
채취시기	여름(7~8월)
약성미	성질은 차고 맛은 짜다.
주치활용	복통, 소화불량, 만성간염, 급성결막염, 위통, 식욕부진, 창종, 나역, 복창
효능	산어, 파적, 건비이습
민간활용	민간에서는 포기 전체를 이뇨, 해열, 진통 등에 약으로 쓴다.
주의	혈분에 어체가 없거나 비위가 허한자는 복용을 금한다.

2011 ⓒ 털제비꽃

학명 | Viola phalacrocarpa

분류 | 쌍떡잎식물 측막태좌목 제비꽃과

분포 | 한국, 일본, 중국 북동부, 시베리아

생육상 | 여러해살이풀

털제비꽃

서식 양지쪽 구릉지에서 자란다.

줄기 뿌리줄기는 짧고 전체에 잔털이 난다.

잎
· 잎은 무더기로 나고 퍼진 털이 나며 긴 달걀 모양이다.
· 잎 밑은 심장 모양이다.

꽃
· 꽃은 4~5월에 붉은 빛을 띤 자주색으로 핀다.
· 잎 사이에서 꽃줄기가 나와 1송이씩 달린다.
· 수술은 5개이며 꽃받침의 부속체는 삼각이거나 사각 모양이다.
· 날카로운 톱니가 있으며 측판 밑동에 털이 난다.

열매 열매는 삭과로서 타원형이며 잔털이 빽빽이 난다.

약용활용

생약명	자화지정(紫花地丁)
이용부위	전초
채취시기	봄(4~5월)
약성미	성질은 차고 맛은 쓰고 맵다.
주치활용	설사, 오줌이 잘 나오지 않는 증세, 임파선염, 황달, 간염, 수종
효능	해독, 소종, 청열, 양혈, 소염, 지사, 최토, 이뇨
민간활용	잎과 줄기를 짓찧어 삔 부분에 붙이기도 한다.

2011 ⓒ 털중나리

학명 | Lilium amabile

분류 | 외떡잎식물 백합목 백합과

분포 | 한국, 중국 북동부

생육상 | 여러해살이풀

털중나리

서식 산지에서 흔히 자란다.

줄기
- 줄기는 곧추 서고 윗부분이 약간 갈라지며 전체에 잿빛의 잔털이 난다.
- 비늘줄기는 달걀 모양의 타원형이다.

잎
- 잎은 어긋나고 줄 모양이거나 바소꼴이다.
- 둔한 녹색이고 끝이 뭉뚝하거나 뾰족하며 양면에 잔털이 빽빽이 난다.
- 가장자리는 밋밋하고 잎자루가 없으며 위쪽으로 갈수록 크기가 작아진다.

꽃
- 꽃은 6~8월에 피는데, 가지 끝과 원줄기 끝에 1~5개씩 밑을 향하여 달린다.
- 화피갈래조각은 바소꼴이고 6개이다.
- 뒤쪽으로 젖혀지고, 안쪽에는 검은 빛 또는 자줏빛 반점이 있다.
- 6개의 수술과 1개의 암술은 모두 꽃 밖으로 길게 나온다.
- 꽃밥은 노란 빛을 띤 빨간색이다.

열매
- 열매는 삭과로서 달걀 모양의 넓은 타원형이고 9~10월에 익는다.
- 종자는 갈색이다.

이용 관상용으로 심으며, 이른 봄 비늘줄기를 식용하고 참나리와 함께 약재로도 쓴다.

약 용 활 용

- **생약명** | 권단(卷丹)
- **이용부위** | 비늘줄기
- **채취시기** | 가을
- **약성미** | 성질은 평하고 맛은 달고 독이 없다.
- **주치활용** | 피로회복, 위장병, 종기
- **효능** | 자양, 강장, 건위, 소종

학명 | Geranium eriostemon

분류 | 쌍떡잎식물 쥐손이풀목 쥐손이풀과

분포 | 한국, 일본, 중국, 몽골, 헤이룽강, 우수리강

생육상 | 여러해살이풀

털쥐손이

서식 고산지대의 풀밭에서 자란다.

줄기 뿌리줄기는 굵고 짧으며, 끝에서 원줄기가 나와서 곧게 자라고 포기 전체에 털이 퍼져 난다.

잎
· 밑부분에 달린 잎은 잎자루가 길고 둥글며 가장자리가 5~7개로 갈라진다.
· 갈래조각은 불규칙하게 깊이 패어 들어간 흔적과 톱니가 있다.
· 턱잎은 넓은 바소꼴이고 막질이며 갈색이다.

꽃
· 꽃은 7~8월에 붉은 빛을 띤 자주색으로 핀다.
· 원줄기와 가지 끝에 3~8개가 산방꽃차례로 달린다.
· 작은꽃줄기는 열매가 성숙할 때도 곧게 선다.
· 꽃받침조각은 5개로서 넓은 바소꼴이고 5개의 꽃잎은 달걀을 거꾸로 세워 놓은 모양 이다.
· 수술은 10개이고 수술대 밑부분에 긴 털이 난다.

열매 열매는 삭과로서 줄 모양이고 9~10월에 익는다.

이용 관상용으로 심는다.

약 용 활 용

생약명 | 모예노관초 (毛蘂老鸛草)

이용부위 | 전초

채취시기 | 초가을

약성미 | 성질은 약간 따뜻하고 맛은 약간 쓰고 맵다.

주치활용 | 산전산후통, 위궤양, 식중독, 방광염, 월경불순, 변비, 위장염

효능 | 소풍통락, 강근건골

학명	Siegesbeckia pubescens
분류	쌍떡잎식물 초롱꽃목 국화과
분포	한국(남부지방), 일본, 중국
생육상	여러해살이풀

털진득찰

서식　들판이나 바닷가에서 많이 자란다.

줄기　줄기는 곧게 서고 윗부분에 수평으로 퍼지는 털이 빽빽이 난다.

잎
・잎은 마주 달리고 세모진 달걀 모양이며 잎자루가 있다.
・끝이 뾰족하고 가장자리에는 잔톱니가 있으며 3개의 커다란 맥이 있다.

꽃
・꽃은 9~10월에 노란색으로 피는데, 두화는 가지와 줄기 끝에 산방꽃차례로 달린다.
・꽃자루는 선모가 빽빽이 난다.
・총포조각은 주걱 모양으로 5개이며 선모가 난다.
・꽃차례의 가장자리에 설상화가 있고 가운데에는 관상화가 있다.

열매　열매는 수과로서 달걀 모양 긴 타원형이고 털이 없으며 10~11월에 익는다.

── 약 용 활 용 ──

생약명 | 희렴(稀薟)

이용부위 | 전초

채취시기 | 가을(8~9월)

약성미 | 성질은 차고 맛은 쓰다. (찐것은 따뜻하다.)

주치활용 | 중풍, 종양, 사지마비, 골통, 반신불수, 구안와사

효능 | 배농, 해독, 진통

학명 | Plantago depressa

분류 | 쌍떡잎식물 질경이목 질경이과

분포 | 한국, 중국, 시베리아 동부

생육상 | 여러해살이풀

털질경이

서식 들이나 길가에서 자란다.

잎
· 포기 전체에 털이 나며 잎은 밑에서 무더기로 나와서 비스듬히 퍼지고 원줄기가 없으며 긴 타원형이다.
· 잎 가장자리가 밋밋하거나 얕은 이 모양의 톱니가 있다.

꽃
· 꽃은 5~7월에 흰색으로 피고 잎 사이에서 자란 꽃줄기에 수상꽃차례로 달린다.
· 포는 긴 타원형으로서 끝이 뾰족하고 꽃받침은 흰색이고 막질이다.
· 화관은 깔때기 모양이고 끝이 4개로 갈라진다.
· 수술은 4개이고 화관갈래조각과 어긋나게 달려서 길게 밖으로 나온다.

열매
· 열매는 삭과로서 양 끝이 뾰족한 원기둥 모양이고 중앙부가 옆으로 잘려서 3~4개의 종자가 나온다.
· 종자는 검은 빛이며 긴 타원 모양이다.

이용 연한 잎을 식용으로 하고 종자를 약용으로 한다.

약용활용

생약명 | 차전자(車前草)

이용부위 | 잎, 종자

채취시기 | 여름~가을(8~9월)

약성미 | 성질은 약간 차면서 맛은 달고 짜며 독이 없다.

주치활용 | 잎 ─ 감기, 기침, 기관지염, 후두염, 이질, 황달, 대하증
씨 ─ 임질, 방광염, 요도염, 설사, 고혈압

효능 | 이뇨, 해열, 거담, 진해

학명 | Trifolium repens

분류 | 쌍떡잎식물 장미목 콩과

원산지 | 유럽

생육상 | 여러해살이풀

토끼풀

줄기 포기 전체에 털이 없고, 땅 위로 뻗어가는 줄기 마디에서 뿌리가 내리고 잎이 드문드문 달린다.

잎
· 잎은 3장의 작은잎이 나온 잎이며 잎자루는 길다.
· 작은잎은 3개이지만 4개가 달린 것도 있으며 거꾸로 된 심장 모양이다.
· 끝은 둥글거나 오목하며 가장자리에 잔톱니가 있다.
· 턱잎은 달걀 모양 바소꼴로서 끝이 뾰족하다.

꽃
· 꽃은 6~7월에 흰색으로 피고 긴 꽃줄기 끝에 산형꽃차례로 달려서 전체가 둥글다.
· 꽃받침조각은 끝이 뾰족하다.
· 꽃은 시든 다음에도 떨어지지 않고 열매를 둘러싼다.

열매 열매는 협과로서 줄 모양이고 9월에 익으며 4~6개의 종자가 들어 있다.

이용 유럽 원산이며 목초로 심던 것이 번져나와 귀화식물로 야생화하였다.

약용활용

생약명	삼소초(三消草)
이용부위	잎, 꽃
채취시기	봄~가을
약성미	성질은 평하고 맛은 달다.
주치활용	폐결핵, 천식, 감기, 황달
효능	이뇨, 해열, 지혈, 소염
민간활용	치질출혈에 토끼풀 잎과 줄기를 물에 달여 복용하면 효과가 있다고 한다.

학명	Colocasia antiquorum var. esculenta
분류	외떡잎식물 천남성목 천남성과
원산지	열대 아시아
분포	한국, 인도, 인도네시아 등지
생육상	여러해살이풀

토란

서식 열대 아시아 원산이며 채소로 널리 재배하고 있다.

줄기
- 알줄기로 번식하며 약간 습한 곳에서 잘 자란다.
- 알줄기는 타원형이며 겉은 섬유로 덮이고 옆에 작은 알줄기가 달린다.

잎
- 잎은 뿌리에서 나온다.
- 긴 잎자루가 있으며 달걀 모양의 넓은 타원형이다.
- 잎몸은 겉면에 작은 돌기가 있다.
- 양 면에 털이 없고 가장자리가 물결 모양으로 밋밋하다.
- 잎몸 밑부분은 밑으로 처진다.

꽃
- 드물게 잎자루 사이에서 1~4개의 꽃줄기가 나오는데, 8~9월에 막대 모양의 꽃이삭이 나온다. 위쪽에 수꽃, 아래쪽에 암꽃이 달린다.
- 꽃을 싸는 불염포는 곧추서며 수술은 6개이다.

이용
- 땅속 부분의 알줄기를 식용한다.
- 모구, 자구, 손구가 생기는데, 모구는 떫은맛이 강하여 먹지 못하는 것도 있다.
- 잎자루가 건조하면 어떤 품종이든 먹을 수 있으나 생줄기의 경우는 대부분 떫은 맛이 강하다.

약 용 활 용

생약명 | 야우(野芋)

이용부위 | 알줄기

채취시기 | 가을(10~11월)

약성미 | 성질이 차고 맛이 맵고 독이 있다.

주치활용 | 부인병, 신장염, 간장염, 담석병, 급만성 위장염, 편도선염, 골반카리에스, 타박상, 버즘, 옴, 해독, 창상출혈, 뱀이나 벌레에 물린 상처에 바른다.

효능 | 청열, 보신익기, 소염, 진경, 소종

민간활용 | 벌에 쏘였을 때는 토란 잎의 즙을 환부에 바른다.

주의 | 토란의 날것은 독성이 비교적 강하여 생식하거나 과량 복용하면 알줄기에 함유되어 있는 cyanoglucoside로 인해 쉽게 중독된다.

학명 | Lycopersicon esculentum

분류 | 쌍떡잎식물 통화식물목 가지과

원산지 | 남아메리카

분포 | 전세계

생육상 | 한해살이풀

토마토

줄기 가지를 많이 내고 부드러운 흰털이 빽빽이 난다.

잎
· 잎은 깃꼴겹잎이고 특이한 냄새가 있다.
· 작은잎은 9~19개이고 달걀 모양이거나 긴 타원 모양이며 끝이 뾰족하고 깊이 패어 들어간 톱니가 있다.

꽃
· 꽃이삭은 8마디 정도에 달리며 그 다음 3마디 간격으로 달린다.
· 꽃은 5~8월에 노란색으로 피는데, 한 꽃이삭에 몇 송이씩 달린다.
· 꽃받침은 여러 갈래로 갈라지며 갈래조각은 줄 모양 바소꼴이다.
· 화관은 접시 모양이고 끝이 뾰족하며 젖혀진다.

열매 열매는 장과로서 6월부터 붉은 빛으로 익는다.

이용
· 열매를 식용한다.
· 신선한 것은 날로 먹고 샐러드·샌드위치 등으로 쓰며, 주스·퓌레·케첩과 각종 통조림 등 가공용에도 많이 쓴다.
· 열매는 90% 정도가 수분이며 카로틴과 비타민C가 많이 들어 있다.

약용활용

생약명 | 번가(番茄)

이용부위 | 열매

채취시기 | 6월

약성미 | 성질은 평하고 독이 없다.

주치활용 | 고혈압, 당뇨병, 야맹증, 변비, 맹장염예방

효능 | 보익, 강장, 생혈, 소화

민간활용 | 민간에서 고혈압, 야맹증, 당뇨 등에 약으로 쓴다.

학명 | Achillea sibirica

분류 | 쌍떡잎식물 초롱꽃목 국화과

분포 | 한국, 일본, 중국, 동시베리아, 캄차카반도, 북아메리카

생육상 | 여러해살이풀

톱풀

서식 산과 들에서 자란다.

줄기 뿌리줄기가 옆으로 벋으면서 여러 대가 모여 나오고 윗부분에 털이 많이 난다.

잎
· 잎은 어긋난다.
· 잎자루가 없으며 밑부분이 조금 줄기를 감싼다.
· 잎몸은 빗살처럼 약간 깊게 갈라지고, 갈래조각에 톱니가 있다.

꽃
· 꽃은 양성화로서 7~10월에 피는데, 줄기와 가지 끝에 흰색의 두화가 산방꽃차례로 달린다.
· 총포는 둥글고 털이 약간 난다.
· 포조각은 긴 타원 모양이며 2줄로 늘어서고 겉의 것이 짧다.
· 설상화는 5~7개이다.

열매 열매는 수과로서 11월에 익으며 양끝이 납작하고 털이 없다.

이용 어린순을 나물로 먹는다.

─── **약 용 활 용** ───

생약명 | 일지호(一枝蒿)

이용부위 | 전초

채취시기 | 여름(7~8월)

약성미 | 성질은 약간 따뜻하고 맛은 맵고 쓰며 독이 있다.

주치활용 | 질타손상, 동통, 관절염, 종독, 옹종

효능 | 거풍, 진통, 활혈, 해독

민간활용 | 뱀에 물렸을 때 날것을 찧어 환부에 붙인다.

주의 | 임산부는 복용을 금한다.

2011 ⓒ 투구꽃

학명 | Aconitum jaluense
분류 | 쌍떡잎식물 미나리아재비목 미나리아재비과
분포 | 한국(속리산 이북), 중국 동북부, 러시아
생육상 | 여러해살이풀

투구꽃

서식 깊은 산골짜기에서 자란다.

줄기 뿌리는 새발처럼 생기고 줄기는 곧게 선다.

잎
· 잎은 어긋나며 손바닥 모양인데 3~5개로 갈라진다.
· 각 갈래조각은 다시 갈라지지만 위로 올라갈수록 잎이 작아져서 전체가 3개로 갈라진다.
· 갈래조각에 톱니가 있으며 잎자루가 길다.

꽃
· 꽃은 9월에 자주색으로 피고 총상 또는 겹총상꽃차례에 달리며 작은꽃줄기에 털이 난다.
· 꽃받침조각은 꽃잎처럼 생기고 털이 나며 뒤쪽의 꽃잎이 고깔처럼 전체를 위에서 덮는다.
· 수술은 많고 수술대는 밑부분이 넓어지며 씨방은 3~4개로서 털이 난다.

열매 열매는 골돌과로서 3개가 붙어 있고 타원 모양이며 10월에 익는다.

이용 관상용으로 심는다.

약용활용

생약명 | 초오

이용부위 | 뿌리

채취시기 | 여름(6~7월)

약성미 | 성질은 따뜻하며 맛은 쓰고 달며 독이 있다.

주치활용 | 두통, 복통, 종기, 반신불수, 인사불성, 구안와사, 류머티즘관절염, 신경통, 요통, 파상풍비

효능 | 산한지통, 수풍승습, 진통, 진정, 항염

2011 ⓒ 퉁퉁마디

학명 | Salicornia herbacea

분류 | 쌍떡잎식물 중심자목 명아주과

분포 | 한국(서해안, 울릉도), 일본, 중국, 인도, 우수리강, 북아메리카 등지

생육상 | 한해살이풀

퉁퉁마디

서식 바닷가에서 자란다.

줄기 줄기는 육질이고 원기둥 모양이며 가지가 마주 달린다.

잎
· 포기 전체가 녹색이며 가을에는 붉은 빛을 띤 자주색이 된다.
· 퇴화한 비늘잎이 마주 달리며 마디가 튀어나오므로 퉁퉁마디라는 이름이 생겼다.

꽃
· 꽃은 8~9월에 녹색으로 피고 가지의 위쪽 마디 사이의 오목한 곳에 3개씩 달린다.
· 화피는 통통한 사각형이고 서로 붙으며 1~2개의 수술과 1개의 암술이 있다.
· 씨방은 달걀 모양이며 암술대는 2개가 길게 나온다.

열매 열매는 포과로서 납작한 달걀 모양이고 10월에 익는데, 화피로 싸이고 검은 종자가 들어 있다.

약용활용

생약명 | 함초(鹹草)

이용부위 | 전초

채취시기 | 봄, 여름, 가을

약성미 | 성질은 약간 차고 맛은 쓰며 독이 없다.

주치활용 | 몸 안에 쌓인 독소와 숙변을 없애고 암, 자궁근종, 축농증, 고혈압, 저혈압, 요통, 당뇨병, 기관지 천식, 갑상선 기능저하, 갑상선 기능항진, 피부병, 관절염 등 갖가지 난치병에 탁월한 치료

효능 | 항암, 소염

학명 | *Allium fistulosum*

분류 | 외떡잎식물 백합목 백합과

원산지 | 중국 서부

생육상 | 여러해살이풀

파

서식 비늘줄기는 그리 굵어지지 않고 수염뿌리가 밑에서 사방으로 퍼진다.

잎
· 땅 위에서 5~6개의 잎이 2줄로 자란다.
· 잎은 관 모양이고 끝이 뾰족하며 밑동은 잎집으로 되고 녹색 바탕에 흰빛을 띤다.

꽃
· 6~7월에 원기둥 모양의 꽃줄기 끝에 흰색 꽃이 산형꽃차례로 달린다.
· 꽃이삭은 처음에 달걀 모양의 원형으로 끝이 뾰족하며 총포에 싸이지만, 꽃이 피는 시기에는 총포가 터져서 공 모양으로 된다.
· 화피는 6장이고 바소꼴이며 바깥 갈래조각이 조금 짧다.
· 수술은 6개로서 꽃 밖으로 길게 나온다.

열매 열매는 삭과로서 9월에 익으며 3개의 능선이 있다. 종자는 검은 빛이며 번식은 종자나 포기나누기로 한다.

이용 식용으로 이용된다.

┌ 약 용 활 용 ─

생약명 | 총백(蔥白), 총자(蔥子)

이용부위 | 전초

채취시기 | 연중

약성미 | 성질은 따뜻하고 맛은 맵고 독이 없다.

주치활용 | 상한한열두통, 음한복통, 충적내저, 이변불통, 이질, 옹저

효능 | 발한, 해표, 통양, 산한

민간활용 | 기침이 날 때 흰파줄기를 잘라 헝겊에 싼 다음 콧구멍 근처에 갖다 대고 호흡한다.

주의 | 표허한다에는 복용을 피한다.

학명	Phryma leptostachya var. asiatica
분류	쌍떡잎식물 통화식물목 파리풀과
분포	한국, 일본, 중국, 히말라야산맥, 동시베리아
생육상	여러해살이풀

파리풀

서식 산과 들의 약간 그늘진 곳에서 자란다.

줄기 포기 전체에 털이 나며 줄기가 곧게 서고 줄기의 마디 바로 윗부분이 특히 굵어진다.

잎
- 잎은 마주나고 달걀 모양이며 잎자루가 길다.
- 양면에 털이 나며 가장자리에 톱니가 있다.

꽃
- 꽃은 7~9월에 연한 자주색으로 피고 수상꽃차례로 달린다.
- 꽃차례는 줄기나 가지 끝에 달린다.
- 포는 좁은 달걀 모양이고 꽃받침보다 짧다.
- 꽃받침은 통처럼 생기고 2개의 입술 모양이며 윗입술은 길고 3개로 갈라지고 아랫잎술은 짧으며 2개로 갈라진다.
- 화관은 꽃받침과는 반대로 윗입술이 얕게 2개로 갈라지고 아랫입술이 3개로 갈라진다.
- 4개의 수술 중 2개는 길고 암술은 1개이다.
- 씨방은 1실이고 암술머리는 2갈래이다.
- 꽃이 진 다음 작은꽃줄기는 밑으로 굽어서 거꾸로 달린다.

열매
- 열매는 삭과로서 끝부분이 갈고리 모양이며 10월에 익는다.
- 1개의 종자가 들어 있고 꽃받침으로 싸인다.

약용활용

생약명 | 승독초(蠅毒草)

이용부위 | 전초

채취시기 | 여름

약성미 | 성질은 시원하고 맛은 쓰고 독이 있다.

주치활용 | 습진, 황수창, 개선, 타박상

효능 | 해독, 염증, 살충

민간활용 | 민간에서는 뿌리를 짓찧어 종이에 바른 다음 파리를 잡는 데 사용한다.

2011 ⓒ 파초

학명	Musa basjoo
분류	쌍떡잎식물 생강목 파초과
원산지	중국
분포	한국(제주도 등의 남부지방), 중국 등지
생육상	여러해살이풀

파초

줄기	· 뿌리줄기는 크고 옆에서 작은 덩이줄기가 생겨 번식한다. · 뿌리줄기 끝에서 돋은 잎은 서로 감싸면서 원줄기처럼 자란다.
잎	· 어린 잎은 말려서 나와 사방으로 퍼지며 긴 타원형이고 밝은 녹색이다. · 잎에는 잔 곁맥이 평행으로 있어서 쉽게 찢어지므로 강한 바람에 잘 견딘다.
꽃	· 여름에 잎 사이에서 꽃줄기가 자라고 줄기 끝에서 꽃이삭이 밑을 향하여 달린다. · 포는 잎같이 생기고 노란 빛을 띤 갈색이며 꽃이 피면서 점차 떨어진다. · 꽃은 포겨드랑이에 15개 안팎이 나와 2줄로 달리며 노란 빛을 띤 흰색이다. · 꽃이삭은 자라면서 밑부분에서는 암꽃과 수꽃이 같이 피고 윗부분에서는 수꽃만 달린다. · 화피는 입술 모양인데, 윗입술꽃잎은 바깥 화피 3장과 안쪽 화피 2장이 붙으며 끝부분이 5갈래로 갈라진다. · 아랫입술꽃잎은 안쪽 화피 1개가 주머니처럼 되고 속에 꿀이 들어 있다. · 수술은 5개이고 씨방은 하위이며 열매를 맺기도 한다.
열매	· 열매는 작은 장과로서 10월에 익으며 종자는 검은빛이다. · 번식은 포기 나누기로 한다.
이용	중국 원산으로서 귀화식물이며 관상용으로도 심는다.

학명 | Fatsia japonica

분류 | 쌍떡잎식물 산형화목 두릅나무과

분포 | 한국, 일본, 동아시아

생육상 | 상록관목

팔손이

서식 바닷가의 산기슭이나 골짜기에서 자란다.

줄기 나무껍질은 잿빛을 띤 흰색이며, 줄기는 몇 개씩 같이 자라고 가지가 갈라진다.

잎
· 잎은 어긋나는데, 가지 끝에 모여 달린다.
· 잎몸은 7~9개씩 손바닥 모양으로 갈라지고 짙은 녹색이며, 갈래조각은 달걀 모양 바소꼴로서 가장자리에 톱니가 있다.
· 어릴 때는 갈색 선모가 나지만 나중에 없어진다.

꽃
· 꽃은 잡성화로서 10~11월에 흰색으로 피고, 커다란 원추꽃차례로 달린다.
· 어릴 때는 일찍 떨어지는 흰색 포로 싸인다.
· 꽃잎 · 수술 · 암술대는 5개씩이고 화반이 있다.

열매
· 열매는 장과로서 둥글며 다음해 5월 무렵 검게 익는다.
· 그늘에서 잘 자라고 공해에 비교적 강하며 잎에 무늬가 있는 것도 있다.

이용 관상용으로 심는다.

┌─ **약 용 활 용** ─────────────

생약명 | 팔각금반(八角金盤)

이용부위 | 잎

채취시기 | 연중

약성미 | 성질은 서늘 하다.

주치활용 | 기침, 천식, 가래가 끓는 증세, 통풍, 류머티즘

효능 | 거담, 진해, 진통

민간활용 | 잎을 목욕탕에 넣으면 류머티즘에 좋다고 하며, 파친은 거담작용이 있어서 거담제로 쓰기도 한다.

주의 | 팔손이나무는 독이 있으므로 함부로 다루어서는 안 된다.

2011 ⓒ 팥

학명 | Phaseolus angularis
분류 | 쌍떡잎식물 장미목 콩과
원산지 | 중국 일대
생육상 | 한해살이풀

팥

줄기 줄기는 녹색이나 붉은 빛을 띤 자주색이다.

잎
- 잎은 어긋나고 3개의 작은잎으로 된 겹잎이며, 긴 잎자루의 밑부분에 작은 턱잎이 있다.
- 작은잎은 달걀 모양 또는 마름모꼴 달걀 모양이다.

꽃
- 여름에 잎겨드랑이에서 긴 꽃자루가 나와 4~6개의 노란색 접형화가 달린다.
- 꼬투리는 가늘고 긴 원통형이며 털이 없다.
- 성숙하면 연한 노란색, 연한 갈색, 검은 갈색으로 되며 속에 3~10개의 종자가 들어 있다.

종자
- 종자는 원통형이고 양끝은 둥글다.
- 색깔은 이른바 팥색, 그 밖에 흰색, 연한 노란색, 검은색, 연한 녹색, 검은색 무늬가 있는 것 등이 있다.

약 용 활 용

생약명 | 적소두(赤小豆)

이용부위 | 종자

채취시기 | 가을(9~10월)

약성미 | 성질은 평하고 맛은 달고 시고 독이 없다.

주치활용 | 수종창만, 각기부종, 황달뇨적, 풍습열비, 옹종창독, 장옹복통

효능 | 이뇨, 소염, 배농

민간활용 | 부인의 젖이 부족할 때 붉은 팥을 삶아 국물과 함께 먹으면 유효하다.

주의 | 수척하게 마른 사람이나 속이 냉한 사람은 장기간 복용을 삼가한다.

1225

학명 | Dianthus chinensis L.

분류 | 쌍떡잎식물 중심자목 석죽과

분포 | 한국, 중국

생육상 | 여러해살이풀

패랭이꽃

서식 낮은 지대의 건조한 곳이나 냇가 모래땅에서 자란다.

줄기
· 줄기는 빽빽이 모여난다.
· 위에서 가지가 갈라진다.

잎 잎은 마주나고 밑부분에서 합쳐져서 원줄기를 둘러싸며 줄 모양으로 가장자리가 밋밋하다.

꽃
· 꽃은 양성화로 6~8월에 피고 가지 끝에 1개씩 달리며 붉은색이다.
· 꽃받침은 5개로 갈라지고 밑은 원통형이다.
· 꽃잎은 5개이며 밑부분이 가늘어지고 현부는 옆으로 퍼지며 끝이 얕게 갈라지고 짙은 무늬가 있다.
· 수술은 10개, 암술대는 2개이다.

열매
· 열매는 삭과로서 꽃받침으로 싸여 있고 끝에서 4개로 갈라지며 9~10월에 익는다.
· 밑에 4~6개의 포가 있다.

약 용 활 용

생약명 | 구맥(瞿麥)

이용부위 | 전초

채취시기 | 여름~가을

약성미 | 성질은 차고 맛은 맵고 쓰며 독이 없다.

주치활용 | 요폐, 임질, 수종, 무월경, 고혈압, 동맥경화

효능 | 이뇨, 통경, 소염, 항암작용

민간활용 | 패랭이 꽃씨는 목구멍에 생선뼈가 걸렸을 때, 이를 달여 먹으면 곧 생선뼈가 부드러워져서 내려간다.

학명 | Dolichos lablab

분류 | 쌍떡잎식물 장미목 콩과

원산지 | 남아메리카 열대

생육상 | 덩굴성 여러해살이풀

편두

잎	· 잎은 3개의 작은잎으로 이루어지며 잎자루가 길다.
	· 작은잎은 넓은 달걀 모양으로 길이 5~7㎝이고 끝이 갑자기 뾰족해지며 가장자리가 밋밋하다.

꽃	· 7~9월에 나비 모양의 흰색 또는 자주색 꽃이 핀다.
	· 꽃받침은 종 모양으로 끝이 4개로 얇게 갈라지고 밑부분 안쪽에 귀 같은 돌기가 있다.
	· 꼬투리는 낫 같고 길이 6cm, 나비 2cm이며 종자가 5개 정도 들어 있다.

종자	종자가 마르기 전에는 육질의 종피가 있고 태좌가 흰색이다.

약 용 활 용

생약명	편두(扁豆)
이용부위	종자
채취시기	가을
약성미	성질은 약간 따뜻하고 맛은 달며 독이 없다.
주치활용	서습토사, 비허구역, 식소구설, 수정소갈, 적백대하
효능	건비화중, 소화화습
주의	상한한열과 외사가 성한 데는 복용을 금한다.

학명 | Boehmeria tricuspis (Hance) Makino var. unicuspis Makino

분류 | 쌍떡잎식물 이판화군 쐐기풀목 쐐기풀과

분포 | 한국(제주, 전남, 경남, 강원, 경기, 평남, 함남), 일본, 중국 등지

생육상 | 여러해살이풀

풀거북꼬리

서식 각처 산지에서 자란다.

줄기
· 줄기는 뭉쳐나고 뭉뚝하게 네모진다.
· 곧게 서고 가지가 갈라지며 잎자루와 더불어 붉은색이 돈다.

잎
· 잎은 마주나고 달걀 모양이다.
· 끝이 3갈래로 갈라지고 가운데의 갈라진 조각은 거북꼬리에 비해 잎이 덜 갈라진다.
· 가장자리에는 거친 톱니가 있다.

꽃
· 꽃은 양성화로 7~8월에 연한 갈색의 꽃이 잎겨드랑이에 수상꽃차례로 달린다.
· 수꽃이삭은 줄기 밑쪽에, 암꽃이삭은 위쪽에 달린다.
· 수꽃은 4~5개로 갈라진 꽃받침과 4~5개의 수술이 있다.
· 암꽃은 여러 개가 작은 공 모양으로 모여 달리고 통 모양 꽃받침에 싸이며 암술대는 1개이다.

열매 열매는 수과로 거꾸로 세운 달걀 모양이나 여러 개가 모여 둥글게 보인다.

이용 줄기는 섬유용으로, 어린 잎은 식용으로 한다.

약용활용

생약명 | 동북저마(東北苧麻)

이용부위 | 뿌리

채취시기 | 가을(줄기가 마르기 전)

주치활용 | 열병대갈, 혈림, 창종, 독사교상, 토혈, 단독

효능 | 창열, 지혈, 해독, 산어

민간활용 | 뿌리를 술에 담가 아침 저녁으로 복용한다.

속명 | 솜대, 솜죽대, 녹약

학명 | Smilacina japonica

분류 | 외떡잎식물 백합목 백합과

분포 | 한국, 일본, 중국, 우수리강, 헤이룽강

생육상 | 여러해살이풀

풀솜대

서식 산지의 숲 속에서 자란다.

줄기
· 뿌리줄기는 육질이고 옆으로 자라며 끝에서 원줄기가 나와 비스듬히 자라며 위로 올라갈수록 털이 많아진다.
· 밑부분은 흰색 막질의 잎집으로 싸여 있다.

잎
· 잎은 어긋나고 5~7개가 두 줄로 배열하고 긴 타원형으로 세로맥이 있으며 양면에 털이 있다.
· 잎 끝은 뾰족하며 밑은 둥글고 잎자루가 짧다.

꽃
· 꽃은 5~7월에 피고 흰색이며 원줄기 끝의 복총상꽃차례에 달린다.
· 화피갈래조각은 6개이고 긴 타원형으로 끝이 둔하다.
· 수술은 6개로 화피보다 짧다.

열매 열매는 장과로서 둥글고 붉은색으로 익는다.

이용 어린 순을 나물로 먹는다.

약 용 활 용

생약명 | 녹약(鹿藥)

이용부위 | 뿌리줄기

채취시기 | 가을

약성미 | 성질은 따뜻하고 맛은 맵고 달다.

주치활용 | 사지마비, 생리불순, 종기, 타박상

효능 | 보기, 익신, 거풍, 제습, 활혈, 조경

속명 | 백화채, 양각채

학명 | Cleome spinosa

분류 | 쌍떡잎식물 양귀비목 풍접초과

원산지 | 열대아메리카

생육상 | 한해살이풀

풍접초

서식 열대 아메리카 원산이며 관상용으로 심는다.

줄기 줄기는 곧게 서서 선모와 더불어 잔 가시가 흩어져 난다.

잎
· 잎은 어긋나고 손바닥 모양 겹잎이다.
· 작은잎은 5~7개이고 긴 타원형 바소꼴이며 가장자리가 밋밋하다.

꽃
· 꽃은 8~9월에 피고 홍자색 또는 흰색이며 총상꽃차례로 달린다.
· 꽃이삭은 원줄기 끝에 발달하고 포는 홑잎처럼 생겼다.
· 꽃받침조각과 꽃잎은 4개씩이고 수술은 4개이며 남색 또는 홍자색이고 꽃잎보다 2~3배 길다.
· 꽃잎 각각에 긴 줄기가 있어 마치 떨어져 있는 듯이 보이고 수술과 암술이 길게 뻗어나와 있다.

열매 열매는 삭과로서 줄 모양이고 밑부분이 가늘어져서 대처럼 되며 종자는 신장형이다.

─ **약 용 활 용** ─

생약명 | 취접화(醉蝶花)

이용부위 | 전초

채취시기 | 여름

약성미 | 성질은 따뜻하고 맛은 맵고 달다.

주치활용 | 사지마비, 타박상

효능 | 동통, 습제거

민간활용 | 타박상에는 짓찧어 외용한다.

2011 © 피나물

속명 | 여름매미꽃, 하청화, 노랑매미꽃

학명 | Hylomecon vernale

분류 | 쌍떡잎식물 양귀비목 양귀비과

분포 | 한국(경기 이북), 중국 만주, 헤이룽강, 우수리강

생육상 | 여러해살이풀

피나물

서식	숲 속에서 자란다.
줄기	· 뿌리줄기는 짧고 굵으며 여기서 잎과 꽃줄기가 나온다. · 자르면 노란빛을 띤 붉은색 유액이 나온다.
잎	· 잎은 깃꼴겹잎이고 작은잎은 넓은 달걀 모양이며, 가장자리에 불규칙고 깊게 패어진 톱니가 있다. · 뿌리에서 나온 잎은 잎자루가 길고 줄기에서는 어긋나며 5개의 작은잎으로 되어 있다.
꽃	· 꽃은 양성화로 4~5월에 피고 윗부분의 잎겨드랑이에서 산형꽃차례에 1~3개의 꽃이 달린다. · 꽃자루는 길고 끝에 꽃이 1개씩 달린다. · 꽃받침조각은 2개이고 꽃잎은 4개이며 윤기가 나는 노란색이다. · 수술은 여러 개이다.
열매	열매는 삭과로서 7월에 익는데, 좁은 원기둥 모양이며 많은 종자가 들어 있다.

약 용 활 용

생약명	하청화(荷靑花)
이용부위	전초
채취시기	연중 채취
약성미	성질은 평하고 맛은 쓰고 독이 있다.
주치활용	거풍습, 류머티스성 관절염, 타박상
효능	습진, 풍습, 진통, 활혈, 소종
민간활용	잎줄기의 즙을 발라서 지혈하는 데 쓴다. 풀 전체나 뿌리를 진통제로 쓴다.
주의	알카로이드가 함유되어 있어서 잘못하여 먹었을 때 중독 증상은 구토, 손발이 마비되고 호흡이 마비되어 죽는 수도 있다.

속명	산단, 뇌백합, 하늘나리
학명	Lilium concolor var. partheneion
분류	외떡잎식물 백합목백합과
분포	한국, 일본, 중국, 아무르 지방
생육상	여러해살이풀

하늘나리

서식 산지에서 흔히 자란다.

줄기
- 비늘줄기는 달걀 모양 구형이며 흰색이고 다른 나리류에 비해 상대적으로 작다.
- 줄기는 곧게 자란다.

잎
- 잎은 어긋나고 넓은 줄 모양이며 비스듬히 선다.
- 잎자루가 없다.

꽃
- 꽃은 6~7월에 피고 윗부분에 1~5개가 위를 향하여 달리는데 붉은색 또는 노란 빛을 띤 붉은색이다.
- 화피갈래조각은 6개로 비스듬히 퍼지며 끝이 다소 젖혀진다.
- 또한 안쪽에 짙은 잔 점이 있고 겉에 솜털이 있다.

열매 열매는 삭과로서 달걀 모양의 긴 타원형이며 8월에 익는다.

이용 이른 봄에 비늘줄기를 식용하고, 참나리와 더불어 약용한다.

약 용 활 용

생약명 | 소근백합(小芹百合)

이용부위 | 비늘줄기

채취시기 | 가을

약성미 | 성질은 평하고 맛은 달며 약간 쓰다.

주치활용 | 신체허약, 폐결핵, 기관지염, 해수천식

효능 | 진해, 강장, 진정, 항알레르기, 백혈구 감소

2011 ⓒ 하늘말나리

속명	우산말나리, 산채, 소근백합
학명	Lilium tsingtauense
분류	외떡잎식물 백합목 백합과
분포	한국, 중국
생육상	여러해살이풀

하늘말나리

서식 산과 들에서 흔히 자란다.

줄기
· 줄기는 곧게 서며 거의 털이 없다.
· 비늘줄기는 달걀 모양 구형이며, 비늘조각에 환절이 없다.

잎
· 잎은 돌려나거나 어긋나고, 돌려난 잎은 6~12개로 바소꼴 또는 달걀을 거꾸로 세운 듯한 모양의 타원형이다.
· 1개씩 어긋난 잎은 위로 갈수록 작아진다.

꽃
· 꽃은 7~8월에 노란 빛을 띤 붉은색으로 원줄기 끝과 가지 끝에서 위를 향하여 핀다.
· 화피갈래조각은 바소꼴이고 노란 빛을 띤 붉은색 바탕에 자주색 반점이 있으며 끝이 약간 뒤로 굽는다.

열매 열매는 달걀을 거꾸로 세운 듯한 모양의 원주형 삭과이고 10월에 익으며 3개로 갈라진다.

이용 관상용으로 이용하거나 참나리와 같이 약용하고 비늘줄기는 식용한다.

약 용 활 용

생약명	동북백합(東北百合)
이용부위	줄기
채취시기	가을
약성미	성질은 평하고 맛은 달고 약간 쓰다.
주치활용	창종, 부인병, 폐렴, 익기, 해독, 기관지염, 후두염, 신경쇠약, 어통
효능	윤폐, 지해, 청심, 안신
민간활용	인경을 종기, 토혈, 유방염, 강장, 기관지염 등에 약으로 쓴다.

2011 ⓒ 하늘타리

속명 | 하눌타리, 과루등, 하늘수박, 천선지루

학명 | Trichosanthes kirilowii

분류 | 쌍떡잎식물 박목 박과

분포 | 한국, 일본, 타이완, 중국, 몽골

생육상 | 덩굴성 여러해살이풀

하늘타리

서식 산기슭 이하에서 자란다.

줄기 뿌리는 고구마같이 굵어지고 줄기는 덩굴손으로 다른 물체를 감으면서 올라간다.

잎 잎은 어긋나고 단풍잎처럼 5~7개로 갈라지며 갈래조각에 톱니가 있고 밑은 심장밑 모양이다.

꽃
· 꽃은 7~8월에 피고 2가화이며 노란색이다.
· 수꽃은 수상꽃차례로 달리고 암꽃은 1개씩 달린다.
· 꽃받침과 화관은 각각 5개로 갈라지고 화관갈래조각은 실처럼 다시 갈라진다. 수술은 3개, 암술은 1개이다.

열매 열매는 둥글고 오렌지색으로 익고 종자는 다갈색을 띤다.

이용 뿌리에서 받은 녹말은 식용하거나 약용한다.

약 용 활 용

생약명 | 과루(瓜蔞), 과루근, 과루인, 과루피,

이용부위 | 열매

채취시기 | 가을(9~10월)

약성미 | 성질은 차고 맛은 달다.

주치활용 | 폐열해수, 담탁황조, 흉비심통, 결흉비만, 유옹, 폐옹, 장옹종통, 대변비결

효능 | 청열화담, 관흉산결, 윤조활장

민간활용 | 조두류와 같이 사용해서는 안 된다. 비위허한, 대변부실, 한담, 습담이 있는 경우는 복용을 금한다.

2011 ⓒ 하수오

학명	Pleuropterus multflorus
분류	쌍떡잎식물 마디풀목 마디풀과
원산지	중국
분포	지리산 능선과 계방산 계곡
생육상	덩굴성 여러해살이풀

하수오

서식 중국 원산이며 약용식물로 가꾸고 있다.

줄기
· 뿌리줄기가 땅 속으로 뻗으면서 군데군데 고구마같이 굵은 덩이뿌리가 생긴다.
· 원줄기는 가지가 갈라지면서 길게 뻗어가고 털이 없다.

잎
· 잎은 어긋나고 달걀 모양 심장형이며 끝이 뾰족하다.
· 잎가장자리는 밋밋하고 턱잎은 원통 모양으로 짧다.
· 잎자루 밑부분에는 짧은 잎집이 있다.

꽃
· 꽃은 8~9월에 흰색으로 피어 원추꽃차례로 달리고 2가화이다.
· 꽃받침은 5개로 깊게 갈라지고 처음에는 짧지만 꽃이 피면 좀더 길어진다.
· 꽃잎은 없고 수술은 8개, 암술대는 3개이다.

열매 열매는 수과로서 넓은 달걀을 거꾸로 세운 듯한 모양이고 꽃받침으로 싸이며 3개의 날개가 있다.

약 용 활 용

생약명 | 하수오(何首烏)

이용부위 | 줄기

채취시기 | 봄이나 가을철

약성미 | 성질은 평하고 맛은 달고 약간 쓰며 독이 없다.

주치활용 | 실안, 노상, 다한

효능 | 자양강장 보혈 양심, 안신, 통락, 거풍

2011 ⓒ 한련초

학명 | Eclipta prostrata

분류 | 쌍떡잎식물 초롱꽃목 국화과

분포 | 아시아와 세계의 따뜻한 곳

생육상 | 한해살이풀

한련초

서식 논둑이나 습지에서 자란다.

줄기
· 밑부분이 비스듬히 자라다가 곧게 서며 부드럽지만 전체에 센 털이 있어 거칠다.
· 잎겨드랑이에서 가지가 갈라진다.

잎 잎은 마주나고 바소꼴로서 양면에 군센 털이 있으며 잔 톱니가 있다.

꽃
· 꽃은 8~9월에 피고 가지 끝과 원줄기 끝에 두화가 1개씩 달린다.
· 설상화는 흰색이다.
· 총포조각은 5~6개이며 긴 타원형으로 녹색이고 끝이 둔하다.

열매 열매는 수과로서 검은색으로 익는데 설상화의 것은 세모지만 관상화의 것은 네모이다.

─ 약 용 활 용 ─

생약명 | 묵한련

이용부위 | 전초

채취시기 | 여름(8~9월 꽃이 필 때)

약성미 | 성질은 약간 차고 맛은 달다.

주치활용 | 음허혈열, 뉴혈, 외상출혈, 뇨혈, 장염, 간염치료, 토혈제거, 외상출혈억제, 지혈, 항균

효능 | 양혈, 지혈

민간활용 | 민간에서 전초를 지혈제로 사용한다. 또한 진통, 종기, 충독 등에 약재로 쓴다.

주의 | 비위가 차서 설사를 하는 사람은 복용을 금한다.

2011 ⓒ 할미꽃

속명 | 노고초, 백두옹

학명 | Pulsatilla koreana

분류 | 쌍떡잎식물 미나리아재비목 미나리아재비과

분포 | 한국, 중국 북동부, 우수리강, 헤이룽강

생육상 | 여러해살이풀

할미꽃

서식 산과 들판의 양지쪽에서 자란다.

잎
· 곧게 들어간 굵은 뿌리 머리에서 잎이 무더기로 나와서 비스듬히 퍼진다.
· 잎은 잎자루가 길고 5개의 작은잎으로 된 깃꼴겹잎이다.
· 작은잎은 3개로 깊게 갈라지고 꼭대기의 갈래조각은 끝이 둔하다.
· 전체에 흰 털이 빽빽이 나서 흰빛이 돌지만 표면은 짙은 녹색이고 털이 없다.

꽃
· 꽃은 4월에 피고 꽃자루 끝에서 밑을 향하여 달리며 붉은빛을 띤 자주색이다.
· 작은포는 꽃대 밑에 달려서 3~4개로 갈라지고 꽃자루와 더불어 흰털이 빽빽이 난다.
· 화피갈래조각은 6개이고 긴 타원형이며 겉에 털이 있으나 안쪽에는 없다.

열매 열매는 수과로서 긴 달걀 모양이며 암술대가 남아 있다.

약 용 활 용

생약명 | 백두옹(白頭翁)

이용부위 | 뿌리

채취시기 | 여름(7월~9월)

약성미 | 성질은 차고 맛은 쓰다.

주치활용 | 열독혈리, 음양대하, 이질

효능 | 청열, 해독, 량양, 지리

주의 | 전체에 유독 성분이 있어서 유독 물질이 살갗에 닿으면 빨갛게 되고 물집이
생긴다. 잘못해서 먹으면 위장염을 일으키며 많이 먹었을 때는 심장의 기능을
멎게 하므로 주의해야 할 독초다. 금기증은 허한성의 사리에는 복용을 금한다.

2011 ⓒ 해란초

속명 | 해란, 일본유천어, 운란초

학명 | Linaria japonica

분류 | 쌍떡잎식물 통화식물목 현삼과

분포 | 한국, 일본, 사할린섬, 쿠릴열도, 중국 동북부

생육상 | 여러해살이풀

해란초

서식 바닷가 모래땅에서 자란다.

뿌리 뿌리가 옆으로 길게 뻗으면서 자라고 마디에서 새싹이 돋는다.

줄기 가지가 갈라지며 분백색이 돈다.

잎
· 잎은 대가 없고 마주나거나 3~4개씩 돌려난다.
· 위에 달린 잎은 어긋나게 달리고 두꺼우며 긴 타원형으로 가장자리가 밋밋하고 뚜렷하지 않은 3개의 맥이 있다.
· 잎자루는 없다.

꽃
· 꽃은 7~8월에 피고 노란색이며 총상꽃차례로 달린다.
· 꽃받침은 깊게 5개로 갈라지고 화관은 입술 모양이다.
· 윗입술은 곧게 서서 2개로 갈라지고 아랫입술은 3개로 갈라지며, 꿀주머니가 있다.
· 4개의 수술 중 2개가 길다.

열매 열매는 삭과로서 10월에 익는데, 둥글고 종자에 날개가 있다.

이용 관상용으로 심는다.

약용활용

생약명 | 유천어
이용부위 | 전초
채취시기 | 여름
약성미 | 성질은 차고 맛은 달고 약간 쓰다.
주치활용 | 두통, 두운, 황달, 지창변비, 피부병
효능 | 청열, 해독, 산어, 소종
민간활용 | 수종, 이뇨제의 약으로 쓴다.

1251

2011 ⓒ 해바라기

속명 | 향일화, 산자연, 조일화

학명 | Helianthus annuus

분류 | 쌍떡잎식물 초롱꽃목 국화과

원산지 | 중앙아메리카

생육상 | 한해살이풀

해바라기

서식 아무 데서나 잘 자라지만, 특히 양지바른 곳에서 잘 자란다.

줄기 굳은 털이 있다.

잎 잎은 어긋나고 잎자루가 길며 심장형 달걀 모양이고 가장자리에 톱니가 있다.

꽃
· 꽃은 8~9월에 피고 원줄기가 가지 끝에 1개씩 달려서 옆으로 처진다.
· 설상화는 노란색이고 중성이며, 관상화는 갈색 또는 노란색이고 양성이다.

열매
· 열매는 10월에 익는다.
· 2개의 능선이 있고 달걀을 거꾸로 세운 듯한 모양으로 회색 바탕에 검은 줄이 있다.
· 종자는 20~30%의 기름을 포함하며 식용한다.

이용 관상용으로 심는다. 품종에는 관상용과 채종용이 있다.

약 용 활 용

생약명	향일규(向日葵)
이용부위	전초
채취시기	가을철(9~10월)
약성미	성질은 평하고 맛은 달다.
주치활용	이명, 혈압, 심장질환, 머리앓이, 어지럼증, 이앓이, 배앓이, 생리통, 고미건위, 두통, 해열
효능	구풍, 이뇨, 나난, 류머티즘
민간활용	해바라기씨(향일규자)는 볶아서 상식하면 심장의 관상동맥경화를 막고 강정 효과도 있다. 꽃잎은 술로 담가 마시면 불안감이 해소된다.

2011 ⓒ 헐떡이풀

학명 | Tiarella polyphylla
분류 | 쌍떡잎식물 장미목 범의귀과
분포 | 한국(울릉도), 일본, 타이완, 중국, 히말라야
생육상 | 여러해살이풀

헐떡이풀

서식 산골짜기의 습지에서 자란다.

줄기 땅속줄기가 옆으로 자라고 잎이 무더기로 나온다.

잎
- 잎자루가 길고 심장상 원형이며 가장자리가 얕게 3~5개로 갈라진다.
- 줄기에는 2~4개의 잎이 달리고 잎과 더불어 선모가 있다.

꽃
- 꽃은 5~6월에 피고 백색이며 총상꽃차례로 달린다.
- 꽃받침은 종처럼 생겼고 끝이 5개로 갈라지며 꽃잎은 선형이다.
- 수술은 10개, 암술은 1개이다.
- 삭과는 2개로 갈라지고 한쪽이 더 길다.

이용 한방에서 이 풀을 천식에 사용하였기 때문에 헐떡이풀이라고 부른다.

약 용 활 용

생약명	황수지(黃水枝)
이용부위	전초
채취시기	봄(5월~6월)
약성미	성질은 차고 맛은 맵고 쓰다.
주치활용	타박상, 청력장애, 천식
효능	산한, 한표, 활혈, 거어
민간활용	술에 담가 복용한다.

속명 ｜ 중대, 현대, 귀장, 축마

학명 ｜ Scrophularia buergeriana

분류 ｜ 쌍떡잎식물 통꽃식물목 현삼과

생육상 ｜ 여러해살이풀

현삼

서식 | 산지에서 자란다.

줄기 | 뿌리가 굵어지고 단면은 사각형이며 가지가 없다.

잎 | 잎은 마주 달리고 긴 난형이며 끝이 뾰족하고 가장자리에 톱니가 있으며 잎자루는 짧다.

꽃
· 꽃은 8~9월에 피고 황록색이며 취산꽃차례에 달린다.
· 꽃받침은 5개로 갈라지고 화관은 찌그러진 단지처럼 생겼으며 가장자리는 5개로 갈라진다.
· 4개의 수술 중에서 2개가 길고 삭과는 난형이다.

약 용 활 용

생약명 | 현삼(玄蔘)

이용부위 | 뿌리

채취시기 | 가을(11~12월)

약성미 | 성질은 서늘하고 맛은 쓰고 짜다.

주치활용 | 열병에 의한 피부발적, 골증노열, 불면증, 자한도한, 진상변비에 의한 변비, 혈토, 비출혈, 인후종통, 옹종, 나력

효능 | 자음, 강화, 거번, 해독

민간활용 | 생잎을 짓찧어서 찜질용으로 썼고 피부병에 붙였다.

주의 | 설사를 할 때는 복용을 금한다. 황기, 대추, 생강, 여로 등과 같이 복용해서는 안 된다. 뿌리를 약용으로 너무 많이 쓰면 심근(심장의 벽을 이루는 근육)이 마비될 염려가 있다.

학명 | Corydalis turtschaninovii

분류 | 종자식물문 쌍떡잎식물아강 현호색과

분포 | 한국, 중국 동북부, 시베리아

생육상 | 여러해살이풀

현호색

서식 산록의 습기가 있는 곳에서 자란다.

줄기 덩이줄기는 여기서 나온다.

잎
· 밑부분에 포 같은 잎이 1개 달리고 거기서 가지가 갈라진다.
· 잎은 어긋나고 잎자루가 길며 1~2회 3개씩 갈라진다.
· 갈래조각은 도란형이고 윗부분이 깊게 또는 결각상으로 갈라지며 가장자리에 톱니가 있고 뒷면은 분백색이다.

꽃
· 꽃은 4월에 피고 연한 홍자색이며 총상꽃차례로 5~10개가 달린다.
· 화관의 뒤쪽은 꿀주머니로 되며 앞쪽은 넓게 퍼져 있다.

약용활용

생약명 | 원호색(玄胡索)

이용부위 | 뿌리

채취시기 | 봄(5~6월)

약성미 | 성질은 따뜻하고 맛은 맵고 쓰며 독이 없다.

주치활용 | 심·복·요·슬의 제통, 월경불순, 징하, 붕중, 산후혈훈, 오로지속, 타박상

효능 | 활혈, 산어, 이기, 진통

민간활용 | 아기 낳은 어머니의 배 아픈데 또는 월경불순에 효과가 있다. 그밖에 진통, 생리통, 두통, 중풍, 관절염을 다스린다.

주의 | 임부에는 피한다. 월경 전기(빈발월경) 및 모든 혈열병, 산후혈허, 경수감소, 불리, 기허동통에도 피한다.

2011 ⓒ 호박

학명 | Cucurbita spp.
분류 | 종자식물문 쌍떡잎식물아강 박과
원산지 | 열대 및 남아메리카
생육상 | 덩굴성 한해살이풀

호박

서식 열대 및 남아메리카 원산이며 널리 재배한다.

덩굴 덩굴의 단면이 오각형이고 털이 있으며 덩굴손으로 감으면서 다른 물체에 붙어 올라가지만 개량종은 덩굴성이 아닌 것도 있다.

잎 잎은 어긋나고 잎자루가 길며 심장형 또는 신장형이고 가장자리가 얕게 5개로 갈라진다.

꽃
· 꽃은 1가화이며 6월부터 서리가 내릴 때까지 계속 핀다.
· 수꽃은 대가 길고 암꽃은 대가 짧다.
· 화관은 끝이 5개로 갈라지고 황색이며 하위씨방이다.

열매
· 열매는 매우 크고 품종에 따라 크기 · 형태 · 색깔이 다르다.
· 열매를 식용하고 어린 순도 먹는다.

─ 약 용 활 용 ─

생약명 | 남과(南瓜), 남과인, 남과체

이용부위 | 열매

채취시기 | 가을

약성미 | 성질은 평하고 맛은 달며 독이 없다.

주치활용 | 당뇨, 백내장, 빈혈, 어지럼증, 저혈압, 부종, 위궤양, 기침, 야맹증, 달거리장애, 경풍, 간질, 가슴 두근거림

효능 | 익기, 보중 자양, 강장, 이뇨, 해독작용, 해열작용, 지혈작용

민간활용 | 간경변의 경우 호박을 규칙적으로 먹으면 소화 이뇨에 좋아 효용을 볼 수 있다.

학명 | Reynoutria elliptica

분류 | 쌍떡잎식물 마디풀목 마디풀과

분포 | 한국, 일본, 타이완 및 중국

생육상 | 여러해살이풀

호장근

서식 산지에서 자란다.

줄기 뿌리줄기가 옆으로 자라면서 새싹이 돋아 포기를 형성하며 자란다.

잎
· 잎은 어긋나고 난형이다.
· 잎 끝이 짧게 뾰족하고 밑은 절저이며 가장자리는 파상이다.
· 턱잎은 막질이다.

꽃
· 꽃은 6~8월에 피고 백색이며 원추꽃차례로 달리고 2가화이다.
· 화피갈래조각은 5개이고 암꽃의 바깥쪽 3개는 꽃이 진 다음 자라서 열매를 둘러싸며 뒷면에 날개가 생긴다.
· 수술은 8개, 암술머리는 3개이다.

열매 열매는 세모진 난상 타원형이고 흑갈색이며 윤기가 있다.

이용 어릴 때 줄기가 호피같이 생겨서 호장근이라는 이름이 붙었다.

약 용 활 용

생약명 | 호장근(虎杖根)

이용부위 | 뿌리

채취시기 | 뿌리줄기는 봄과 가을에 채취하고 잎은 여름철에 채취하여 말린다.

약성미 | 성질은 평하고 맛은 쓰다.

주치활용 | 황달, 담결석, 경폐, 산후통, 소변임통, 무명종독, 타박상, 골수염, 임질, 간염, 수종, 산후 오로가 잘 내리지 않는 증세.

효능 | 청열, 해독, 거풍습, 이뇨, 이습, 퇴황, 활혈, 통경

민간활용 | 타박상, 종기, 치질에는 말린 약재를 빻아 기름에 개어 환부에 바른다. 이른 봄에 줄기를 찧어 타박상에 붙이면 어혈을 없앤다. 독사에 물린 경우 잎을 찧어 붙인다.

주의 | 임산부는 복용을 금한다. 때로 썬 것을 그대로 씹어 복용하기도 하는데 너무 많이 먹으면 안 된다.

학명 | Viola yedoensis

분류 | 쌍떡잎식물 측막태좌목 제비꽃과

분포 | 한국, 일본, 중국

생육상 | 여러해살이풀

호제비꽃

서식 양지쪽 풀밭이나 밭 근처에서 자란다.

뿌리줄기 뿌리줄기가 짧고 무더기로 나오며 전체에 짧은 털이 있다.

잎
· 잎은 삼각상 넓은 피침형이고 끝이 둔하다.
· 밑부분이 절저, 예저 또는 심장저이다.
· 잎가장자리에 파상의 둔한 톱니가 있다.
· 여름에는 삼각상 넓은 잎이 나온다.

꽃
· 꽃은 4월 경에 피고 꽃줄기는 잎과 길이가 거의 비슷하다.
· 끝에 1개씩의 꽃이 옆을 향하여 달린다.
· 꽃잎은 자줏빛이며 옆갈래조각에 털이 없다.
· 꿀주머니는 삭과에 털이 없다.
· 잎자루에 날개가 없고 옆에 달린 꽃잎에 털이 없다.

약 용 활 용

생약명 | 자화지정(紫花地丁)

이용부위 | 전체뿌리

채취시기 | 봄~여름(5~8월)

약성미 | 성질은 차고 맛은 쓰고 독이 없다.

주치활용 | 안결막염, 신염, 방광염, 유옹, 신장염, 유방암,라력, 황달, 이질, 하리, 적목, 후비, 독사교상, 신염, 방광염, 관절종통, 목적종통, 맥립종, 혈변, 비출혈, 각종의 화농성 감염증, 임파결핵, 급성유선염, 전립선염

효능 | 청열, 이습, 해독, 소종, 정창, 옹종, 연주창, 파혈, 소종

주의 | 체질이 허한 사람은 복용을 금한다.

학명 | Chloranthus japonicus
분류 | 쌍떡잎식물 홀아비꽃대과
분포 | 한국, 일본, 중국
생육상 | 여러해살이풀

홀아비꽃대

서식 산지의 그늘에서 자란다.

줄기 ・줄기는 밑에 비늘 같은 잎이 달리며 위쪽에 4개의 잎이 달린다.
・옆으로 뻗으면서 군데군데 돋는다.

잎 잎은 마주달리지만 마디 사이가 짧기 때문에 돌려난 것같이 보이고, 타원형이며 가장자리에 뽀족한 톱니가 있다.

꽃 ・꽃은 4월에 피고 양성이며 이삭 모양으로 달린다.
・꽃이삭은 원줄기 끝에 1개가 촛대같이 선다.
・화피는 없고 수술은 3개가 밑부분이 합쳐져서 씨방 뒷면에 붙어 있으며 백색이다.
・중앙의 수술은 꽃밥이 없고 양쪽의 수술은 수술대 밑부분에 꽃밥이 있다.

열매 열매는 도란형이다.

이용 지상부는 화담, 어혈 작용이 있다.

약 용 활 용

생약명 | 은선초근(銀線草根)

이용부위 | 전초

채취시기 | 봄, 가을

약성미 | 성질은 따뜻하고 맛은 맵고 쓰다.

주치활용 | 타박상, 월경폐지, 화담억제, 류머티즘, 풍양, 풍한해수

효능 | 산한, 거풍, 행어, 해독, 통경, 이뇨

민간활용 | 타박상에 홀아비꽃대의 잎을 찧어 환부에 바른다. 피부소양증에 은선초 적당량을 진하게 달여 환처를 씻어주거나 바른다.

주의 | 독성이 강하므로 다량 복용하면 구토를 일으키고 임산부는 복용해서는 안 된다.

2011 ⓒ 환삼덩굴

속명 | 도둑놈풀

학명 | Humulus japonicus

분류 | 쌍떡잎식물 쐐기풀목 삼과

분포 | 한국, 일본, 중국, 타이완 등지

생육상 | 덩굴성 한해살이풀

환삼덩굴

서식 들에서 흔히 자라는 잡초이다.

줄기 원줄기와 잎자루에 밑을 향한 잔 가시가 있어 거칠다.

잎
· 잎은 마주 달리고 손바닥 모양으로 5~7개로 갈라지며 가장자리에 톱니가 있다.
· 양쪽 면에 거친 털이 있다.

꽃
· 꽃은 7~8월에 피고 암수 딴그루이다.
· 수꽃은 5개씩의 꽃받침조각과 수술이 있으며, 원추꽃차례에 달린다.
· 암꽃은 수상꽃차례에 달리고 포는 꽃이 핀 다음 자라며 달걀 모양의 원형이다.

열매
· 열매는 9~10월에 결실한다.
· 수과로 달걀 모양의 원형이고 황갈색이 돌며 윗부분에 털이 있다.

약 용 활 용

생약명 | 율초, 율초과수, 율초근, 율초화

이용부위 | 전초

채취시기 | 여름(7~9월)

약성미 | 성질은 차고 맛은 쓰고 달며 독이 없다.

주치활용 | 임병, 이질, 폐결핵, 폐농양, 폐렴, 치창, 소변불리, 급성신염, 신우신염, 방광염, 위장염, 옹독

효능 | 청열, 이뇨, 소어, 해독, 강정, 건위, 해독, 청열

민간활용 | 피부 가려움에 한삼덩굴의 전제를 바른다. 뱀에 물렸을 때 신선한 한삼덩굴을 찧어서 붙인다. 방광염, 소변불통─율초 마른 것을 물에 달이거나 짓찧어 낸 즙을 1일 3회 나누어 복용하거나 환부에 문질러 발라준다.

학명 | Crotalaria sessiliflora

분류 | 쌍떡잎식물 장미목 콩과

분포 | 한국, 중국

생육상 | 한해살이풀

활나물

서식 산과 들의 양지쪽 풀밭에서 자란다.

줄기 위에서 가지가 갈라지며 잎의 표면을 제외하고는 전체에 털이 있다.

잎 잎은 어긋나고 넓은 선형으로 턱잎이 있다.

꽃
· 꽃은 7~9월에 피고 하늘색이며, 줄기와 가지 끝에 수상꽃차례로 달린다.
· 꽃받침은 꽃이 진 다음 자라서 열매를 둘러싼다.
· 포는 선형이다.
· 꽃받침은 2개로 갈라지며 위는 2개, 아래는 3개로 다시 갈라진다.
· 골판은 백색이며 끝부분이 하늘색이다.

열매
· 열매는 9~10월에 결실하며 협과이다.
· 꼬투리는 타원형이고 갈색 털이 밀생하며 2개로 갈라진다.

약 용 활 용

생약명 | 야백합(野百合)

이용부위 | 줄기, 잎

채취시기 | 여름~가을

약성미 | 성질은 평하고 맛은 쓰다.

주치활용 | 이질, 염증성발열, 소변불리, 복수, 수종, 이명, 피부질환

효능 | 청열, 소종, 해독, 이습

민간활용 | 유방암에는 활나물의 모든 부분을 합쳐 짓찧어 가슴에 붙인다.
부스럼, 뾰두라지, 물집, 고약한 종기 등에 잎과 줄기를 찧어 환부에 붙인다.

주의 | 활나물은 각종 암의 보조치료제로 사용되며 치료를 위해서는 3~4개월 이상의 장기복용이 필요하다. 이때 간비대, 간기능장애, 혈소판 감소 등의 부작용이 있으므로 주의해야 한다.

학명 | Lathyrus davidii

분류 | 쌍떡잎식물 장미목 콩과

분포 | 한국, 일본, 중국, 우수리

생육상 | 여러해살이풀

활량나물

서식 산이나 들의 양지쪽에서 자란다.

줄기 윗부분에 능각이 지고 비스듬히 서며 털이 없다.

잎
· 잎은 어긋나고 2~4쌍의 작은잎으로 된 짝수깃꼴겹잎이며, 잎자루 끝이 2~3개로 갈라진 덩굴손으로 된다.
· 작은잎은 타원형이고 뒷면에 분백색이 돌며 가장자리가 밋밋하다.
· 턱잎은 잎처럼 생기고 톱니가 있다.

꽃
· 꽃은 6~8월에 피고 총상꽃차례이며 황색에서 황갈색으로 변한다.
· 화관은 나비 모양이다.
· 꽃이삭은 잎겨드랑이에서 2개씩 나오고 꽃줄기가 길다.
· 꽃받침은 통같이 생기고 끝이 5개로 갈라진다.

열매 열매는 10월에 결실하며 협과로 납작한 선형이다.

이용 어린 순은 식용한다.

― 약 용 활 용 ―

생약명	대산여두(大山黧豆)
이용부위	줄기
채취시기	봄~여름(6~9월)
약성미	성질은 서늘하고 맛은 쓰다.
주치활용	진통 자궁내막염, 월경통
효능	강장 , 이뇨작용

속명 | 속썩은풀

학명 | *Scutellaria baicalensis*

분류 | 쌍떡잎식물 통화식물목 꿀풀과

분포 | 한국, 중국, 몽골, 시베리아 동부

생육상 | 여러해살이풀

황금

서식 산지의 풀밭에서 자란다.

가지 여러 대가 나와 포기로 자라고 털이 있으며 가지가 갈라진다.

잎 잎은 마주나고 바소꼴이며 가장자리가 밋밋하다.

꽃
· 꽃은 7~8월에 피고 자주빛이 돌며 총상꽃차례로 한쪽으로 치우쳐서 달린다.
· 화관(花冠)은 밑부분에서 꼬부라져 곧게 서고 통형이며 입술 모양이다.
· 꽃받침은 종 모양이다.
· 4개의 수술 중 2개는 길고 암술은 1개이며 씨방은 4개로 깊게 갈라진다.

열매
· 열매는 9월에 결실하며 둥근 모양으로 꽃받침 안에 들어 있다.
· 원뿌리는 원뿔형이고 살이 황색이다.

약 용 활 용

생약명 | 황금(黃芩)

이용부위 | 뿌리

채취시기 | 3~4년생의 뿌리를 봄부터 여름까지 채취하여 말린다.

약성미 | 성질은 차고 맛은 쓰다.

주치활용 | 번갈, 폐열해수, 황달, 자궁출혈, 목적종통, 태동불안, 불면증, 위장염, 대소장염, 간염, 방광염, 요도염, 천식

효능 | 해열, 이뇨, 지사, 이담, 소염제

2011 ⓒ 황기

학명 | Astragalus membranaceus
분류 | 쌍떡잎식물 장미목 콩과
분포 | 한국, 일본, 중국 북동부, 시베리아 동부
생육상 | 여러해살이풀

황기

서식 산지의 바위틈에 자란다.

줄기 전체에 흰색의 부드러운 잔털이 있고, 줄기는 총생(叢生)한다.

잎
- 잎은 6~11쌍의 작은잎으로 이루어진 홀수 1회 깃꼴겹잎이다.
- 작은잎은 달걀 모양의 타원형이며 잎가장자리는 밋밋하다.
- 턱잎은 바소꼴로서 끝이 길게 뾰족하다.
- 잎겨드랑이에서 총상(總狀)으로 대가 긴 꽃이삭이 나오며 5~10개의 꽃이 달린다.

꽃
- 7~8월에 황백색 꽃이 핀다.
- 꽃받침은 흑갈색 털이 있으며 5개로 갈라진다.
- 수술은 10개이고 열매는 11월에 결실하며 협과이다.

종자 꼬투리는 긴 타원형으로 양 끝이 뾰족하고 5~7개의 종자가 들어 있다.

약 용 활 용

생약명	황기(黃耆)
이용부위	뿌리
채취시기	가을(9~10월)
약성미	성질은 따뜻하고 맛은 달고 독이 없다.
주치활용	자한, 도한, 혈비, 부종, 옹저, 부궤, 궤구불렴, 내상노권, 비허설사, 탈항, 기허혈탈, 붕대, 기쇠혈허증
효능	익위, 고표, 이수, 소종, 탁독, 생기, 보중, 익기
민간활용	원기부족 어린이나 부인들이 큰 병을 앓고 난 후 땀을 많이 흘리고 기력에 쇠약해졌을 때 인삼, 대추, 황기를 닭과 함께 푹 고아서 먹으면 큰 효험을 본다.
주의	고혈압 환자나 심열이 있는 사람들은 피하는 것이 좋다.

2011 ⓒ 회리바람꽃

학명 | Anemone reflexa
분류 | 쌍떡잎식물 미나리아재비목 미나리아재비과
분포 | 한국(대관령 및 설악산 이북), 중국 북동부, 시베리아
생육상 | 여러해살이풀

회리바람꽃

서식 산지에서 자란다.

뿌리줄기 뿌리줄기는 육질이고 옆으로 자란다.

꽃
· 끝에서 1개의 꽃줄기가 자라서 1개의 꽃이 달린다.
· 총포는 잎 모양으로 3개가 돌려난다.
· 포는 3개로 갈라진 다음 양쪽 갈래조각은 다시 2개씩 갈라지기도 하며 깊이 패어 들어간 모양의 톱니가 있다.
· 꽃은 5월에 피고 백색이며 꽃자루 끝에 1송이가 달린다.
· 5개의 꽃받침조각은 선형이고 밑으로 젖혀진다.
· 씨방에는 백색의 퍼진 털이 있다.

열매 열매는 수과이다.

약용활용

생약명 | 죽절향부(竹節香附)

이용부위 | 전초

채취시기 | 여름

약성미 | 성질은 뜨겁고 맛은 맵고 독성이 있다.

주치활용 | 사지마비, 종통, 요통, 골절통

효능 | 거풍, 소염

2011 ⓒ 회향

학명 | Foeniculum vulgare Mill
분류 | 쌍떡잎식물 산형화목 산형과
분포 | 전국 각지
생육상 | 두해살이풀

회향

서식 재배하지만 야생상으로 된 것도 있다.

줄기
- 독특한 향기가 있으며 곧게 서며 가지가 많이 갈라지고 털이 없다.
- 원줄기는 원주형으로 녹색이다.

잎
- 뿌리에서 나는 잎은 잎자루가 길지만 위로 갈수록 짧아진다.
- 잎자루 밑부분이 넓어져서 엽초로 된다.
- 줄기잎은 3~4회 우상으로 갈라지며 열편은 선형이다.

꽃
- 꽃은 7~8월에 황색으로 핀다.
- 원줄기 끝과 가지 끝에서 큰 겹우산 모양 꽃차례를 이룬다.
- 총산경은 10~20개의 소산경으로 갈라지고 총포와 소총포가 없다.
- 꽃잎은 5개로서 안으로 굽고 꽃부리는 소형이다.
- 수술은 5개이고 씨방은 하위로서 1개이며 악치편은 뚜렷하다.

열매 열매는 난상 타원형이고 향기가 강하고 과실을 회향이라 한다.

━ 약 용 활 용 ━

생약명 | 회향

이용부위 | 열매

채취시기 | 가을(9월~10월)

약성미 | 성질은 따뜻하고 맛은 맵다.

주치활용 | 장경련, 식욕 월경통, 거담, 건위, 탈장, 과식, 과음

효능 | 진경, 항균, 게움먹이 작용

학명 | Sparganium stoloniferum
분류 | 외떡잎식물 부들목 흑삼룽과
분포 | 아시아, 유럽 및 북아프리카
생육상 | 여러해살이풀

흑삼릉

서식 연못가와 도랑에서 자란다.

줄기 뿌리줄기가 옆으로 뻗으면서 군데군데에서 줄기가 나온다.

잎 뿌리잎은 선형이고 편평하며 뒷면에 능선이 있다.

꽃
- 꽃줄기는 잎 사이에서 나와서 곧게 자라고 윗부분이 갈라지며 가지 밑에 1개의 포가 있다.
- 1~3개의 암꽃이삭이 가지의 밑부분에 달리고 윗부분에 이보다 많은 수꽃이삭은 줄기 위에 달린다.
- 두상꽃차례가 총상꽃차례 모양으로 달린다.
- 암꽃의 화피는 3개이고 1개의 암술이 있으며, 암술대는 1개이고 씨방은 상위이다.
- 수꽃은 화피와 수술이 3개씩이다.

열매 열매는 달걀을 거꾸로 세운 모양이며 능선이 있다.

약 용 활 용

생약명 | 삼릉(三稜)

이용부위 | 줄기

채취시기 | 괴경을 가을, 겨울에 캐어 잎과 뿌리를 제거하고 깨끗이 씻어 외피를 깎아내고 햇볕에 말린다.

약성미 | 성질은 평하고 맛은 쓰고 맵다.

주치활용 | 기혈응체, 심복동통, 협하창통, 월경폐지, 산후어혈복통, 타박상, 창종견경

효능 | 파혈, 행기, 소적, 지통

민간활용 | 무월경 증상이 있을 때 삼을 잘게 가루내어 하루 3번 식후에 복용한다.

주의 | 월경과다자와 허약자 및 임산부는 복용을 금한다.

2011 ⓒ 흰독말풀

학명 | Datula metel L.

분류 | 쌍떡잎식물 통화식물목 가지과

원산지 | 열대 아시아

생육상 | 한해살이풀

흰독말풀

줄기 가지가 갈라진다.

잎 잎은 어긋나지만 마주 달린 것 같이 되고 난형이며, 가장자리는 밋밋하거나 결각상의 톱니가 있다.

꽃
- 꽃은 6~7월에 피고 잎겨드랑이에 1개씩 달리며 나팔 비슷하게 생기고 백색이다.
- 꽃받침은 긴 통형이며 끝이 5개로 얕게 갈라져서 퍼진다.
- 화관(花冠)은 깔때기형이고 통부가 길며 가장자리가 얕게 갈라져서 끝이 거북꼬리같이 뾰족하다.
- 수술은 5개, 암술은 1개이다.

열매 삭과는 둥글고, 가시 같은 돌기가 밀생하고 불규칙하게 터져서 깨 같은 흰 종자가 나온다.

약 용 활 용

생약명 | 만다라근(曼陀蘿根), 양금화(洋金花)

이용부위 | 뿌리

채취시기 | 여름(7~9월)

약성미 | 성질은 뜨겁고 맛은 맵고 쓰며 독이 있다.

주치활용 | 미친개에 물린 상처, 악창, 천식, 비통 및 각기, 탈항, 경간, 류머티즘

효능 | 소종, 평천, 거풍, 마취, 지통

1285

|부록|

뿌리

기근

기근

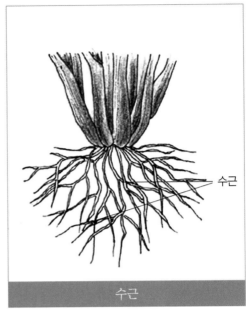

수근

수근

지주기근
(옥수수)

지주기근(옥수수)

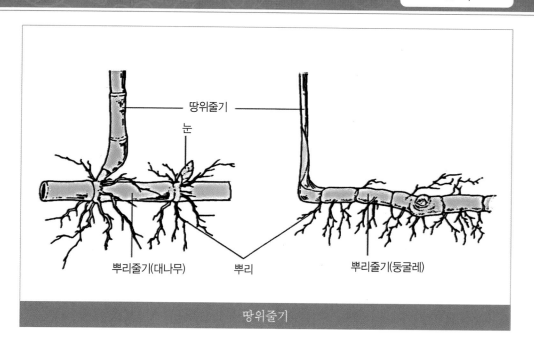

땅위줄기

(글라디올라스)

알줄기

줄기

알줄기

땅속줄기(감자)

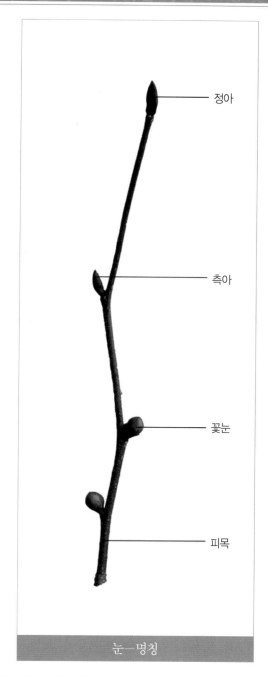

정아

측아

꽃눈

피목

눈─명칭

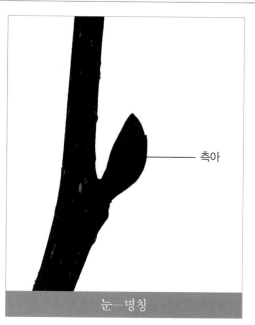

측아

눈─명칭

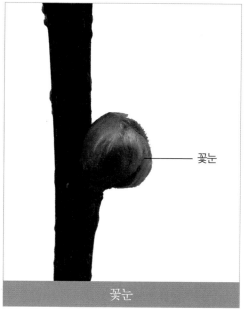

꽃눈

꽃눈

잎

홑잎(벚나무)

잎새 · 잎맥 · 턱잎 · 잎자루 · 꿀샘

겹잎(완두)

잎새 · 작은잎 · 덩굴손 · 턱잎 · 꽃 · 잎자루

잎의 명칭

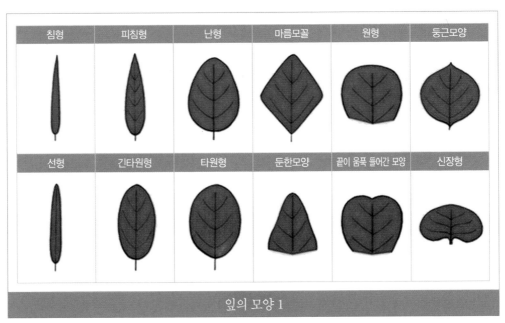

| 침형 | 피침형 | 난형 | 마름모꼴 | 원형 | 둥근모양 |
| 선형 | 긴타원형 | 타원형 | 둔한모양 | 끝이 움푹 들어간 모양 | 신장형 |

잎의 모양 1

심장형	아주 뾰족한 모양	끝이 움푹 들어간 모양	참 밑 모양	방패 모양	관통형
주걱모양	뾰족한 모양	귓불 모양	화살 밑 모양	줄기 싼 모양	

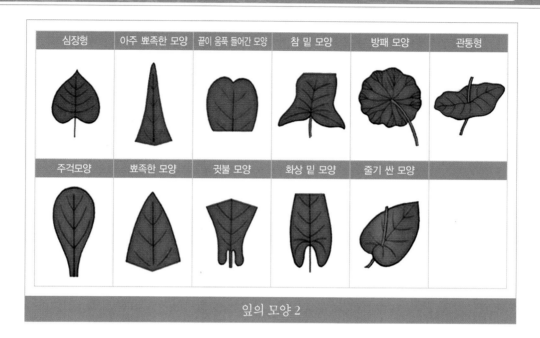

잎의 모양 2

밋밋한 모양	둔한 톱니 모양	톱니 모양	겹톱니 모양	물결 모양	길게 갈라진 모양
예리한 가는 톱니 모양	가는 톱니 모양	거친 톱니 모양	결각상	얕게 갈라진 모양	완전히 갈라진 모양

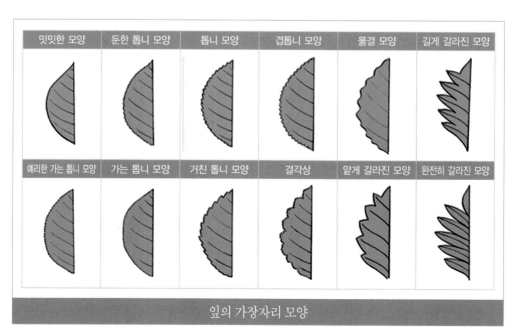

잎의 가장자리 모양

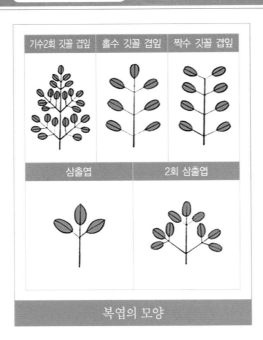

복엽의 모양

포엽―가는잎할미꽃

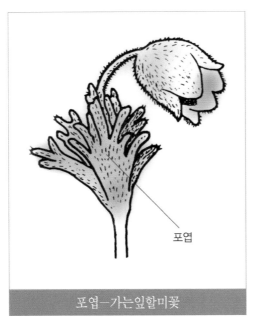

포엽

포엽―가는잎할미꽃

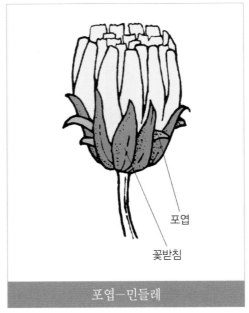

포엽

꽃받침

포엽―민들레

화관의 구조-수선화

부화관

화관의 구조-부화관

부악

꽃받침

꽃잎

화관의 구조 - 흰민들레

화관

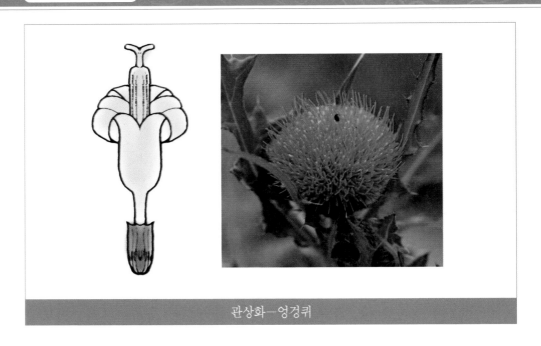

관상화—엉겅퀴

설상화—해바라기

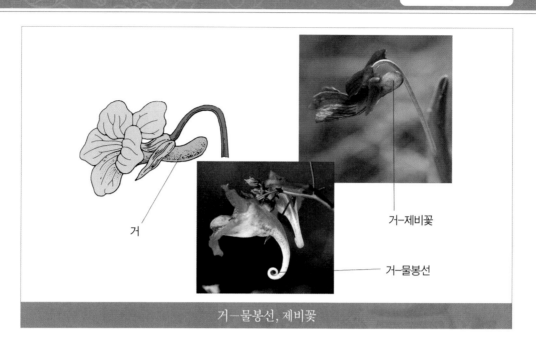

거

거-제비꽃

거-물봉선

거-물봉선, 제비꽃

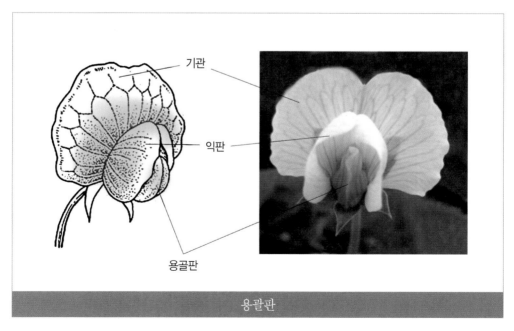

기관

익판

용골판

용괄판

부관

내화피편

외화피편

꽃—쌍자엽식물 꽃명칭—수선화

외화피편

내화피편

수술

암술

부관

꽃—쌍자엽식물 꽃명칭—수선화

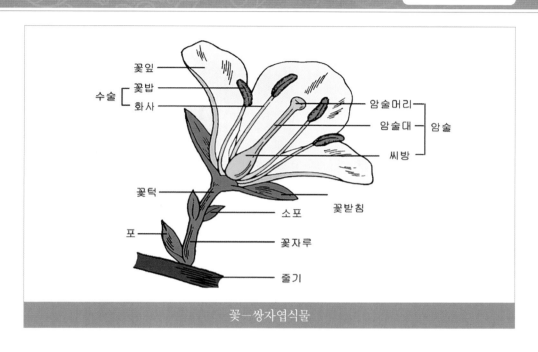

꽃잎

수술 — 꽃밥
　　　 화사

암술머리
암술대 — 암술
씨방

꽃턱

소포
꽃받침

포

꽃자루

줄기

꽃—쌍자엽식물

암술 —

꽃—단자엽식물 꽃 명칭—원추리

꽃차례

총상꽃차례—유채

총상꽃차례—낭아초

이삭모양꽃차례―질경이

원추모양차례―붉나무

산방꽃차례-인가목조팝나무

우산모양꽃차례-앵초

겹우산모양꽃차례—당근

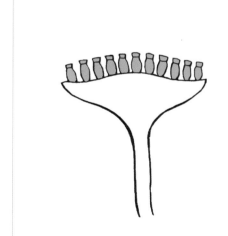 

머리모양꽃차례—쑥부쟁이

꽃차례

권산꽃차례―꽃마리

꼬리모양꽃차례―졸참나무

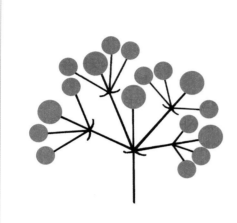

다출집산꽃차례-거지덩굴

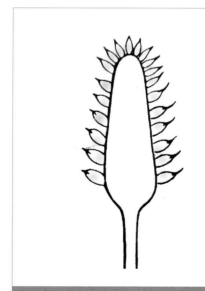

살이삭꽃차례-천남성

꽃차례

찻잔모양꽃차례—대극

집산꽃차례—짓가락나물

건과—졸참나무

공개삭과(건과, 열과)—개양귀비

단각과(건과, 열과)—냉이

대과(건과, 열과)—으름덩굴

열매

삭과(건과, 열과)—붓꽃

삭과—질경이

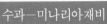

수과—미나리아재비

수과—민들레

시과(익과)—붉은단풍나무

영과—벼

장각과(건과, 열과)—싸리냉이

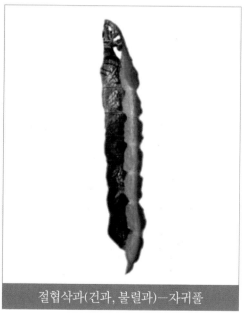

절협삭과(건과, 불렬과)—자귀풀

열매

포과—개비름

핵과—복숭아

협과—붉은완두

수염있는 씨-민들레

수염있는 씨-풍접초 씨

수염있는 씨-바늘꽃

수염있는 씨-박주가리

종자

수염있는 씨—박주가리

수염있는 씨—협죽도

경침—꾸지뽕나무

경침—주엽나무

엽침―아까시나무

엽침―초피나무

피침—며느리밑씻개

피침—며느리배꼽

피침—지느러미엉겅퀴

피침—환삼덩굴

가시―피침―목본

피침―두릅나무

피침―산초나무

피침―옴나무

피침―해당화

찾|아|보|기

초본류